Alexander Xaver Gwerder
Gesammelte Werke und Ausgewählte Briefe
Band II

Mein lieber Rudolf Scharpf —
aus einer äusserlich tatenlosen
Eremitage (ich habe Ferien bei,
bis jetzt, trübem Wetter.) will ich
Ihnen einige Zeichen eines
kümmerlichen Geistes unterbreiten, in der Hoffnung
immerhin, auf verstehende
Absolution. Also: ich bin
zusammengeklappt, aus-
gebreitet, zum Trocknen aufgespiesst in einem Herbarium
zwischen Kran und Zara-
thustra — Was könnte einen
da noch interessieren? Doch

Alexander Xaver Gwerder

Brief aus dem Packeis

Prosa und Briefe

Herausgegeben von Roger Perret

Limmat Verlag
Zürich

Der Verlag dankt der Schweizer Kulturstiftung PRO HELVETIA, dem Kanton Zürich, dem Kanton Schwyz, der Cassinelli-Vogel-Stiftung und der Dr. Adolf-Streuli-Stiftung für Druckkostenzuschüsse.

Zitat auf der Umschlagrückseite aus «Gravuren und Gladiolen.
Eine kontrapunktische Sammlung».
Frontispiz: Brief an Rudolf Scharpf, ⟨Zürich, Mitte Juli 1951⟩.

Umschlaggestaltung und Typographie von Urs Berger-Pecora

© 1998 by Limmat Verlag, Zürich
ISBN 3 85791 314 2 Gesammelte Werke und Ausgewählte Briefe
(ISBN 3 85791 312 6 Band 2: Prosa und Briefe)

Inhalt

Gesammelte Prosa

Veröffentlichte Prosa zu Lebzeiten (1951/1952) 7
Nachgelassene Prosa (1946–1952) 21
Nachgelassene kritische Prosa 111
    Zur Politik (1949–1951) 111
    Zur Literatur und Kunst (1951/1952) 129
Maschenriss. Gespräch am Caféhaustisch (1952) 151
Aphorismen (1950–1952) 187
Übersetzung (1951) 197

Alphabetisches Verzeichnis der Prosa 203

Ausgewählte Briefe

Briefe von und an Alexander Xaver Gwerder (1949–1952) 205

Verwendete Abkürzungen und Siglen in den Anmerkungen 425
Zur Edition 427
Standortverzeichnis 431
Verzeichnis der Briefpartnerinnen und -partner 432
Namenregister 433

Gesammelte Prosa

Veröffentlichte Prosa zu Lebzeiten (1951/1952)

Die Rolf Müller-Mappe

Der Rohr-Verlag in Kaiserslautern gibt eine *Rolf Müller-Mappe* heraus. Ihre drucktechnisch erstklassig ausgeführten Bildreproduktionen wie auch ihre graphisch geschmackvolle Aufmachung lassen auf den Eifer der Herausgeber für eine verdienstvolle Sache schliessen.

Das tönt gewohnt – und man hört's, als wüsste man von vornherein, um was es sich handelt. Kunstmappen sind an der Tagesordnung, stellt man fest; denn die Käufer solcher, die sich übrigens auch alsbald einstellen, sind in der Mehrzahl gegenüber jenen, die nicht unterhalten sein wollen, sondern Anregung, Bestätigung oder Weisung erwarten von einem, der dazu ermächtigt ist. Nun, diesmal sind die ersteren nicht gemeint, und mit der *Müller-Mappe* wenden sich Maler, Textautor und Herausgeber ausschliesslich an jene, die für einen absoluten Anspruch reif sind.

K. F. Ertel nennt in seinem Begleittext die Bilder «Schlüssel zum Seelenleben des Malers» und zeigt damit den wesentlichen Zugang zu den oft schwierigen Anordnungen, die Rolf Müller trifft, um innere Gehalte in deutbare Symbole zu fassen. Denn das Schwergewicht seiner Eigenart befindet sich ausserhalb seiner Bilder; bildet sich erst im offenen Gefühl des Beschauers. Ausgesprochen kubistische Elemente verbinden sich mit und zu expressiven Aussagen; etwa im «Damenbildnis», im «Früchtestilleben», im «Herbst». Die Farben sind unbedingt auf wechselbare seelische Zustände zu beziehen, welche dem Zufall aber dennoch nur so viel Raum lassen, als durch sie, von den ja ebenfalls wechselnden Aspekten des Beschauers aus, von Fall zu Fall gänzlich neue Inhalte zu gewinnen sind.

Eines der interessantesten und packendsten Merkmale in Müllers Farbwirkung ist dieses: Die in einen bestimmten Spannungsraum geschlossenen Farbformen fallen auseinander; aber nicht etwa nach links und rechts, nach oben und unten, sondern nach hinten und nach vorn! Sie spalten sich zur Tiefe und zur äussersten Oberfläche. Leicht lässt sich dieser, vom Künstler immer wieder festgehaltene Vorfall interpretieren als Erschliessung der Verhältnisse des Menschen unserer Zeit – innen und aussen, einzelner und Masse.

Für solche Bilder aber genügt ein theoretisches Nachzeichnen noch weniger als eine ausführliche Schilderung: Es braucht vor allem das unmittelbare, eigene Erleben einer aufnahmefähigen, ungebrochenen Individualität, um zu den Wahrheiten dieser aus Wahrheit entstandenen Werke zu gelangen.

Malerisches Traktat

Es mag eine undankbare und müssige Sache scheinen, Gedankengänge nachzuziehen über das, was den Vorgang des Malens, ohne dass die Künstler sich deswegen den Kopf zerbrächen, unsichtbar begleitet –, aber, da es zu den beharrlichsten Eigenschaften des Menschen gehört, dem Wie eines Was auf den Grund zu gehen, wäre es ebenso undankbar, von den Werken der Malerei nur die fertige Gegebenheit, die optische Oberfläche wahrzunehmen, ohne deren Hintergründe mit einzubeziehen. Es wäre gleichsam zweidimensional, im Bilde einem Haus Haus und einer Strasse Strasse zu sagen, ohne dessen besonderen Ausdruck von Drohung beispielsweise oder deren diagonalen Verlauf mit dem zeitweiligen Verschwinden und wieder Aufscheinen in Bezug zu sehen mit der unbegrenzten Welt der Gefühle, dem Gemeinsamen von Künstler und Zuschauer.

Diese Welt der Gefühle, die Summe des Ungeformten, das Chaos der Herzen ist zusammengesetzt – ständig neu aufgerührt, ergänzt durch Ja- und Nein-Anziehungen oder Verwerfungen – nach Massgabe jenes ersten dunklen Prinzips, von dem wir weder Ja noch Nein wissen, und welches von unserer Erziehung, Umwelt und Religiosität als mit den schonenden Schleiern des Scheins bedeckt wird.

Wie der Dichter, was er sagt, auch schön sagt, so kann der Maler nicht zu dem schönen Ergebnis kommen, ohne dass er etwas zu sagen hat! Es muss ja nicht dies oder jenes sein, das jedermann geläufig ist – die allermeisten sind ohnehin weitab von jener Sprache, die nicht durch Worte vernehmbar wird, sondern sich höchstens deuten lässt –, aber es darf auch nicht blosse Geste bleiben, Ornament einer Sprachlosigkeit. Indem sich nun der Dichter erst in der *Behandlung* der Sprache als solcher erweist – denn viel und Gewichtiges zu sagen zu haben und es nicht in der gemässen Form zu können, macht erst den Journalisten –, so legitimiert auch erst die bewältigte Form, das *bewusst* aus dem Chaos Heraufgeholte und Zurechtgebogene den Künstler. Und dieser wird auch nie im Zweifel sein darüber, ob das, was ihm vorschwebte, nun im fertigen Werke nach Massgabe seines jetzt und hier Möglichen erreicht sei, oder wie weit er noch davon entfernt, seine Aussage zu beherrschen, seinen Ausdruck gefunden zu haben.

Dazu trägt die Fähigkeit, organisieren zu können, ihren grossen Anteil bei. Zwar ist es in weiten Kreisen verpönt und der Pedanterie verdächtig, von Organisieren zu reden; aber jene Kreise besitzen nicht das Gewicht, gegen dieses zu zeugen.

Oft liegt dem Widerstand gegen *bewusstes* Anlegen, Schichten, Ausbalancieren die Sterilität des Geistes, der über den Wassern schwebt, zugrunde. Eine noch so frische Kraft der Übertragung von Empfindungen in Sichtbarkeit, ein noch so hemmungsloses Hinmalen von Chaos muss eben Chaos bleiben –, wenn nicht dazwischen die entwickelte Fähigkeit des Organisierenkönnens steht. Die Empfindung ist das Leben-Spendende –, jedoch kein Vorrecht der Künstler: Es haben sie alle.

Das Gefühl, das Schwebende, Weiche, Feuchte, Fruchtbare freilich muss beim Künstler vorhanden sein –, unterirdisch wirken, Keime bereiten, Vorstellungen, Ballungen, Offenes. Aber vor dem Ausgang in die Sichtbarkeit soll der Kopf, der arbiter elegantiarum, die Auswahl vornehmen und die Reihenfolge bestimmen.

Eines ohne das andere zeitigt im besten Falle Genialitäten, nicht Genie –, oder die Rechnung ohne das Aufgelöste im Hintergrund. Und beides wird zum starren Rätsel, dessen niemand froh werden mag. Vor einer gereiften, eigenwilligen Form kommen wir nie auf den Gedanken, diese könne ebensogut anders sein. Epigoneske Gebilde hingegen bewegen uns, fortwährend, entweder zurück an ihre Abstammung oder voraus in ihre eventuellen Folgerichtigkeiten zu schweifen. Sie nehmen uns nicht gefangen!

Gleichwohl ist es trotz aller Redlichkeit unserer Untersuchungen möglich, dass man sein ganzes Leben lang unbedeutenden Irrtümern nachhängt. Indessen dürfte aber doch die Unterscheidung zwischen echten und falschen Propheten, zwischen chaotischen und organisierten Kunstwerken alle Berechtigung haben und, mit empfindsamer Skala angewandt, in Ermangelung eines Absoluten durchaus gelten. Ob die Frucht schmeckt, faule Stellen enthält oder zu früh gepflückt wurde –, das mögen wir mit einigem Glück erforschen –; ob Apfel oder Birne aber bleibt sich gleich: Es sind beide Ergebnisse schöpferischen Ausdrucks.

Hauptmann Sack

Blendend noch im Auge die stinkende Sonne der Benzinlampe, ein Blick hinaus; khakiummauert das schwarze Quadrat Nacht; das ist alles. Der atlantische Abgrund und ein brennendes, sprühendes Schiff; Tristesse und Stroh – Gelb, vermischt mit einer eigenen grauen Fühlbarkeit. Stimmen keine. Hingegen Geschnarch unersättlicher Jahrtausende: Hingang in den Gesetzen der Leiblichkeit, Überwölbungen des Tierreichs, gipfelnd bei der Offenbarung der Affen. In zwei Keilen aufmarschiert: Schuhe; und parallel zu Häupten: Tornister. Die Wache: ein Flintenlauf, ein Helm und flüsternd die Schlange des Paradieses: Hast du Feuer? – Jubel! Ja! Prometheus, der sich bückt, bequem im Endbewusstsein, grossräumig hinlangend über Wolken und Kontinente; Stein abschlagend, Zunder blasend und auf den Knien vor dem Blitz. Wiederkehr des Gleichen! Doch jetzt: Kanderbrücks Tändsticksfabriks. Jedenfalls: Es brennt. Alles brennt jetzt; der Wald ringsum schwelt vor Dunkelheit, im Zelt glimmt und glüht der Fortschritt, und aus dem Radio der Funkstation flammt Beethoven –.

Tempio di Giunone, Agrigento; Paris, Place de la Concorde unterm Weihrauch der Madeleine und tief, hinterm Schnarchen des Schwarzwalds, lauert Karl May, mit dem Hamlet die Flinten kreuzt – Gebt einander die Hand, hundsföttische Kulturausgüsse – niemals mehr schimmert ein Hirn vor den Atlanten, ziehend welche Spuren –.

Gewagt hat niemand, nur tun gemusst. Die Tat ist viel; es fällt mir eben ein, dass es tutet vor lauter Tun. Trompeten: Auf! Auf! Es reicht noch für den Punkt nach dem letzten Satz und, nach dem Sprung an die Stiefel, für einen überwältigenden Fluch –. Nun wird überwältigt, was die Nacht angeschwemmt: die Fische, der Tüll und die Insel der Seligen. Zwischen die Stämme wachsen schon die ersten Felsen, die Knochengestrüppe einer banalen Endlichkeit und die herztreffenden Pfiffe aus Metall. Es glüht kaum mehr, aber alles kocht. Der Kakao schlägt Funken und versengt jede Lust am Morgen. Was will das: Morgen? Muezzine gewundenen Singelsangs, ausbiegend an die Hügelrücken des Libanon, streifend das Tanghaar, die Dörfer im Kaukasus und, glücklichen Fischzugs, eingefangen die Leviathane zuhanden der Moschee.

O Taufrische, Tamariskenrinde! Novalis – sehr katholisch und undenkbar unter den Brückenbögen der Seine –, veilchenziehend auf gefranstes Bütten; die Rose purpurner Oberschenkel, dazwischen Frösche, die qualmen, und plötzlich: der Aufbruch.

Ich erwache langsam; so ist es immer: erst die Träume, die Fahrten, der Wal im Malstrom – dann das Aufschlagen unten, die Augen hoch und die Stimme: Proviant, Nachsehen, Revolver –. Mein Nebenmann ist in endlose Riemen verstrickt –, ein Schuss und wieder die Stimme: zum Teufel!, während draussen im Feld kleine freundliche Pilzchen wachsen. Zwei, drei, vier Minuten oder auch Sekunden, und der Wind, mohnschillernd, verbläst hasenschartig die zufällige Flora. – Weither die Schlucht mit den Primeln, den Kaulquappen und den ausgedienten Maggifläschchen. Es riecht nach Sauerampfer und quillt aus teutonischen Rüstungen mit Erdrauch. Schritt vor Schritt.

Die Sonne gibt es; das ist nicht neu; heiss und nass die Strände aller Abenteurer; voll Hellenen und Einäugigen. Man sollte Pfähle haben. Aber wird es gelingen? Wenn jeder schreit unter der Talmi-Krone Notwendigkeit; wenn alle Brunnen vergiftet und Zigarettenaschen kreisen auf Plattenblues? Wenn die Gründe, die enden, gleichgültig wo, Abgründe sind? Wenn die theurgischen Küsten sich biegen im Azur und die Krümmungen übergelaufener Milch Fata Morgana?

Erholung in schwierigen Namen: Diorina periander, Thecla coronata, Mechanitis egaensis – lauter Falter; setzen wir noch hinzu: Hippocampus antiquorum L., das Seepferdchen. So. Nun hat der Tag ein Gesicht: zerschlissen, verschielt und grämig, aber es sitzt.

Jetzt bin ich besessen von der ungeheuerlichsten Idee, die je aus einem Samun dorrte: Wenn, so sage ich mir, wenn ich einen halben Schritt (ein Schritt ist ein Schritt, A = A, ein halber Schritt ist demzufolge A = was?) wagte nach vorstehender Algebra, müsste die Erde, die bemarschierte, militärstiefelbesamte, explodieren. Erstaunliches Resultat, nicht wahr? Mut! Die Hellenen hatten ihn, die Türken fanden ihn, und wir faksimilierte Zweibeiner: Uns wird er befohlen. Die Hälfte eines Lebens für den Mut zum halben Schritt! Es will sie keiner – ich bin enttäuscht. Mut ist doch lächerlich einfach: jetzt ein Schritt – und jetzt – Achtung! – keiner mehr!

Ehmals war ich Büffeljäger jenseits des Mississippi, in einem Krater, brodelnd von Vollkommenheit. Einst trieb ich dorthin jenen Bullen, der Europa entführte – und hört nur, wie er schrie (er schreit noch jetzt, von hinten, ehrlos und unflätig): Trottel!

Ein unbegrenztes Wissen staut sich hinter mir. Die Mauer hält – wie lange Säule, Wurf und Parabel? Ich kenne allerhand: Tehuantepec, Trias und Gertrud, die Dunkelbraune. Einer schrieb ich Verse unter der Fontäne einer frühlingsblauen Kiesgrube, der anderen hielt ich den Spiegel, als sie die Ernte einbrachte, und für die letzte nähte ich Fahnentuch – Bleu de mer du sud.

Dann ist noch etwas: La Crau, die Ebene – seht her: «Die Weite eines geordneten Alltags; die schön und bestimmt ein- und durchgeteilten Felder aus unerhört lebendigem Boden sich entbreitend, sich entwickelnd, sich versammelnd zum Strom unzähligen Wachstums, der als grosses gestilltes Dasein zwischen den kargen sonnheissen Hügeln dahinfliesst – Die sprudelnden Büsche, gerade vor unseren Füssen, wie sie abfliessen erst und dann ausfliessen an den queren Weg, wo die Weiden mit unregelmässigen Abständen und steigende Büsche und eine Art wildstrebender Pappeln das Auge aufhalten, es gleichsam zur Stärkung in einem letzten Halt einladend, bevor sie es loslassen in die fruchtbar glühende Geometrie der genau erfüllten Distanz –!»

Hund und Revolver sind verschiedene Namen für verschiedene Begriffe. Nie sorgte ich mich um den Zusammenhang. Doch jetzt, da es eben frontal in mein Gesicht traf: Hund!, etwa, im Vergleich als Gegenteil, Kolumbus' Ruf: Land!, da stieg das Nordlicht und malte eine Hölle in zuversichtlichem Bogen an die fremde Stirn. Zusammenhangsmorgenröte! Aurora, die rote Göttin des verderbenbringenden Keims – links stehen die porösen Blöcke Transjordaniens und entströmen Figuren aus Erdöl und Bernsteinmücken – rechts, eine Hand greift eisern an Eisen. Der Zeigefinger trampt entlang des Schienenstrangs und gelangt, mühselig genug, dürstend und abgespannt in die Höhle; Wohltun und Sicherheit ohnegleichen. Tauende Tat sprudelt die Quelle auf und von lauernden Zuflüssen bereichert, silberbändig, der Strom im Delta. Noch eine letzte Beuge – der Zeigefinger folgt auch ihr –, dann kommt das Meer.

Erdöl, sagte ich vorhin – ja, es entquillt hier –, Pipelines – Tanker – Ausverkauf – Staatsbegräbnis. Weiss die Wüste – die Geier wie eine Stirn und darin, im Zentrum, das Loch, das die Schätze der Erdrinde erbricht. Soll ich es zudecken vor dem nahenden Schwarm? Eine Frage, die aufschwingt, Phönix endlich: Hauptmann Sack? Eine Antwort, die niederkollert, flügellahm: Das ist doch kein Motiv –
   Sicher, die hat schon recht: es ist auch keins.

Kay Hoff meinte

in Nummer 6 der ‹Literatur› («Zur lyrischen Not Karl Krolows»), das Gedicht lebe nicht nur aus der Sprache, auch sei es schlecht, wenn darin nur mehr oder weniger sentimentale oder geistige Nachahmung vergangener Gefühle, vergangener Welten verarbeitet werde.
Es lebt also offenbar aus dem «nicht nur». Welch ein Geheimnis! Was für unerhörte Regeln stecken wohl dahinter? Er verrät sie nicht. Indessen steht fest, autoritär beglaubigt, praktisch bewiesen und laienhaft oft zitiert, dass ein Gedicht aus Worten gemacht wird. Das Zwischen-den-Zeilen jedenfalls entspringt nämlich erst dem Leser. Die Sprache muss daher wohl mindestens Körper des Gedichtes sein, sonst verkehrte der Leser mit seltsamen Gespenstern. Auch unterscheidet sich doch das Gedicht durch die Form seines Körpers von Prosa und Journalismen –, diese Form aber ist immer noch Sprache.

Sentimentalität scheint heute anrüchig zu sein – verwechselt vielleicht mit Rührseligkeit –, vor allem jedoch, weil man sich seiner Gefühle schämen zu müssen glaubt. Oft hat man dabei ja recht: Die Gefühle sind danach. Ich glaube aber nicht, dass es einen Dichter gibt, der nicht sentimental, der nicht mit einer ausgesprochenen Banddehnung für Gefühle ausgestattet wäre. Gerade die härtesten, ja sogar zynischen Verse bezeugen ein Übermass an Empfang, während umgekehrt das zu Tränen Rührende kalte Berechnung und Gemeinheit zu verstecken pflegt –; das hat mit Publikumserfolg zu tun. Sentimentalität scheint mir weiter nicht nur aus momentan aufgerufenen Affekten herzurühren, sondern psychomotorisch alle Parallelfälle aus der Erinnerung zu vergegenwärtigen –, sofern, heisst das, eben der Geist dazu fähig ist. Die Erinnerung an Selbsterlebtes wie an Vernommenes, Geschehenes, Gelesenes.

Ich behaupte nun, dass kein Dichter imstande ist, gute Verse ausschliesslich mit dem geradezu Vorliegenden zu machen. Das wäre Statistik, Barzahlung – und beides liegt nicht im Bereich der Poesie. Zum guten Vers gehört die sentimentale «Nachahmung» vergangener Gefühle mit der geistigen Fähigkeit, diese für die Gegenwart verarbeiten zu können. Für die Gegenwart verarbeiten heisst in diesem Falle: seine gegenwärtigen Worte, gemäss einer durch den Momentan-Affekt beherrschten Auswahl von Vergangenem, in jene Form zu bringen, die das Persönliche trägt. Und keineswegs das Überpersönliche, Objektive, Allgemeine –: *Das* wäre eigentlich erst Nachahmung; aber *die* hat K. H. nicht gemeint.

Zum Dichter gehört, dass er schlecht vergisst! Steht nun nicht hinter den Versen eine Welt, «die sich neu organisiert (im Vers) durch die radikale Offenbarung des Grundbefindens menschlicher Existenz»? Entschieden trifft damit Karl Krolow die heutige Situation! Dass seine von ihm betonte lyrische Kunst in Wirklichkeit ungenau sei, dass sie unserer Welt und unseren Möglichkeiten sehr fern liege und sehr enge Grenzen in unserer Zeit habe –: Da kommt es darauf an, was man als seine «Welt», seine «Möglichkeiten» und seine «Grenzen» versteht. Strebt man ins Allgemeine (Nationalismus zum Beispiel), sind die Chancen freilich gering –, der «innere Kreis» fällt wohl politisch weniger in Betracht, aber schliesslich hat auch der einzelne für die Politik sein Gewicht.

Die Sache mit dem «zerkrümelten Scherben» ist halb so schlimm. Die «Splitter» von Plexiglas sind genauer mit Krümeln bezeichnet: Das ist eine Frage der Geistesgegenwart vor der Technik –, die übrigens Kay Hoff, als der von anderen Mythen als denen der Natur Getriebene, sicherer hätte abwägen müssen.

Da fällt mir zum Schluss noch ein, dass gerade dies das Gedicht in höchstem Masse berechtigt, dass es gegen die «anderen Mythen als denen der Natur» eine menschliche, natürliche Präsenz hält. Schliesslich sind wir nicht alle Roboter, und die «Sentimentalität» wird erst lästig, wenn sie sich an Dummköpfen manifestiert. Sonst bringt sie nach meiner Ansicht eher eine friedliche und private Bewegung in unser vom Staate stumm, vom Militär hart und von der Gesellschaft konventionell gewünschtes Dasein.

Nachgelassene Prosa (1946–1952)

Stadtgesicht

Schon oft sah ich ihn, den Alten in der blauen Uniform, und immer sitzt er vor einem Eingang zum Warenhaus. Vielleicht ist er ein Heilsarmeesoldat, ich achtete noch nie auf besondere Kennzeichen an seiner Mütze. Es ist ja auch nicht wesentlich. Aber er verkauft Blätter, weisse bedruckte Blätter, und will eigentlich nichts dafür. Das klingt lächerlich – heute – in der Zeithetze des Geldgierens. Doch er will tatsächlich nichts dafür. Und wenn ihm einer trotzdem ein Geldstück hinhält, lächelt er, nickt noch leise, und wenn man genau hinhört, meint man, er hätte gedankt. Ich bin überzeugt, dass ihn das alles nicht berührt. Sein Leben ist Warten. Und die Blätter hält er nur darum hin, damit er weiss, was seine Hände tun. Es ist übrigens sehr befreiend, etwas in den Händen zu halten. Besonders wenn diese gross sind und müde vom vielen Arbeiten

Nun, das muss jener Mann dort wissen. Es kann aber auch sein, dass er seinen Händen diese Beschäftigung nur gab, um sie loszuwerden, um nichts anderes zu sein als Warten. Um nichts anderes zu tun, als Menschen an sich vorbeilaufen zu lassen und zu spüren, dass Zeit nichts ist. Dass die Leute, dieselben Leute, immer zu derselben Zeit aus- und eingehen, und abseits von ihnen zu sitzen. Manchmal an der Sonne, manchmal im Regen. Und auch das zu wissen, dass es Tage gibt, aussergewöhnliche Tage, mit beflaggten Strassen, mit viel grösserer Hast und Umzügen. Tage, in denen das schrille Klingeln der Strassenbahnen wie eine rostige Kette durch alle Gassen gejagt wird. Wo es über der Stadt liegt, wie Wahnsinn. Dass an solchen Tagen ein Zweiter neben ihm steht, mit einer Drehorgel, der es viel leichter hat als er. Wie viel glücklicher muss der sein! Aber wer glaubt, dass dieser seine Blindheit mit nichts tauschen würde? Er sieht die Leute nicht, die sich manchmal stossweise um ihn sammeln. Er hört nur ihre Stimmen, und Stimmen sagen sehr wenig: Sie ähneln einander. Ob er überhaupt weiss, dass

einer neben ihm sitzt und das Überflüssigste der Welt, weisse bedruckte Blätter, anzubieten scheint? Das Stück, das seine Orgel spielt, ist alt und klingt auch in die Sonne und in den Regen. Und auch er verlangt nichts dafür –
So mischen sich diese Klänge mit den Taggeräuschen der Stadt. Und ich muss daran denken: an das Echo, das vielleicht nachts einen einsamen Heimkehrer anfällt, der sich dann vornimmt: morgen will ich – und morgen weiss er es nicht mehr. Und wie er dann hofft. Und wie der Blinde dann nicht mehr spielt. Und wie es dann möglich ist, dass jemand dem andern ein weisses bedrucktes Blatt abnimmt.

Heute sah ich sie, diese beiden. Und noch viel mehr sah ich. Ich sah die, die man am besten sagt, wenn man ihre Umgebung beschreibt. Es sind nicht etwa die, die man am treffendsten mit Schildbürger bezeichnet. Man könnte eher Masse sagen, es würde aber nicht ganz stimmen. Denn um sie zu verallgemeinern, müsste man sie hassen. Und das kann ich nicht mehr. Es sind Zeitliche, die, innerhalb ihres festgenormten Begebenheitenablaufs hin und her drängen, ohne nur ein einziges Mal dort zu sein, wo sie sollten, wenn die Zeitung schreibt: Grosser Preis von Weissichwo, oder wenn die Blechmusik durch die Strassen rast, aufgescheucht, dem ersten Anreiz Folge leistend.

(Unter diesen, das muss ich auch noch sagen, sah ich in allen Gesichtern eigentlich *das* Gesicht, das sich in jeder Gestalt mehr und mehr verkrampfte und verstärkte, zu einem Unsäglichen, Schreckhaften, zu einem Ausdruck von Leere, von Nichts, das nicht einmal Falschheit oder Geltungstrieb heuchelte.)

Es wird wohl noch lange dauern, bis ich diese Oberfläche begreife. –

Ich meine aber eigentlich die andern, die Kleinen, die Armen, die einmal in der Woche ausgehen, um ihre nötigsten Bedürfnisse einzukaufen. Diese wohnen in Häusern, in denen sie leben können. Aus denen sie nicht bei jedem anders klingenden Lärm gelockt werden.

Die meisten wissen jetzt zwar nicht, welche Häuser ich meine: Es sind jene, die auch nachts ein Gesicht haben. Die nicht nur hingestellt sind, um mit nötigem und unnötigem Überfluss gefüllt zu werden. Die schon vielen Leben gehörten. Die in manchen Stunden, beispielsweise am frühen Morgen, sich plötzlich erinnern, an frühere Schicksale. Und diese, mit zögernder Gebärde, wie etwa einem Halbgeöffnetsein einer eisernen Kellertüre, das eine feuchte Wolke von faulendem Holzduft, durch Spinngewebe gesiebt, ausstösst, zu erkennen geben.

Und dann fängt es gewöhnlich an mit einer Katze, schwarz und steifgeschmeidig unter einem überdunkelnden Vorbau. Und dort geht es hinein, immer seitwärts, durch enge Treppen, in ihrer kleinen Mitte eingebogen von den vielen Tritten. Und Mauern, Mauern, man wird froh, wenn endlich ein vergittertes Fenster kommt.

Irgendwoher rieselt ein schmaler Streifen Wasser herunter und versickert dort, wo der Tritt nicht ganz an die Mauer schliesst. Er muss sehr alt sein, denn seine Bahn ist grün von winzigen Wassermoosen. Wenn man dem Geheimnis, denn ein Geheimnis ist es, weil man es nicht tut, nachgginge, so stände man vielleicht unvermittelt vor einer rinnenden Röhre, tief zwischen den verschrobenen Wänden, die sich so vergessen vorkam, dass sie einen feinen Strahl ihres Inhalts, dem sie schliesslich dient, aussandte eines Tages, in der Hoffnung, er kehre einmal zurück und erzähle ihr dann, wie es jetzt aussähe – draussen.

Und dann die Fenster –– Diese Fenster, alle sind vergittert, mit trübem Glas dahinter. Wenn man hineinsieht, ist da ein verhaltenes Glänzen, wie ein Goldhelm tief drin, oder wie wenn ein dunkler Handschuh an eine weisse schmale Hand gestreift würde.

Seltsam ist, dass ein Stück blutigen katholischen Kreuzes mit Scheiterhaufen und Hexensalbengeruch Zeiten überdauern kann. Denn es ist hier, und manchmal füllt es die ganze tiefe Enge aus. Das wird es sein, was die früheren Schicksale hinter die

Mauern zurückdrängt, hinter denen sie immer wieder versuchen auszubrechen, um einen zu finden, der sie anhört. Und noch etwas ist seltsam. Diese Gässchen sind jäh abgeschlossen, von einem rostigen Eisentor, ohne vorher weiter zu werden oder etwa in einen kleinen Hof auszulaufen. Höchstens, dass ein Schiebkarren mit nur einem Rad gleichsam und tatsächlich dort enden hilft. Und wenn man sich dann umwendet und Schritt für Schritt den Weg zurück nimmt, fast behutsam, warten überall die Dinge offen und dankbar auf einen, wie auf einen, der sie verstanden hat. Da ist der Ablauf einer Dachrinne, abgegriffen und zerbeult bis hinauf zum ersten Fenster. Da ist das Dachgitter, dessen Garten der Himmel ist, und noch viele – Viele –– Ich vermag sie nicht zu sagen, doch ich weiss sie. Auch ein Gesicht mit unbestimmten Zügen hing über den Rand –

Ohne Titel

Wenn einer ein Buch schreibt, so glauben, die es lesen, dass er schon irgendwo angekommen sei und nun vom Erreichten aus zurückschaue in vergangenes Land. Das wäre zwar immerhin etwas Wahres, wenn nicht der Verlauf dessen, was war, um einer gültigeren Geschichte willen, willkürlich abgeändert würde. Aber was ändert, was erleichtert es dir, wenn du dich unterhältst, solange das Buch reicht? Du geniesst lediglich die Phantasie eines andern, dem sie vielleicht selber ungeniessbar wurde und der sie deshalb aufschrieb, um sie loszusein. Und wenn du dann das dich Ergreifende mitnimmst in dein eigenes Leben, belädst du dich mit etwas, von dem du später merkst, dass *es* dich ergriffen hat. Teils weil der andere stärker war, teils weil du dir über deine eigenen Möglichkeiten noch nie Rechenschaft gabst. Hüte dich also vor den Büchern; auch vor denen, die du liebst, denn wie willst du wissen, ob nicht auch deine Liebe irrt. Denn ich zweifle an deiner Liebhaberei, die doch nur eine übernommene ist, eine gewählte aus deiner Umgebung, nicht aus dir. Ich sage dir das nicht, damit du mir glauben sollst; daran kann mir nichts liegen, und die Anzahl der verkauften Exemplare dieses Buches ist mir gleichgültig. Ich strebe nach Wahrheit, indem ich annehme, dass sie durchaus zu haben sein muss. Später.

Einen Plan, eine technische Grundlage, wie sie Literatur-Kritiker meinen und manchmal rühmen, besitze ich nicht. Du wirst trotzdem weiterlesen und finden, dass es nur darauf ankommt, mit allen Sinnen dabeizusein, um die gewisse Erleichterung zu spüren, die du erwartetest. Du kannst sicher sein: Ich erfinde nichts und werde auch nichts dazutun. Freilich wird es schwer werden, in allem wahr auszusagen, denn gross ist der Umkreis nicht, an den die Wahrheit nicht stösst. Um mich zu schonen, erhebe ich also keinen Anspruch an sie und bitte dich, nur meine Meinung in dein Gefühl zu nehmen, wie du irgendeine Sache in Gebrauch nimmst, von der sich erst durch die Abnützung erweist, wie viel oder wie wenig wert sie ist.

Vielleicht schreibe ich überhaupt nur um einer wirklichen, freiwilligen Arbeit willen, denn du sollst wissen, ich habe einen Beruf, durch den ich mich ohne Sensationen kleide und ernähre. Du kannst nun annehmen, dass dieses vieles leichter macht, aber ich sage dir, die Versuchung, abseits zu sein, ist nicht so stark, dass ich ihr nachgäbe, wenn ich dafür die einfachere Seite des Lebens verlöre. Es kompliziert ungeheuer das Mitmachen, das Sichanpassen und unauffällige Einfügen in eine Ordnung, die aus vielen entstand und keine Anzeichen von Erneuerung erträgt.

Ich habe gesagt, dass ich abseits stehe, dass ich einen Versuch zur Ermunterung der literarischen Wahrheit wagen will, dass ich nicht den Willen zum gedanklichen Kunstwerk habe und nicht auf das Zeilenhonorar angewiesen bin. Dies ist jedoch kein Vorwort, wie es meistens üblich oder sogar nötig wird, wenn man sich, voll schlechten Gewissens, entschuldigen muss, bevor man spricht. Ich fing bereits an; und, um auf das Gewissen zurückzukommen, ich lege Wert darauf, eines zu haben und besonders auszubilden, indem ich den viel zitierten und heute zum lächerlichen Begriff gewordenen Bissen nachspüre, was mir einerseits von Fall zu Fall die eigenen Irrungen klarer und offensichtlicher erscheinen lässt und anderseits die Möglichkeit bietet, meiner Umwelt mit der inneren Gewissheit begegnen zu können, ohne die man unweigerlich in den Strudel der gemeinen Übereinkünfte gerät. Wären die Gefühle nicht derart abgestumpft, dass das Denken roher werden musste zur Unterstützung des Fühlens, müsste man ja ein schlechtes Gewissen davontragen, sagte man jemandem höfliche Unwahrheiten. Dem ist aber nicht so, im Gegenteil, eine noch so vorsichtig angebrachte Tatsache, trifft sie einen Mitmenschen, hinterlässt eine innere Unbehaglichkeit. Man kam also überein, die schonende Lüge anzuerkennen, und überredete das Gewissen zur Nachlässigkeit.

Man ist überhaupt nachlässiger geworden, was einen selbst betrifft. Nicht, wie man sich kleidet, meine ich. Da müht sich nämlich jedermann, mit der leicht schlampigen Mode von heute sorgfältig bis nobel nachlässig zu scheinen, weil das dazugehört. Dahinter aber steht der gar nicht nachlässige Zwang des guten Scheins, der nirgends geschrieben ist, weil diejenigen, die ihn nicht kennen, auch nicht zählen, für die andern. In der Folge strengt es also an dazuzugehören.

Ich meine aber die Nachlässigkeit des Gefühls, mit der man das Fühlen an sich bewertet. Von Staates wegen ist ohnehin nur noch ein Gefühl gestattet: das sogenannte Hochgefühl beim angestrengten Erfüllen einer körperlichen Disziplin. Und ein solches, sogar mit Glück zu verwechseln empfohlenes, alleräusserlichstes Gefühl wird nie ein anderes sein als körperliche Erleichterung, die sich übrigens ohne staatliche Einmischung fast ständig erfühlen lässt. Ich gebe zu, Gefühl ist schwer, vielleicht das Schwerste, was zu leisten bleibt. Aber wo wird wahrhaft Menschliches getan ohne Gefühl als Rückhalt und Hintergrund? Unsere heutigen Hilfen sind organisiert, zu Apparaten angewachsen, die mit Helfen gerade soviel gemeinsam haben wie eine Mähmaschine mit Ernten. Der Hilfebedürftige ist nicht mehr wesentlich, es muss einfach so und so viel geholfen werden jährlich. Somit sind sie nicht menschlich, nicht beseelt, ganz und gar geschäftlich, wenn auch letzten Endes mit Verlust.

Doch damit ist natürlich noch gar nichts getan. Wie sollten sie auch, da doch alles organisiert zu haben ist? Wo sie selbstlos sein sollten, sind sie unselbständig geworden. Sogar der Hass mit seinen sehr eigenwilligen Möglichkeiten erscheint als durchsichtiger Neid auf unseren öffentlichsten Schaubühnen, den Strassen, und macht sich lächerlich. Es war vor ein paar Tagen: eine Strasse im Hauptverkehr mit einem Tramzug, der zufällig an der heiklen Stelle seiner Stromzufuhr anhielt, wo das Leitungsnetz gespiesen wird. Der Wagenführer stieg aus, besah sich die Situation, schien sie auch gleich zu erkennen und kam zusammen mit einem Kondukteur auf den blendenden Einfall, die in der Nähe geruhsam auf- und abfahrende Dampfwalze hinters Tram zu beordern mit der Aufgabe, ganz vorsichtig, einen Meter weit stossenderweise, behilflich zu sein. Unterdessen waren natürlich gegen fünfzehn Minuten vergangen, und die sich ständig vergrössernde Autoschlange gewöhnte sich bereits mählich das aufgeregte Hupen und Zweiklanghornen ab. Der Walzenfahrer strahlte förmlich, sich so im Mittelpunkt einer immerhin nicht alltäglichen Sensation zu wissen, und walzte sein Vehikel unter lobenden und zur Vorsicht mahnenden Zurufen hinter den dritten Anhänger. Dann kam der grosse Moment, der den aufgestauten Verkehr wieder in Fluss bringen sollte. «Langsam anstossen», befahl der Tramzugführer unter respektvollem Schweigen. Aber das Tram tat keinen Ruck, und seine krampfhaft vorbereiteten Insassen lockerten enttäuscht wieder den Griff ihrer Hände. Kopfschütteln. Plötzlich erinnerte sich der Führer an etwas, rannte wie besessen zum Motorwagen und löste die Bremsen. Nun ging's. Tatsächlich: Es gelang.

Und jetzt kommt das Wesentliche, sozusagen die Hauptfigur. An einer Seitengasse wartete ein kleiner Mann mit einem zweirädrigen Handkarren darauf, die Hauptstrasse überqueren zu können. Die Strassenbahn rollte längst in unbeteiligter Ferne weiter. Nur die Autokolonne wollte und wollte nicht enden. Da war es für mich interessant, das Gesicht dieses Mannes zu sehen, wie es sich langsam anspannte, wie es plötzlich harte Falten zog, die vorher nicht da waren, und wie diese Falten verschwanden und die Augen gar nicht mitmachen wollten und gleichgültig wurden. Autos aller Marken rollten und hielten wieder an, wie es die Sperre am weiter oben befindlichen grossen Platz bedingte. Zwei Citroën, ein DKW, ein Buick, ein Möbelwagen, diverse Lieferungsautos, wieder ein DKW. Ich sah dem wartenden Mann ins Gesicht: Es verzog sich und zuckte wie ein dunkles Feuer, und die Falten waren alle wieder da. Aber mit den Augen war es ganz anders. Sie traten weit aus den Höhlen und quollen und quollen wie zwei Schwärme, die erstmals im Wasser liegen. Ich bemerkte noch, dass seine Hände an den beiden Holmen zitterten, und dann geschah es. Die Kolonne hielt an. Ein prächtiger Cadillac stand genau vor dem Handkarren, der wie ein wütender Stier mit kurzen Anläufen zwei-, drei-, viermal dessen Türe anfiel. Und jetzt war das Gesicht wieder da und fluchte und fluchte. Bis der unvermeidliche Polizist erschien und den Tatbestand aufnahm. Da fluchte es nicht mehr, da sah es ganz zerknittert aus und verbraucht. Auch die Hände zitterten nicht mehr, das Zittern war jetzt in den Knien.

Tat das nicht die heutige Grundhaltung auf der Seite der materiell weniger Begabten? Dieses Daruntergeraten unter die Verhältnisse und dieses Gleichmütigscheinen, wenn ihnen das Daruntergeraten bewusst wird, währenddem das an ihnen noch Menschliche zerfällt und zerfällt, bis der reine Neid, gross und ganz geworden, Gestalt wird und anfällt, was und wem er sein Aufkommen dankt.

Was aber sind sie noch, die Figuren des Neides? Es ist schon so: Die Menschen wiegen weniger und fürchten deshalb das schwerer Wiegende, trotzdem sie viel Oberflächliches gewichtiger finden als die Wahrheit. Und die hätte in diesem Falle nur einer geeinigten Persönlichkeit bedurft, um da zu sein und zu verhindern, dass sich eine weitere Täuschung zu Lasten des kleinen Mannes begeben konnte.

Doch man gerät so leicht in Folgerungen über Falsches, die wohl in ihrer Richtigkeit nicht angezweifelt werden, mit denen aber noch gar nichts erreicht ist, solange die Lüge sich selbst nicht als solche erkennt oder nicht erkannt werden darf, um der Übereinkunft willen. Es wäre dem einzelnen leicht, sich hin und wieder abzulösen und zu sich selbst zurückzukommen als auf das Bleibende, Unwiderrufliche, ja Ewige, wenn er das noch wäre. Und er wäre es noch, wenn er die Zeit seines natürlichen Wachstums nicht verspielt hätte mit den Erfahrungen des Anpassens.

Das Alter findet sich immer wieder grosszügig und voll

Verständnis, wenn es das Impulsive, Bedingungslose der Jugend als deren Vorrecht nennt, das aber abzulegen der Jungen Bestreben sein soll. Schau dir die Resultate an, die fünfundzwanzigjährigen Greise, die jeden eigenen Gedanken, bevor er auch nur die leiseste Form annimmt, abwägen mit der entlehnten Waage ihrer Vorbilder, um ihn schleunigst zu verwerfen, trägt er nicht die bewährte Marke toter Sachlichkeit. Zugegeben, das Leben in reiner Sachlichkeit bewegt sich in viel sichereren Abläufen, und seine allfälligen Verwicklungen sind abzusehen und mit der Ruhe, die das Bewusstsein, nie mehr in solche zu geraten, verleiht, zu ihrer Zeit leicht aufzulösen. Das ist jedoch nur eine Seite des heute üblichen Alt- oder Reifwerdens. Es gibt noch unzählige, die ebenfalls ohne Ausnahme auf die grosse Anpassung hinzielen, und ich will mir nicht darin gefallen, sie aufzuzählen. Ich weiss sie. Warum sollte ich mir das Schreiben verleiden, indem ich ihnen gewissenhaft nachginge. Manche genügen mir auch schon ihrer Oberfläche nach, um den grossen Worten vom «wahren Menschentum» zu misstrauen. Wo beginnt eigentlich der Mensch? Zeig mir den, der beginnt. Frage den Nächsten, den du morgen auf dem Weg ins Geschäft antriffst. Er wird dir sagen, dass er schon begonnen hat. Frage alle. Sie haben alle, sofern sie überhaupt verstehen, wonach du sie fragst, schon angefangen. Aber nicht an sich selbst wollen sie den Menschen schaffen. Irgendwo muss er einmal aus dem Unbekannten treten, vielleicht als ein Ding jenseits von Tun und Lassen.

Der Nirwana-Gedanke als Schöpfer des wahren Menschen, aufgenommen von Angepassten, die damit, wie mit nichts sonst, aufs einfachste entschuldigt sind. Glauben sie wenigstens. Im Rücken eine Lehre, die sie, halbwegs verstanden, falsch anwenden, vor sich eine Oberfläche, die sie überblicken zu müssen scheinen; das sind noch die Besten aus meiner heutigen Umwelt. Wenn dir das zu hart tönt, nimm ruhig an, ich sei krank gewesen und nun mit der ganzen Überempfindlichkeit des Genesenden wieder unter die Leute geraten.

Dann hast du aber immer noch einzuwenden, dass es wahre Menschen doch gibt. Recht hast du; doch warum ist die Wahrheit so kleinmütig geworden, dass sie sich im Verborgenen, im Keinen-Einfluss-Habenden, manifestiert? Zeig mir den irgendwie Mächtigen oder Ermächtigten, der nicht mit jeder Handlung im Nur-Materiellen gründet und dessen Entscheide nicht billigster, greifbarster Logik entstammen. Ich möchte am liebsten sagen: Kein Gesetz ist gerecht, ausser dem eigenen, wenn man im wirkendsten Sinn Mensch ist. Aber damit käme ich mit der trokkensten Sache unserer Gemeinschaftsform in Konflikt: mit den Juristen.

Man wird vielleicht einmal später, nach mühsam zu beweisendem Erkennen, darauf kommen, die Erscheinung des Menschen als das zu gebrauchen, was sie vor allem ist: ein universelles, mit voller Verantwortung zu führendes Werkzeug zur Seligkeit.

Da geht man mit einem, an den man glaubt, ein Stück Weg gemeinsam, besieht sich das und jenes und bildet Ansichten. Und am Ende, kurz vor dem Abschied, merkt man, dass es ihm darauf ankam, sich als den zur Geltung zu bringen, der, nach seinem Erwägen, einem voraus sein soll. Nun, man gewinnt dabei den Teil Glauben zurück, den man jetzt nicht mehr ausgeben muss; er aber verlor sich selbst, als Baumaterial, an den Eigenbau seiner Lüge.

Und das ist noch die mildeste Form einer Beziehung unter uns Heutigen. Oft geht es um mehr als momentanes Übertrumpfen, geht es um lauterstes Leben, das, mit verzeihlichem Irrtum, sich fremden Formen nähert, in der Meinung, es sei dort. Ich sagte: «verzeihlichen Irrtum», weil dieser das fast ausschliesslich bleibende Produkt unserer Erziehung darstellt. Wohin sollte sich das Urtümliche sonst wenden, wenn nicht an die Vor- oder Nachbilder seiner Umwelt, da es doch von seinem eigentlichen Träger verleugnet sein muss, will dieser der Norm nicht entrinnen. Und diese Norm nennt man Erziehung, nicht wahr? Erziehung zu was? frage ich. Etwa zur Selbstverleugnung, was ja gar nicht schlecht zusammenpasste mit der Nirwana-Idee. Nein, eher zur unbewussten Selbstaufgabe, um ungestörter den Punkt zu erreichen, wo das heimliche Übertreten konventioneller Verbote zur Forderung gesellschaftlicher Vollkommenheit erhoben ist.

Durch den Zwischenraum, den mir der leicht geneigte Sonnenstoren noch lässt, strahlen die vollen Farben des, diesem Jahr so stückweis' gelingenden, Frühlings. Da ist das beschienene Grün der Wiese, durch die büschelweis' gesammelten weissen Punkte der Margeriten aufgelockert, und da, gerade vor meinem Blick, steigen hellblau, gläsern gebündelte Königskerzen.

Das wird, für einen sonnigen Nachmittag, zur alles übertönenden Grundtatsache meines Daseins, an die ich mich halten will, so stark es mir möglich ist. Was für ein beseligtes Ausruhen von einer hastenden Umwelt, an die dennoch zu glauben man mir immer wieder empfiehlt. Aber jetzt, heute, will ich mich ganz abwenden und mit dem Winde sein und mit den tanzenden Mücken darin, die, wenn auch kürzer, trotzdem Bleibendere sind als wir. Wie muss es eine Lust sein für Blätter und Zweige, für Blumen und Gräser, sich biegend im Winde zu spüren und ganz mit sich selber beschäftigt zu sein. – Wenn man dies mitnehmen könnte, in die Stadt, in den Gelderwerb, wie unschuldig erhielten wir uns, durch alle Begegnungen. Und wie gut gelängen jedem die notwendigen Ansprüche ans Leben. Nicht auszudenken, was den Künsten geriete, da man sie nicht mehr unterschiede, da jede gross und Leben wäre aus allen, und zu Zeiten natürlicher Not von ihren Höhepunkten abgeben könnte an alle und ausreichend hätte bis zum Beginn einer neuen Reife.

Ich sitze also am Fenster (das tönt ruhig und gleichmässig, ist aber, um genau zu sein, voll von unbefriedigten Gefühlen). Ich denke, was mir auch leicht gelingen will, an die Sonne, an das Licht überhaupt, und spüre gleichzeitig, wie nötig es ist, wieder einmal diesen guten, hellen Gedanken zu denken. Was ist getan bis jetzt? Ein paar Seiten geschrieben, mit vielen Vorwürfen im Herzen. Der ernsthafte Wille, anders zu sein als die andern, bestand ja schon immer. Nun, Vertrauen hab ich auch noch, viel Vertrauen. Nur ergab sich nie ganz klar, wozu. Da ich durchaus nicht einig gehe mit meiner Umwelt, wäre es doch Verschwendung, es an sie zu drängen, was, wie ich weiss, auch gern empfohlen wird. Schliesslich, warum soll ich es nicht mir zugute halten, da ich ja keinen weiss, der es sonst brauchen könnte? Abgesehen davon, dass selten so viel Vertrauen missbraucht wurde wie gerade jetzt, zu meiner Zeit, und es deshalb nur klüger ist, wenn ich nichts davon ausgebe; ich wüsste auch nicht, wie ich zu neuem Vertrauen käme, wäre dieses einmal aufgebraucht. Es gibt welche, ich kenne sie, die verschleudern geradezu ihr Vertrauen, nur um etwas weniger als Skeptiker zu gelten. Das dünkt mich so lächerlich wie gefährlich und zudem: Skeptiker ist heute jeder, der seinen Vorrat an Vertrauen nicht wie Konfetti auswirft.

Ich denke mir, dass es doch möglich sein muss, das ganze Gefühl, das man Vertrauen heisst, für sich allein zu verwenden, indem man dieses in Haltung zu verwandeln versucht. In Haltung, die einen Bezug auf alles enthält, was dem einzelnen erstrebenswert scheint, aber nur für ihn allein gültig und ihm entsprechend verpflichtet. Da wären die Zukunft drin wie das Gegenwärtige, und beide irgendwie ineinandergreifend, ohne den gebräuchlichen Missklang, und beruhigend absehbar. Das Schwere müsste sicher so wertvoll deutbar werden, wie es bis jetzt, einfach hingenommen, überstanden wird. Und man hätte dabei die Überzeugung, bewusst zu handeln, neben der Sicherheit, ein unverletzliches über jedem Geschehensablauf zu besitzen. Ob nicht auf diese Weise viel erreicht werden müsste, was vordem nur gemeint war? Draussen ist Dämmerung weit und lau. Und ich bin ins Philosophieren geraten. In einem Briefe schrieb mir einmal jemand, Gedichte seien unnötig, aber wenn man sie selber schreibe, lerne man daran, seine Gefühle zu differenzieren. Gut, angenommen, das letztere sei richtig: Ich nehme mir vor, morgen ein gutes Gedicht zu tun.

Die Königskerzen sind erloschen mit der Frühlingswiese, und der Wind ist unduldsam geworden, wie ein Kind, das zu früh zu Bette muss. Ich bin froh, dass ich heute den schönen Nachmittag verschrieb; die Arbeit hat mich so leicht gemacht wie müde. Und wenn ich jetzt noch einen kleinen Spaziergang in den nahen Abendwald vorhabe, bin ich riesig zufrieden mit mir.

Wie es jetzt regnen kann. Plötzlich. Rauschendes, glänzendes Symbol der Idee. Befruchtend, erkältend, zerstörend, je nachdem. Niemand weiss genau im voraus, wie und weshalb. Freilich, wir haben Meteorologen. Aber haben wir nicht auch Ahnungen von Ideen, die sich gebärden wie die Idee selbst, uns doch erst vorbereitend auf das Zentrum des nachfolgenden Eindeutigen? Ich meine natürlich nicht die kleinen täglichen Einfälle, die sich in bestimmter, ziemlich augenfälliger Folge einzustellen pflegen. Die sind gewöhnlich auch leicht auszurechnen in ihren Wirkungen und ergeben sich, oder nicht, wie eine andere Rechnung. Ich denke an die Ursprünge des Neuen, das seine Zeit durchaus nicht vorbereitet fand. Und das, vorläufig in einem manifestiert, von diesem schwerlich abzusehen ist. Mancher läuft da mitten unter uns, und wir ahnen nicht, mit welchen Gewittern geladen. Und wenn es jetzt, ich weiss es nicht, davon abhängt, wer von der Idee heimgesucht wird, ein Lehrer, ein Beamter oder ein Techniker, um uns alle in die durch den Beruf gebotenen Folgen zu ziehen? Scheusslich, muss ich sagen. Und doch, sieht es nicht überall mit den neuen Ideen so aus, als ob sie auf kleinbürgerlich zugeschnitten wären? Erschrick nicht, es gibt sie noch, die grossen Gedanken; nur die Möglichkeit, diese auszuwerten oder an den Mann zu bringen, ist im Augenblick noch dem Kleinbürger im umfassendsten Sinne vorbehalten. Darin gründet auch unsere zeitweilige Mutlosigkeit, an Mauern zu rennen.

Halte dies nicht für Einbildung, denn sieh: Ist es etwa keine Mauer, woran du stösst, wenn du beispielsweise von der Idee besessen bist, dass das Militär so unnötig wie verbrecherisch, so unwürdig wie gewaltsam ist, und du deine Überzeugung, als menschlichen Auftrag, offenherzig vertrittst? Dann bleiben dir nämlich genau zwei Möglichkeiten. Entweder du nimmst, wenn es die Militaristen schwer trifft, indem du einen ihrer Widersinne dokumentarisch belegen kannst, deinen Angriff zurück und wirst nicht bestraft, womit eigentlich alles beim alten bleibt. Oder du wirst, da sie dein Angriff bei weitem nicht gefährdet (und das herauszufinden, sind sie sehr schlau), kurzerhand ausgelacht, was wieder nichts ändert.

Derartige Mauern sind ohne Plan, ausser dem einer versteinerten Tradition, und in ständig gewaltsamer Auswirkung wachsend, während dir keiner der daran Bauenden ihre Fundamente zeigen kann. Dass du dich daran stösst, darf dir als sicheres Zeichen wahren Menschentums gelten, zu dem du auf guten Pfaden unterwegs bist. Und wenn du einmal des vergeblichen Anrennens müde sein wirst und deine offensichtlichen Kräfte nachlassen, hast du etwas erreicht, was still, aber stärker, als du je ahntest, an der Auflösung der Hindernisse schaffen wird: der Entzug deiner Achtung, deine Verachtung, deine Nichtmehrachtung derselben.

Das wäre eigentlich das Sicherste, was der einzelne, der dazu fähig ist, in jedem Volke tun müsste, um die vielen Widersinne und Unmenschlichkeiten der Vermassung mit ihren Hilfsmitteln wie Militär, Bürokratie und Zwangswirtschaft in der kürzesten Zeit am eigenen Dreck ersticken zu lassen. Da es aber nun einmal in unserer Natur liegt, sofern das Zeitalter uns noch nicht zur ängstlichen Jasager-Maschine zu wandeln vermochte, bis zum äussersten Auflehnung und Absage zu leisten, geben wir damit den Widersachern die einzige Daseinsberechtigung, die es für sie geben kann, selbst in die Hände. Dies ist unser Hauptfehler. Wir haben nur den Vorteil, viel Zeit für uns verwenden zu können, mit dem Ziel, die möglichste menschliche Nichtachtung gründlich zu erlernen. Und das tun wir am besten, indem wir uns an den eigenen Umkreis halten, an die wenigen, die uns als Menschen begegnen, an das Land, das ja trotz der militärisch günstigen Lage, nichts dafür kann, und an die, von uns einbezogenen, förderlichen Beschäftigungen.

Gingen wir nur öfters hinaus, in die hohe Einsamkeit der Wälder oder an die erfrischende Stille unserer abgelegenen Flüsse; wir lernten sie schätzen und lieben und zuletzt auch verstehen. Freilich ist das, was sie uns gelegentlich sagen, nur Anstoss für das Ewige in uns selber. Aber es braucht doch den Strahl, der durch den grünen Baumhimmel bricht, oder die geheimnisstill dunkelnde Spiegelung in buschiger Bucht, um uns abgehetzte Gereizte zurückzuführen in den Bereich unserer Seele.

Zigeunerweisen. Man merkt ihnen das Offene an, die Ebenen, in denen der Wind tägliches Erlebnis ist. Wie müssen erst die Wolken darüber sein, so ganz ohne das Zwingende der Berge. Wenn ich sie höre, fällt mich die widernatürliche Knechtschaft der wohlorganisierten Gemeinschaftsformen doppelt an und erweist sich in Gefühl und Denken als dreifach falsch. Wie einfach kann das Leben sein, wenn es gelingt, seine Wirklichkeit, sein Grundhaftes, nachdem man es erkannte, auch anzuwenden. Aber wer weiss die verschollenen Rezepte noch, nach denen der Mensch Selbstzweck, zum Zwecke seines Selbst, lebte? Solltest du jedoch bedenken, für was sie denn sonst leben, die, denen du alle Tage begegnest, dann will ich dir sagen, dass du sie fragen musst, um alsbald zu wissen, welcher Art ihr Vegetieren ist. Findest du einen, der den Eindruck hat, gut zu leben? Ich denke: nein. Jeder meint, es fehle ihm gerade das, was er nicht hat. Jeder jagt nach Besitz und versteht darunter ein Festhalten an irgendwie erworbenen Dingen oder Personen, auf die er ein Anrecht zu haben glaubt, hat aber dabei als tatsächlichen Besitz lediglich seine, oft verschiedenwertige, Meinung, die er von den Dingen oder Personen in sein Bewusstsein nimmt. Jetzt kannst du leicht feststellen, was er wirklich besitzt. Von den Wolken und Winden will er nichts, weil ihre Dauer sich nicht einschliessen oder heiraten lässt. Er besitzt nur, was er fassen kann, und ahnt nicht, dass er erst hat, was er auch zu lassen vermag. Solches ergibt natürlich die wenigen armen Reichen wie die Unzahl der Nichtarmen, die wir stolz das Bürgertum (von was?) nennen und die den reichen Armen, deren Gemüt und Charakter mit dem Wort «Haben» definiert ist, nacheifern. Eine Zusammensetzung von Menschheit also, der man allerdings vergeblich die Tagebücher H. D. Thoreaus vorlegt. Ich habe sie gelesen, die Tagebücher des stillen Menschen Thoreau. Wie einfach begibt sich an ihm sein Leben. Aber wie reich – wie reich. Und wie er treu und voll Verantwortung seine starken Worte spricht. Nichts ist zuviel, und die Zieraten und Köstlichkeiten liegen offen für jeden, der ehrlich genug ist, sie sich einzugestehen und aufzunehmen. Er singt nicht, und dennoch wird alles, was er vor mir ausbreitet und sagt, zum Lied eines Grössten. Sein Talent ist die Wahrhaftigkeit und sein Genie die Klarheit. – Er ist richtig dazu angetan, mich zu beschämen; und die eigene Schreiberei benimmt sich denn auch vor meinen Augen wie Jahrmarkt. Und wenn ich nicht schriebe, das muss ich mir immer wieder ins Bewusstsein rücken, um der Arbeit willen, so wär's das beste, ich hörte auf. Gerade jetzt, da noch gar nichts geleistet ist. Was will ich eigentlich, heute, da das Aufgezeichnete aller grossen Menschen nurmehr Bibliotheksschmuck vorstellt, mit meinen beschränkten Sinnen zu lösen hoffen?

Gleichviel, solang ich, als Jetziger, annehmen darf, hin und wieder einen von vielen aufgenommenen Gedanken hier ein Stück weiter zu denken als sie, werd ich wohl auch im Recht sein, wenn ich es tue. Denn was im ganzen und überall unseren Jungen not täte, die angefangenen, wirklichen Gedanken nicht nur geistreichelnd aufzulösen, was übrigens die in lauter Witz und Banalität gelösten Mehrzahl-Charakteren zur Folge hat, fehlt wie das Inhaltsverzeichnis in der billigen Taschenausgabe ihres Lebens. Ich gebe zu, das Intensive bis Irrsinnige der täglichen Tätigkeiten in den Fabriken, im Verkehr und in den höheren Bildungsanstalten lässt Persönliches nicht anders als eilfertig zu. Aber dass die freie Zeit der Geschwindigkeit, der Kraft und der Geilheit geopfert wird, ist mehr wie wissentliche Übertretung menschlicher Aufgabe. Ist ein Zeichen, dass es Zeit wird, dem Gewalttuenden der Materie endlich die innere Wirklichkeit, im Dasein tätig, entgegenzuhalten. Aber wie? Ich gestehe, dass ich es nicht weiss für dich, der du das liesest. Es ist für jeden anders und nur für ihn. Ich kann dir nur raten: Löse dich von der Masse in jedem Bezug. Denn es gibt ein Namenloses, überall wo Massen sind. Etwas Zentrales, Zusammengezähltes, dessen man sich so wenig erwehren kann wie der Ameise unter dem Stiefel. Man kann sich dagegenstellen: So kommt man sich irgendwie heldenhaft vor.

Aber gerade dadurch wird man auch zur Zahl, die zählt, die zusammengezählt wird. Was also ist zu tun? Glauben, dass man aus allen heraus, allem gegenüber die Grundzahl bilden hilft für Kommende? Lieben, die andern, die noch nicht in die Zukunft reichen, die noch nicht oder nicht mehr vom Adel des Menschen wissen und für unsern Bezug nur zufällige Umwelt sind? Trotzdem lieben? Wollen, das heisst, den Willen als Haltung üben, zum Gemüt ausbilden, zu einer Herzlichkeit des Tuns, aber auch zu einer Bestimmtheit gegen alle und gegen alles, was dem Gefühl vom Menschsein widerspricht?

Das Wollen scheint mir das Möglichste und Einflussreichste zu sein. Allerdings bedingt es eine Konstellation, zu der man sich die Kräfte zunächst aneignen muss, durch die fortwährende Fähigkeit, seine Freuden und Leiden ohne unnötige Mitwisser zu feiern und zu ertragen. Diese nimmt vorerst einmal das Ausgebreitetsein zu einem begrenzteren Fundament zusammen und erlaubt alsdann, die Blicke langsam höher zu richten, ohne die schwankende Unsicherheit, die viele Verpflichtungen um sich bilden. Erst wenn man festen Grund unter den Füssen hat, dass man sich nicht mehr unfreiwillig zu bücken braucht, wird die von selbst immer eigenwilligere Haltung mehr vom Himmel zu erkennen erlauben. Doch alles liegt durchaus im Bereiche des einzelnen. Und nicht die geringste Wandlung lässt sich auch nur für mehrere regeln.

Es geschah folgendes: Ich sass am Radio und hörte das Lied von den zwei Grenadieren. Nebenbei, ein Gedicht, das ich entweder als Lästerung menschlicher Aufgabe oder satirisch auffassen kann. Übrigens, der einzige Zug von Heine, worin er sich, wenn überhaupt, vom echtesten Kitsch unterscheidet, sind diese zwei, gut getarnten, Seiten. Die Musik zu den Grenadieren ist allerdings eindeutig auf Trauer gemacht und zeigt damit, wie unüberlegt und verantwortungslos gewisse Dichtungen «Grosser», nur weil sie eben «Grosse» sind, ins Volk gestreut werden. Man findet den Text gut, und nach dem Sinn und Hintergrund fragt niemand, denn es ist ja von Heine.

Nun, es begann gerade die Stelle, wo ein Grenadier sich um nichts mehr schert, da läutete es draussen an der Türe. Ich ging öffnen. Zwei grosse, massige Männer standen da und hielten mir, beide miteinander, einen kleinen, halboffenen Koffer entgegen. Und während einer noch eine unverständliche Begrüssung murmelte, fragte der andere, eher militärisch: «Brauchen Sie etwas?» Ich merkte nicht sogleich, um was es ging; der Flurdurchgang war ziemlich dunkel und der bescheidene Inhalt des Köfferchens klein beschriftet. Wie ich erst jetzt sah, trug der eine dunkle Augengläser. Blind, dachte ich; da fing er an, ganz automatisch aufzuzählen: «Schmierseife, Putzlappen, Fegsand, Polierpaste.» Und zum Schluss noch etwas, das sich wie ein voreiliges Dankeschön anhörte. Ich erkundigte mich nach dem Preis der Schmierseife. Zu teuer. Putzlappen? Gut, also einen. Da fuhr aber der Militärische drein: «Einen Putzlappen? Unter drei Franken verkaufen wir (er sagte: wir) nichts.» Da staunte ich. Es ging also nicht um Not, des Blinden beispielsweise. Dass ich das nicht früher gemerkt hatte. Es konnte doch niemals ausreichen für zwei, was tagsüber verkauft wurde. Nun zückte der Blinde mit geübtem Griff, und jetzt war ich im Bilde, einen Firmenausweis (Überschrift: Dividenden mittelst Blinden). Ich habe nichts gekauft. Draussen zogen zwei Männer scheltend ab. Sie hatten sich verrechnet. Ja, Blinde also stellen sich einer Seifenfabrik zur Verfügung: Lockvögel menschlicher Barmherzigkeit. Ich bin im zwanzigsten Jahrhundert, in der Schweiz, und mir ekelt. Bis jetzt dachte ich mir, dass Blindsein etwas wäre, was sich nicht ohne Gott ertrüge. Kann sein, dass ich übertreibe. Im Orient, habe ich gehört, sei Reklame mit allen erdenklichen Leiden und Gebrechen an der Tagesordnung. Indessen glaube ich an die Einheit von Schicksal und Gebrechen. Ganz ohne Grund, ohne jenseitigen Grund vielleicht, ist doch nichts, was irgendwie geschieht. Und da meine ich, sollte es doch möglich sein, dass man seine Leiden erträgt und leistet unter Absage gewinnbringender Allüren. Denn wer sagt uns, ob damit nicht viel Zukünftiges stärker beschwert wird, wenn alles nach der leichtesten Seite hin gelöst wird, in einer freilich äusserlichsten Lösung? Ich beschuldige niemanden, falls du dies als Anklage gelesen haben solltest. Kritik an der Gesamtmenschheit, an Zeiterscheinungen wird erst von Späteren ganz begriffen.

Das Auto kann beides sein, Segen und Fluch. Segen dort, wo die Geschwindigkeit Bedürfnisse ermöglicht, die dem Freiheits- oder Schönheitsgefühl entstammen, oder wo die wirtschaftliche Notwendigkeit wie die Heilung diese erfordert. Dazu braucht es jedoch niemals die heutige Automobilindustrie. Dieser Weizen kam erst zum Blühen, als die Fortbewegungsmaschine den Menschen übernahm, indem dieser in ihr das Mittel sah, seine Ehrsucht, seinen Machthunger, seine körperliche Bequemlichkeit und sein schöpferisches Formgefühl, mit dem er nichts mehr anzufangen wusste, zu befriedigen. Anstelle der kleinen Umgebung, die immerhin zwingt, aber auch Zeit dazu lässt, Geschehnisse und Taten wie Gedanken und Gefühle zu verarbeiten, tritt jetzt die grosse Umwelt, deren ständig sich vermehrende Eindrücke an der äusserlichsten Schale – der Ehre, imstande zu sein, ein Auto zu besitzen und als Herr der selber ausgewählten Strecke den Motor zwingen zu können – ergebnislos abprallen. Das Selberauswählen der Strecke übrigens, die Geschwindigkeit und auch das Gefangensein in den ewig sich wiederholenden Plaudereien um den eigenen Wagen sind Ersatz für den Drang, Eigenes zu schaffen. Wobei sie allerdings Besitz mit Eigentum verwechseln und an der billigen Anerkennung, die das ergebene Nicken eines möglichst materiell Untergeordneten darstellt, oder im Erreichen eines Ziels in der vorhergesagten Zeit ihre Genüge tun. Wie aber, wenn das Ziel nicht planmässig erreicht, der materiell Untergeordnete nicht nickt? Dann rühmen sie, ohne auch nur einen Augenblick verlegen zu sein, ganz einfach ihre scheinbare Intelligenz, indem sie ohne diese noch viel später angekommen wären, oder sie deklarieren mit achtzehnpferdigem Scharfblick die Verneinung ihrer Ansicht durch den andern als dessen Neid. Wenn man annimmt, dass durch jeden Alkoholrausch einige tausend Gehirnzellen zerstört werden, kann man auch, was ebenso leicht oder schwer zu beweisen sein wird, annehmen, dass mit dem Besitz eines Automobils in ebensolchem Mass seelische Zellen verneint und somit aus der Gesamtheit der Seele ausgestossen werden. Betrachte nur einmal, wie die Grösse der Gefährdung der anderen Strassenbenützer mit einer Kaltblütigkeit zum Selbstverständlichen gerechnet und zum Vorwurf hochgezüchtet wird, das Recht auf seiner Seite zu haben, weil man ja sozusagen mit der Zeit, mit der Technik Schritt hält, dabei aber den bündigsten Beweis bewusstlosen Beherrschtseins durch die gefühlsersetzende Materie liefert. Dass unter solchen Aspekten die wahren Glückesmöglichkeiten des noch so vorsichtig Besitzenden verkümmern müssen, gibt jedoch zu keinen Befürchtungen Anlass, sind wir doch mitten in der Zeit, die das Zeichen dieser Lebensform trägt. Wir haben sie also nicht mehr in Aussicht, wir müssen lediglich hindurch. Und einzelne, die das Erbe alles Guten und Schönen hinüberheben in die Zukunft, die um keinen Preis sich in ihrem Menschsein zu verraten gewillt sind, wissen wir auch unter uns. Immerhin mag die Tatsache, Untergründe des Autobesitzes aufgedeckt zu sehen, manchem derart Besitzenden die Wertlosigkeit seines Inhaltes zeigen.

Seelische Landschaft

Es ist dunkel. So dunkel, dass das Dunkel wie eine Flüssigkeit ist, in der ich schwimme. Und irgendein Organ erhält auch keine Luft mehr. Am Grunde werd ich sein. Voll Bedeutung gibt es da auch ein Schloss. Gewohnt hab ich noch nie in einem solchen; es gibt ja viel unbewohnte. Gut, dass ich weiss, dass ein Hausknecht (wieso heisst er nur Kaliban?) und eine Wirtschafterin da sind. Drei Trakte, grau in grau, ein seltenes farbloses Grau übrigens, erheben sich rings um mich, denn hinter mir, das fühle ich, kann ich nichts sehen. Viele kleine Fenster scheinen mit Rauch beschäftigt zu sein, der ihnen in kleinen, kurzen Schlücken entquillt. Das stört mich allerdings nicht, aber das heillose Loch, denn ein Tor ist es nicht, zwanzig Schritte vor mir, gibt zu denken. Wie ich noch näher herangehe, sehe ich, tatsächlich ich sehe, trotz des Dunkels, Reihen von Ziehbrunnen, Kolonnen, die miteinander in Betrieb sind, kettenrasselnd. Statt Wasser fördern sie jedoch, und das ängstigt mich sehr, Rauch. Ungeheuerlichen, lebendigen Rauch. Rauch in wabernden Windungen. Wie ich nach der Wirtschafterin rufe, ihr Name ist mir nicht mehr geläufig, kommt eine Türe, holzgeschnitzt und eisenbeschlagen, auf mich zu, und als sie knapp vor mir steht, überragt sie mich um die ganze Länge. Auf der Höhe des Türklopfers steht, eingebrannt mit glühenden Stäben, «Ausgang». Doch hinaus will ich eigentlich nicht, denn ich weiss plötzlich, dass ich erwartet werde von der Fürstin. Schliesslich darf ich doch annehmen, zu diesem Schloss gehöre auch eine Fürstin. Kaliban, der Hausknecht, ruft aus dem Boden, die Wirtschafterin wohne oben auf dem Hügel, im Hundehaus. Was geht's mich an! Die Fürstin wäre mir jetzt wichtiger. Reisen soll ich, fällt mir ein; und sicher, die Fürstin würde mich das auch heissen. Hat sie nicht früher, viel früher, davon geträumt. Zusammen mit mir –.

Ein riesiger Knoten aus Rauch zuckt in kuriosen Krümmungen an mir vorbei und verdichtet und ballt sich zu einem

Ochsenschlitten. Kalt wird's auf einmal. Und bergauf geht's, gemächlich, wie Ochsen gehn. Dennoch, wie ich mich auch umdrehe und nach allen Seiten sehe, vom Schloss keine Spur mehr. Mein Sitz ist sehr hart, wie ich auch die Stellung verändere. Links flitzen Steine, glasiggrün, vorüber, obschon die beiden Ochsen schwerfällig trotten. Da gehen Leute, Tausende müssen es sein, in blauen Überkleidern und schwarzen Gehröcken. Vorbei. Ein steinernes Haus, ein Blick zum Fenster hinaus: Abgründe, fast senkrecht in saugende Tiefe. Mir schwindelt. Eine Stimme: «Tibet, das höchste Tal der Welt.» Weiter. Wahnsinnige Kälte knittert über mich, wie ein Berg Cellophansäcke, der gepresst wird. Halt. Ringsum Häuser, die etwas zelthaft Provisorisches haben, und jetzt, grosse Menschen in Kapuzen. Sie wollen anscheinend irgendwas von mir. Jetzt sind sie da. Sie suchen den Hanswurst. Ich bin ihn nicht. Da rufen sie aus, wie mit Klappern: Ich sei's. Nun bin ich ihn doch –. Und tanze und rolle und rase, in den Händen die grünen Korallen, die der Fürstin gehören. Einer Frau, die neben mir steht, werfe ich Schnee auf die Füsse; da schweigt sie, denn sie sang vorher. Bin ich zu gut als Hanswurst? Alle ziehen sich plötzlich zurück von mir. Enttäuscht, als hätten sie anderes erwartet.

Aber einer, den ich erst jetzt bemerke, ein gut angezogener, moderner junger Mann, hält mir, über und über vereist, die Wünschelrute hin. Ich bin am Pol, am Wendepunkt, das weiss ich. Und nehme die Rute und wünsche jeden Wunsch, an den ich mich seit je erinnern mag. Da fängt die Fahrt wieder an, über einen kurzgestutzten Rasen, ein Mäuerchen hinab mit einem Sprung. Neben mir, über mir und zwischen meinen Füssen fliegen brennende Hähne, zahllos ⟨?⟩. Eine Strasse entlang, die wie eine aus neueren Quartieren Zürichs aussieht. Ein Velofahrer zückt den krummen Säbel gegen mich und schlägt auch, wie ich lachen will, zu. Da packe ich in den Pneu seines Hinterrades und ziehe mit aller Kraft. Und der Gummi dehnt sich, ich lasse los, so dass der Säbelschwinger samt seinem Velo um die nächste Ecke

schnellt, die weit weg, wie am Äquator, ist. Indessen sammelte sich auch die Menge, wie sie sich in Städten immer sammelt, wenn es etwas anzusehen gibt. Und alle, viele Tausende, rufen einstimmig: «Sieger, Sieger, Sieger.» Ulk-Ulk-Ulk, hämmert das Herz in mir, und die Wünschelrute reisst mich in sausendem Flug durch unsre Zeit. Wie ⟨?⟩ mit Zäunen und weidenden Kühen, Seen, Wäldern – und jetzt Nebel, grenzenloser schwarzer Nebel –.
Stämme, schwarz und mit verworrenen Kronen, tauchen jählings auf. Ein Vogel fächert fahl vorüber und ruft mir «Weglos» nach. Weglos? Ich habe ja die Rute meiner Wünsche. Da schmilzt sie in meinen Händen zusammen zu drei grossen Tropfen, die wie Regen fallen. Habe ich Angst? Ich laufe, spüre meine Schritte und nehme erleichtert den festen Grund, auf dem ich stehe, wahr. Zugleich wird es angenehm warm, und der Wald, durch den ich gehe, ich muss bald zu Hause sein, ist der Sihlwald. In einer Stunde zu Fuss, denke ich, bin ich daheim. Ich fühle mich frei, wie noch nie. Habe ich Ferien? Das kann ich aber mit allem Nachdenken nicht herausbekommen. Ich habe erfüllt, doch was, weiss ich nicht. Nur das Gefühl von Vollendetem, von mir Geleistetem steht hoch am Himmel, mit Licht hingeschrieben. Es ist Tag. Auf einmal Tag, wie noch nie. Die Sonne ist es. Ich schuf die Sonne. (Ich habe die Sonne getan.)
Ein nahes, ganz nahes, schmales Häuschen, rötlich grau, in Kopfhöhe ein Balkon mit schwarzem Gitter, hab ich erreicht. Ich sehe eine Frau, hinter dem Gitter auf Lammfellen sitzend. Sie strickt. Und hinter ihr, im Halbdunkel der offenen Tür, steht eine Wiege mit hellgrau lichten Vorhängen. Das letztemal, als ich sie sah, hatte sie noch kein Kind, meine ich, und sie lächelt, als antworte sie mir auf die unausgesprochene Frage. Ich bin daheim. O Weitestes, das ich weiss. Grenzenloses in allem. Die Frau erhebt sich und beugt sich über das Geländer und weist mit dem rechten Arm an mir vorbei. An ihren Lippen sehe ich Worte, die sie jetzt wohl sagen muss. Hören kann ich rein gar

nichts. Aber mir ist, als sagte sie: «Noch nicht.» Ich folge mit dem Blick ihrer Weisung und sehe – nein, das kann ich nicht beschreiben, nicht annähernd. Hier hört jede Möglichkeit, Äquivalente der Sprache zu finden, auf. Ich will nur sagen: Sehnland, Land eines ganzen, goldenen Lebens. Heimat aus allen Heimaten der Welt, Gottes Land. Spanien der Seele. Rote, rote Häuser mit weissen Zackenzinnen inmitten grüner Gärten mit Wassern, über denen der Geist Gottes in leuchtenden Wolken schwebt. Alles ist möglich. Und im Hintergrund das Gebirge aus Formen, längst bekannt und nie gekonnt. Aber jetzt, da doch alles möglich sein wird: In einem dieser Häuser muss mich die Fürstin erwarten. Dessen bin ich sicher. Und meine letzten Schritte sind voll der Gewissheit, sie zu erreichen.

Wie ich vollends aufwache, denn ich tat einen, wie man sagt, Halbschlaf, ist es mir, als falle ich aus tiefster Wirklichkeit in Traum. Und wenn ich nicht wüsste, dass ich erwartet werde und erreiche, was mich allein erwartet, müsste ich todunglücklich sein. Glaube ich wenigstens.

Die Lumpen der Wahrheit

Die Strasse führte aufwärts zwischen den schmalen, dunklen Häusern, die mit spitzen Giebeln in den grauwolkigen Himmel stachen. Wie jeden freien Abend, den ich benützte, um ungestört die Zeitungen meiner Heimat durchzusehen, wunderte ich mich auf dem Weg ins Kaffeehaus über die modern gekleideten Leute. Das ganze deutsche Städtchen W. strahlte derart den Begriff Mittelalter aus, dass sich alle Fremden wundern mussten, die Einwohner nicht anders wie sie selber gekleidet zu sehen. Man erwartete aus dem muffigen Torbogen waffenklirrende Landsknechte, während ein Ausläufer mit Veloanhänger hervorgefahren kam. Oder: Das vergitterte Fenster zur ebenen Erde, aus lauter bunten, bleigefassten Butzenscheibchen, war halb offen und dahinter, statt des erträumten Grünewald, malte ein überaus biederer Bäcker mit dem Eiweisspinsel auf Sonntagsbretzeln.

Mein Eckfensterplatz im Kaffeehaus, das «Zum Schongauer» hiess, war besetzt von einem Alten, mit spärlichem, aber sauberem, weissem Vollbart. Nun, echte Bärte hatten seit je meine besondere Zuneigung, und darum kamen wir bald ins Gespräch. Ich erzählte ihm vom Zauber des Mittelalterlichen, der mich Fremden von Tag zu Tag neu gefangennahm. Daraufhin verriet mir der Alte, dass er Martin heisse wie ehemals der Schongauer und dass er sich freue an meiner Sympathie zu ihrem über tausendjährigen Städtchen. Dafür wolle er mir ein Geheimnis anvertrauen, das nur wenige ausser ihm wüssten. Dazu, und er lächelte verschmitzt, wie mir schien, müssten wir aber in die Kirche. Voll gespannter Erwartung verliess ich mit ihm das Lokal, nachdem er noch den Rest seines Wacholderschnapses ausgetrunken.

Mit kurzen, schlurfenden Schritten ging Martin neben mir und wies mit seinem Weissdornstock den Weg, den ich allerdings bereits kannte, denn schon zweimal, seit ich hier war, hatte mein Besuch der grossen Kirche gegolten. Ich hatte sie beide Male verschlossen gefunden, aber die lebens- und überlebensgrossen Heiligen- und Reiterstandbilder zu dreien Seiten, die sich ausnahmen wie ein Riesenrelief auf gotischem Spitzbogengrund, hatten die Rundgänge reichlich gelohnt. Ich teilte Martin meine Befürchtung mit, die Kirche könnte geschlossen sein, doch da wir eben am Hauptportal ankamen, lächelte er und zog einen langen, zackigen Schlüssel aus der inneren Rocktasche. «Ich bin nämlich der Abwart hier», sagte er, und ein wenig stolz schloss er die Türe wieder hinter uns zu. Da dröhnte ein Schlag wie mit tausend Stimmen vom Gewölbe, und noch einer, und noch vier – es war sechs Uhr. Martin ging voran im linken Kreuzgang bis zu einer wenig tiefen, aber schmalen und hohen vergitterten Seitennische. Unsere Schritte verhallten mit vielfachem, drohendem Echo. Gegen oben verdüsterte sich die Dämmerung, die uns umgab, bis zum tiefsten Dunkel, so dass die seitlichen Säulen den Anschein erweckten, als trügen sie nichts, was eine sonderbare Beschwingtheit ergab, die mich, trotz der feierlichen Umgebung, fast lustig stimmte.

«Denken Sie», begann Martin, indem er in die Nische wies, «da war vor vielen Jahren ein Tag wie jeder andere. Die Bauern kamen auf holperigen Wegen in die Stadt, ihr Gemüse zu verkaufen, die Schuster klopften vor den Häusern ihr Leder, und die Obrigkeit schritt in schwarzen Talaren zum Gericht, mitten durch die scheinheilig oder ergeben sich verneigende Menge des Marktplatzes. Just im selben Augenblicke, als die Ratsherren sich anschickten, die geschwungene Doppeltreppe des Rathauses zu besteigen, begab es sich, dass auf dem Markte ein Lärmen anhub, was einen der Herren bewog umzukehren, um nachzusehen, was es gäbe. Zwei Bauern bedrohten mit Peitschenstielen eine hagere Alte, während sie gleichzeitig auf diese einschrien und ein Spassmacher hinter einem Esel hervorrief: ‹Still, Ihr Herren, die Wahrheit spricht!› Der Richter, denn es war zufällig der Richter, der nachsah, gebot Schweigen und fragte, was sich begeben hätte. Da fuhr die Alte herum und sah ihm ins Gesicht, ganz unerwartet fest, und sagte zu ihm, vor den erschrockenen Bauern: ‹Ihr, Mann, tragt den Tod des jungen Hans Ulrich, den Ihr letzte Woche hängen liesset, auf Eurem Gewissen, denn nur Ihr hättet ihn retten können, da Ihr wusstet, dass Euer eigener Sohn es war, der die Tochter des Hufschmieds erstach.› Auf diese Worte fiel dem Richter, dessen Kopf wie Feuer brannte, die Kinnlade herab, so dass man die Zahnlücke sehen konnte, die er sonst sorgfältig zu verbergen wusste. Nun stand aber auch der Hufschmied, den's anging, in der Nähe und schien etwas aufgeschnappt zu haben, denn er schrie: ‹Was!› und sprang schwerfällig hinzu. ‹Wache!› rief da der aus allen Wolken gefallene Richter und: ‹Packt die Alte!› Diese war jedoch behender, als man ihr zugetraut hätte, und nur ein paar Fetzen ihres Kleides blieben in den Griffen diensteifriger Hände. Jedenfalls gelang es ihr, trotz der Meute des Marktes an den Fersen, in die Kirche zu entfliehen.»

«Da, wo wir stehen», bedeutete mir Martin, «fand sie der Kaplan auf seinem abendlichen Rundgang. Er bot ihr, wie sich später herumsprach, den Schutz der Kirche an, unter der Bedingung, dass sie immer in der Kirche bleibe. Sie soll ihm aber zur Antwort gegeben haben: ‹Ich bin die Wahrheit, und solange ich nicht überall zu Hause sein kann, so lange muss ich wandern. Und um nur bei Euch daheim zu sein, will ich Euren Schutz nicht.› Darauf hätte ihr der Kaplan noch empfohlen, wenigstens ein Gewand der Kirche anzuziehen, damit sie, unerkannt von den Häschern, fliehen könne. Aber auch das hätte sie ausgeschlagen.

Unterdessen dang der Richter, dem es noch immer abwechselnd heiss und kalt war, als Mörder der Alten einen Trunkenbold und armen Familienvater, mit dem Versprechen, sich und die Seinen, aber vor allem sich, mühelos ernähren zu können, wenn er tue, was er ihm auftrage. In der darauffolgenden Nacht, in der sich die erschrockene Bevölkerung wenigstens äusserlich den Anschein gab, als sei nichts geschehen, wurde die Alte, die Wahrheit, ausserhalb der Stadtmauern erwürgt.

Danach begann etwas Unerhörtes: Drei Tage und drei Nächte kreisten Schwärme schwarzer Vögel über dem Städtchen, und dann schneite es wie noch nie; weiss und rund wurden die sonst so kecken, spitzen Giebel, wie unter einem Bahrtuch. Und wenn die Leute Abend für Abend beklommenen Herzens in der Kirche zusammenkamen, zuckte der Schein der vielen Kerzen irrlichternd über die weissen Wälle. Noch viele Jahre vergingen, bis sich die Bluttat jener Juninacht langsam zur gruseligen Geschichte beruhigte, die man nachts den Kindern erzählte, um sie einzuschläfern. Sogar Lieder sollen über die Wahrheit gesungen worden sein. Und den Mörder und seine Familie hätte man verflucht. Er habe aber so viele Kinder gehabt, dass seine Nachkommen allmählich die Mehrzahl aller Einwohner ausgemacht hätten, und da seien diese vor den Bürgermeister getreten mit dem Begehren, jeden, der gegen sie fluche, zu bestrafen. Was dieser auch sofort bewilligt hätte. Und seitdem hört man nur noch vom Tode der Wahrheit, aber nichts mehr von ihrem Mörder.»

Der Alte entzündete ein Streichholz und hielt es gegen die Nische, dass die Schatten der Gitterrhomben auf grauen, staubigen Stoffresten tanzten: «Da – diese Fetzen sind alles, was von ihr übriggeblieben – die Lumpen der Wahrheit.» Das Flämmchen erlosch. Martin richtete sich auf: «Aber, wollen Sie nicht heim, es ist schon Nacht, sehen Sie», und er deutete mit der Hand gegen die gewölbte Decke, wo die Lichtstreifen zweier Fenster aufstiegen, «man hat bereits die Strassenlaternen angezündet.» Mein Versuch, ihn zum Nachtessen einzuladen, lehnte er mit der Begründung ab, in seinem Alter ässe man nicht mehr so viel. Aber, wenn ich ihn wieder besuchen wolle, er wisse noch viele Dinge von früher, meinte er, indem er mir die kleine, im riesigen Hauptportal eingefügte Tür auftat. Ich dankte ihm jedenfalls für seine seltsame Geschichte, und er winkte mir noch einmal, als ich um die Ecke in die dunkle Gasse bog.

Draussen wehte der Wind wie im Winter mit dem Geruch frischen Schnees. Ich fröstelte und war froh, allein zu sein, um mit weiten Schritten mich warm zu laufen. Hie und da glühten Lichter hinter zugezogenen Vorhängen, manchmal rötlich, manchmal grünlich, während der gewohnte Weg in meinen Gedanken immer unwirklicher wurde, so, als könnte er, irgendwo auf der Welt und irgendwo in der Zeit, heimführen.

Immerhin, sie war gut erfunden, diese Geschichte, denn ich weiss noch, wie ich am andern Morgen ernstlich darüber nachsann, wo mir die Wahrheit das letztemal begegnet sei.

Brief an eine Namenlose

Wie soll ich beginnen, um dich nicht zu kränken, um mir nicht die allerletzte Hoffnung, von deren schmalem Ausblick aus ich schreibe, zu nehmen? Aber, da fällt mir ein, dass du es sicher gerne hörst, dass es deiner Eitelkeit schmeicheln muss, wenn ich dir sage, wie ich auf dich gewartet habe. – Jetzt lachst du vielleicht und glaubst, es zu wissen. Doch gar nichts weisst du! Höchstens, dass es stürmte. Der erste Wintersturm übrigens dieses Jahres. Ich stand sogar gern in seinem verwischenden Regen, und der Wind war ein Fest. Denn ich träumte von einem herrlichen Sommer, der mich von den verdrossenen Alltagsgesichtern der Leute im Tramwartehäuschen weggehen hiess auf den ungeschützten Platz. Dort, beleuchtet und beschattet von den schwankenden Strassenlaternen, die durch die kahlen Kastanien schienen, dass diese aussahen wie riesige Spinnennetze, träumte ich den Traum vom kommenden Sommer und vergass den Weltwinter ringsum im Leben, bis auf die quälende Kleinigkeit, dass es jeden Augenblick acht Uhr schlagen könnte, ohne dass du da wärst. (Hast du auch schon geträumt? Wenn du geliebt hast, dann musst du auch geträumt haben.) (Sonst liebtest du nicht –) Nun, mein Sommer, unser Sommer, darf ich wohl sagen, wärmte meine kalt gewordenen Füsse, bis die Wartezeit längst überschritten war, so dass ich immerhin annehmen kann, mich nicht erkältet zu haben.

Warst du schon an einem Fluss, sagen wir in unserer Umgebung, an der Sihl, wenn die Steine des Strandes im Mittag glühten und die Luft durch die Stille bis übers Schilf hinauf zitterte? Wenn der volle Wald zu beiden Ufern sich mit weissen Wolken im Wasser spiegelte und dann und wann ein Reiher ins Schweigen schrie? Wenn es keine Stadt, keinen Zwang, keine Zeit und nur noch grenzenlos Sonne und Dasein im grossen Einklang mit allem gibt? Du wirst denken, ich sei wunderlich, wenn ich dir sage, dass ich dich dort traf. Aber fürchte nichts, es ist ja lediglich dein Bild, das ich mir von dir machte, was ich als Summe allen Gefühls, als seiendes Herz, zur leidenschaftlichen Herrin dieses leidenschaftlichen Sommers erhob –. Hast du gelacht? Aber, bitte, wenn es nicht anders geht, lache nur.

Es ist für die meisten Menschen schwer, von den tausend Hoch-Zeiten der Liebe eine andere als die allgemein anerkannte und beglaubigte Form zu erleben. Und sie vergewaltigen damit ihr ganzes Mensch-Sein und hängen mit toten Herzen in den Netzen der Übereinkünfte. Aber das nur so nebenbei.

Wenn ich auch in Gedanken spiele, jede Wirklichkeit war schliesslich einmal ein Gedanke, und zudem kommt es eher darauf an, ob das Gedachte in seinem tiefsten Grunde übereinstimmt mit unserem Tun.

Du wirst doch zugeben müssen, jetzt, dass es nicht meine Aufgabe sein konnte, zu überlegen, ob deine Worte wahr waren oder nicht, als du mich das erste Mal warten hiessest. Wie ich dir ja sagte, zogen sich nur meine Fühler, wie bei einer Schnecke, die weit ins Vertrauen reichten, zurück, weil du nicht kamst. Das zweite Mal begab sich alles so ungeschickt in der verwirrenden Umgebung, dass das dritte Mal wieder ganz mein Vertrauen hatte. Freilich, für dich bleibt ein bequemer Ausweg: Da du mich mittags miedest, wirst du sagen können, wenn du mich um zwölf Uhr getroffen hättest, würde ich abends nicht vergebens gewartet haben.

Sei es, wie es wolle, du kannst doch nicht mehr zurück aus dem Sommer, den du in mir erlangtest –

Ich gestehe, dass es einen Augenblick gab, so nach halb neun, wo ein trostloser Riss aus winterlicher Wirklichkeit durch die fernere jenes Sommers zuckte, als ich die Strasse ging, wo du vermutlich wohnst oder mindestens laufen musst, wenn du ins Geschäft gehst. Irgendwo gibt es dort einen Mauerwinkel, etwas zurückgestellt von den andern Häusern, der derart verborgen, grau und heimlich aussieht, als wäre der Tod dort ein Leichtes im Gedanken an die Möglichkeit, dass du diese Ecke jeden Tag im Vorübergehen mit einem Blick streifst, der von allem nichts ahnt –.

Vielleicht hätte ich das nicht sagen sollen, aber vielleicht lernst du daran einsehen, von wo bis wo das Leben eigentlich sein kann. (Doch, wenn du diese Zeilen nicht verstehst, nimm ruhig an, ich sei ein verliebter Gymnasiast; das dürfte dir dann eher entsprechen.) Nimm alles so auf, wie es dir zusagt. Vielleicht auch legst du diesen Brief zu deinen andern Liebesbriefen, falls du dir nicht vorher überlegst, ob er stören könnte –.

Bitterer Ausschnitt

Da gehe ich zwischen Häusern und weiss, dahinter hat's wieder Häuser. Ich bin nicht allein, denn es vergehen keine zehn Sekunden, dass nicht Entgegenkommende oder Überholende mir begegnen. Sie alle haben's übrigens eilig, nach ihren schnellen Schritten zu schliessen, und wenn einmal ein Pärchen daherschlendert, ist's wieder Eile, nur in einer andern Dimension: Schmiegsamen Schrittes peitscht die erwartete Lust jeden Gedanken voraus, und so sind die Beine wie gelähmt. Aber das denke ich ja bloss. Was weiss ich wirklich? Dass ich Mensch unter Menschen bin, dass ich zwischen Häusern gehe und dass sich darin die Türen öffnen und schliessen und die Geschäftigkeit nach endlosen Zielen jagt. Wie? Da rief doch jemand. Soll ich mich umdrehen? Sicher bin ich nicht, ob der Ruf mir gilt, und wenn schon, geht's mich wirklich an, wird's wohl nicht wichtig sein. Mich kennt ja niemand; höchstens vielleicht der Buchhändler, bei dem ich öfters krame, glaubt mich zu kennen. Wer kennt schon den andern, den Mitmenschen? Wer will ihn schon kennen? Es genügt, als geformte Oberfläche, als optische Erscheinung die Strasse zu gehen. Es muss genügen! Also bin ich doch allein. Die Sonne scheint. Ja. Man hat das zur Kenntnis genommen und sich danach gerichtet; die Mäntel trägt man über dem Arm, die Hüte lässt man zu Hause. Zu Hause? Was ist zu Hause sein? Doch nur die Fortsetzung der Strasse. Es fehlt lediglich der visuelle Eindruck; das heisst, statt dass jeder jeden anödet, ödet man sich selber an. Bin ich jetzt verpflichtet, mich selber zu fragen: Warum so giftig, mein Lieber? Nicht gut geschlafen? Oder scheint etwa die Sonne nicht auch für dich?

Nur nicht vor mir selber lächerlich werden. Nein, halte dich ab von solchen konventionellen Anwandlungen. Sei lieber irgend etwas anderes. Ein Pferd vielleicht, dann wirst du unter lauter Rücksichtnahme die Strasse überqueren können, oder ein Fisch, das ist noch besser. Du schaust übers Brückengeländer,

und schon bist du unten und schwimmst mit im Gefühl. Das Gefühl ist dann grün und weich zu durchsinken wie Honig. Du hast nur noch eine Sorge: nicht einen verlockend sich windenden Wurm einzuschnappen, denn es hat viele Fischer in der Stadt. Pardon! Da stiess mich einer an. Nein, es ist eine Dame. Pelz, Federhut, Stiefel. Sie dreht sich um; kenn ich sie denn?
«Andreas! Wie geht's dir?»
Tatsächlich, ich kenne sie.
«Du bist in der Stadt? Seit wann? Was treibst du?»
Soll ich jetzt sagen: Ja, seit ... ich weiss nicht wann. Und treiben? ... Es treibt eher mich ...
«Warum sagst du denn nichts?» beginnt sie zu drängen.
«Nun, verstehst du, ich war eben bei den Fischen, in Gedanken», sage ich. Und füge noch hinzu: «Verstehst du, in Gedanken.»
«Natürlich, ich verstehe dich. Aber ich meine, was machst du, was arbeitest du?»
«Ich versuche zu leben und schreibe das hin und wieder auf.»
«Das mit den Fischen?» lächelt sie spöttisch.
«O ja, auch das mit den Fischen!»
«Dann, auf Wiedersehen, Andreas.» Und weg ist sie. Fern keilt noch der Federhut zwischen vielen Köpfen ins Tram. Das war Helen, eine Arbeitskollegin von früher, als ich noch arbeitete, organisiert, achtundvierzig Stunden die Woche. Wie teuer ist das Leben? Kann man fragen, dann ist es achtundvierzig Stunden teuer jede Woche. Ja, und am Sonntag kann man's billiger haben; da ist Ausverkauf. Manchmal ist's sogar ganz umsonst, das Leben. Erinnerungen werden einem geschenkt, und man nimmt sie ohne Dank und zerpflückt sie, falls sie's nicht bereits sind, um sie ein andermal falsch aneinander zu halten.

Am Ende der Brücke ist ein Fernrohr aufgestellt, behütet von einem älteren Mann, der – was mir sofort auffällt, da seine Hosen zu kurz sind – mit blossen Füssen in wildledernen Halbschuhen steht. Er nickt mir zu, ohne dass ich eine Miene besonderer Zuneigung zeige. Und er sagt sogar du zu mir. «Willst du einmal hindurchsehen?» sagt er. Teufel, habe ich am Ende vergessen, die Socken anzuziehen? Aber er macht ein so harmloses Gesicht dazu, dass ich nicht nein sage. Was schadet's; mach dem Alten die Freude. Ich schaue hinein. Ausschnitt. Klar, es muss ein Ausschnitt sein; wenn ich mehr erwarte, bin ich selber schuld an der Enttäuschung. Also, Ausschnitt: Wiesenweg, ein Obstbaum, kein Haus, zwei Männer mit Spazierstöcken, von links einer, von rechts einer, ziehen einander zu. Noch fehlen zwei Meter, da zieht jeder seinen Hut, hält ihn ausschwingend vor sich hin und zurück auf den Kopf. Zum Glück, einer nickt noch! Scheint der Untergebene zu sein. Es wäre sonst zu symmetrisch und reicht so schon aus, um das Marionettenhafte der spazierenden Bürgerlichkeit wie etwas Totes durch das Auge eindringen zu spüren. Weiter! Der Alte wird kühl, als ich ihm eine kleine Münze in die automatisch hingehaltene Hand lege. Als ob er nicht des Geldes wegen da stünde.

Am Münsterplatz dringt etwas wie Weinen an mein Ohr. Nicht wie Kinder weinen; so, wie wenn's mich beträfe. Richtig, oben im Winkel, wo zwei Seitengassen abzweigen, unter der Haustüre, liegt eine Frau an der Schwelle. Man soll nicht neugierig sein, kommt mir in den Sinn. Das hat man mir früher eingebleut; also bleibe ich stehen. Die Frau, klein und fest, in grauen, abstossenden Kleidern, rafft sich mühsam auf und schreit plötzlich, ehe sie ganz zu stehen kommt, mit wässriger, kreischender Stimme: «Es gibt keinen Gott – Götzendiener – ich glaube nichts mehr – ihr seid falsch, gemein –, Dreckbande! Hört es nur, ihr da oben!»

Unwillkürlich blicke ich auf, dorthin, wo sie hinaufschreit. Eine Firmentafel «Blaues Kreuz», das ist alles. Die Fenster geschlossen, die gewöhnliche Altstadtfassade, nichts sonst.

«Zuerst der Mann, der Hund und jetzt noch mein Sohn, ihr Saubande! Alles hat nichts genützt. Es gibt keinen Gott mehr!»

Jetzt wankt sie weg über den Münsterplatz, hebt den Arm, entschliesst sich zu einer drohenden Faust: «Nein, Götzen seid ihr, Lügner; nichts, aber gar nichts glaube ich mehr. Hört es nur da oben!» Aber die beiden Türme schweigen. Was könnten sie auch sagen; höchstens die halbe Stunde schlagen, die übrigens gerade fällig ist. Da schlägt's auch schon. Hundert Meter weiter unten, am Fluss, glitzert das Chrom- und Lackbewusstsein der andern Leute. Und vor mir die Gasse hinauf wankt die schreiende Frau. Mir fällt ein, was ein Dichter, lange bevor man schreiben konnte, hätte denken können: «Man erzählte mir vom ersten Vater, der Gott von Angesicht zu Angesicht gekannt und alles gewusst habe, Vergangenes und das, was kommt. Er sei mit seinem ersten Sohn auf den heiligen Berg gestiegen und lange nicht mehr herabgekommen. Ob er wohl, da er doch die Zukunft sah, seinen Erstling erwürgen wollte? Und hat vielleicht Gott den Schrei des Kindes vernommen und dem Menschen Einhalt und Vertrauen geboten?» –
Indessen, was für unzeitgemässe Gedanken in unserer wohlhabenden Stadt! Sieh, die Fenster glitzern von der untergehenden Sonne, und durch die saubergefegten Strassen säuseln die kultivierten städtischen Winde. Jede Gasse, jede Strasse, meint man, habe ihren eigenen. Trotzdem: Müssen wir schreien, bis Gott uns hört? Oder, besser: Wer ausser Gott hört uns, wenn wir schreien?

November am Fenster

Von etwas Bedrückendem gefangengenommen, das ich nicht nennen könnte, höre ich teils auf ein nächtlich kühnes Lied, teils auf den schwarzen Zusammenhang des Regens. Der Gesang bricht ab, während unten auf der Strasse eilende Schritte zerfetzen. Eine Stimme verkündet französisch und unbekümmert das nächste Stück. Sie klingt weich und weckt dennoch in mir jenen Widerstand, den ich, wie ich weiss, im Augenblick bereit hätte, wo mir Lachen befohlen würde. Ein Ausdruck von ahnungsloser Oberfläche schwingt in ihrem Tonfall mit und lässt mich als grosse Erleichterung empfinden, dass jetzt wieder Musik einsetzt. Radio: der breiteste Verkünder des Ungefähren, das nirgends hinzielt, das unerbittliche Plätteeisen des Geistes ... Genug! Ich richte den Docht meiner Kerze gerade, der eben mit aufgespaltener Flamme begann, eine Kerbe in die schöne Wölbung des roten Wachses zu schmelzen. Im scharfen Schlagschatten ihres Lichtes gewinnen die brillenartigen Höhlungen des Katzenschädels, die mir als Abstellort für meine Federn dienen, eine tempelhafte Tiefe. Es lässt sich vorstellen, wie weisse kniende Gestalten darin ihrem Gotte huldigen und jählings voller Abscheu auffahren, weil man ihnen sagt, wo sie sich befinden. Keine Angst, ich verrate nichts, denn das Geheimnis gleicht jener Geliebten, die mit jeder Abwesenheit schöner wurde.

Der Regen widerhallt knöchern von dem tief unter meinem Fenster gelegenen Ziegeldach. Wo der Schein nächster Strassenlaternen hintrifft, blitzen harte Lichter, und wenn sie im Winde schwanken, kippt die gegenüberliegende, im Dunkel kaum auszuspähende Hausfront in eine seltsam schiefe Sichtbarkeit. Geballte Dämpfe vorbeizischender Rangierlokomotiven grollen glühend hoch, wechseln unter grünen und roten Signallampen, dazwischen violett und schiefergrau schwelend. Ein Schnellzug tost über den Viadukt, wendet mit allen Lichtern und fährt einen ruhigen, immer leiseren Halbkreis. Der Wind wird stärker und klatscht mir kristalline Kleckse an die Scheibe.

Da sitze ich, irgendwo in einer halben Höhe über der Stadt, die, wie im ständigen Rausch von Geräuschen, in ihre Betriebsamkeiten getaucht, merkwürdig stückweise nur schläft. Während zum Beispiel jetzt der Berg, vom Regen dicht verschnürt, wie ein etwas schwerfälliger Morpheus über den Vorstadtsiedlungen Halbschlaf aus- und einatmet im langgezogenen Rhythmus schwerer Wolken, hustet die Bahnhofgegend Zug um Zug im rasselnden Gekeuche ihrer fahrplanmässigen Krankheit. Und die Nacht wird im Bereiche dieses lärmigen Auswurfs doppelt Nacht; man bekommt sogar den Eindruck, sie halte den Morgen deutlich zurück.

Dass ich inzwischen schlief – einen flachen Schlaf, vor dem das ungemein befriedigende Gefühl, gleich jetzt einzuschlafen, wohl das Wichtigste gewesen –, zählt nicht ausserhalb des Zimmers. Der Regen ist derselbe geblieben; nur die wechselnden Winde aus Nord und West gaben nach, wie ermüdet vom nächtlichen Scheuern an Häusern, Bäumen und Gestängen. Ein finsterer Vogel pfeilt mühelos durch die Dämmerung in eine muffigweisse Dampfwolke, und sein kratzendes Krah verflüchtigt sich im spitzen Gellen der Lokomotive. So ist hier der Herbst: nass, mit viel halbem, dumpfem Schimmer; fahl abgebrochen, wirr eingerüstet von Pfählen, Stangen und Drähten. Eisern und rostig verwesen die immer so bald vergilbten wie im Sommer bald versengten Schrebergärten.

Zwei unförmig eingehüllte Gestalten machen sich an einem defekten Zaun zu schaffen. Und während ich ihnen zusehe, zieht ein flüchtiges Nebelfeld vor meinen Blick, nasses Gras netzt meine Schuhe, und ein wenig friere ich an die Knie. Mit beiden Händen soll ich einen dicken Pfahl geradehalten, indes ein riesiger Holzhammer ausholt, um ihn wuchtig in den Sumpf zu treiben. Es gibt dabei jedesmal einen Augenblick, da der grobgeformte Hammerkopf hoch am Himmel unbeweglich verharrt, wo ich vermeine, ein lauerndes Gestirn zwischen Erde und Äther in ihm zu sehen, welches zu meiner Bestrafung herniedersausen müsse. Prallt dann dieses Ungetüm nach drohendem Flug gewaltig auf das ausfransende Pfahlende, so dass ein hartes Zittern meine Hände durchrieselt, so erfasse ich *darin* den Sinn meiner Arbeit, dass ich sie als Abwehr zwischen mich und die nahende Strafe stellen kann.

Nun, ich sehe, dass ich vom Fenster abgeraten bin. Aber der Herbst, dessen beschleunigte Vorfälle man mit jedem Aufschauen deutlicher wahrzunehmen vermag, verführt einen leicht dazu, für seine Äusserungen Gegengewichte aus Vergangenem zu denken – gleichsam zum Beweis dafür, dass er durchaus zu überstehen sei. Da kommt gerade jetzt ein bestimmter Geruch, modrig und rauh wie faulendes Laub, welches die Sonne erwärmt, der hartnäckig in eine jener erdrückenden, flügellahmen Rechenstunden des zweiten Schuljahres weist: Dem Weinen nahe und voll Grimm gegen die unerbittliche Gesetzmässigkeit der Zahl, wische ich mit nassem Schwämmchen und Zeigefinger die falschen Ergebnisse auf der Schiefertafel aus. Und siehe da, es ergab sich dabei genau der Geruch dieses späten Jahres.

Der Wind nimmt wieder zu, und aus einzelnen Kaminen, für deren kahles Ragen es jahrein jahraus keine versöhnenden Vergleiche gibt, quillt rasch sich in trübe Dünste lösender Rauch. Die Häuser am Berghang hellen sich allmählich auf; der Regen ist nur noch sanftes Rieseln, und die Wolken über dem nahen Horizont sind fadenscheinig geworden, so dass auf Mittag der schönste goldgraue Sonnenschein möglich wird.

Tag und Traum

Zweifelt ihr, dass ich je den Schulterstern, die grosse Sonne im Orion, erreichen werde? Dann wisst ihr auch keinen Weg zur Geliebten, keinen Blick, der sich über den blauen Gipfeln der Ferne noch auf die Fussspitzen stellte, um die wechselnden Wolken der Träume vor dem Schlaf etwas tatsächlicher zu fühlen; und euer Aufenthalt muss sich in der Dumpfheit einer lichtlosen Schlucht abspielen, wie der Strom eurer Herzen höchstens die Bauchhöhle befeuchtet. Euch werde ich nichts zu sagen haben, denn ihr verleugnet meine Flügel, ehe ihr sie sähet. Ihr aber, ihr andern, die ihr euch schon sehntet nach Flügeln: Euch will ich ein weniges von meinen Erhebungen, von meinen auf die Dauer nicht zu verschweigenden Auflehnungen und von den inneren Unruhen zeigen, an die ich glaube.

Freilich, eindeutig zu sagen «grün ist grün» oder «Sturm ist Sturm», vermag ich nicht mehr, seit ich die seltsamen Verwandlungen der Erde unter meinen prüfenden Flügen verfolge; aber wer von uns wollte auch schon Behauptungen hören, die sich als Hindernisse herausstellten, zöge man sie herbei, um die Seligkeit der Morgenröte oder die zerfetzten Türme am Gewitterhimmel zu begründen –. Ebensowenig könnte ich euch sagen, welche Eltern mich dazu anhielten, so zu sein und nicht anders, und wo ich meine erste Zeit verbrachte, in der ich gelernt habe zu laufen, mich unter Menschen aufzuhalten, zu verstehen und verstanden zu werden. Dies alles floss vorüber, ohne dass ich wusste wie. Bis, eines Nachts, ich am Ufer des grossen Sees stand, welcher die ganze Halbkugel des Himmels voller Gestirne spiegelte. Ich drang mit meinen Blicken in das laue Wasser und meinte, derart die Sterne zu erreichen. Meine Bemühung stand natürlich unter verkehrten Vorzeichen, weil der Verstand in mir, schon damals, nie recht überzeugend zu Worte kommen mochte. Aber die Kräfte, die ich über den Weg meiner Gefühle zu Hilfe rief, um den Blick vorzutreiben ins Unendliche, waren stärker als jene des Verstandes. Und so geschah es, dass ich, von den Wellen meiner Sehnsucht getragen, Gesicht zu Gesicht vor den Orion zu schweben kam und mich in seine liebliche Sonne, den Schulterstern, verliebte. Worüber – ich erinnere mich genau – der neckische Schwarm der Plejaden kicherte und lachte; auch ein Kentaur wieherte irgendwo in blauen Nebelwäldern, und hinter der nahen Insel brummte vergnügt der Grosse Bär.

Mein Schicksal wollte es jedoch, dass ich mich damit nicht zufrieden geben konnte: Es wehte plötzlich kühl von Sonnenaufgang her – der Seespiegel zog sich in tausend krause Fältchen, die Sterne flogen alle auf –, und den Blick erhebend, gewahrte ich sie wieder, an den Enden ihrer Strahlen stehend, unbeweglich, fern und fremd. Die Enttäuschung war gross, und deutlich spürte ich die gewaltsame Wirklichkeit der Materie. Ich hatte das Trügerische des Spiegels vernommen und war dennoch fest überzeugt, dass mir in dieser Stunde zwischen zwei Himmeln Flügel gewachsen.

Und so war es auch. Das Bewusstsein des Herzens, das ich im Aussen verlangend heraufbeschwor, blieb und liess, weit innen getragen, in allen meinen Entschlüssen und Entscheidungen sich fühlen, wie eine zarte Frucht, die in jedem Augenblick – eben erst jetzt – reif wird und süss. Meine äusseren Tage und Nächte verliefen keineswegs anders; aber in ihre für alle sichtbaren Begebenheiten mischten sich die Traumblüten innerer Erhebungen, die Flüge des Gefühls, die mich von höheren, schwebenderen Ausblicken aus urteilen hiessen. Das Brot, das ich ass, schmeckte nicht mehr frisch oder alt, schwarz oder weiss, sondern es begab sich mitunter, dass es sang. Und so singend Biss für Biss verging, sich in mir wieder gleichermassen zusammenfügend: nicht mehr als Brot, als Gesang –.

Oder auch: Ich lag schon in der mittäglichen Wildnis einer Wiese, etwas benommen noch vom heissen Schlag der Peitsche Pans, und seht: Der Stein, den ich betrachtend vor meinen

Augen hatte, wuchs ins Gigantische, mit Schründen und Schroffen, mit Klüften und Schluchten, regenverspülten Runsen und ewigem Eis. Ohne zu übertreiben, darf ich wohl sagen, es war der Gaurisankar. (Ich weiss, für gewöhnlich heisst er Mount Everest; aber hört doch einmal, wie das klingt: Gaurisankar!) Euch wenigen will ich verraten, dass seine kühnsten Gipfel den Kristalltempel der Ewigkeit tragen, worin sich das All spiegelt und alle Völker, alle Zeiten, alle Werke und alle Schlachten unserer Erde ihr Denkmal für immer besitzen.

Inzwischen lernte ich auch das unerhörte Gesicht einsehen, das unter unseren zahllosen Oberflächen, wie hinter unzulänglicher, schlecht nachmachender Maske, atmet und nur zu seltenen Stunden dunkelster Verklärung aufbricht: als plötzlich platzender Traumvulkan mit Lohen kaum zu sagender Schönheit, die sich noch nach Jahren vielleicht, in gänzlich entgegengesetzten Zonen, wie süsse Asche auf einen Begnadeten niedersenken, der inständig aufflammt in ihren doch schon verbrannten Bildern. Wo wären sonst jene Töne, die uns miteinander verbinden? Uns, die wir als geringe Stimmen – ich meine damit: als gewaltsam verschlossene – uns höchstens in kahlen und abgelegenen Tälern tiefster Trauer wie undeutbare Echos vernehmen –. Wo wären sonst jene Bilder, die uns inmitten klirrendster Winter zu unsern hellmöglichsten Sommern, in unsere im seligsten Zenith gefundenen Arkadien bringen? Und wo, so frage ich zum dritten Male, wären jene Worte, die uns zum wahrhaft göttlichen «Dennoch» bewegen – und flammten wir selbst auf den Scheiterhaufen unserer Zeit? Wie nun, wenn die Asche ursprünglicher Schönheit auf einen fällt, dessen willige Hände bei weitem zu schwach waren, um den gemässen Garten hervorzubringen? Dessen mit Erwartung gezogene Wunderblüte in tränenheller Nacht nicht als Phönix auffliegt, den so lange lastenden Himmel vor sich hertreibend, sondern als patschige Gans, mühsam durch Dornen dringend, an irdische Zäune stösst? Dann geschieht eine weitere Verzweiflung eines jener, die, begabt zu finden, alle Kraft in diese Begabung warfen, statt sie aufzusparen, um ihren Fund zu heben. Diese glaubten an ihr Höchstes in Blume, Stein und Geström; verklärten vielleicht ihre ganze Sichtbarkeit zu einem äusseren Gotte, zu einem grossen Gedanken, um den sich ihr Denken ansetzte und schliesslich das, was wir gemeinhin Herz nennen, überdeckte, bewuchtete und erdrückte.

Früh schon, bei der ersten Einfahrt in die Betäubung dunkler Grube blinder Tagwerkerei, gelang es mir, die Gefahren des Denkvorganges, der Intelligenz einzusehen. (Ich weiss nicht mehr wie; denn auf solche Weise mich zu erinnern, geht mir ab. Das einmal Entdeckte soll mich nicht ketten an seine Ursache.) Ich sah und sehe noch heute den grossen Teil meiner Zeitgenossen auf der breiten, sorgfältig abgesteckten und umzäunten Strasse ihres Denkens gemeinsamen Zielen zulaufen – aber unter Tag! Elektrisch erhellt freilich, und sogar für Automobile hat es Raum genug – aber unter Tag! Unter Tag! Was nützt es, dies zu wiederholen? Die Lichtlosigkeit ist ja aufgehoben, weggedacht durch die trübe Fackel der Technik. Dass die Musik Mozarts nichts anderes bewirkt, als kippte ein Lastwagen voller Kies diesen auf den Weg als ein Hindernis – dass die geistige Macht der anderen Künste nur einen Stromunterbruch bedeutet, das Dunkel, in dem sie hineilen, für Augenblicke zeigend – dies könnte für uns wenige entmutigend sein, wäre nicht doch eine innere Gewissheit, die, einmal erreicht, von nichts zu gefährden, jede Folter besteht, um stärker nur zu dauern.

Und damit komme ich auf jenes Rätsel, das ich für Mitte und Mass menschlicher Grösse halte: auf die Gefühle und auf ihren heimlichsten, heimatlichsten Karfunkel in unserem innersten Innern. Gefühle sind zweifelsohne das Jenseitigste am Menschen! Jetzt sind wir am höchsten; über dem Denken, durch die Form vorgestossen ins «ungeformte Meer der Gottheit», zum

Stein und zum Bildhauer, zum Licht und zum Maler, zur Idee und zum Ausdruck, zum Klang und zur Melodie. Mitte und Meer menschlicher Grösse ist aber zugleich das Rätsel unseres Daseins. Weiter als an dieses gelangen wir hier nicht. Mit unserem Gefühl hingegen sind wir ihm nah. Setzen wir also die Gefühle in diesen hohen Rang über das Denken, indem wir dieses nur zur Wandlung jener ins Greif- und Begreifbare, wie ein Werkzeug, handhaben, sind wir gewiss, bestätigt durch das ruhige Gewissen, unser Möglichstes, Lichtestes getan zu haben. Und die Meisterschaft ist dann die Erinnerung an der Unschuld Ursprung und Untergang.

Ich sehe ferner, dass ich jetzt an der Grenze des Sagbaren und von anderem zu Sinnen zu Bringenden anlange. Jeder steht an seinem hier nur ihm eigenen Anfang, sobald er unlogisch, abseitig, «abnormal» wird. Und das wird er, vertraut er leichten Sinnes, lichten Sinnes seinem Gefühl. Doch dies ist eine Art Krönung: die Freiheit, das durch nichts zu gefährdende Übersetzen – im Vertrauen in nicht Anerkanntes, nicht Ausdividierbares – zu haben und anzuwenden mitten im Zwange unserer stark im Aussen verankerten Zeit.

Erinnert euch jenes Nachmittags, da ihr hinaustratet aus eurer Behausung; vielleicht, eine gewöhnliche Erkältung hielt euch morgens im Bett. Und nun steht ihr plötzlich auf einer ganz neuen Strasse, unter einem Himmel aus weissen Strahlen, den je so gesehen zu haben ihr euch nicht entsinnt –. Spürtet ihr's doch ein einziges Mal: Ihr selber seid neu! In euch ist etwas erneuert, das wichtiger wäre, bewusst vernommen zu werden, als was ihr, nur so sehend, neu meint. Zwischen Abseits und Menge, zwischen Gestirn und Sternen wirkt die unsichtbare Wirklichkeit des Ewigen.

Es ist zu erwarten, dass solche Darlegungen als romantisch, als zu Vergangenem gehörend belächelt werden. Bezeichnen wir aber mit «Romantik» die Klaffung zwischen Individuum und Welt, wissen wir diese zugleich als geistige Grundlage im Menschen und kommen unweigerlich dahin, menschliche Grösse, innere Vertiefung am Romantischen einzusehen, während wir der Welt als Umgebung, als Begriff von Quanten und sichtbaren Vorgängen, das heisst innerer Breite oder Oberfläche, gegenüberstehen. Die Methode, mit der Logik einer Schraube das Denken in den Gegenstand oder in eine Ordnung vorzutreiben, was hilft sie? Jede Schraube bleibt an ihr Gewinde gedreht, und die Resultate solchen Vorgehens stehen, obwohl mathematisch unumstösslich, technisch vollkommen, menschlich durchaus müssig vor und in der Not des einzelnen. Masse hingegen lässt sich unter der Beschränktheit eines einzigen sichtbaren Ergebnisses, einer einzigen greifbaren Richtung bewegen oder beruhigen. Darum, weil ihr das nicht Sichtbare, das Unbegreifliche, das Andersartige, der einzelne nicht gilt.

Aber, Hand aufs Herz, was haben wir, der du hier liesest und ich, mit der Masse zu schaffen? Was mit ihrer niedrigen Genauigkeit, mit ihren peinlichen Nachahmungen? Ihre Formen sind Ausdrücke von Entlehntem, und ihre Bauten die Spiegelung innerer Öden. Sieht sie anders mit ihren vielen Augen, anders als alle andern, eigen? Nein. Sie teilt die Gewöhnlichkeit, diese kleinliche Übereinkunft, unter sich, die deshalb nicht ungewöhnlicher wird. Sie spottet der Gefühle, ohne selber fühlen zu können; sie spottet, selber sprachlos, der Beredsamkeit. Sie hält sich an das zweitrangige Leben, an die Apokalypse des Daseins, an die makabre, nicht vorhandene Tiefen schillernde Oberfläche, weil das Einseitige, die Täuschung noch je die stärkste Quelle mediokrer Begeisterung war. Es sind die mittelmässigen Seelen, die kein Alleinsein kennen und keinen Traum!

Was ich hier sage, ist nicht theoretisch, auch wenn es sich unwirklich anhört. Und der vielleicht wenig überzeugende Ton entspringt nur meiner Unfähigkeit, praktisch auszusagen oder virtuos zu lügen. Mir fehlt die primitive Lust am Erfinden, der

Sinn für Theater überhaupt. Die Aussenwelt ist mir zu steil, ich rutsche ab. Und deshalb bin ich froh, hin und wieder zu fliegen.

Immer in den frühen und späten Dämmerstunden, deren Einflüssen sogar die ausgeklügelten Instrumente der Flieger unterstehen, ist mir zumute, als wäre ich in einer finsteren Ferne, ohne die geringste Möglichkeit der Heimkehr. Ich bin Ritter im frühen Mittelalter und habe Schweres zu vollbringen. Meine Auserkorene heisst Heimat, und ich knie nieder, abseits der Heerstrasse, um zu beten. Aber wie ich meine Hände falte, klirrt die Rüstung, in die mich die Fremde zwang. Wohl glänzt der Mannesmut, und herrlich winkt die Belohnung dem Sieger – doch die Zeit flockt wie Asche am Blick vorüber –, und wie ich mich erkenne in einer modernen Gebärde, wohnend im Kern einer Grossstadt mit trügerischen Scheinwerfern und befehlenden Signallampen, weiss ich: Wir sind Besiegte! Untertan eines Kleinsten! Die riesige Entwicklung ins Aussen hat ihre Macht vollkommen erreicht, die Spitze des umgekehrten Gebirges lastet auf jedem. Das Atom brennt als Schlusslicht jener verhängnisvollen Ursache, die uns zur Umkehrung zwang. Denn ich glaube nicht, dass irgendein Verhängnis freiwillig ist.

Aber in meinen hellsten Stunden bin ich gewiss, das Bruchstück eines reineren Einst zu sein. Und hierin scheint mir der Anschluss an scheinbar Unwiederbringliches versteckt.

Von der Nacht

Streng genommen, weiss niemand, was für einen verlassenen, abgewandten Kreis wir beschreiben zur Nacht. Schlaf: Das bedeutet nur die unschuldigste Stufe einer blindgeborenen Ahnung, die uns hinweghebt, ansaugt und hinausreisst in den Strudel unserer eigenen Finsternis. Gewiss, wir haben Beleuchtungen, das uns zu unzähligen Zweifeln verführende Dunkel zu erhellen; wir verwenden gebändigte Kräfte, die, aus ihrer unschuldigen Ruhe im Geheimnis in mehr oder weniger berechenbare Wirksamkeit versetzt, unsere eigene Unschuld aufrufen zu ruheloser Entschleierung dessen, was sich jenseits der Sonne verbirgt. Aber – ist damit ein Schleier von uns selbst gefallen, eines unserer Gesichter, die im Schatten zur Sprache finden, gehört? Oder gilt die fremde und furchtbare Anziehung eines einzigen Sternes weniger uns? Sind wir etwa irgendwo zu Hause noch, wenn die Horizonte schwarz werden und der Abendstern, als flammendes Fenster der unendlichen Tagwelt, zu fern ist, um einem Blick Einsehen zu gewähren in ihre magnetische Klarheit? Versunken in das Unabsehbare der nächsten Umrisse, die zu verfolgen in heillose Fremden führte, kommen wir auf die Spur verirrter Gebete, welche erkaltet und atemlos den Pfad zur Erhörung suchen. Und während wir fest auf die Folge unserer Gedanken vertrauen, ohne an die Tatsache einer Verwandlung im geringsten zu rühren, merken wir nicht, wie wir einsinken in die gläserne Transparenz des Traumgrundes.

Die Stunden umspülen uns als die Gezeiten längst vergessener Landschaft, und wir finden uns vielleicht über der Besinnung auf ihren Untergang wieder. Sicher muss es dort Tag gewesen sein wie nie; denn sonst stiege uns nicht ihre helle Nachhaltigkeit in die unergründlichsten Mitternächte nach. Und auch das Verletzliche unserer greifbaren Gestalt würde uns nicht als solches erscheinen. Dennoch aber gibt uns keiner der anschliessenden

Tage, auch nicht der strahlendsten einer, den kleinsten Anstoss in Richtung auf das zweifellos selige Ehmals zu; und wenn ein Wink ins Herz trifft, wenn ein Blick durch die Vorhalte der Gedanken dringt, sind diese allemal begünstigt von der schonungslos behutsamen Begrenzung nächtlicher Unendlichkeit.

So offenbart sich zur Nacht unser täglich übertünchter und wohnlich gemeinter Abgrund, indem sich unser Gefühl an ihren bodenlosen Entfernungen, an unklaren Befreiungen auch, in seiner Verbannung bestätigt. Auch die Rätsel der inneren und äusseren Ordnungen erlangen in ihr eher den Glanz des Verhängnisses; da unser Blutkreis sich unerklärlich erweitert, an den Abhängen der Verheissung hinströmend nichts weiter ins Bewusstsein zurückbringt als jene Trauer, von der wir nicht sagen können warum; da die Gesetzlichkeit des Sternbilds nur den gewaltigen Abstand zwischen dem, was ist, und dem, was sein könnte, aus seiner unerbitterlichen Höhe zeigt.

Dafür nun, um die äussersten Fragen des Dunkels anzuhalten, erfand sich der Mensch die trübe Fackel der Technik; die Leuchte, die ihm den Himmel verdunkelt. Geblendet von der Nähe, von den unleugbar vielfältigen Möglichkeiten des eigenen Scheinens, wird er ganz zuletzt noch die Nacht selber vergessen, die dann freilich am grössten sein wird. Dann werden ihre Schrecken, ihre Geheimnisse, ihre Träume und ihre Ängste lediglich als wissenschaftliche Erscheinungen gelten, und der Mensch wird in den Geräten und Apparaturen zu Hause sein, mit deren Hilfe es ihm gelungen sein wird, sie zu einem Bestandteil seiner Sachlichkeit zu machen.

Aber noch sind wir nicht soweit! Und in der unwägbaren Zeitspanne vom späten Dunkel zum frühen Morgen gewöhnt sich unser Wesen langsam an die Ausdrücke der Nacht, dieses Gedankens der Ewigkeit. Es zeigt sich, als hätten wir auf einmal die Aufgabe anerkannt, die uns aus der greifbaren Deutlichkeit, aus den Darstellungen unserer natürlichen und künstlichen Werkzeuge ablöst, uns von jenen Erfindungen befreiend, die, um nichts weniger wirklich, den unsichtbaren Teil unseres Selbst von Hellem zu Dunklem hin ausfüllen. Gesegnet sei die Sekunde unseres Aufflugs, da wir Entdecker der mächtigen Stille, im überragenden Mass einer kaum mehr finsteren Ordnung, unsere eigenen Schwerpunkte in Übereinstimmung finden. Und wenn es später heller werden sollte, kann dies ebensogut das Gleich und Gleich der eigenen Gewichte wie die Morgensonne bedeuten.

Über eine Art Rauch

Es gibt keine Form der Wirklichkeit, die wirksamer wäre in den Bereichen des Unwirklichen, des Phantastischen, aber auch des zarten und schwankenden Gefühls als der Rauch einer kurzen Viertelstunde, herrührend aus dem so fruchtbaren Brande der Zigarette. Gewiss ist schwerlich vorher abzusehen, was aus dem Unbekannten etwa eingreifen könnte in den violetten Fluss unerschöpflichen und rasch sich vollziehenden Werdens und Vergehens. Ebenso gewiss ist jedoch, dass das Dasein eines nicht allzu beschäftigten Beschauers aus den berechenbaren Abläufen gelöst, von darauf einsetzenden Unsicherheiten des Willens entführt, über die Ebenen und Abgründe einer unbedingt freien Erfahrung gespannt werden wird. Welche Freiheit einerseits der für gewöhnlich verkrampften Phantasie zu unausdenklichen Streifzügen, Bauten und Mysterien verhilft, und die herabzunehmen über die Grenzen jener Sekunde, in der sie derart sich zeigt, uns andererseits mit keinem Mittel gelingt. Auch liegt in ihrem Wesen, dass sie sich keinen Massstab anlegen lässt und allein schon dadurch nie in die Räume des im Materiellen gründenden Gedankens zu locken wäre; ganz abgesehen davon, dass dem gänzlich Herwärtigen unseres Denkens eine unfassliche und unhandliche Freiheit nicht gilt.

Wenn wir uns nun daran machten, die seltsame Zuneigung eines ebenso seltsamen Teiles unserer Persönlichkeit zu der plötzlichen Schönheit eines Augenblicks, dessen einziger Bestand in seiner Unbeständigkeit besteht, zu untersuchen, so müssten wir einsehen, dass wir keine Vergleiche zur Verfügung hätten, mit denen irgendwie ein Ergebnis sich zeitigen liesse. Alles vollzöge sich in jener Schwebe, deren Eigengesetze nur den ausgeprägtesten Gefühlsbegabungen halbwegs annehmbar erscheinen. Deshalb wollen wir, als wenigstens *einen* Beweis dafür, dass hinter den vollendeten Erscheinungen des Rauches Fähigkeiten verborgen sind, die in latenter Gleichzeitigkeit ebenso uns selber eignen, unsere Zuneigung zu ihnen gelten lassen –, indem damit mindestens diese den Anschein von Berechtigung erhält. Alles andere ist Geheimnis und soll es auch bleiben, da keine Notwendigkeit zur Entschleierung vorliegt.

Jeder Schritt einer Ergründung verführte zu Lügen, zu Erfindungen der Phantasie, die noch denkend formuliert werden könnte und deshalb ungerührt von den durchsichtigen Vorgängen jener andern, jenseits der Grenze, nur ihre eigenen luftigen Randgebiete erschöpfte. Und allzuleicht neigte man dann dazu, beispielsweise anzunehmen, das, was die Substanz des Rauches modellierte, seien Schwingungen unhörbarer Musik, seien rhythmische Emanationen des Unendlichen, denen vielleicht auch wir unterständen, ohne die Bewirkungen ihres Einflusses zu kennen … Wir wären also teilhaftig an einem Reichtum, den unsere Natur uns bis anhin verschwiegen –. Indessen sträuben sich unsere Gedanken gegen die Unendlichkeit und wollen sich nicht einnehmen lassen vom All.

In dieser einzigartigen Lage, zwischen dem, was zum Mysterium werden könnte, und dem, was dieses verhindert, fragen wir uns, was für ein Vorteil zu ziehen wäre aus einer Erfahrung, die unser Bewusstsein nicht überzeugt. Ist es nicht vielmehr so: dass jede Stelle unseres Träumens angerührt wird durch die Tatsache eines Bruchstückes nur von Verwandlung?

Balance im Unwägbaren ...

Solange noch Flieger ihre nach Minuten abgemessenen Ausflüge wagten, lag es noch gleichgewichtig und mit deutlich abgestuften Helligkeiten über dem klaren Bergland. Nur die wagemutigsten Windstriche hoben den Atem bis durch das Gitter des Balkons, selbst dann noch lautlos, so dass das Rascheln von Papier Unruhe verströmte, wie ein beginnender Brand. Nichts hingegen hinderte den Lärm des Verkehrs, so hoch zu steigen, als er vermochte, und was ihm von unten unerreichbar, ergänzten von oben die Flieger.

Ein seltsames Zwischenreich kündigte sich an auf dem Balkon, ein Doppelleben aus bestimmten Distanzen, streifenden Annäherungen und sicherer Geborgenheit. Zuweilen noch erwies sich die Anziehungskraft vorübergehender, als Einbruch in den stillen Raum einer auftauchenden Idee, als stärker, wie die Gesetze des anbrechenden Traums. Dann schlugen die Blicke eine Bresche in die abseitige Überhöhung, und wie durch algengrünes Wogen sprang ihnen die rhythmische Schönheit von Schritten entgegen.

Trotzdem verbreitete sich dabei das heimliche Gebiet des halbhoch Verschollenen in waghalsigen Verkürzungen der Gedanken, und jedes Zurück in die Dauer schien unmöglich vor der verschwundenen Entfernung gemeinsamen Verbringens. Es gab keine anwendbaren Massstäbe mehr für die Mittel, irgend etwas, unten oder oben, gleichzutun. Und während allenfalls die Aussicht hinunter, aufgelöst in das Liniennetz der Perspektive, und jene zum Himmel, in das Zeichen für *unendlich* gefasst, als ornamentaler Hintergrund eines imaginären Bereiches hätten eingefügt werden können, ergab sich aber die Entdeckung, dass Raum ohne sichtbar bindende Dauer unterwegs ist von Punkt zu Punkt. Dächer und Wälder, Maschinen und Wolken, verbunden einzig durch den Sprung des Gedankens, und einzig erscheinend im willkürlichen Moment der Augen: Ahnung und ferne Gegenwart –.

Was ist das für eine Welt! –: Es gab Schienen, die geradewegs ins Tyrrhenermeer einmündeten, und Gongschläge von Schritten im Kaukasus –.

Was sich noch einigermassen beruhigender Anschauung am ehesten zu ergeben schien, war der Himmel. Doch in die anfänglich so unbedeutend mit Maschinen berührte Ausdehnung traten allmählich die Väter des Traums, die einzigen Verkünder ursprünglicher Möglichkeiten: die Wolken. Und zur Aufrührung der imaginären Bindung von Licht und Gefühl genügte ihr Spiel.

Nun begann selbst der Stillstand eines Blickes das Schwanken der eben ausgewählten Form als Bedrohung zu empfinden, und zur Auswahl einer nächsten kam eine irdische und unbegründete Berechnung hinzu. Jene Unschlüssigkeit, die, angesichts rascher und gewaltiger Veränderungen, unsere Gedanken befällt, gipfelte in einem Denken wie vor dem Spiegel –: Kaum bildete sich noch eine Figur, die, ohne das Ganze zu verwerfen, an die nächste harmonisch sich anfügen liess. Bruchstücke von Verwandlungen begrenzten plötzlich das Wachstum der Träume – Bruchstücke aus Traum aber, die mit ihrer Wucht bis auf jene Grenzen trafen, wähnten mitzuformen an den, nun wieder fassbaren, Bewegungen, durch die sie hervorgerufen. Dergestalt kehrte eine wenn auch unbeständige Dauer und Verlässlichkeit zurück und zerriss mit später stärkeren Windstössen die verletzlichen Schleier des Zwischenreichs.

Im nahenden Gewitter stellte sich die gewohnte Ordnung vollends her.

Der Mensch vor dem Himmel spinnt sich weiter in den Traum – nur durch vollkommenere Erscheinungen derselben Materie, mit welcher sich die Technik der Erde bemächtigte –, und der Mensch auf der Erde, in Erkenntnis dieser unvollkommenen Anwendungen, baut sich einen Himmel aus den sehnsüchtigen Verwandlungen seiner verhängten Sichtbarkeit.

Über Konvention

Konvention sei eine Linie, fiel mir neulich ein; eine Linie, die vielleicht etwas trennt, bestimmt aber etwas hält und bannt, steril und ablesbar. Wie der Wegweiser meinetwegen, der dorthin mitläuft, dahin er zeigt. Dass etwas zur Konvention wird, verlangt das Einverständnis einer Mehrheit – und das Einverständnis dieser Mehrheit ergibt sich aus der Befriedigung durch das, was zur Konvention erhoben werden soll. Deshalb, um dieses angedeuteten Kreislaufes willen, müssen wir vorerst die als Kreis gebundene Linie betrachten.

Die interessante Möglichkeit, dass ein Kreis in die Höhe wachsen könnte, lässt sich viel eher und ohne Widerspruch denken, als dasselbe von der einfachen Linie sich denken liesse; irgendwie bliebe da Unbegründetes, schlecht Fundiertes bei einer so schmalen Imagination. Hingegen –: Die Linie wächst, wenn man will, in die Länge, in die Zeit – und das zwar nur auf distanzielle Art; solches lässt sich ohne viel Ungenauigkeit gut sagen. Zudem ist ein Kreis in seinem Teil, als Sektor, bereits in der Weise vollendet oder deckt seine Vollendung, seine Umspannung auf, offenbart –, während in diesem Sinne die Linie niemals fertig wird, *ist,* um eben ihres hinterhältigen Unendlichen willen, welches sie vortäuscht als geometrische Möglichkeit, die indessen noch niemand anders wie zeitlich verlaufend nachweisen konnte. Absehbar hinter sich (Geschichte), leicht weiterzuführen (Geschichte) heisst: ihre Natur.

Konvention als Linie gesehen bedeutet also Verlängerung eines einfachen Zustandes, der nichts weiteres mehr aufgibt oder enthält, als was nicht auch schon zu Anfang bestand in ihren Anlagen und Möglichkeiten. Genauer noch: ihre eigene Unverantwortlichkeit, das heisst: jenes Gesetzmässige, welches den Kreissektor gleichsam verpflichtet, bestimmt, um seiner Existenz willen so zu verlaufen und nicht anders, fehlt in der Linie gänzlich. So paradox im Hinblick auf Konvention es vielleicht scheinen mag, aber die Willkür der Linie ist durchaus erlaubt. In dem Sinne dass, vor allem weil kein Anschluss wie bei der Kreislinie an ihren Beginn mehr verlangt wird, sie in Krümmungen weiterlaufen kann in eben der Zeit, die sie ohnehin, um des Absterbens willen, nie eigentlich verpflichtet, bindet. Immerhin gelten falsche Konventionen bekanntlich verbindlicher als die durch sie ehemals festgelegten Wahrheiten.

Dann auch: Was bedeutet die Grösse, die Erhabenheit einer Konvention. Da doch die Grösse im Sinne von Ausmass oder im andern unseres Vergleichs mit der Linie nur eingesehen werden dürfte, indem man sie abschritte oder mässe – ihre Länge, also auch Grösse, mit Hilfe des Erinnerns festhielte –, wird diese Erhabenheit eher ein Irrtum als ein Rätsel bleiben. Auch fiele Grösse und Erinnerung, Erinnerung, die alle Zufälle der Phantasie einer ausgeschmückten Vergangenheit bedeutet, im Hinblick auf Konvention zusammen. Heisst das: Die Konvention, die Grösse beansprucht, hat welche als Irrtum. Nicht im sozusagen handgreiflichen, brauchbaren Augenblick (Generation), in der Spanne ihres Vollzugs ist sie gross, sondern als auch Vergangenes, als Erinnerung mit gegenwärtigem Ausdruck. Worin dann eben die Auftakelungen der Phantasie vortäuschen.

Täuschung nun ist wiederum linear. Der Verlauf einer Täuschung kann nie an ihren Ausgang zurückführen und ruft dadurch ihr nihilistisch Leichtsinniges hervor, als welches ich die Offenheit gegen die Zeit hin, die Öffnung allem Zufälligen derselben bezeichne.

Die Anziehung einer Konvention liegt nun darin, dass sie absehbar, vorhergesehen verläuft –, da sie mit der Gegenwart endet, ohne Probleme in die Zukunft zu verlagern. Sie befriedigt die Bedürfnisse nach Sicherheit im Menschen ihres Bereiches. Sie schaltet sogar weitgehend den Zufall im Kommenden aus, während sie die Zufälle der Gegenwart einordnet, ja sogar mit sich begründet und, in der Folge, sich als eben ihre Grösse, ihre Erhabenheit einverleibt. Parallel dazu verläuft aber der Leichtsinn, die Unbeschwertheit in jenen Menschen, die sich gesichert wähnen durch Konvention. Diese besitzen das Bewusstsein der Linie, das Bewusstsein des Geführtwerdens, ohne je ausgegangen zu sein von etwas, das nicht nur geschichtliches Erinnern. In unendlicher Kurzsichtigkeit, nicht bestimmt zu wissentlichen Aufgaben –; und darin besteht viel Falsches.

König unserer Zeit ist der Mensch an der Linie. Der Anonyme mit mässigen Mitteln, der durch Konvention vollzogene Durchschnitt.

Kunst und Leben

I
Auf der einen Seite entdeckt man eines Tages sein Tun in Konventionen, die sich unabsehbar langsam, aber sicher und zäh aus ehernen in käsige verwandeln – die eigene Gestalt beschränkend in ihren eigenen Möglichkeiten –, auf der andern Seite das stets von diesem bedrohte Blühen im Hirn. Dazwischen alle Skalen des Zwanges, ihre Ausweichvarianten, das Harmlose neben Vulkanischem, die Steppe neben der Schulmilchaktion und das Gewissen unter Paragraphen –, kurz: die ignorierte Tatsache einer Entfaltung.

Neben Kultur sagt man Leonardo – also: Rossmist und dorische Säulen. Freilich, entfernte Begründungen finden sich schon im Staate Platons – nur vergass man die Aristokratie der Besten über der Notwendigkeit des Militärs. Dann die Aschenbrödelkultur: die Guten ins Töpfchen, die Schlechten ins Kröpfchen – geschluckt wird das Schlechte, das Gute für die Zukunft! Diese ewige Zukunft, diese elenden Hoffnungen neben dem Unbefriedigtsein einer falschen Richtung. Diese Schattengestalten, Hand anlegend an Gespenster – Augenzwinkern und Schmiergeld für offensichtliche Fäulnis – Direktorenbrillen – kahl geschoren bis unter den Mützenrand –, Versicherungsmagnaten und Fackelzüge – devot tief unter die Haut –, darüber: Despot – und zur Nacht servile Putten. Umwelt, Machtwelt, Scheinwelt und schliesslich Träume, Ausdruckswelt. Hier hast du die Wahl: treten oder getreten werden, Hurra oder Geheimnis, Stutzer oder Dichter und vielerlei Mischungen.

Also wiederum Entfaltung, Auslese, Wahrscheinlichkeitsrechnung – ein bisschen Gaukler, ein bisschen Asket und unerkannt, voller Auflösung. Kunst als Leben: die vollendetste Perfektion des Daseins. Erstens, im Hinblick auf die Geheimnisse, durch welche das Leben trabt – von der Kunst nicht gelöst, sondern als Ganzes übernommen, gleichsam ausgehängt und hinten auf den Karren geworfen –, und zweitens, weil unantastbar bis ins äusserste Aussen und gelenkt nur vom Rhythmus der Einsamkeit.

Was gelingt, was gelingt nicht? Formen! Erproben! Ins Wasser werfen, sich dem Winde hinhalten – das Ohr auf dem Asphalt, den Blick in die Wolken, und die Stimme wird Figur, deren man sich nicht zu schämen braucht. Was sein wird, ist auch jetzt – und was die Träume künden, untersteht keiner Zeit.

II
Nichts aufheben! Anstürmen, einnehmen die nächtlichen Röten und das blaue Gestern Vergissmeinnicht – unter Qualen, unter den Spannungen welchen Komets – auf Hügeln Weiches im Mond und zu Kristallen zwischen Asphalt und Auspuff –!

Hier die grosse Gelegenheit: die Ausverkäufe aller Hochschulen – die Denkgeleise antik und das Hellenische verrostet – aber aller Länder Gegenwart zu sich! Diese Tastatur ist nicht unumgänglich, und wäre es auch gar nie gewesen, wenn nicht die sieben Seuchen der Gotik und jenes porphyrene Rasseln unter dem Kreuz Berechtigung zu frommer Dummheit erlassen –.

«Alles, was ist, ist gut» –: diese aquinische Feierabendstimmung – die Welt im Pfeifenkopf und, sehr bemerkenswert, die gesicherte Ründe des Bauches! Dann: Wäre!, Wort jeglicher Gemeinschaft, puddinglich bereitet und künstlich aufgetrieben mit der Hefe mediokrer Hoffnungen – über Abgründe, über Kolossalgemälde – zur Sicherheit noch einmal Staatspapiere – und dann der Einfall – und man sinkt in fremdes Gehirn, für immer ...

Nett –: so lautet die Norm. Von Lehár zu Hesse – die Musik der armen Leute und für Beflissene der Lokaldichter – Bierbauch und falsche Primeln! Pubertätspfahlbauerei bis ins hohe Alter, mit Exhibitionsallüren und Sexualgarnituren – hinter spanischen Wänden die frigide Philosophie, zwecks Beglaubigung durch den Kirchenstuhl, und davor: Lustmorde mit Zuckerguss. Wenn wir vom Unglück anderer Leute hören, nährt sich unser Mitleid von der Befürchtung, dass uns ebenso geschehen könnte – das ist: Alles, was ist, ist gut!

Höre hin, wenn es iah schreit hinter Gardinen, dass die Goldfische hüpfen – wenn es von Balkonen donnert mit hängenden Persern und der wüste Wirbel die Windungen verknüpft zu trautem Schlamassel. Wenn X, gemäss einer allgemeinen Folgerichtigkeit, öffentlich bekennt: er sei U –; wenn die Tagediebe aller Nationen avancieren, auf en gros machen und sich nach Absingen diverser Cowboy-, Internationalen- und Vaterlands-Hymnen rauhe Mengen von Jahren klauen –; wenn fashionable Institutionen Luther nachplappern: «Hier steh ich» etc.: Höre hin! Und du wirst deine Sinne schärfen wie ein Caran d'Ache und hochleben lassen und preisen jenes filigrane Gemäuer, schattenlos und unaufhaltsam im Zenith! Welche Zeichen dir! Welche Begattung am Grunde der Tiefsee! Du Taucher, du Heiland am Perlbaum, du Günstling sterbender Schwäne!

Und es sterben viele. Auch die Knödeltenöre kommender Kanonen, die Athleten des Eier-Cognac-Clubs (zwecks Leistungssteigerung unter den üblichen Voraussetzungen), die Lehrstühle für die Quadratur gewisser Schädel und grässlich die unentwegt schwarzen Treppenklimmer des Heils.

Die Lockung des Vergänglichen hat auf einer Kuhhaut Platz – und diese kauen wir wieder bis zur Bewusstlosigkeit. Ah –: Bewusstlosigkeit!, das ist das Stichwort, der Schlüssel zu allerhand. Gediegene Griffe zum Koffer des Seelengepäcks, aber lauernde Schlangen auch, plötzlich verwandelt in harmloser Betäubung –. Stürme nah an der Erde, zu pflücken die Traumfelder, die reifen Rohre roter und brandschwarzer Wirklichkeit, das Vergessen der Falter und jenes heisse Erinnern an der Esse des Golds –: dies unser Zeitlos!

Nur keinen Halt an Jahrhundertfeiern! Geschichte –: Das ist die Reproduktion von Vergangenem, das für wichtiger gehalten wird als der zerstiebende Augenblick – die Weide verdrängter Machträusche, fossil von oben bis unten und aktuell wie jeder zu erwartende Blitz – Umzüge, mit dem gigantischen Aufblähen des sonst Schrebergärtnerischen – und zuletzt eine Mauer voll metallener Pfiffe – die Mündung!

Zuflucht: Imaginäres: Masken! Mitmachen? Nein. Hingegen so tun als ob – unkenntlich, undurchdringlich und, wenn nötig, unsichtbar! Zu entlegen für Köpfe, die in einer Kinderfaust verschwinden. Risse durchs Gesicht – rot der Mund von Mohn und jede Farbe verschlingend die acherontische Klarheit schwarzer Augen. Sei es über Brücken ins Palmland blauer Sunde – zum Osterfest mit einer Kiki-waki-Kirke, sei es zum siloahnischen Turmbau oder ins murmelnde Thule: ständig Zerstäubung immergrüner Sekunden!

«Schöpfe du, trage, du, halte» …: Diese Zeiten sind vorbei. Die Schöpferei mit unseren noch so engmaschigen Sieben führte seit je zu nichts – und aus dem «trage» wurden längstens Erträge – und Halten? Ja, was denn? So der Dichter: «Tausend Gewässer des Lächelns in deiner Hand.» Aber die Gewässer der Tränen wären zutreffender und zudem kommerziell müheloser auszunützen. (Siehe wiederum Lehár etc.) Himbeer-Eis aus den Flügeln und danach die Peitsche – das gibt Abwechslung – Perlen nur für Säue!

Nichts aufheben! Anstürmen, einnehmen die nächtlichen Röten und das blaue Gestern Vergissmeinnicht – unter Qualen, unter den Spannungen welchen Komets –!

Dreizehn Meter über der Strasse

Das war früher, als die Ruten und Halme der Wirklichkeit noch über einem zusammenschlugen und der Sand in der kleinen, vertrockneten Mulde des Dachrinnenablaufs noch den Wert tyrrhenischer Strände besass – das war früher, sage ich, denn heute hat der Liegenschaftenverwalter so viel Wert für irgendeine meiner Stunden wie die weisse Glatze des Gewichtssteins auf dem Dach des Gartenhäuschens, oder umgekehrt – nämlich den Wert seiner Brauchbarkeit für den eben geplanten Satz. Sofern, heisst das, überhaupt Sätze geplant werden.

Irgendein Kernproblem? Eine Mitte? –: Erwarte niemanden; hasche nie nach einem Augenblick, sonst verlierst du alle; und zähle nicht die trügerischen Momente deiner Zukunft, ehe sie vergangen sind! Einige Bücher, gelegentlich Zeitungen zur Gallengymnastik und Blumen, die rasch welken –: das fördert die Methode zu leben, ohne dem faksimilierten Zweibeiner öfter zu begegnen. Aha, Nihilismus! denkt der geneigte Leser – aber er irrt sich. Trampe der weiter auf den Schienensträngen der Allgemeinheit – sein Zug rollt später an: wenn er zu müde sein wird, um aufzuhüpfen!

Nihilismus ist, das sei für jeden gesagt, der diesen Begriff zu allen ihm unverständlichen Begebenheiten aus seinem Wortschatz klaubt, die Lehre, welche die Existenz irgendeines Wirklichen, die Geltung irgendeines Sittengesetzes oder den Bestand irgendeiner Wahrheit leugnet, nichts als gut oder verbesserungsfähig und das eigene sowie das Leben anderer für wert- und zwecklos hält. Das steht übrigens in jedem Langenscheidt.

Also: Ruten und Halme der Wirklichkeit –: Heute reichen sie mir kaum übers Knie, und ihre Wirkung ist höchstens eine hemmende oder, nach Platzregen, eine nässende. Damit meine ich die Bestimmungen des Lebens en masse, die Staaten mit all ihren anonymen Herrlichkeiten für den Menschen als einzelnen, als welcher erst er ja Mensch ist im Sinne autonomen Lebens. Hemmungen, Nässungen – Unangenehmes –: Was für verworfene Fäkalien brütete die unschuldige Sonne des Paradieses, wie sich der erste Beamte pochen fühlte zwischen Kiesel und Schilf! Dreizehn Meter über der Strasse – was brauche ich so tief zu sinken? Erheben wir ruhig den Blick –: «Gott ist eine Mutmassung», sagte Nietzsche und lügt damit nicht mehr als jene fashionablen Institutionen, die mit Hilfe ihres brokatenen Popanzes die Seligsprechung von Mördern bewerkstelligen. Gott ist eine Mutmassung – wie leicht und fliegend lässt sich das schreiben; sogar die Hand, die die Feder führt, scheint es sofort begriffen zu haben. Hingegen *Freiheit* –, von der lässt sich, trotz allen Rezepten, wie sie zu gewinnen sei – zum Beispiel durch Unterwerfung unter die gegebenen Notwendigkeiten –, nurmehr träumen. Die Hand will da nicht gleich mit, und die Feder sträubt sich, diese Illusion zu Papier zu bringen. Worin natürlich noch zu untersuchen bliebe, inwiefern Obrigkeit Notwendigkeit usurpiert!

Nein! lassen wir die Kamine tanzen – rauchen tun sie schon von selber. Hier! mit dem Blick über die Dächer, über die meine Worte heranjagen – hier eine Menschwerdung, ein Nein dem grossen Ja-und-Amen-Sager! Alle Qual, aller Unterdrückten Leid zu mir, dass ich sie mische, Qual und Leid, im Tanz der Verneinung! Die blutigen Knochen von Händen eines Freiheitskämpfers aus Kopenhagen, ein Stück geborstener Lunge aus den Bergwerken Sibiriens, ein Jahr Niggersklave samt der Hickorypeitsche und siebzehn Wochen Schweizer Nationalstrafe – her zum Gruss, Gott zum Gruss –: dem Mutmasslichen!

Nein! Bleiben wir heiter –: in den Wind mit Pierrot und Brüsseler Spitzen zu streuen die Asche der Bestie –. Aber eben: die Asche; wie Feuer zu machen ist, wissen viele; doch anzünden will keiner. Da hocken sie ihrerseits in der Glut und lassen sich schmoren – nur, wenn einer stärker zum Pissen kommt, gibt das für Augenblicke stinkende Linderung.

Homo mediocre, was hab ich mit dir zu schaffen? Dreizehn Meter über der Strasse: das ist ein hübsches Stück; das kühlt und befreit das Denkorgan von der verstockten Schwüle des Mitmachens.

«Individualanarchist», ruft mir einer herauf. Ich stelle mich taub: «Wie bitte?» Aber bereits biegt seine Kolonne um die Ecke; der Ruf hätte ihn beinahe aus der Reihe tanzen lassen. Individualanarchist: keine schlechte Idee; manchmal äussert sich die Wut der Sklaven ganz brauchbar. Persönliche, unbeschränkte, eigentümliche Selbständigkeit hiesse das, komplett übersetzt –. Und, Hand aufs Herz, was bleibt heute dem Menschen, dem *Menschen* sage ich, anderes übrig? Die einsamen Inseln sind alle längst besetzt – wo also bestände noch die Gelegenheit zu obigem? Instruktionsoffizier? Beinahe –, doch dazu gehörte noch die Nichtachtung des Lebens anderer, das, was Sadismus offensichtlich werden liesse: die Lust am Leid. Und das sieht jetzt eher nach Nihilismus aus. Kommt also weniger in Frage. Aber darauf hin zielte ich auch gar nicht. Ich meinte: Leben im fremdher nicht Erreichbaren, im nur mir, jetzt und hier Möglichen: im Schaffen, im Erschaffen, im Artefakt! Überstehen im schöpferischen Augenblick!

Thule oder Ararat, das Kap dieser oder jener Hoffnung – untergegangen ist überall schon ein Atlantis –, aber wir sind vielleicht die ersten, die einen Untergang wittern – und wenn: die trotzdem noch nicht die Flinte ins Korn warfen; obschon nichts so fatale Folgen zeitigen kann wie zu spät weggeworfene Flinten. Daher Nietzsche: «Alles Unvergängliche – das ist nur ein Gleichnis.» Und die Dichter lügen zuviel.

Zum Möwenflug

Lassen wir uns für einige Minuten ein mit einem der reinsten Ausdrücke des so unsichtbaren wie anziehenden Elementes, welches uns winters schneidend ins Haar fährt und sommers vielversprechende Falten um braune Körper schlägt: mit dem Möwenflug.

Wie schwierig ist es, einen Augenblick Wirklichkeit, ein Stück Jetzt abzulesen an einer Kurve, zu deren Beginn die plötzliche Präzision des Möwenfluges einsetzt –, da man die Schwingen sich genau abdrehen sieht, da sich der Vogelrücken wölbt und sträubt vor der grauen Tiefe, da sich die Füsse mit den halben Schwimmhäuten kurz zusammenkrampfen, dann flach anlegen unter den Hinterleib, während der Schwanz, breit ausgefächert erst, schmal, fast zugespitzt, unwiderruflich einsteuert in die Gefilde des für uns Ergebnislosen –, und zu deren Ende man nicht mehr im Gefühl behält, als dass da etwas vor sich gegangen, zu dem uns die Sinne und die Leichtigkeit fehlen.

Hier beginnt die Gebrechlichkeit jener Gedanken, die eng verbunden sind mit unserem Sehvermögen wie mit unserer Anschauungskraft. Wir rufen das Gefühl auf, die erloschene Figur, von der wir wissen, dass sie gleichwohl weiterfährt, aus den Beständen ihrer unerklärlichen Berührungen zu ergänzen. Doch wozu? Wir haben das Bedürfnis nach Vollzügen, die uns nicht beschweren, vielleicht – vielleicht auch verlangen wir eine gewisse Vollständigkeit des Erlebens – wer weiss das? … So rätselhaft diese zufällig begonnene Verfolgung einer Luftfigur, so geheimnisvoll ist unser Bestreben. Möglicherweise hängt es zusammen mit der uralten Methode, mit der uns eingefleischten Begabung, aus dem Vorhandenen auf das Nichtvorhandene, aus dem Sichtbaren auf das Unsichtbare, vom Vergangenen auf das Zukünftige schliessen zu wollen. In allen diesen Drehpunkten, wo sich Verwandlung vollzieht, ist Jetzt; darum vermissen wir, über der Arbeit zu ergänzen, uns einzubilden, zu transformieren, den Augenblick, wo wir im ruhigsten Genusse uns selbst zu sein vermöchten –, von der Flucht, von der Vergänglichkeit erlöst in die Dauer ohne Zeit.

Möwenflug –: Warum nicht die unbeschriebene Seite eines Glückes, auf die sich eine unabsichtliche Anmut einzeichnet? Eine Hoffnung ohne Widerhall auch, von der uns oft nur die sterile Trauer einer grauen Hausfront als dumpfes Widerstreben bleibt –, eine Seite also, die sich wendet, bevor es uns gelingt, länger darin zu verweilen als einen seltenen, seligen Moment? ...

Beurteilen lässt sich das nur am einzelnen; gar vielerlei kommt uns ja so selbstverständlich vor, was sich an sich durchaus nicht von selbst versteht. Und: Sehen wir nicht gleichsam *uns* in den zahllosen, unwiderbringlichen Situationen, im bunten Verglänzen dieses luftigen Kaleidoskops? Sind es bestimmte Qualitäten oder undefinierbare Unbestimmtheiten? Aller Rausch hebt mit dem Gegenteil alles dessen an, was man gemeinhin unter «Rausch» begreift. In irgendeinem Winkel der fünf Kontinente geschah noch jede Offenbarung; aber das schliesst ja nicht aus, dass ein leises Gespreize von Federn, von jedem Winkel abgehoben, nur kurz, nur ein milder Blitz, mit Patmos zu wetteifern imstande ist. Wir vermessen uns ja nicht, solche Offenbarung auch zu erkennen bis in ihre dunkle Konsequenz, bis in ihre von langsamer Zeit umschlungene Sekunde, bis in ihre Arabeske des Unbegreiflichen. Schattenhaft und flüchtig ertrinkt diese Sekunde in unseren Pupillen –, und kein zweitesmal so. Wie sich ihre Figur zu uns verhält? Sie verhält sich gar nicht, sondern ging schon in uns ein, erstarrte zu hellem Bewusstsein, ehe wir, nur um ihr Inneres in uns wissend, sie versuchen zu rekonstruieren.

Wie man bemerkt, handelt es sich hier mehr um die Relationen eines Vorganges zwischen uns und dem Himmel als um ornithologische Untersuchungen. Um diese Relationen auszudrücken, benützen wir wiederum jene Sprachbilder, die dem Schnittpunkt von Relation und Stimmung entspriessen –, also:

Eine Art von Nervenreiz nimmt Gestalt an in Worten. Zwischen solcher Metapher und uns gibt es freilich keine anschauliche Richtigkeit, keine Kausalität –, und nur unser eigenes Verhalten zu ihr verhilft dem ichgefärbten Niederschlag einer neuen Möglichkeit zum Ausdruck; wir gewinnen Worte aus dem Zwischenraum zweier Träume. Und hier haben wir keine Täuschung zu befürchten, da wir hier nicht betrogen und jeder Schaden nur in Vertauschung von Worten und Blicken bestände. Insofern aber haben diese Bilder teil an der Wahrheit, als sie reine, folgenlose Erkenntnisse sind und mit ihnen weder auf verlogene Synthesen noch analytische Lügen abgezielt wird. Es existiert weder vor noch nach ihnen eine Konvention mit anwendbaren Regeln –, sondern lediglich eine körperliche Grundhaltung, eine bestimmte seelische Lage empfiehlt sich: am Fenster liegen, den Blick in Azur –: So werfen sich die Netze von selbst aus.

An diesem Punkte beredet man sich mit heranschwebenden Problemen, deren Stimmen kühl und hart oder von leiser südlicher Eleganz aus den Flügelspitzen vibrieren; man ahnt jene Spannung, jene rhythmische Notwendigkeit der einmaligen Formulierung. Oft spürt man sie, kaum wahrgenommen, schon hinter sich mit rauchigem Geraune, und man muss sich ernstlich Mühe geben, ihre einzige Gegenwart nicht zu verfehlen. Jeder Zweifel an dieser aber lässt uns selber sinken auf irgendein alltägliches Pflaster, das immer darauf lauert, unsere schwerfälligeren Schritte aufzunehmen. Auch nach ihnen zu greifen, ihren Glanz denkend zu zerpflücken, nach ihnen zu klettern – denn der Flug ist nicht uns vorbehalten –, wäre Münchhausiade, wäre Hochziehen und oben Ansetzen ohne Leiblichkeit, ohne Lust und ohne Glück. In den Wolken der Abstraktion fliegen selbst die Möwen, diese so luziden Bewegungen, nicht mehr. Andrerseits können wir nicht als Möwen perzipieren – und es ist auch nicht nötig; es geht nicht um ihr Gesetz, sondern um gemeinsame Auslösung reizvoller Illusionen. Müssig und zwecklos wäre dabei, solche versuchenden Blicke mit objektiver Naturbeobachtung zu verbinden; man würde je richtiger – je lächerlicher.

Hat sich denn überhaupt etwas begeben, indem wir einen Zusammenhang und Ablauf von Kräften willkürlich trennten und davon einen hauchdünnen Querschnitt nun in der Seele bewahren?

Wir könnten uns immerhin vorstellen, dass auch die Möwe sich als Mittelpunkt, als zentrales Wesen des Weltalls spürte und in diesem Sinne Anteil an vollkommeneren Empfindungen besässe, die sie damit weitergäbe an unbekannte Bewunderer, an uns …

Wie dem auch sein mag –, unsere Bewunderung reisst eine Lücke in alles Gewohnte und Geglaubte, so dass, durch sie hindurchgesehen, sogar die Maskerade der Götter wieder möglich wird.

Brief aus dem Packeis

Draussen wirbelt der Schnee, und ein Sturm verschlägt Schiffe an alle Fenster. Sie zerspellen vor meinem armseligen Kerzenlicht. Heute, wie immer, wird wohl auch keiner vorüberstapfen da draussen. Und was treibt jetzt nicht alles draussen: die Hunde ohne Hütte, die Liebenden ohne Erlaubnis und die Soldaten auf Befehl.

Weil ich an sie dachte, bin ich nicht weit gekommen heute. Ferner dachte ich an einen blauen Himmel, erwog die Möglichkeiten, ihn zu verwirklichen –: keine.

Gedanken sind auflösend, wenn einen friert. Mindestens ein Petrolofen oder ein paar Scheiter gehörten dazu, ihnen jenes Ansehen zu verleihen, welches Bücher lesbar werden lässt, Tempel weniger verekelt und Götzen erträumt. Statt dessen seh ich mir Packeis an, das nur dreizehn Meter unter mir sich keltert und türmt. Man merkt auch, dass die Erde sich langsamer dreht hier; das Herz wird schwer; man verstummt rascher, da die Worte frieren machen, bevor man sie hört.

Wer vermöchte zum Beispiel in solcher Lage zu lieben? Selbst der Heilige würde zur Lüge seiner selbst –, das Andenken der Hyperboreer wäre Lästerung auf den Gang der Dinge. Wenn es jenen Dämon der verlassensten Hütte, jenen eiskalten Betaster einsamer Gehirne gibt, dann soll er sich aufraffen endlich, die Schmutzflut vom Gletscher des Vergangenen einzudämmen –, um die Wüsten der Zukunft damit zu bewässern. Aber mich soll er in Ruhe frieren lassen. Bin ich nicht hier, Götzen seiner Art zu stürzen?

Indessen schau ich mich vergebens um, etwa eine verzauberte Grösse zu entdecken – einen Skarabäus oder eine Fliege –, die sich morgen als Ikaros entpuppen könnten: mir ja einschärfend, sie flögen zur Sonne, ehe sie mit ihrem Schwindel hinter der nächstbesten Erhebung verschwänden. Erstaunen würde ich allerdings kaum, wenn Vater Pol sich persönlich aus dem eingefrorenen Tintenfass entwickelte. Dabei müsste ich wohl oder übel die Kerze ausblasen: Ich habe momentan keine Lust zu gespenstern.

Gleichwohl dünkt mich erstaunlich die Art, wie man denkt an einem solchen Abend im Herzen Europas. Es ist zwar nicht weit her mit unseren Einteilungen, mit unseren geographischen und moralischen Grenzen. Schon eher weithin –, weithinaus –: ohne Klingklang, Sekten, Verbände –, hinaus in den ganz privaten Sund. Nicht als Dirigent dieses wirren Kanonchores, als Hirte auf diesen Hammelgefilden, ja nicht einmal als Vulkan im Packeis hielte man's länger aus als diesen Abschiedsbrief lang!

Nun, ich sehe: Ich muss wieder erwachen; so sicher und unaufhaltsam tritt der Morgen näher. Der Sturm wird sich legen, der Geschäftsmann sich verbeugen und der Kunde kichern, weil er sich nie zugibt, dass er betrogen sein will –, das Packeis wird in Kellern rumoren bis zur nächsten Nacht –, alle Schalter werden hochgezogen und die Dschungel eröffnet sein, drinnen und draussen. Soldaten dürfen ihren Beitrag zur Rüstungsfinanzierung leisten –, streunende Hunde werden eingefangen und auf Staatskosten verköstigt, bis sich ein Besitzer oder ein Schinder meldet; schliesslich noch die Liebenden, die im fahlen Mittagslicht sich entzweien, das einzige damit zerstörend, was für Augenblicke Linderung bringt von Bestien und Bürokraten, von Tölpeln und Generälen.

Summa summarum: die Gesellschaft wird weiterspinnen an ihren schimmligen Rocken.

Und ich? Die Erde wird sich hoffentlich wieder schneller drehen, die Vergangenheit nicht wertvoller abrauschen, die Zukunft nicht anziehender anticken als jede alltagsgrau verhängte Sekunde – auf Taubenfüssen oder mit Fackelzügen bleibt sich gleich. Gespenster sind nur gefährlich, solange man ihnen Beachtung schenkt.

Vorstadt-Legende

Rita! – Rot schreit es über die Geländer, rutscht durch Gitter und glitscht unten aus –, Echo: –ta! Welche Dünungen über die Hügel und das sanfte Gras, darauf sie hinflieht – zuchtlos, wahrhaft und glühend ...
Die Jagd hinter der Stirne, die brechenden Halme: Tänze wirbelten hoch, stäubten die Röcke vom Arbeiterfest. Einfuhr damals in die Schächte des Tiefinnern, blindlings, ohne abzusehen. Ruf nicht mehr gefragt, Grossmutter im Schaukelstuhl total schnuppe, und auch die Stimme im Kundensaal hielt den Mund bis auf weiteres. Was war noch? Ein Gesicht, das man immer besser kennen würde, ein Laut – Otto oder so was –, welcher hängenblieb und mit dem sich herrlich zaubern liess. Ja, das Leben – la vie –, dieses Vieh: gehörnt, hufeschlagend Funken von sieben bis zwölf und von zwei bis sechs! Frühstück so gottverlassen allein mit dem Schimmelmilchgeruch zwischen den Zähnen; mittags der Metzger dabei, Vati wollte er genannt werden, und abends die zehrenden Szenen von wegen Muschelkette, Ausgehen und so –. Nein, dies war erledigt, dagegen besass man nun die Formel: das Hohelied; Zigeuner, im Rund gehockt, und blies gar die Flöte; da bedurfte es weder des Nylongarns noch der Tramkarte. Die Strümpfe zerrissen: das war die Lust, und zu zweit über den Asphalt: das waren Entdeckerfahrten. Nicht nötig, dass Kolumbus was erobert; die neue Welt, das war die alte!

Wie behutsam taumelnd die Nocturnos ihrer Schatten, zuweilen stehengeblieben, Knie zitternd und am Rücken leise geknackt das rostige Abflussrohr. Roter Backstein die Kulisse für allerhand, Hunde auf der andern Gassenseite vorübertrabend und die Herrlichkeit innen, mit der ganzen Welt allein zu sein.

Aber die Bürger haben für solches ihr Lorgnon! Wehe dem Schmetterling in des Netzes Bereich ihrer Blicke! Rita trug sich anders, und das fiel auf. In der Schlächterei, da sah man rot. Es galt das Geschäft, tote Pferde und dergleichen, zu stabilisieren. Ins Auge gefasst: vierschrötig, eine verwegene Figur für den Umgang mit dem Beil; auch mit Bier ging sie um, und hin war sie vor den Elfen, die am Ball manipulieren. Also eine wahre Stütze für Vati, der, immer öfters seine Schläge zu weit hinten anbringend, dem Tod der Rosse nicht mehr ganz mächtig ward. Man hielt mit Worten nicht zurück. Die Lage schien eindeutig, Rita verzogen, blutarm, und schleunigst in richtige Hände zu bringen.

Die Geschichte vom Rohling? Quatsch, die gibt es gar nicht, *die* ist! Doch immer sachte, mit Zucker zwischen die Lefzen –, der Schlag gleich darauf, trifft, ohnehin sicher!

Nun Geburtstag. Grammophon montiert, inklusive Lehár, rosa Würste auf den Tisch und rosa Finger an den Knöpfen. Diese Finger, auf welch ahnungsloser Pirsch! Und im selben Augenblick die Geschichte, gesehen bei einer Mondgeburt? Das Gesicht, dem eine Welt aufgeht, eine andere natürlich, als die sie meinen, eine, deren Ausdruck den Brückenpfeilern gliche, an die des Urwortes Strom stemmt, wenn es der Frühling entfesselt und hinter einem anderen Herz herwirft? So ein Gesicht stand hinter der Scheibe. Wer es gesehen, für den war's aus mit Zichorie einkaufen. Und Rita hatte es gesehen. Sie fror danach langsam ein und schickte die Besinnung nach draussen, um nachzusehen. Sie hat nie erreicht, nach was sie gejagt. Durch Schluchten mit Gemüsekrätten, dem Rathaus entlang und die Wasserfälle hinauf: immer zwei Schritte hinter der gläubigen Heimlichkeit her, die den Namen davontrug, mit dem zu zaubern war.

Milde watend in schlammigen Bildern zurückgekehrt, und nun das Erwachen: Die rosa Finger hatten ihr Werk getan.

Vor ihr öffnete sich die Tür, die Beile staunten Spalier, und das Reh flog über alle Stufen hinab.

Mit keinem Ruf mehr aufzuhalten, hinüber –, die Pfahlburg rasselt hinter ihr zusammen; Kamine zerschellen an ihren Fersen, und vor ihr treten die Häuser auseinander. Sie reckt hoch: der Strom! Noch einmal März, Alleen immergrün und die Bäume an Steinwand gekleistert, in Vollmond gekugelt vor Lachen und in lauter Traumblau, knöcheltief –. «Das wird nie, das wird nie», kopfschüttelnd aus allen Löchern mit wurstiger Weisheit. Erinnyen; gut, aber dann ohne Mopsnasen. Gott, was für Umstände, und das Begräbnis muss auch bezahlt werden. Hoffentlich kein Heldenmut in der Nähe mit all dem Bramarbas mit Carnegie, Coramin und frisch auflackierter Tretmühle! In Ordnung! Die Fischer, und was sich sonst am Strom tummelt, schlafen den Nonsens der Gerechten, und im übrigen ist Barmherzigkeit bei den Fischen. Sie tastet zum letztenmal an weichen Lippen, welche aus den Mauern vorschwellen, blickt dem Dreieck der Dächer ins Auge, moostrocken; fraglos entschlossen zur Heimkehr mit der nächsten Welle. Die Fische beten nicht Brevier, und der Strom ist barmherzig.

Schluss? Was denken Sie –, es beginnt jetzt erst! Befragungen, Formulare, Entscheide im Hinblick auf die Möglichkeit, ob nicht vielleicht väterlicherseits etc. Und der Name, mit dem sich so herrlich hatte zaubern lassen? Ja, dieser Name besitzt Charakter, Pickel im Gesicht, Scheitelpomade in vier Sorten und wird sich weiter komisch beschäftigen mit seiner normalen Tragik: Charakter zu haben.

Möglich, dass es gewittern wird ...

Was hätte er nicht am See sitzen sollen, nun, da ja alles vorbei war? Auf denselben Stein gehockt, und das Tanghaar wiegt so ruhig bis an den Spiegel? Er beobachtet sein Gesicht zwischen den harfigen Strähnen: zu hell und mit den Schultern eingezwängt, alle zwei Sekunden die Verzerrung. Formlos ausfliessend nichts als Flecken; Abstraktes. Er ist nicht jetzt, nicht hier –, aber wo denn und – nein, nicht mehr: weshalb! Er hat genug geschaut, hebt den Blick; die Weiden hängen herab, streifen unten, es gibt Gekräusel –, Fliegenfischen kommt ihm in den Sinn. Sinn? Ja, was zum Teufel ist denn Sinn? Hier Manchester mit Reissverschluss, ein Gewebe, das sättigt, das man mit den Augen isst –, doch Hülle nur, Etui wofür? Oder da, die Hand: lange Finger, Silberring mit rotem Stein, oft grün, je nach Stimmung auch braun. Dunkelbraun.

Dunkelblond –, das war bei ihr, die wenig lichter als er –, und der Ring besass Zacken, die sich verfingen, die rissen an feinem Stoff. Seidenstrümpfe zum Beispiel. Reines Zierstück zu Verbrechen und Traurigkeiten. Die Gefahr und die Kraft und die ungeduldigen Wünsche: das war dieser Ring an den Strümpfen.

Für den Augenblick genügt ihm das. Solang sein Gehirn jene Konstante besitzt, an die er sich erinnert – Rasieren, «Zephir» etc. –, so lange ist seine Ungeduld beruhigt in Bitternis. Bitternis: Das sind die Morgen in der Eisenbahn, nicht gefrühstückt, und dann der Marsch über die Quaibrücke –, Wasser in Nebeln, Menschen in Eile und Frost an den Ohren. Nein, jetzt scheint ja die Sonne, es läuten Türme vom anderen Ufer, Thomas a Kempis, «Per aspera ad astra», die Fischpredigt fein hinters Netz ausgelegt ...

Ihr Lachen war es gewesen – natürlich –, dies Doppelereignis von Erfindung und Erfolg, *das* hatte die Masche geflochten, die Schlinge – bis er hing. Aber nichts mehr zu machen –, unleugbar stiegen die Feste hoch, bis die Raketen platzten.

Gewisse Himmel jagen die Phänomene; Taubenschwärme in Scharlach und Grau gegen Ziellos; Idee an Idee zwischen die Wolken, pfefferheiss. Kein Augur, keine Auswahl; die Flügelspitzen pfeifen wie Düsen, das Gefühl ist Angst und um das Ganze: Manchester!

Nun liest er Schattierungen ab, erfindet dramatische Skalen im Spiegel, lächelt selber sich zu, bis er sich komisch findet; ein neues Gefühl, im Hintergrund Bühne, auf der Literatur gespielt wird. «Du liebst mich, aber du weisst nicht, wen du liebst –»: Solche Sätze sollte man keiner Frau schreiben; sie fällt nicht darauf herein, sie hasst die Pausen ohne Publikum, welches ihr Abendkleid zu bemerken hat.

Das Stück hatte gleichwohl «Der Widerspenstigen Zähmung» geheissen, wurde schlecht gespielt, und er hatte mit ihrer rechten Hand sich gelangweilt dabei. Am Ausgang Taxis und Regen. Kopf oder Zahl – heim oder nicht? Dann ins Café, wo die kommenden Kulturträger lärmten. Alleen oder Sprüche, Gehen oder Denken – die Resultate sind Ankunft oder Umkehr. Allein oder zu zweit, Liegen oder Kreisen – die Resultate sind weder Reichtum noch Ohnmacht. Wie schrecklich aber die Tramschienen in einer nassen Nacht auf schwarzem Asphalt! Vorhang!

Wenn es sehr still ist, wenn der ferne Pressluftbohrer (man bohrt immer etwas in unserer Stadt) verstummt, kann er die Kiesel rieseln hören: Das ist viel Glanz im Grunde genommen. Er beugt sich hinaus, hält sich dazu am Eisenring, der in den Stein zementiert ist – wer bindet wohl hier seinen Kahn an? –, und versucht mit der anderen Hand vom Grunde zu schöpfen. Es wird jäh tief dort; aber man kann schwimmen, der tragische Moment hat heutzutage seinen Stachel verloren; im übrigen reden nur die Weiber vom Ins-Wasser-Gehen. Die gefischten Kiesel jedoch sind schweigsam, trocknen rasch, und jeglicher Glanz entschwindet. Hatte er an eine Gelegenheit geglaubt, seine Sinne zu befreien, so war es jedenfalls Essig damit. Sein Bild, als er sich hinauslehnte – klar, bis die Hand griff –, hatte vorwiegend an Zoologisches erinnert.

Nun «Stella-Filter», Rauch ohne Körper und Stimme, seltsam über kleinen Wellen und im Licht. Etwas von Einsiedelei, Glockenseil neben der Pforte und ungelöster Schweigsamkeit verbreitet sich. Er atmet tief ein, es kitzelt im Hals, er spürt die Lungenspitzen.

Sie hatte ein Spitzenhemd besessen mit schwarzen Maschen, mit Druckknöpfen, damit diese nicht abfärbten beim Waschen. Sie hatte Zigaretten geraucht, aber ganz vorne, nur hinter die Zähne, und dann elegant geflötet. Auch im Spitzenhemd hatte sie geraucht.

Weitere Tricks: Wein, der die Lippen wechselt, ein bisschen angewärmt schon und geschlechtlich wie alles Feuchte; oder die bestialischen Gespreiztheiten, die Muskeltelephatie –. Aber alle Verführungen dauern eine Minute; dann blättert es ab von den Tapeten, plustert die gute Stube sich in Versorgungslage, und die Bücher dämmern unterm Tisch, kümmerlich und ungeliebt. Gewiss, es gibt ärgere Paradiese – schliesslich werden die Cherubim nicht herumgezeigt –, was man aber findet, ist immer nur bürgerliche Magie. Gibt es überhaupt ... Egal! Er wechselt die Stellung (sein linkes Bein ist eingeschlafen), wirft den Stummel ins Wasser – Verunreinigung der Seen! –, Zischen, ein Wrack treibt gegen die Felsen. Im Rücken Schritte, ein paar handfeste Burschen, die Dienstmagd im Schlepptau –, nicht sehr erhebend, verzerrte Visagen, sie mit einem grausamen Gang. Was für Atmosphären man sich gefallen lässt! Doch auch das steht schon im Gilgamesch: «Wird er sie sehen, so wird er ihr nahen.»

Am Anfang war das Lächeln –, nun sieh zu, wie du mit den Tränen fertig wirst! Einladungen sind selten harmlos, sehn oft nach Kismet aus, nach spinnigen Parzen. Bald glaubt man an chronische Berauschungen, bald zielt man hinter die Fassade der Villa Meriggio, Caslano – offen dem Geiste der Reisenden, auch Paolo und Francesca –, Terrassen voll Brisen, Getränke mit Nylonhalm, die Sinne verströmend über Böschung von Hotelanlagen –, doch die Legenden stehn nicht gratis zur Verfügung; auch auf den Boulevards kreuzen arme Familien, und wenn die Gerichtskosten hinzukommen noch, braucht es mehr als erotische Tricks.

Wie das Tanghaar ständig dazwischenschleift – wieviel Blicke waren wohl hier schon versunken? Das wäre etwas: Nixen, die sich von Blicken nähren –: Outsiderblicke als Delikatesse, Kartoffeln vom Haufen und von den Kritikern der kühle Salat!

Strähnen ihres Haares hatten auch ihn oft gestreift, wenn die Laterne auf Halbmast hing, ihre Züge rötlich und gierig sich wandelten – Madonna im Rosenhag bis Helena beim Schlangenbiss – und die wütende Gärung durch das Unterholz fuhr. Indessen wäre Amor bald verzweifelt am demokratischen Element; manch anderes musste auf seine Rechnung kommen, und was aus dem Spiegel schrie, wenn man sich kämmte, war nichts Aussergewöhnliches.

Jenes hält eher in diesem Block – er stützt beide Arme auf –, Wärme rinnt, es geht gegen Abend, und der Taubenschwarm muss hinter den Wolken ziehn jetzt; möglich, dass es gewittern wird. Hastig noch Eis verkauft drüben beim Hafen; Halbwüchsige drängen nach Befriedigung, Mütter zetern aus den Schatten.

Diese elende Vorstellung von sich selber! Was trieb man eigentlich, seit man selber sich vordrängte zum Glacéstand? – Nichts – Nichts zu schürfen auf dieser Sole, der einheitliche Stil fehlt. Früher schrieb man solches in Form des Diariums, und wenn dann eine Lücke kam, vermerkte man einfach: Brandfleck. Vage Hypothesen.

Bleich treibt's heran dort –, Elfenbein in Überschlägen, knapp unterm Wind noch – nein, Fetzen nur, Zeitung in müder Fraktur: «... wurden seit Montagabend ein sechzehnjähriges Mädchen und ein achtzehnjähriger Jüngling vermisst. Nachforschungen führten zur Auffindung von Kleidungsstücken sowie des Fahrrades des Mädchens im ... Fischer, die eine Suchaktion einleiteten, haben nun die zusammengebundenen Leichen der beiden Vermissten entdeckt und an Land gebracht. Es fand eine gerichtliche Expertise statt ... nicht abgeklärt ...»

Heuseil zur Sicherung des Glücks, Versprechen, das nie mehr reisst – wer weiss das! Welche Abende über die Hügel, durch den Wald und in den See –; doch unbedingt war nur das Heuseil! Das leuchtet ihm ein, leuchtet ihm heim: hätte nicht auch er? Was war denn mit achtzehn – ? Wir alle schwingen lange den Kurven einer bestimmten Entscheidung nach – hinter Gittern geschunden, unter Küssen versengt – und nach Spiegelkabinetten mit tausend Ichs, den Retour-Trab, ohne den Pfahl zu erreichen je, von dem man ausgeschickt ... Mag sein, dass es trotzdem gleichgültig ist, wo sich was entschieden hat.

Sicher ist eine Kammer im Halbschlaf –, die Dochte gekippt, die Tinte vertrocknet und draussen die Dämme der Nacht. Das ist wie unter Wasser, und man träumt den Fisch im gelben Meer, bis die Nixen anrauschen und man irgendwie in Lumpen vor den vornehmen Täuschungen steht. Das Erwachen vollzieht sich meistens in Schäferszenen, mit Wappen voll springender Hunde –, aber nachdem die Pläne verbrannt, die Augendeckel nicht mehr nach Paarung zwitschern, schlägt man sich besser wieder in die Büsche des Traums, nimmt sein bisschen Einbildung zusammen und bildet sich darauf etwas ein –, beziehungsweise: trinkt den Café-Crème am Schiffländeplatz und dokumentiert mit einer Zeitschrift neben sich, dass man zur gebildeten Klasse gehört.

Ein Tag in Basel

Genau so wie Rheila sah sie aus, als sie gestern abend vor dem Schlafengehen unter die Türe trat, um mich zum letztenmal zu fragen, ob ich morgen mit ihr in die Stadt käme, denkt Kreon.

Der Autobus von Tauwil nach Beheim wiegt seine Gäste ziemlich sanft in den Lederkissen; Karin sitzt neben ihm. Still. Und es sind doch schon gut zehn Minuten, dass sie so nebeneinander sitzen. Von Zeit zu Zeit hält der Transport, jemand steigt aus, jemand steigt ein –, Tür zu mit massivem Schlag, und der Fahrer schiebt jedesmal mit der rechten Hand den Riegel vor. Zur Sicherheit.

Genau wie Rheila, denkt Kreon wieder – und daran: Was knüpfen sich nur für entlegene Fäden? Teppich des Schicksals, dieser abgegriffene, verschmierte Stoff Leben –, was hätte er denn für neue, unerhörte Muster entwickeln sollen? Wenn ein Stück Bürgerlichkeit zum Abschluss kommt, hebt sich gleich das widerliche Gespinst, welches, zum selben Nessushemd sich entwickelnd, dieselben Namen um dieselben Pflichten flicht. Nein. Es bleibt nichts zu hoffen am Ende des Stückes. Die Vorhänge fallen von allen Seiten, und das Herausklatschen ist sowieso nie ehrlich gemeint und wäre überdies peinlich für den Akteur.

«Beheim», ruft der Wagenführer und meint damit Kreon, der unbekannt in der Gegend ist. Aber dies ist nicht seine Station. Was ist überhaupt meine Station, denkt er, immer wieder zurück nach dorthin, wo man begann?

Was für ein herrlicher, zauberhafter Nebel wob nicht heute früh über Malan, dem Dorfe, wo Kreon zur Erholung weilt. Und wie er dann weich zwischen die Häuser sank mit feuchter Frische, gleichsam einen Negativ-Abguss der noch stillen Häuser dem Morgen zu liefern ... Karin hatte ihn verglichen mit einem schonenden Traum zwischen Schlaf und Tag. Der frühe Autobus hatte schon bereit gestanden, halbvoll und kurz vor der

Abfahrt. Kreon hatte sich vorgenommen, Karin zu fragen, ob sie sich für heute «du» sagen sollten. Er war so sicher, ausgeruht und erwartete Dinge von diesem Tag, die es natürlich nicht gab. Was gab es überhaupt? Hier die Fahrt auf Lederkissen, die Sonne, die sich eben anschickte, über die Hügel zu steigen, und oft voll, oft nicht mehr zu sehen war, Karin, die er in Gedanken fragte: Weshalb sagen wir uns eigentlich noch «Sie» und die er dann wirklich fragte, ob sie nicht zusammen mittagessen wollten –. Sie hatte eingewilligt und danach aus dem Fenster geguckt, als ob etwas riesig Neues eben hätte auftauchen können. In einer Kurve streifen sich ihre Arme. So war es auch am Morgen gewesen, als er sich erkundigte, wozugegen das Kunstmuseum sich befinde. Es ergab sich dabei zweierlei –, nämlich: dass es einfach zu finden sei und dass sie, Karin, eigentlich gern mitkäme. Sie schwärmte für Gauguin und van Gogh; das fand er hintergründig und talentiert.

Und danach? Sie hatten weitergeschwiegen, so wie jetzt. Der Fahrer schiebt eben wieder den Riegel vor, das Auto kommt in Fahrt, die Bäume streift sein Blick, und es wird noch drei Stationen dauern bis Malan. Die Erinnerung tut weh. Welche Erinnerung tut das nicht? Kreon versucht sich zu erinnern, aber es will keine rechte Erinnerung aufkommen. Heute morgen! das ist die nächste Empfindung zurück gegen das sinnlose Ehmals. Und heute morgen, denkt Kreon, hat eine Ebene geblüht. Karin hatte gezaubert, denn sie fuhren später im Zug durch eine kleine Tiefebene von unsichtbaren Möglichkeiten. Was war nicht alles gut! Im gleichen Coupé hatten einige Kunstgewerblerinnen gesessen, geraucht und mit wichtigen Gesten Notizen auf ein Blatt gebracht, welches noch vor Basel mit viel Gekicher zerrissen wurde. Er hatte Karin, ihr gegenübersitzend, offen angeschaut und dabei zu entziffern versucht, was sie von all den Möglichkeiten, von ihr aus gesehen, halte. Aber ihr Gesicht bot keine Aussicht auf Zukünftiges ihrerseits, und nichts beunruhigte ihn mehr als das Bewusstsein der Aussichtslosigkeit einer Liebe.

Liebe: das Stichwort zu allerhand. Doch Kreon täuschte sich, wie er meint, nicht mehr. Liebe: das war dasjenige, welches alle Erklärungen zerschlug, welches jede Vergangenheit in den Wind blies, und an dessen Anfängen geschrieben steht: «Du musst dein Leben ändern!» Was ging denn ihn Karin an, knapp neunzehnjährig, Tochter aus gutem Hause, geschmackvoll gekleidet, blond, blauäugig und von zierlicher Figur? Ihre Ähnlichkeit mit Rheila hatte ihn überfallen, als er ihr das erstemal entgegengetreten. Mit Rheila aber – und da sind auch gleich die Erinnerungen – verband ihn ein tiefer Abscheu. Sie war der Typ gewesen der ganz im Äusserlichen – ausser dem Lustmoment – verfangenen Frau. Selbst vor Kunstwerken schien sie sich zu spiegeln und zu beobachten, ob die andern Anwesenden sie auch gebührend bewunderten. Sie besass jene vollkommene Art, heimliche Blicke in glühende zu verwandeln, indem sie nonchalant zu ignorieren verstand, wessen sie doch so sehr bedurfte. Er hatte ihr viele Verse geschrieben, die sie ihrerseits gierig gelesen, wie er bald bemerkt –, und dann heimlich verachtete. Ihre Geschichte war nicht sehr lang –, es kam damals der Innenarchitekt mit eigenem Geschäft und bot ihr eine Nuance höheren Scheinens. Kreon gedenkt des Tempels, welcher lautlos und schrecklich in seinem Innern verbrannte danach.

Eine Dame will aussteigen. Es gibt Abschied, Lachen und ein gequältes Gequetsche. Tür zu, Riegel vor, weiter.

Der Zug war um sieben in Basel eingefahren. Riesige fensterlose Hausmauern, beklebt und bemalt mit Aperitif- und Schuhcrème-Reklamen, grellten über die Geleise her. Kreon hatte diese Stadt schon seit fünf Jahren nicht mehr betreten. Und nun, was für verwegene Erfüllungen von ihr erwartend!

Karin, die reglos gewartet, bis die letzten Rucke der Lokomotive die Wagenreihe durchgeschüttelt, stieg hinter ihm her aus. Dann auf dem Perron in einem Strom unbekannter Gesichter. «Internationales Fluidum», hatte er zu ihr bemerkt. «Halb so schlimm», war ihre Antwort, und dazu ein Lächeln, welches ihn

ermuntert hatte, sie zart am Ellbogen zu fassen, auf dass sie sich nicht verlören. Und weiter?
Dieser verdammte Autobus kommt ja nicht vom Fleck! Noch zwei Stationen. Kreon schaut hinaus: Der Himmel verhängt, und die Unruhe seines Blickes zuckt von Baum zu Baum. Nun wird es zu Ende sein.
Herrgott, dieser Gang heute morgen durch die Stadt. Um neun erst hatte das Kunstmuseum seine Türen geöffnet. Sie hatten noch Zeit genug gehabt, das Münster zu besichtigen, lange Blicke über den Strom zu legen und zusammen Zigaretten zu rauchen in den wenig belebten alten Gassen. Was für einen Unsinn wir doch in Worte kleiden, wenn das Herz träumt! Welche Befangenheit vor sich selber, und doch: Ist das nicht das sichere Zeichen ursprünglicher Unschuld? Die Reinheit findet keine Worte für sich, die Sprache muss für sie erfunden werden erst. Kreon hatte mit den Bildern gerechnet, vielleicht, dass dort plötzlich Worte kämen ... Van Gogh, der sich ein Ohr abgeschnitten, weil er keine Worte mehr gefunden für seine Liebe – Gauguin, der die Worte dafür suchen ging in einen Erdteil, in welchem aus der Liebe keine grossen Worte gemacht werden –: beide begriff Kreon auf diese Weise. Aber er hatte vor ihren Bildern geschwiegen. Karin auch. Wir sind doch seltsame Tiere, stehen vor den bewusstesten Fontänen des Daseins, bewundern sie sprachlos und lassen unser Leben im Dunkel der Gedanken verwelken. Jede Gebärde des andern legen wir so entmutigend aus, jedes Ereignis um den andern fällt wie ein Reif auf unser Gefühl. Wie ist es eigentlich beim anderen? Ist das nur bei mir? Kreon scheut sich plötzlich wieder vor Verallgemeinerungen. Und doch, ist die grosse Gruppe Rodins nicht auch gültig für alle? «Die Bürger von Calais», dieses gigantische Denkmal der Liebe und ihres Opfers?
In den Sälen der alten Meister hatte ganz unerwartet ein Mann vor ihnen gestanden, atemlos und in grässlicher, mühevoll versteckter Aufregung: «Karin, ah, guten Tag. Willst du dich

nicht anschliessen, ich habe eben eine Führung?!» Karin hatte ihn darauf begrüsst, Kreon vorgestellt – eine leichte Verbeugung seinerseits –, und er eilte schon wieder weg. Kreon aber hatte ganz deutlich bemerkt, wie seine Mundwinkel gezittert vor geheimer Eifersucht. Er hatte lange darüber nachgedacht und es als seine Schuld empfunden, mit Karin ihrem offenbar guten Bekannten begegnet zu sein. Was war wohl damit? Hatte er jetzt etwas zerstört, oder war etwas in ihm in die Brüche gegangen? Sie waren dann einsilbig weitergeschritten von Bild zu Bild, uninteressiert zumeist, und Kreon hatte auf einmal zu verspüren geglaubt, wie Karin sich überhaupt nicht mehr mit den alten Meistern beschäftigte. Von einem Fenster aus sah man den alten Brunnen im Hof. Sie hatten für einen Augenblick daran ausgeruht und mochten dann beide nicht mehr recht weiter.

Der Autobus fährt das letzte Strassenstück vor Malan; links der Wald und rechts der Wiesenhang, der am Morgen noch so feucht geglitzert. Er steigt jetzt dumpf, wie betäubt vom Staub des Verkehrs, totes, erloschenes, fremdes Land. Noch fünf Minuten! Karin schweigt. Kreon sieht auf ihre schlanken Finger nieder. Er erwartet einen Wink –, sie könnten zittern oder sich sonstwie ausdrücken. Er ist bereit, jedes Zeichen anzunehmen. Nichts!

So ähnlich hatte er am Mittag empfunden, als sie sich auf dem Balkon eines teuren Restaurants, gerade über dem Marktplatz, zum Essen gegenüber gesessen. Die Sonne hatte geradezu geschrien vor Hitze und das Gewimmel unten gekocht und gebrodelt wie Lava. Krater einer Grossstadt, wieviel Tun und Trachten, wieviel Leid und Lust, versammelt unter der schicklichen Orgie höflicher Oberfläche. Trams hatten geklingelt, Karins Augen gestreift über die tausend Köpfe des Marktes, ohne zurückzufinden, wie es Kreon geschienen –, ohne irgendwo anzulangen. Wir sind Aufgerührte, Heimatlose –, immer unter Tausenden, immer allein mit unserer Liebe, an die niemand mehr glaubt, immer allein mit unseren Gedanken hinab die Dünung ins Meer. Früher, da entsinnt sich Kreon, die Träume in den Wäldern, die Gespräche mit dem alten Zwetschgenbaum im väterlichen Garten, die heissen Gebete vor den überirdischen Sonnen aus Arles –: das war Leben gewesen. Heute die Fragmente, welche geblieben sind, die Versuche an diese angeknüpft – und was zuweilen resultierte, bestand vor diesen Anfängen nicht mehr. Aber vielleicht waren es niemals Anfänge gewesen, waren es Vollendungen, die sich das Leben entlang hinziehen, um sich gegen die weise Verachtung des Erwachsenseins zu wehren.

«Karin», hätte er am liebsten sagen wollen, «Karin, beim Strahlendsten deiner Jugend, beim Rauschen dieses Meerwindes, nimm mich mit auf dein Schiff!» Indessen hatten sie schweigend gesessen, bis Kreon, ihr die Zigarette anbietend, bemerkt: «Dieser Herr im Kunstmuseum war mir unsympathisch.»

Karin: «Weshalb?»

Er: «Haben Sie nicht beachtet, wie seine Mundwinkel gezuckt vor Aufgebrachtheit?»

«Er war eifersüchtig», hatte Karin präzisiert, «und doch fehlt ihm ja jeder Grund dazu.»

Der Verkehr, hitzig und überlastet – es war zwölf Uhr vorbei –, hatte seine höchste Schwellung hochgeworfen, sie beide überfallend mit vibrierender Nervosität und sie schliesslich zum Aufbruch zwingend. Am Grund flimmernder Gassen sich schleppend, Karin kaum wahrnehmend neben sich, hatte Kreon dann gespürt, wie es in ihm stieg: ein Gefühl aus Asche, beissendem Rauch und trockener Hoffnungslosigkeit. Natürlich, er hatte keinen Grund zur Eifersucht –, ich bin schliesslich anderswo verpflichtet, Bürger eines wohlgeordneten Staates, Achtundvierzig-Stunden-Trott und besorgt um allfällige Nachkommen.

Und dann stand er erschrocken vor einer Erleuchtung dieser Bürgerlichkeit: «Karin», hatte er versucht, «soll ich's dem Herrn vom Kunstmuseum sagen? Ich meine, wer ich bin und dass ich nicht zähle.» Ach, es hatte so unsinnig geklungen, so dünkelhaft höflich. Diese Kleinigkeiten mit ihrem Gewicht. Es ist wahrscheinlich zu schwer, denen nicht auf die Nerven zu gehen, die wir lieben. Ihre Antwort, ungefähr so: «Nein, was denken Sie, was macht denn das?» Ja, was machte denn das?

Von den Mauern hatte es heruntergerieselt auf die ausgetretenen Stufen, die Fensterscheiben gesprungen hinter den rostigen Gittern, in den Ecken Scherben und kümmerlich verdorrte Gräser. Gräser der Toten, und in der Luft die Pest mittelalterlicher Scheiterhaufen. Viel war schon vorbeigezogen in diesem durchfurchten Ameisenbau. Und jetzt sie und er. Er nach ihrer Antwort – und die war doch bei Gott bedeutungslos für das Gewimmel einst und jetzt. Jener Punkt in seinem Innern, der ihm immer bedeutete, dass er aufrecht gehe, auf derselben Höhe mit der Umgebung, hatte sich verflüchtigt und eine leere Stelle zurückgelassen, welche sich allmählich mit den noch vorhandenen Resten anfüllte. Er hatte die Kleider an sich hangen gespürt, seiner Schritte geräuschlosem Gummi auf trockenem, hellem Stein nachlauschend –, und neben sich das andere Leben, das seines hätte werden können. Zigarettenrauch trocken gelutscht wie bittere Beeren.

Wer seid ihr, Gesichter um mich, beschäftigt mit irgendwelchem Alltag, mit der Fron um euer bisschen Leben? Was tut ihr da – seht ihr denn nicht, dass ihr alle am Kreuze hängt? Ja, ja, ihr wisst ja nichts von den wirklichen Ländern – *die* sind woanders, *die* sind hoch über uns! In den besten Träumen vielleicht hat ein weniges davon geleuchtet, ein untergehendes Gestirn, ein brechendes Auge. Hier steh ich, seht mich nur alle an! Über euren Köpfen beginnt erst das, was ich Leben nenne! Ich will fliegen, immer höher, so dass es wenigstens zu sagen gibt: «Es ist einem gelungen!» Ihr seht mich hier um mich schlagen, diesen wohlangezogenen Kadaver von Fresslust und Benehmen, seht her: Hier hängt der Menschen Sohn am Kreuze. Noch eine kleine Weile, und ich reisse die Nägel heraus, zerbreche dieses Streichholz eingebildeter Notdürfte und wandle trockenen Fusses über den Strom – heimzu!

Kreon steigt es in die Kehle, die Scheibe beschlägt sich, und die Bäume draussen ziehen in schwimmenden Schleiern. Nichts! Nein, es ist doch nichts geschehen! Suche nur irgend etwas jetzt; sich daran halten! Hier, der Sicherheitsriegel zum Beispiel. Man ist doch so besorgt um dich. Was willst du denn? Die Stadt lebt, das Land lebt, die Erde lebt, und es ist doch alles vorbei – du bist in Sicherheit, behütet von allgemeinen Abläufen –.

Wie das weitergeht, kann ich nicht mehr aufschreiben; es wird getan.

Nachgelassene kritische Prosa

Zur Politik (1949–1951)

Vom Absolutismus des einzelnen

Jedes Menschen Bewusstheit verlangt den Absolutismus ihrer selbst, und sei es auch nur im geringsten seiner Wirkungskreise. Und dieser Anspruch vergrössert sich mit zunehmender Denkkraft, mit zunehmendem Gefühlsvermögen, bis zum jeweils Möglichsten, dessen Grenzen Umwelt und Notwendigkeit bestimmen. Was heisst nun dieses Bestimmen? Nichts anderes, als dass wir uns anpassen vorhandenen Formen. Wir werden gezwungen, in Formen zu verharren, die von den Verhältnissen längst überholt wurden, wundern uns aber gleichzeitig über den Zwiespalt Mensch und Staat unserer Zeit. Wer aber verursacht dieses Verharren in unzulänglichen Formen? Nicht der Mensch, sondern der Staat, und als sein Ausdruck der Staatsfunktionär.

Man redet von Gemeinschaft und Vaterland. Aber, ist nicht schon unsere Gemeinschaft Masse, und unser Patriotismus Aufruf dazu? Trotzdem der einzelne den Staat ausmacht, tritt ihm dieser in jeder Hinsicht unangenehm gegenüber. Solange er Masse bilden hilft, wird er zum unangetasteten (patriotisch: freien) Subjekt; lehnt er sich dagegen auf, wird er Empörer, taucht kraft seiner Überzeugung aus der Masse empor und verfällt den schlechten Hirten, den Staatsfunktionären, die ihn zurückzudrängen trachten und, wenn erfolglos, anketten oder einsperren. Auf Grund welchen Rechtes?

Und damit sind wir am Kontrapunkt des Absolutismus, wo er von aussen ins Bewusstsein dringt, wo die Welt der Triebe und der Materie einem einzelnen durch das Staatsgefüge Mittel und Macht überbindet, seine Herrschaft auszuüben. Mit anderen Worten, der Staatsfunktionär glaubt sich durch die Macht, als die ihm seine Arbeit erscheint, zum Herrschen berufen und hat in der Folge kein anderes Interesse als die Betonung seiner selbst in der vom Aussen verlangten Bestätigung staatlicher Macht. Dass er ein jeder menschlichen Bestimmung entgegengesetztes Hindernis darstellt, dass er sich selber jede Tür zum Eigenen, mit dem Druck auf andere, vermauert, liegt allerdings nur zum Teil in ihm begründet. Überwiegend ist er das Opfer der zeitlichen Entwicklung ins Aussen, die alles Nichtmaterielle negiert und deren Stand sich leicht am Erreichten der Technik und Wissenschaft ablesen lässt. Braucht man Sibyllen, um das Ende einer Epoche abzusehen? Je mehr sich die Geschwindigkeit vergrössert, desto schneller gelangt man an. Und was dann, wenn das Aussen erreicht ist? Dann bleibt, wahrscheinlich, für und in wenigen, zurück der Mensch des Anfangs und des Endes, der ewige. Anerkannt und sich bestätigend wiederum als Beherrscher der Materie, wie vielleicht schon einmal, früher. Jedoch mit der grausigen wie wertvollen Erfahrung: nicht sich selber in allen anderen zu unterdrücken.

Darin läge übrigens eine Lösung für uns Heutige: Gemeinschaft ohne die Übereinkünfte des Staatsgebildes, ohne, vor allem, den Zwang zur Ausbildung zum Mörder, lediglich den Notwendigkeiten des Zusammenlebens Rechnung tragend, worin sich noch genug wirtschaftliche Konventionen erhielten. Doch dazu brauchte es das vom Zeitgeist unbeschädigte Heranwachsen einer neuen Generation, unter den liebevollen Händen wirklicher Menschen.

Werden wir also wieder Menschen mit menschlicher Bestimmung. Lehnen wir uns auf, soweit es vorerst möglich ist, im Denken. Denn Gedanken sind Dinge, mit denen wir aufs beste die Abwendung von den Reflexmenschen beginnen. «Die Ordnung und Verknüpfung der Ideen ist dieselbe wie die Ordnung und Verknüpfung der Dinge», sagte Spinoza. Lernen wir allein sein, handeln, ohne erst die Zustimmung anderer abzuwarten. Lernen wir, das aus uns kommende Tun ohne Angst vor öffentlichen Meinungen zu vollbringen. Wenden wir unseren Ehrgeiz wie unsere Vergnügungen vom Aufwand der Massen ab; oder glaubt ihr etwa, die Staatsfunktionäre hätten nicht schon längst erkannt, was sie eifrig unterstützen, den Sport, die «körperliche

Ertüchtigung», zur Verhinderung eigenen Fühlens und Denkens einzusetzen? Was wissen wir von Freiheit, indem man es dem Willen des einzelnen überlässt, solche Massenmeetings zu besuchen oder nicht, wenn daneben Entscheidungen, die den einzelnen betreffen, durch Konventionen, deren Übertretung strafbar ist, geregelt werden? Freiwillige Entscheidungen des einzelnen sind ja nur dort gestattet, wo sie, so oder so, dem Staate nützen oder gleichgültig sein können. Das ist unsere Freiheit, aber nicht die des Menschen! Gibt es nun für uns eine höhere Aufgabe als die, jede Gefolgschaft, in der auch nur das Geringste unserer Eigenart aufzugeben in konventionellem Gebrauch steht, zu meiden? Immer wird es natürlich solche geben, deren schwach entwickelte Kräfte sich nur im Zusammenschluss einiger bestätigen können. Diese sollen aber nicht mehr Vorbild sein und als Beispiel der Gemeinschaft propagiert werden dürfen, nur weil der Staat an ihnen die Kerntruppe für das von seinen Funktionären erwünschte Verhalten besitzt.

Nicht der eigenen Vollkommenheit zuzustreben wurde und wird von uns verlangt, was notwendigerweise zur heutigen Unzufriedenheit des einzelnen führte und in einer Zersplitterung aller Werte enden muss, deren Vor-Bild, in der Aussenwelt, die Atombombe darstellt.

Werden wir also einzelne in jedem Bezug, sonst müssen wir es noch unter langwierigen Leiden erlernen.

Reflexionen der andern Seite

Der Artikel 18 der Schweizerischen Bundesverfassung beginnt: Jeder Schweizer ist wehrpflichtig.

Im Heute, in dem der Welt die Augen aufgehen sollten über den grauenhaften Folgen des Zwanges: Ist es nicht Zeit, diesen verhängnisvollsten aller Artikel der Bundesverfassung einmal offen zu betrachten? Die Militärdienstdauer und in ihr die Beanspruchungen des einzelnen Soldaten haben im Laufe der letzten hundert Jahre ganz enorm zugenommen, während zugleich das Vertrauen des einzelnen zum Staate abnahm. Wer heute bei den Jungen (und nicht bei den schlechtesten) die Intensität, mit der alles Militärische verneint wird, beobachtet, muss sich sagen, dass nicht nur die umstrittene Tatsache der gewaltigen Aufwendungen, die jedes Jahr schlecht und recht verschlungen werden von der Armee, sondern vor allem der Artikel 18 es ist, der ihrer Auflehnung zugrunde liegt – der Zwang!

Heute, nachdem die Organisation des Militärs Formen angenommen hat, die sich nur theoretisch vom Diktatorischen unterscheiden, und die Menschheit Vertrauen über alles nötig hätte wie noch nie, ist dieser Artikel 18, menschlich gesehen, rechtlich nirgendwo wahrhaft begründet. Dies mag die Tatsache beweisen, dass er nicht wirklich in Frage gestellt werden darf, ohne zu fallen.

Man wird nun sagen, es sei das Verdienst unserer Armee, dass wir vom letzten Krieg verschont blieben. Gut, das mag so sein. Was aber, wenn Krieg *wäre*? Man täusche sich nicht! Glaubt einer ernstlich, dass erzwungene Kraft, die durch das im Frieden mögliche Kontrollsystem überwacht werden kann, sich im Augenblick, wo dieses versagt, nicht dem Zwang entzieht; vielleicht sogar in verheerenden Gegenwirkungen? Meint nur nicht, die Folge der Kriegsereignisse brächte das Zusammenwirken unserer Armee von selbst. Was der Zwang von heute möglich erscheinen lässt, ist nur die Gegenwirkung, die sich allerdings, nach ihrem Erfolg, durch eine geeignete Autorität auch gegen den Feind lenken liesse. Ein Mittel bliebe uns noch zur Wiederherstellung wirklichen Wehrwillens, das Mittel zur Eindämmung jeglicher Ausschreitung: die schon lange (aus welchen Gründen wohl?) gefürchtete öffentliche Kritik gravierender Vorfälle irrender Macht. Wäre es nicht das beste, wir erliessen den Aufruf an alle Wehrmänner, jede Tat der Willkür, Unmenschlichkeit oder gar Grausamkeit öffentlich bekanntzugeben, um die Urheber solchen Tuns, als die wahren Schädlinge unserer Armee, zu erkennen und abzusetzen? Unsere Zeitungen hätten wahrlich schon unnötigere Meldungen abgedruckt.

Dies also ist der Irrtum der Armee, dass sie autark erscheint, erscheinen muss, weil jeder einzelne gezwungen wird mitzumachen. Ein Irrtum ist auch, dass es scheint, als wäre der Zwang Autorität. Tatsächlich aber ist Autorität nur dort, wo ihre freie Anerkennung von jedem einzelnen mit selbstbestimmter Unterordnung bestätigt wird. Wie weit aber ist unsere Armee davon entfernt, eingesehen zu werden, Vertrauen zu erhalten durch den, der sie ausmacht, den einzelnen. Wie wird Schuld auf Schuld gehäuft durch die lediglich auf Annahmen beruhende Forderung des Militärs an jeden, ob er will oder nicht. Man verlasse sich nicht auf bestehende Konvention, weil die Folgen dieser Schuld lange auf sich warten lassen – Der Ausgleich zwischen Zwingenden und Gezwungenen rechnet mit anderen Zeitläufen als wir, und somit ist die Richtigkeit dieses Zwanges noch gar nicht bewiesen, wenn auch hundert Jahre Pflichten erzwungen wurden ohne die aus menschlichem Geiste kommende Bejahung durch den einzelnen.

Zur Theorie und Praktik politischer Ideale

Das Ideal an sich erfordert immer eine auf sich bezogene Einzelrichtung, spezialisierte Hingabe an unveräusserliches, intimes Tun, aber auch Umgang mit Kräften, welche durch ihre Unabsehbarkeit das Individuum zu täuschen vermögen, indem sie ihm fortwährend Ausreden der Schwäche, der Angst und des Zweifels begründen helfen.

Erst mit der Einbeziehung des Gegebenen jedoch, mit der Verwandlung einer rauheren Realität in Angleichung an das Ideal, wird dieses für die Allgemeinheit wirklich und anerkannt. Nun aber vollzieht sich beim Vorgehen dieser Angleichung ein Abfall vom Ideal, der dieses auflöst; nämlich in jenem Augenblick, wo es, um seiner Verwirklichung, um seiner Anerkennung willen, eigentlich Unbeteiligte anruft, wo Propaganda zu seiner Festigung eingeschoben wird und damit das Gegenteil, die Zersplitterung der anfänglich geschlossenen, inspirierten Idee in eine Mehrheit von Interessen, stattfindet.

Dass diese das Ideal nicht bestärken, mögen die Gründe allen Mitläufertums beweisen. Zudem erleidet das Ideal rein praktische Beschränkungen mit seiner Anpassung an viele. Es belädt sich mit Übereinkünften, die ihm jeden Schwung nehmen, und wird zuletzt einer Ruine gleich, daran jeder seiner Anhänger aufbauen zu müssen glaubt, ohne um die durch ihn bewirkte Zerstörung zu wissen. Schlussendlich bleibt eine museale Theorie, deren Besichtigung mit dem Eintritt in starre Organisation erkauft werden kann.

Damit möchte ich nicht sagen, dass dem einzelnen die Idealität abgehe, jedoch fehlt das Geschlossene nach aussen, das Durchdringende in ihm, wenn er, um für sich Wünschbares tätig zu machen, sich den Idealen einer Partei anschliesst, aber ohne eine andere Bindung an sie zu haben als diese Absicht. Indem er schliesslich im Ideal der Partei ihm Dienliches findet und überlaut betont, baut er damit, ganz im egoistischen Sinne, an seinen

Wünschbarkeiten fort, mit dem Material aber aus eben der Idee, der er sich fälschlicherweise unterzog.

Es liesse sich eine ganze Skala aufreissen, von wo bis wo die individuellen Hintergründe einer Zugehörigkeit eigentlich reichen. Diese spänne sich wahrscheinlich vom dümmsten, vermeintlichen Hinterdenken hässlichsten Neides bis zu reinsten Zwecken der Bestärkung einsamer Ideale, die vielleicht ringsum gegen überlieferte Hindernisse stehen und daher Kraft in einer, wenigstens teilweise ähnlichen, Mehrzahl suchen. (Was diese immerhin als fruchtbare, tätig sein wollende und lediglich in der Zahl sich unterscheidende Ideale bewiese.)

Da sich nun die Verwirklichung von Ideen nur mittels der Mehrzahl erreichen lässt, handelt es sich nicht um gänzlich einsame, in sich zu erarbeitende Haltungen, scheint die Werbung von einzelnen, die Propaganda, das Beiziehen vieler vor einen gemeinsamen Hintergrund notwendig. Die Lüge des einzelnen, der sich in umfassende, gemeinsame Ziele einspannt, um Eigenes zu verwirklichen, muss also vom weiter werdenden Ideal geduldet, ja genützt werden, soll es nicht nur Bild bleiben. Hier ergibt sich der Gegensatz, dass das Anfängliche, im einzelnen sich Ausbildende, noch Reine und geistig Gültige nichts wird in der äusseren Wirklichkeit ohne die Zahl seiner gemischten, schmarotzenden und geistig unidealen, ungültigen Mitläufer.

Ein Zeichen der Zeit? Vielleicht. Sicher aber der günstige Nährboden für allerhand kollektivistische Tendenzen. Und dieser um so günstiger, je starrer, je unerbittlicher eine Partei mit gutgemeinten Idealen auf unbedingte Nachfolge bei ihren Mitgliedern bedacht ist.

Eigentlich möchte ich meinen, dass dies hinwiederum den Gradmesser für das Nochvorhandensein von Idealen eines Zusammenschlusses bedeutet: Wie weit die Forderung gemeinsamer Ziele die Entfaltung des einzelnen beeinträchtigt oder gar verhindert. Wo sich Obligatorium oder körperlicher Zwang als notwendig erweisen, um das Individuum «bei der Stange zu halten», ist das Ideal längst nicht mehr, und die so schön mit «Bürgerpflicht» und anderem umschriebene Lücke ist nur mehr Konvention für devote Figuren. Indessen lässt sich natürlich die Nutzlosigkeit oder Krankheit eines solchen Zustandes nicht mit dem Fehlen des Ideals beweisen. Jedoch steht fest, dass sich der Sinn einerseits, andrerseits der Glaube an dieses dann gänzlich verflüchtigt hat, wenn es zur öffentlichen Richtung gemacht und gesetzlich verankert ist.

Deshalb denke ich mir, man könnte sich durchaus sparen, die Hälfte aller, teilweise sogar zum Staatsprogramm gewordenen, Ideale fürderhin mit dem Idealismus des einzelnen in Einklang zu bringen zu suchen; sei's nun durch den Satz oberflächlichster Anschauung «es macht sich besser» oder durch das Obligatorium. Es gäbe dabei sicher kein Unglück; höchstens würden wirklichere Ideale zu freier Wahlverwandtschaft für alle sichtbarer.

Eine andre Frage ergäbe sich dann, nämlich die, ob wir überhaupt imstande wären, freigestellten Idealen ohne den Egoismus, der diese erstickte, nachzufolgen. Da müssten wir zuvor die Autorität, die uns heute nicht anders als in Form gesetzlicher Papiere oder durch Konventionen bedingten, moralischen Zwang entgegentritt, als das erkennen lernen, als das wirksam zu machen suchen, was sie wirklich ist: die freiwillig anerkannte Notwendigkeit.

Aber das wäre auch wieder ein Ideal, das, um wirksam zu werden, der Mehrzahl bedürfte. Und so schlösse sich der vorläufige Kreislauf wieder mit der Propaganda für dieses.

Der Ausweg aus dieser geistigen Tretmühle kann noch nicht beginnen, ehe wir nicht nur in Belangen des einzelnen, sondern in allen Zusammenhängen der Gemeinschaft selbständig urteilen und handeln dürfen und können. Um zu dürfen, wäre vorerst nötig, den Staatsschutz abzubauen, abzulehnen, statt anzurufen; um zu können, das untrügliche Gewissen, die innere Waage von Gut und Böse, auszubilden, indem wir sie benützten, statt dass wir sie, unter dem Deckmantel propagierter, staatlich anerkannter, nur zu oft gewissenloser Denkvorschriften, übertönen. Wobei freilich noch zu berücksichtigen bleibt, dass manchem solche künstlichen Konventionen Brot und Obdach bedeuten und somit, leider, mehr Bedeutung, mehr Gewicht haben als eine idealere Wirklichkeit, die erst kommen muss, soll es eine gerechtere, weniger zwangsläufig verlaufende Form des Zusammenlebens geben.

Träumerische Worte ...

Es gibt kein sittlich begründetes Notwehrrecht im Hinblick auf die Armee. Und was katholischer- und protestantischerseits als Verteidigung gerechtfertigt ist und progagiert wird, beglaubigter Mord im Militär-Verband, erweist sich bei genauem Hinsehen als sinnloses Nachgeben religiöser Richtungen, die schon längstens ihren wirklichen Sinn verloren und deshalb machtgieriger Überzahl zu Kreuze kriechen. Meines Wissens hat Christus die Notwehr nicht erfunden.

Ursprünglich eine persönliche Reaktion gegenüber Gewaltanwendungen, ist dieser Begriff heute ausgedehnt worden auf den ganzen Staat, der, wenn er angegriffen werden sollte, zur Notwehr berechtigt sei. Die in diesem Falle aber zur Anwendung gelangenden Mittel sind ausschliesslich vorsätzliche und lassen sich somit niemals mit «Notwehr» umschreiben. Jeder kann leicht selber herausfinden, welche Unterschiede die beiden Arten von Notwehr kennzeichnen; aber beide Arten sind von Christus verworfen, wenn er sagt: «Liebet euere Feinde!»

(«Wer zum Schwert greift, soll durch das Schwert umkommen» und «Aug um Auge, Zahn um Zahn», welche ja auch in der Bibel stehen, haben, um bezüglichen Kommentaren zuvorzukommen, mit dem Nazarener nicht das geringste gemein und gelten höchstens für die Anhänger des jüdischen Stammesgottes.)

Worte des Nazareners zitieren ist heute anrüchig, und wer sogar nach seiner Lehre tätig leben wollte, würde kurzerhand versteckt, und wenn es auch nur um das menschlich «gute Recht» ginge, den Militärservice zu verweigern. Weshalb aber sind die Worte Christi heute ohne Geltung? Weil wir in der Tat keine Christen sind, auch wenn wir jeden Sonntag die Predigt anhören. Man kann es auch so sagen: Die Predigt ist das einzige Merkmal, das noch auf das Christentum hinweist. Es gibt aber noch einen Grund: Das Christuswort ist lächerlich zu machen, wo es auch auftritt! Das ist keine Blasphemie, denn welche gewalttätig vorgesetzte Stelle würde nicht das probateste Mittel gegen sich ihr widersetzende Einsprüche oder Haltungen, das Lächerlichmachen, das Bagatellisieren wirklich menschlichen Verhaltens, zuerst anwenden? Und das in aller Öffentlichkeit?! Immerhin sei damit ein gewisser Fortschritt der «Humanität» zugestanden, sofern er den betreffenden Stellen nicht sichereren Erfolg böte als die Kreuzigung. Sonst ständen jedenfalls hie und da Kreuze auf dem Üetliberg.

Das Militär wird also a priori einfach hingenommen, als gäbe es nichts anderes, weil die Besinnung zu dem hin, was der Mensch sein könnte, einfach fehlt. Was doch nebenbei den Vorteil hätte, dass der Mensch mehr wäre und nicht, wie heute, nur mehr sein möchte oder mehr scheint, als er ist.

Es bleibt natürlich noch zu sagen, dass wir, soweit unsere «Geschichte» zurückreicht, militärische Aktionen kennen. Von jeher aber dienten sie zur Befriedigung äusserlichen Ehrgeizes, zur Erlangung von Ruhm. Und dass diese Aktionen heute in unserer Zeit allgemein verbindlichen Charakter angenommen haben, geht zu Lasten der Technik, die, den Menschen überfallend mit ihren «herrlichen» Möglichkeiten, den totalen Krieg erst ermöglichte. Ganz abgesehen davon, dass man mittelst ihr die Massen zu interessieren versteht, die immer eher zu Bombenflügen als zu Christusworten neigen. Die skrupellosen Waffengeschäfte von Land zu Land will ich nicht einmal besonders einbeziehen; sie sind ja wohl jedem geläufig, tragen aber das Ihrige zur Verbreitung des Mordens zugunsten mobilen Reichtums bei, der unbeschränkte Mittel besitzt, sich in Sicherheit zu bringen.

Wieso sollten übrigens die alten Eidgenossen im Recht gewesen sein, da sie sich als Schlägergesellschaft auswiesen und damit, durch ruhmberauschtes Morden, ein eigenes Ländchen begründeten? Warum dieser Ahnenkult überhaupt? Darum: Er dient, durch die wohlbestallten Geschichtsschreiber tentiert nach Gebrauchsland, durch Schiller verherrlicht und von vielen Schweizer Schriftstellern als müheloses Mittel angewandt, wenigstens im eigenen Land bekannt zu werden, durchaus den Militaristen und ihrem Terror.

Ein interessanter Vergleich: Weder Lao-tse noch Buddha, weder Sokrates noch Christus noch Gandhi haben jemanden gezwungen, an sie oder ihre Darlegungen zu glauben. Die Militaristen aller Welt aber zwingen täglich und stündlich die ihrer Gewalt erreichbaren Menschen zu ihren rein auf das Diesseits, auf die Sichtbarkeit bezogenen, beschränkten und womöglich privaten Zwecken. Denn es sage mir keiner, die Obersten, die man gelegentlich abgebildet serviert bekommt, seien Oberste um menschlicher Ideale willen (Pestalozzi war Pestalozzi, um ein menschliches Ideal zu verwirklichen). Wer solches behauptete, wäre unempfindlich, unzugänglich gegenüber physiognomischer Aussage und Offenbarung. Ihnen geht das Bewusstsein einer höheren Wirklichkeit, Wirksamkeit bestimmt ab. Was sie gerade vor der Nase haben, wird als *die* Wirklichkeit akzeptiert, und wenn solche eine Kanone ist, wird die Welt, ihre Welt, zur Kanone. Das kann übrigens jeder leicht selber nachprüfen: Sprech er einmal mit einem Militaristen, der vor der Kanone steht, über Christus oder Platon oder auch «nur» Spinoza – das Resultat wird ihn nicht überraschen, da die Kanone alles sagt, was der Militarist allenfalls zu sagen hätte. Aber überrascht bis zum Nichtbegreifen wird der Militarist selber sein ob solcher Themen, jetzt, heute, da doch alles darum geht, sich zu verteidigen, da man nie weiss, wann und ob man angegriffen wird und überhaupt –.

Gebt es doch auf, ihr Schwärmer in Christo! Ihr Bewunderer menschlicher Grösse (nicht Berühmtheit!), alle ihr verschämten Nachahmer des Guten, gebt es auf als Nichtse, als inkommensurable Teile eines Nichtanerkannten, als einzelne, die einander nicht einmal kennen in der Grossstadt des Militärs!

Selbstverständlich ertrügen wir die Scheusslichkeiten einer

Besetzung nicht mit Würde und moralischer Überlegenheit, weil wir eben keine Christen mehr sind und auch weil diejenigen vielen, die heute Militaristen oder laue Mitläufer aus Prestigegründen (was für ein Prestige übrigens) sind, keine moralische Überlegenheit haben können.

Man wird als weltfremd, als Träumer, als ein an der Wirklichkeit Erkrankter betrachtet, versucht man dem Militarismus unserer Zeit entgegenzutreten oder sich von ihm fernzuhalten. Und das nur, weil die Masse der Militaristen dank den technischen Fortschritten die Macht über ihre Umwelt, monopolisiert durch ihre Waffen, in den Händen hat. Im übrigen sind eher die Militäraristokraten Träumer par excellence mit ihren Adelsallüren und Feudalgefühlen (welche sich auch sozialistisch, je nach Mode, geben können), wenn sie noch nicht einzusehen vermögen, dass es sie überhaupt nicht bräuchte, gäbe es sie nicht schon.

Ein souveränes und geprelltes Volk

Diderots Wort «Sklaven zu halten bedeutet nichts, aber unerträglich ist es, Sklaven zu halten, die man Bürger nennt»: Gilt es nicht genau, bis in das anonyme «man» genau, für unsere Gegenwart?

Sie überlegen. Nun, ernsthaft den obigen Vorschlag auf seine Richtigkeit zu erwägen ist wahrlich wert, unternommen zu werden. Einerseits, um nicht den radikalen Vorurteilen Nachdruck zu verleihen, andererseits aber, wie mir scheint, um die zweifelhafte Gloriole des Bürgers auf ihren wahren Wert zu reduzieren.

Können wir noch annehmen, ein Staat gründe im Akt des Glaubens seines Volkes an die Erhabenheit, an die Macht des menschlichen Geistes? Nein. Denn ein Blick in unsere Zeitungen verschafft uns die Erfahrung, dass das freie Wort wohl noch frei, aber mutlos geworden ist. Und das erregendste Kennzeichen menschlichen Geistes blieb wohl noch immer der Mut!

Sie werden mir doch kaum entgegenhalten können, es sei nicht Geheul der Wölfe, wenn sämtliche, bis vor kurzem ernstzunehmende Stimmen, aufgrund geistloser Argumente einflussreicher Militaristen, in hasenfüssiger Verblendung sich gegenseitig den Rang ablaufen mit Rüstungs- und Organisationsvorschlägen, in Rechtfertigungen wahnsinniger wirtschaftsschädigender Kredite und mit Beteuerungen über die Wehrbereitschaft unserer Bevölkerung, die sie jedoch nie darüber befragten. Mag sein, es ist die Angst vor einem Kriege, die sich bei uns, die wir in den letzten Jahrzehnten verschont blieben, als Pestorgie in die Hirne frass – mag sein, es blenden die fortwährend sich neu vermehrenden Errungenschaften der Technik jene Köpfe, von denen man noch annehmen durfte, ihr Vertrauen entzünde sich nicht an den Eigenschaften der Materie – gleichviel: Unter «Bürger» wird derjenige verstanden, welcher unbefragt, durch das Sprachrohr der Presse, die ja für die Stimme des Volkes gehalten wird, dem präzisen Gegenteil des menschlichen Geistes Ausdruck verleiht – also: ein Phantom!

Wäre es ein einfaches Phantom! – Die vorzüglichste Eigenschaft eines Phantoms aber besteht darin, dass es nicht sich selber aktiviert. (Wir sprechen nicht mehr vom Phantom des Krieges, wenn der Krieg zur Tatsache wird.) Jenes Bürger-Phantom hingegen erweist sich in regressiver Gespenstigkeit: Es soll zuerst, da wir unseren Staat eine Demokratie nennen, den Kampfwillen des Volkes vorstellen, indem es zum Fundament der Rüstungshetze beiträgt, und hat dann als seltsame Umkehrung wiederum die Aufgabe, dem einzelnen aus diesem «Volke» die Überzeugung anzudrehen oder aufzuzwingen, er selbst sei es, der dieses alles wolle ... So operieren unsere Politiker; so argumentiert unsere Presse, die ohnehin zur Hauptsache politischen Interessen unterstellt ist; und so bewegt sich das Volk in einer gespenstigen Sklaverei. Wo liegt nun die Formel, hinter der sich die Schwerverbrecher des Gewinnes und die so ehrgeizigen wie beschränkten Militaristen verstecken? Im harmlos scheinenden Anonymus «man». «Man»: Das ist der Sklavenhalter der Schweiz! Sobald einer in Staatsgeschäften mitzuwirken hat, trifft ihn als erste Anpassung, sich die Deckung nach allen Seiten, sich «man» anzueignen. Das ist um so leichter, um so gewohnter, als der Urheber dieses «man» wiederum «man» war –. Aber das ist Demokratie!

Unverantwortlichkeit der Presse, Unverantwortlichkeit des einzelnen, solange sie nicht gegen diese Unverantwortlichkeit auftreten.

Was auch den einzelnen im Volke anfällt, die Verschuldung des Staates, die Einschränkungen «zum Schmied seines Glückes» zu werden, die gewaltsame Einziehung in Mörderschulen: dies alles will er selbst?

Die Intellektuellen rechtfertigen etwas, das, durch ein Ereignis, das sie nicht selber bestimmen, zum Verbrechen werden könnte – und das Volk sollte für wahr halten, was ihm als sein eigener Wille unterschoben wird. Und das nennen sie Menschlichkeit. Ein souveränes und geprelltes Volk!

Wenn alle Ereignisse das in sich tragen, was sie vorbereitet, so täten unsere Wortgewaltigen gut daran, einmal zu untersuchen, um wieviel mehr der heutige Standort unseres Staates dem Kriege als dem Frieden zugeneigt ist. Indessen will kein schauerliches Resultat angehört werden, sonst verlöre der Nimbus der «Demokratie» um so viel, als Demokratie falsch verstanden wird.

Immer wieder: Es fehlt an Mut! Begreiflicherweise: Denn wenn das Volk beständig an der Macht der Vernunft Zweifel hegen muss, fehlt jegliches Vertrauen, recht zu bekommen, wo Recht wäre.

Bürger sein aber heisst wissen, was man wert ist, und nicht, sich einschätzen zu lassen nach Massgabe seiner Unterwerfung!

Zur Literatur und Kunst (1951/1952)

Die Echtheit im Gedicht

Gedichte schreiben ist eine in ihrer höchsten Art immer nur vereinzelte und je länger je mehr abseits gehaltene, unmissverständlich einsame Äusserung menschlichen Geistes. Und wie an der Musik kann sich auch da ein Dilettantismus, das heisst die Fähigkeit blossen Schreibens ohne souveräne Sprachbegabung, ohne den drängenden Daimon, nicht aufblähen wie in den übrigen Kunstformen, wo diese Mängel inmitten verwirrender Richtungen und zu nichts verpflichtender Experimente nicht offenbar zu werden brauchen. Es liegt in der Natur der Sprache selber, dass sie ihren Verräter im Stiche lässt.

Trotzdem können Verse allerhand bedeuten. Je nach dem Massstab, an dem wir sie abschätzen – messen wäre schon zuviel gesagt –, und je nach dem Ergebnis, das wir aus dieser Schätzung erfinden, zeigen sich mehr oder weniger erhellte, mehr oder weniger ablesbare Skalen mit darauf fixierten Hoch- und Tiefpunkten, die indessen noch lange nicht für die vielerwähnte Echtheit stehen.

Auf der einen Seite gibt es anerkannte Autoren, zierliche und preisgekrönte Namen, die um etliches weniger zierliche Strophen unter der Flagge ihres einmal Erreichten veröffentlichen; und auf der Gegenseite behauptet jene Sorte schlechter Verse ihre Scheingrösse, wo diese, mit einem bekannten Namen im voraus beeindruckend, das wache Organ des Lesers, seine Tasthaare, eindrücken und durchbrechen wie Josuah die Mauern Jerichos, mit den Fanfaren falscher Ehrerbietung. Doch das gehört zu Zeiterscheinungen wie andere, aus Angst oder Schwäche nicht eingestandene autoritative Beeindruckungen mehr. Zur Regel könnten wir uns hier mindestens machen, dass nicht alles, was gedruckt vorliegt, auch schon Gedicht sein muss!

Eigentlich war nicht beabsichtigt, so deutlich zu werden; jedoch bestimmt man Gedichte wie vieles andere am sichersten, indem man vorerst ausklammert, was Gedichte nicht sind. Und die oben geschilderte Art von Nicht-mehr-Gedichten heisst gerade die gefährlichste, weil wir um vieles weniger streng schätzen, um vieles leichter aufzunehmen uns geneigt zeigen, wenn der grosse Name für Qualität bürgt.

Jene niedrigen Reim-Sortimente, angefangen beim Jodellied bis hinauf zur gelben und violetten Heftli-Elegie, sind offensichtlich und deshalb keinerlei Täuschung und Verwechslung ausgesetzt.

Interessante Zwischenstufen zeigen sich uns dort, wo jüngere Dichter emporstreben; aus sich hinaus, zu sich hinauf –: jene Gruppe, wohl dem ersten Blick echt scheinender und viel Substanz verratender Gedichte, die sich aber an thematischer Unrichtigkeit dahinschleppen, statt zu fliegen. Die Formen sind peinlich genau eingehalten oder masslos gesprengt, skandiert und wohlgefühlt oder genial hingeschmissen – nur fehlt dem Ganzen, das überstrahlt ist von sozialem oder religiösem Zelotismus, jene harmonische Einheit, die rhythmisch, klanglich und inhaltlich zusammen erst die intensive, die sinnvolle Gedichtfigur ausmacht. Stärke ist nicht durch Übertreibung zu ersetzen, und es genügt nicht, mit rauchenden Kohlen an eine schmutzige Brust zu schlagen, auch wenn es dabei Funken geben sollte.

Vollendung für Verse heisst: *Kristall!* Selten errungen, aber durch die wenigen vorhandenen Beispiele doch innerhalb des Möglichen. Wenigstens zu einigermassen klar geschliffenen und präzis facettierten Gläsern dürfte es jede Generation bringen.

Was jetzt noch zu sagen bleibt, ist schwierig und wird zu oft, wie der heisse Brei verlockend und abschreckend, umgangen, als dass ich nicht versucht wäre, ebenso zu tun –. Nämlich eine Art von Forderung aufzustellen, deren Erfüllung zum Unerlässlichen des echten Gedichtes gehört – und zwar ohne die übliche Schleierschwenkerei mit dem Aufgehen im anzudichtenden Gegenstand oder mit dem schmerzlichen Fingernägelbegucken, eh man den Käfer zerquetscht. Versuchen wir's –: Gedichte sollen

Kristallisationsprodukte sein, das haben wir gesagt; also vom Feuer des Lebens Erstarrtes, Gehärtetes, Geklärtes. Und kristallisiertes Leben gewinnen wir in jener Abkehrung von der vertrockneten Dynamik des Alltags zur Dauer einer feststehenden Welt, die, in uns, aus immer neuen auf sich zu kreisenden Bewegungen und in sich beschlossenen Kreisen, zum Wort gelangt. Darin enthalten ist dann gleichermassen das äusserliche Moment der Sichtbarkeit wie dessen Transfiguration mittels genuiner Möglichkeiten – unterwegs durch die Stauungen des Innerpersönlichen. Dazu gehört weiter das Medium der erinnernden Assoziation gedanklich bewahrter Gefühle, Gestalten und Taten; aber auch, und das im Augenblick des Niederschreibens, die Ausformung durch jene Geistesgegenwart, die anzieht und verwirft und deren kühne oder zarte Balancen zur Sekunde ihrer Anwendung geboren werden.

Dies sind einige Sätze Unsichtbares; was aber darin an Unerklärlichem verbleibt, der göttliche Rest, bedeutet – vielleicht – die Echtheit.

Ohne Titel

Kunst und Leben – Um von beiden in einem zu reden, gibt es das Gedicht. Nichts kann aber auch beides so sehr vermissen lassen wie ein schlechter Vers.

Wie das Kind nicht eingenommen ist von den Konventionen der Gesellschaft, so soll es auch der Dichter nicht sein, um das, was er sehend oder fühlend in Übereinstimmung mit sich selber verwandelt, nicht nach der schicklichen Mittelmässigkeit umzubiegen. Verwandlung und Übereinstimmung sind die beiden gewichtigen Teilkräfte des zur Gestalt werdenden Wortes. Der Verwandlung steht einerseits die ganze grosse Sprache zur Verfügung, und anderseits erfordert die Übereinstimmung den ganzen Menschen. Man kann dieses auch umgekehrt sagen, gleichsam von innen her: Der Mensch fordert als einzelner, dass die Welt mit ihm übereinstimme. Dieses zu schaffen, gibt es zwar viele Mittel; dem Dichter jedoch ist dafür die Sprache gegeben, indem er durch sie die seinem Menschentum gemässe Welt sich erschafft. Er will deshalb nicht belehren, und sein Vorbildlichstes sind nicht seine Verse, sondern das Wagnis einer eigenen Welt, unbeirrt durch die Vertröstungen einer billigen Gemeinschaft. Und wer Gedichte wirklich zu lesen vermag, der weiss, dass er daran nicht mit seinem Verstande rührt, sondern damit in sich selber an eine vielleicht arg verschüttete Quelle gelangt.

Welt, Mensch, Verwandlung und Übereinstimmung machen also den Wesensbereich des Gedichtes aus. Und wenn auch dieser Wesensbereich mit Höchstem und Tiefstem Berührung sucht, kann weder viel Glück noch viel Hoffnungslosigkeit aus ihm anders als rhythmisch gemessen dargetan werden. Und dieses Messen, dieses Mass ist dem Gedicht vom ersten Anstoss an zugelegt wie jene *eine* Möglichkeit, die jeder Mensch nur für sich allein besitzt und die wir seine Begabung nennen. Was uns als Begabung gegeben ist, bedeutet im Gedicht den rhythmischen Keim, dessen Entfalten nun aber eng mit der Entfaltung des

Dichters, seinen Einsichten und seinen Bestrebungen zusammenfällt.

Das gute Gedicht ist höchste Freiheit innerhalb einer geistigen Ordnung.

Vor den Blättern Rudolf Scharpfs

Von Zeit zu Zeit führte es weiter, wenn man sich vor künstlerischen Phänomenen der Gegenwart, über ihre Gesetzmässigkeiten, über den Stand ihrer Freiheiten und über die Bereiche ihrer Wirkungen ein wenig mehr Rechenschaft ablegte bei sich selber, um nicht dem Lautsprecher geistloser Verallgemeinerungen jenen Vorteil zu belassen, indem man ihm nichts entgegenzuhalten hat.

Freilich ist es von nicht geringer Bedeutung, welcher Art von Werken wir uns dazu nähern; wesentlich scheint mir auch unser eigener Standpunkt zu sein, von dem aus uns ja immer zu betrachten bleiben wird. Persönliche Sympathie zu bestimmten Arbeiten soll uns die Auswahl erleichtern und dort, wo die Sachlichkeit aufhört – und die hört bei Kunstwerken bald auf –, uns nach eigenen Skalen Masse darbieten, die unserer Untersuchung behilflich sein können.

Wenn wir daran denken, das Wesen eines künstlerischen Ausdruckes mit Worten zu umreissen, so werden wir uns gleichzeitig bewusst, wie ungenau sich erfassen lässt, was nur als Äquivalent der Gefühle, welche aus der Anschauung gewonnen werden, existiert. Mit einer blossen Standortbestimmung des Künstlers, mit der Einmessung mittels historisierender Linien käme man ohnehin den Linol- und Holzschnitten Rudolf Scharpfs nicht näher. Er arbeitet mit einer Art Methodik zur Sammlung von scheinbar entgegengesetzten Kräften, die sich durch alle Aspekte der Betrachtung immer wieder ergeben. Einerseits mit jenen der Formung, des Intellekts als auswählendes und darstellendes Prinzip –, andrerseits mit jenen des Grundes, der Anlage, der Quellen.

Wie wirken nun diese Kräfte, bis sie als das vorliegen, was sie neuerdings im Beschauer, in dessen Gedanken stimmend wirksam macht? Der erste Eindruck von Rudolf Scharpfs Blättern schien mir so, als arbeite er an seinen Holztafeln wie an Wänden, die zwischen dem Willen zum Ausdruck und der

Nötigung durch das Gefühl stehen. Ein wenig tiefer als das Wollen –, ein wenig gewollter als das Fühlen! Sein Wollen arbeitet, und sein Gefühl bricht als unzulänglich wieder aus, von was es nicht getroffen und gebunden wird. Erst wenn es ihm gelungen ist, das Gefühl zu erschöpfen, erst dann macht er sich daran, es wiederzugeben –: sich selber und uns.

Man könnte sich ferner vorstellen, dass er lange überlegt, ehe seine Hände den Stichel oder die Feder zum Striche ansetzen: Er berechnet die Möglichkeiten der Kurve, die Gefühlswerte rhythmischer Parallelität, die beiden Pole des Tages und der Nacht, ihre Stufung, ihre Sagen, ihre Aussagen, verfolgt sie und setzt so seinen Plan fest, der wohl noch durch die Luken und Lichter seiner späteren Eingebungen verändert werden kann, ihm aber nicht mehr erlaubt, den Weg zu verlieren. Dieser Vorgang bedeutet Verlagerung von innen nach aussen; Verströmen von individueller Substanz in Gestalt; Verwandlung von Kräften in Struktur. Die Sphäre, in der sich sein Talent bewegt, befindet sich hinter und unter den Oberflächen –, was zur Folge hat, dass er die Oberflächen von innen heraus formt. Mehr als er sie sieht, empfindet er deshalb die Ereignisse dieser Zeit dabei (dieser Zeit, in der lebhaft empfinden soviel wie leiden heisst), sie verwandelnd mit der Linie, seinem Werkzeug des Messens, des Masses, zu jenen Zeichen, die bestätigen, womit Nietzsche die Kunst begründete: «Wir haben die Kunst, damit wir nicht an der Wahrheit zugrunde gehen.»

Vor Rudolf Scharpfs Zwiesprache hoher Vergangenheiten, wie im Blatte «Welten», der zeitlosen geistigen Verbindung der Inkakultur mit den Hellenen, ist man glücklich über eine Antwort, die einem zuteil wird, ohne dass man eine Frage gestellt hätte. Oft auch ist es, als errege ein Unvollständiges den Beschauer; es wird ihm überlassen, das, was das Zeichen in ihm aufrührt, weiterzubilden, die Melodie für sich zu singen –, von den Spielarten verrufenen Hinganges bis zu jener herzlichen Höhe, da der Einsame, der einzelne Bestärkung erfährt. Einsam –: das ist überhaupt die bestimmte und bestimmende Situation, darin sich der heute wirkende Künstler unter jedem Himmelsstrich befindet. Kunst nur für einzelne gilt wie eh und je, und es ist der Trick der Geschäftemacher, Gegenteiliges zu behaupten, um ihren Ramsch loszuschlagen. Da es aber immer unmöglich war und sein wird, anders als aus solcher Einsamkeit heraus künstlerisch-redlich zu wirken, sollte man weder die für diese Lage negativen Stimmen noch ihre smarte Geringschätzung durch die Gesellschaft ernster nehmen als deren mesquine Lächerlichkeit auch.

Doch handelt es sich bei den symbolischen Expressionen Rudolf Scharpfs keineswegs etwa darum, diese soziologisch zu deuten –; besitzen sie doch ausnahmslos jene Faszination, die uns einfängt, gebend überall, wo wir selber hineinzulegen gewillt und befähigt sind. Und nirgends erweist sich ihre Entität als pittoresker Effekt! Wenn es gültige Weisungen zur Betrachtung gibt, dann die, dass wir bildlich beginnen, indem wir, gleichsam vom Blatt als von der Frucht, zum Keime zurückspüren –, die Varia des Ursprungs in der fertigen Frucht zu entdecken –: In diesem Falle verlässt der Geist die Wirkung um der Ursache willen –; oder, bei manchem Blatt auch, dessen Keimling in ganz unbedenkbaren Gebieten liegt, von ihm als vom Keime selbst ausgehen, seiner Blüte, seiner Frucht, seiner Wirkung in uns selber folgend –: Da wird der Geist höchste Gegenwart!

Indessen: Wie ungenügend ist dies alles; man sollte eine Sprache schaffen für jenes Unwägbare, das zu verkünden einen die Freude solchen künstlerischen Erlebnisses verführt.

«Das Nachdenken tötet das Wort», hat ein grosser Franzose einmal gesagt. Jedoch dem Wort, das uns aus Rudolf Scharpfs Blättern entgegnet, kann unser Nachdenken nichts anhaben – im Gegenteil: Erst unser Sinnen darüber kristallisiert jenes geistige, saubere Hochgefühl einsamer Gemeinsamkeit! Deshalb ergänzte wohl der grosse Franzose: «Wenn das Wort nicht auch über das Nachdenken gesiegt hat.»

Sprache heute

In der Sprache hat aller Schmerz des Menschen eine Heimat wie alle Freude ihre kühnste Vollendung. Für viel zu wenige noch sind Worte Blüten und Brisen –: Hingestreut und darübergehaucht über das aufgewühlte Meer der Millionen tödlicher Augenblicke –, zur Besänftigung des Geistes, der ehmals über den Wassern schwebte, bevor er eintauchte in die Fluten des Lebens –, stumm, aber auch hoffend an der Erinnerung des Worts gestaltend, was ihm noch zu gestalten möglich blieb. An der Lüge hat dieses Wort mit seiner Wurzel keinen Anteil. Das Wort der Zeitungen, der Kinos und der Kriege ist ganz nach den Dingen, ihren beabsichtigten Folgen und Entstellungen, gerichtet und hat hinter sich nichts als bedrucktes Papier, Lautsprecher und falsche Autoritäten.

Die Berührung der Sprache mit dem Urwort, mit der hohen Wahrheit, beginnt immer dort, wo die Aussagen nicht mehr für oder gegen wechselnde Zwecke beeinflussen sollen, sondern auf ihr eigenstes, einmaliges Dasein bezogen, auf ihren vollkommensten Ausdruck beschränkt und erweitert in Erscheinung treten. Die Gesetze der Sprache sind stets einfach, jedoch nicht innerhalb unseres blossen Verstehens zu erfüllen. Auf der Skala eines Textes logisch erfassbarer Aussage stufen unzählige schlummernde Varianten seiner möglichen Lautung –, von rapportierender Journalistik bis zur alle Gesetze berücksichtigenden dichterischen Prosa.

Es mag sein, dass der Gebrauch, welcher heute allgemein von der Sprache gemacht wird und der sich lediglich auf Verständigung durch den gröbsten Sinn von Silben und Worten beschränkt, gerade so viel von der Sprache erfasst, wie es das Resultat eines Spiels vorstellt, das weder verloren noch je beglückender zu gewinnen wäre, als dass man sich mit dem Vorliegenden nicht besser beschiede.

Besehen wir uns zum Beispiel näher, was für Bücher veröffentlicht werden und welche davon auch gekauft, so stossen wir ganz zuletzt auf den wohl nicht genau bestimmbaren, aber mit Sicherheit anzunehmenden Rest jener, die, in kleinen Auflagen gedruckt, in wenigen Exemplaren verkauft, ihre zwei, drei *wirklichen* Leser finden: die Gedichtbändchen. Diese Tatsache deutet darauf hin, mit welch fruchtloser Bescheidenheit die Ansprüche auf eines der rechtmässigsten Mittel des Menschen, tiefer in den Sinn seines Daseins einzudringen, mit dessen vieldeutigen und zweifelhaften Oberfläche verhaftet sind. Gedichte haben, streng genommen, eben nicht den Charakter von Äusserungen; sie treiben nicht als Fettaugen auf der Suppe des Alltags, und man kann sie nicht mit dem Behagen schlürfen, das dem Bauche zugute kommt. Es sind Monologe. Indessen ist es leider so, dass nur noch Literaten, Schriftsteller und Dichter an ihrer Sprache interessiert sind. Erstere, weil die Werke der Sprache in ihrer Wirkung, Gegenwirkung und Wirkungslosigkeit den Rohstoff abgeben für ihre Kritiken, Besprechungen und privaten Ansprüche –, die Schriftsteller, weil sie den obigen Rohstoff liefern, indem sie sich dabei bemühen, der Aktualität Rechnung zu tragen, die jeweilige Richtung mehr oder minder geschickt ausnützend –, und beide, weil Sprache für sie Geld bedeutet. Diese zwei Gruppen der privaten Ansprüche und der Geldverdiener teilen sich einerseits in dem, was man gemeinhin unter Sprachkultur verstehen zu müssen glaubt, und teilen andrerseits den Kuchen, den ihnen das allgemeine Unverständnis gegenüber der Sprache zu teilen erlaubt.

Es unterscheidet sich nun recht wesentlich die dritte Gruppe, jene «Sprachbesessenen», die man die Dichter nennt und die diesen unverbrieften Titel vor sich, vor ihren Freunden und Verfolgern auch tragen dürfen. Es sind dies weiter jene, die für alles *ihr* Mass und *ihr* Übermass haben –, das heisst: Ihnen gehört die Welt als Stolz und die Wahrheit als Leid, und welcher von Demut spricht, ist ihnen verdächtig. Sie haben wohl ihre Zelte unter uns, aber nicht mehr –; sie lieben und leiden wohl wie wir, aber ihre Liebe wie ihr Leid schaffen ihnen Distanz –; sie spüren nicht weniger von Gott als alle, aber was von ihm sichtbar wird, nennen sie Vollkommenheit. Und das Nietzsche-Wort «Ich wollte, man finge damit an, sich selber zu achten» erfüllt sich heute an ihnen –, während die katalogisierte Moral: Du sollst nicht! von selber in der durchdringenden Anschauung ihres Geistes ausbalanciert, was sich in ihr an Schrecken und falscher Scham durch die Jahrhunderte verbarg. Es gibt keine adäquate, nur eine *persönliche* Ausdrucksweise –; und deren Tangenten mit Dingen und Geschehnissen erwachsen unter dem Gesetz der persönlichen Stimmung, des Zufalls und der Fähigkeit.

Dichter nur haben also den nötigen Raum um sich, der ihren Drang nach Ausdruck, nach Gestalt unabhängiger Wahrheit begünstigt. Ihr Ausdruck will kein anderes Zeugnis ablegen als das für seinen Augenblick massgebende, als für die mögliche Vollkommenheit der Sprache –: Er zielt nicht auf einen Zweck ausserhalb seiner! Wohl beschliesst sich in ihm auch der Schmerz wie die Freude, das Nie und das Immer –, aber gleichsam von aller Flut geschieden, verdichtet zum leuchtenden Meerstern unserer Tiefen. Während sich das Unverständnis noch darüber streitet, inwieweit dichterischer Ausdruck irgendwoher verblasenes Leben zu liefern habe – und sie weisen da Vorbilder vor aus Zeiten, die es darauf absahen zu liefern –, scharen sich die wenigen, die etwas davon erkennen, um die reinen Kristalle der ins Heute verschlagenen Seele. Wozu sollten sie Schlaf von ihr fordern? Um ihre Möglichkeiten mit den Träumen von «Wirklichem» zu trüben? Es gilt ihnen, nur zu staunen über der Tröstung, über den aufblühenden Wundern, deren Wurzel hinter unserer Flut und hinter unserer Finsternis gründet.

Die Zeichen der Welt
Karl Krolows neuer Gedichtband

Aus dem Mancherlei westdeutscher Lyrik tritt der 100seitige, übrigens sehr schön gemachte Leinenband der Deutschen Verlags-Anstalt Stuttgart, *Die Zeichen der Welt* von Karl Krolow, hervor. Wer darin liest, gerät unversehens, trotz kritischen Sinns, also ganz ungewollt, ins Träumen. Es ergreifen ihn die mannigfaltigen Wechselwirkungen von Psyche, Mnemosyne und Gäa, der schwarzen Mutter heraklitischen Strömens. Der Dichter ist hier wirklich der Namen-Gebende für unsere namenlose Zeit! Aus den Leidenschaften, aus Traum, aus Wechsel und Verfall entstehen Werte höherer Ordnung –; Werte, die nicht mehr einfach nur *da* sind, ohne Lust zu ihnen zu erwecken, sondern Werte, die *dafür* stehen: für unsere Rätsel, unsere Trauer, für unsere ernsten und heiteren Spiele.

Karl Krolow zeigt mit diesem Bande, wie mit keinem vorher, das eher französische Bestreben nach sprachlicher Genauigkeit, nach dem lauteren Einswerden von Kopf und Herz, ohne dieses an jenes, oder umgekehrt, zu verlieren. Sein anderes Bestreben, eine seiner nördlicheren Quellen, die Elemente der unendlichen Vielfalt auf *eine* Linie zu bannen, ist magisch. Magie spricht zum Körper, wirkt mit Rhythmus und Tonfall –, darüber hinaus hört sie bei Krolow sofort auf: Ich will damit sagen, dass er sich ihrer bedient, dies weiss und ihr deshalb, ohne grosse Hochachtung vor ihren Zufällen, keinen weiteren Wert zumisst.

Die sogenannte naturmagische Schule einiger deutscher Dichter mag seine Ausgangslage gewesen sein. Indessen raunt es und wispert es bei Krolow weder durch eine Wehmut von Tränen noch durch eine Abkehr von der Vergeblichkeit –, welche Vergeblichkeit sogar oft, preziös verschleiert, nichts weniger zur Aufgabe bekommt, als die erlösende Brücke zum Ausdruck zu schlagen –, sondern: Die Empfindungen und Handlungen werden als Gesetze des Herzens mit kühlen Erwägungen des Denkens von den teilnahmslosen Hintergründen der Aussenwelt abgelesen. So entstehen überaus greifbare Atmosphären wie in der «Windstille», im Quartett «Heute», in den Versen «Von der Liebe in unserer Zeit» –, so entsteht auch die krasse Verlassenheit der Matrosen an einsamer Küste, welche «kartenschlagend in ihrem Fleisch allein sind» –

«Ihre Messer, die sie warfen
nach dem blauen Vorhang Nacht,
wurden schartig in dem scharfen
Wind der Ewigkeit, der wacht.»

Und so erklärt sich schlussendlich auch, weshalb er selbst hinter dem Unerklärlichen noch eine Ordnung vermuten zu lassen vermag. Die Erde wird «zur Speise für Traum und Geist»: das ist die Formel, in der sich Karl Krolows *Zeichen der Welt* ergeben.

Betrifft: Pfahlburg
Den Landsleuten gewidmet

Es brauchen nicht unbedingt populäre Autoren zu sein, um von denen verstanden zu werden, für die das Schicksal keine Universität bereit hielt. Im Gegenteil: Was heute in der Schweiz einen Autor populär macht, das ist gewöhnlich nicht sein Einverständnis mit dem, was man «Volk» nennt, sondern das Gefallen, welches jene an ihm finden, die am Lautsprecher sitzen. Diese entscheiden, ob einer, ohne Nachteil für sie und die beglaubigten Richtungen, doch sich noch im Rahmen von etwas halbwegs Neuem hält. Und dieses halbwegs Neue geht dann ohnehin unter im Strom der innerhalb einer harmlosen Skala nichtssagend auf- und absteigenden «Normalität». Denn dies ist das Merkmal «bürgerlicher Literatur», dass sie nichts sagt *dem*, der sich nach Wahrheit erkundet –, oder aber: etwas Falsches! Wollen wir indessen klar und ohne Umschweife mit «Pflicht» und «Notwendigkeit» und dem ganzen Bramarbas der Pfahlbürger hören, wie es wirklich mit und um uns steht – ich meine mit und um uns als Menschen, nicht als Nation –, so finden wir hierzulande mehr Steine als Brot, will sagen: mehr Schrebergartengeflüster, garniert mit Vergissmeinnicht, als Mut zum eigenen und somit ehrlichen Ausdruck.

Damit sei nicht ein Wort gegen die dichterische Form gesprochen, sondern gegen den dichterischen Leerlauf, gegen die Unaufrichtigkeit der Inhalte. Zweifelsohne waren schon etliche junge Schweizer Autoren anfänglich grosse Avantgardisten – vielleicht im Geheimen, nur für sich –, bis, mit dem Älterwerden, sie eben älter wurden, ihre «Hörner» abstiessen an den Mauern, die ihnen die behäbige Presse und die mit bestimmten Programmen versehenen Verlage entgegenstellten. Ebenso zweifellos aber wird sich keiner von diesen – die zum Teil mittelmässig versandeten und noch versanden, zum Teil jene Höhe der «sterilen Klassik» erreichten, die trotz allen Beteuerungen der grossen Kritiker kaum mehr anders im Volke wirksam wird, als dass ihre Namen noch bekannt sind – jemals wieder anders äussern als so, wie es ihm zu bescheidenen Erfolgen oder zur luftleeren Höhe verholfen hat. Das setzt die Selbstverständlichkeit voraus, dass junge Autoren sich einfach anzupassen haben innerhalb der schon genannten Skala, um überhaupt öffentlich zu Worte zu kommen. Max Frisch in Zürich hatte sich bereits zu kommentieren nach der Aufführung seines *Graf Öderland* – Wozu? Er tat gewissermassen einen Griff in seelischen Staub mit diesem Schauspiel –; das beunruhigte, und man wollte Näheres wissen. Vielleicht vermutete man Dynamit darin, jedenfalls etwas zu verzollen.

Da etwas bis jetzt gegangen ist, bleibt nicht einzusehen, weshalb es nun anders werden sollte! Soit! Die literarische Rechthaberei, das ängstlich und vorsorglich auf ihr eigenes Bohnenbeet bedachte Besserwissen der Arrivierten verursacht dieses Karussell, welches sich wohl immer dreht und zuweilen sogar frischlackierte Figuren erspähen lässt –, das aber zur sterilen Tradition wurde, von Gnaden – eigentlich und seltsamerweise – der noch nicht Arrivierten. Denn würden sich die Jungen nicht mehr anpassen, bliebe die Kirchweih ziemlich plötzlich stehen. T.S. Eliot in seinem Aufsatz «Nach fremden Göttern» (1933) sagt: «Wir sind immer in Gefahr, wenn wir uns an eine alte Tradition klammern oder bemüht sind, eine solche wiederherzustellen, das Lebendige und das wesenlos Gewordene, das Wirkliche und das Sentimentale zu verwechseln.»

Deshalb ist es keineswegs unwichtig, was ein Volk liest, selbst wenn es nur zum «Zeitvertreib» ein Buch öffnet. Wahrscheinlich wird sogar jedes Buch, welches wir im aufgelockerten Zustand des Gemütes lesen, einen viel nachhaltigeren Eindruck in uns hinterlassen –, da wir in passiver Ruhe viel aufnahmefähiger sind als in willentlicher Regsamkeit. Wohin soll das aber führen, in menschlicher und damit auch individueller Hinsicht, wenn wir das, was unser Lebensgefühl stärken, unser Unterscheidungsvermögen bilden, unsere Aufrichtigkeit härten könnte, dort suchen, wo die verträumtesten nationalen Strukturen dämmern?

Ist überhaupt ein moderner, ein zeitgenössischer Dichter es wert, gelesen zu werden, bevor er zum Beispiel feststellt: «Mein Geist hat von Natur eine nur zu grosse Neigung zum Akzeptieren; aber wenn dieses Akzeptieren Vorteil und Nutzen bringt, werde ich misstrauisch, ein Instinkt warnt mich: Ich kann nicht akzeptieren, mit ihnen zu den ‹Gutgesinnten› zu gehören; ich gehöre zu den andern.»? Oder: «Zur Zeit Renans bestand eine Neigung, die seriöseste Literatur auch für die dauerndste zu halten; das war wohl ein Zeichen von Dummheit. Sind wir aber gegenwärtig in unseren Vorlieben gewitzter? Und werden sich die Kommenden nicht auch über diese wundern?» Oder, um zum drittenmal André Gides Tagebuch zu zitieren: «Mit den schönen Gefühlen macht man schlechte Literatur.»

Mit diesen schönen Gefühlen nun ist wohl eher die Vortäuschung schöner Gefühle gemeint – denn: wenn einerseits mit Veilchen operiert wird und andrerseits hinter der Fassade die Miststöcke des Neides den Hof verpesten, durch den die Stinktiere der Anpassung huschen, darf man sich wohl wundern über die gute Meinung, die solchermassen entstehende Literatur noch von sich hegen kann. Ebensowohl darf man sich wundern, woher deren Vertretern die Arroganz kommt, zu entscheiden, was gut sei und was nicht! Alles Geniale muss doch unter solchen Klimaten wenn nicht epigonal versanden, so doch in einer Reduktion auf Gestattetes, auf Nichtssagendes verkümmern. Was dabei abgebaut wird, verlagert sich möglicherweise in eben diese Arroganz; Genie und Arroganz haben ja gewisse nicht gern zugegebene Parallelen; Arroganz heisst Anmassung, und das Genie misst sich ja bekanntlich sein eigenes Mass zu. Damit die Anmassung zum Dünkel wird, soll sich also das Genie einbauen in dieses fundamentale bürgerliche Daseinsprinzip?

Selbstredend gibt es zu jeder Zeit Maximen, die unbesehen

verehrt werden; es kommt nur darauf an, wie lange so eine «Zeit» dann dauert. Und wenn 1952 behauptet wird, Benn zum Beispiel mit seiner Assoziitis sei Dichtkunst der Zwanzigerjahre und überholt, dann scheint uns das übertrieben und weckt in uns den Verdacht, jene Zwanzigerjahre seien von solchem Urteil noch gar nicht erreicht! Natürlich hilft aus dieser Befangenheit unser Kopfschütteln nicht, und die Bestrebungen, die sich nicht mit ihr decken, bleiben verfemt. Verfemt, weil der Weg zum Volke zur Hauptsache durch solche konservativen Blöcke versperrt ist. Aber, was fängt nun gar das derart abgehaltene «Volk» mit Versen an, die nicht in sturer Logik ablaufen? Wenn ein Dichter beispielsweise von einer Blume nicht sagte, sie dufte süss –, sondern für diesen Duft ein Adjektiv fände, welches mit ihm nichts mehr zu tun hätte, aber die Sinne des Lesers so zu stimmen vermöchte, wie der wirkliche Duft der Blume sie stimmt?

Unser Volk ist bestimmt nicht dumm – und highbrow ist nicht immer highbrow (man denke an Kafka, Benn, Lorca, Henry Miller, Sartre, Rimbaud!) –, aber die liebliche Feierabendflöterei «Alles, was ist, ist gut» und ein allzu alberner Hölderlin in den Versen: das ist, was in absehbarer Zeit noch bleibt – eine ganz verdammte Lüge.

Vom Geiste Zürichs

zum Beispiel sollte man hie und da auch ein Bildchen herumzeigen, nicht nur von Zürichs Landschaft. Schon deshalb, um den anderswo beheimateten Dichtern die für Poeten als vorteilhaft empfohlene Isolation zu demonstrieren, aber auch, um der besagten Spezies Einwohner anderer Städte Mut zu machen, indem man ihnen anschaulich beweist, dass sie keineswegs allein in der amüsanten Lage sind, Spiessruten laufen zu dürfen zur Blechmusik geistiger Schrebergärtner.

Die Schlagenden sind – nun, das ist von Fall zu Fall verschieden; die Aspekte verschieben sich je nach des zu Schlagenden Frömmigkeit oder nicht, Wehrbereitschaft oder nicht, Bankkonto oder nicht; oh, es gibt noch viele «oder nichts!» – fast immer bodenständige Literaturlehrer, Sportjournalisten beim Match ums Zeilenhonorar oder schmucke Redaktoren, welche mit smarten Angriffen sich dort abreagieren, wo es nicht verboten ist und sie sich mit ihrer schlagenden «Aufgeschlossenheit» nur vor wenigen blamieren. Und was wäre dazu, nebst dem Unverstand vor moderner Musik oder Malerei, nicht besser geeignet als jene Verse, die auf den gutbesetzten Routen entgleisen ...

Hier das Bildchen: In der ‹Zürcher Woche› stand letzthin gegen die Arbeit eines jungen Dichters zu lesen:

Ein grosser Filmregisseur, der genau Bescheid weiss, hat es neulich ausgesprochen, dass der Realismus im Film vielfach missverstanden werde: «Realismus ist nicht nur, wenn's dreckig ist.» Die Lyrik hat kein besseres Los, auch sie wird vielfach missverstanden, in der Schweiz so gut wie anderswo auch: Lyrik ist nicht nur, wenn man krampfhaft zusammengeschusterten Unsinn als unverfälschtes seelisches Quellwasser deklariert, jeden Satz zu Hackfleisch verarbeitet und die noch unsinnigeren Einzelteile hübsch unordentlich aufeinanderbiegt, «denn Gedichte sehen nun einmal so aus». So siehst du aus. Für diese Unart Lyrik habe ich gleich ein klassisches Beispiel zur Hand, und ich möchte vorausschicken, dass das folgende Gedicht (mit Gänsefüsschen hinten und vorn) tatsächlich in einer hiesigen Zeitung erschienen ist. Es kann jederzeit bei mir eingesehen werden. Der wackere Dichtersmann heisst N. N. und sein wortgewaltiges Werk:

Morgen in Aussersihl

Blaue Lauben, Balkone im Schimmer
der Eiszeit –
Frühstückend im Uhrenstil,
Späherblick dann und die gewiegte
Kurve ohne Orakel.
Milch wallt im Hüttenrauch
während die Zinnen frieren –:
Zahnklappernde Gitter vor den Gärten
des Himmels.

Sind wir das? – Grau, transparent
und besinnungslos –, Kreuzigung,
barock im Halbschlaf –
Wir? Im Autobus, hochseefahrend
Titanic, vor sieben?
Siehe dich tagend: Feine Sichel,
Fischgold im Ententeich, – Mohnhorn
schmal, bluthoch und die Rasenzwerge
des Mondes.

So also sieht der Morgen im Stadtkreis 4 aus. Sehr interessant. Ich will nicht müssig sein und Freund N. N. schildern, was sich nachmittags in meinem Quartier tut:

Nachmittags an der Florastrasse

Spätlings erwachter Asphalt, lautlos grinsende Pudelgesichter träumen, ha, schnalzend von

Nasstenka –, zu fern! Du! Wer
du –! Der kann mich geniessen,
schwachströmende Birne, oh
Haupt –, Hausglocke lächelt
schief zirpend, du auch?, in
hohnbellende Kaffeetasse.
Und blaut daher der Geldbrieftra-
ger –, –! –,
mit Münzengedudel rund wie
fast Plätscherndes
am nahen (Nasstenka! Nahen!) zu-
sammengekauerten Seegewölk,
flachende Süsse, mit ach, A-
schenbecher auf atmendem Hügel,
Asphalt du feiner ruhest auch
du – hahahaha. Komma vier –?
Hiiiiiiiilfe!

Ich bewerbe mich um die Carnegie-Medaille, weil es mir gelungen ist, mich selber aus dem lyrischen Sumpf, Marke N.N., zu retten.

Soweit der verhinderte Münchhausen im ‹Zürcher-Wochen-Zopf›. Er nennt sich übrigens Marquis Prosa (Nomen est nomen – diesmal umgekehrt). Und das Gedicht «Morgen in Aussersihl» ist in der Zeitung ‹Die Tat› erschienen.

Immerhin, dies Geisterbildchen ist kein missverstandener Realismus: Da der Hund bellt, muss er getroffen worden sein. Schade nur, dass es in den Städten so zahllose Hunde gibt, sonst wäre es vielleicht ruhiger; aber dann wären die Dichter wieder nicht so vereinzelt! Doch Zürich ist eine der schönsten Städte – landschaftlich.

Maschenriss. Gespräch am Caféhaustisch (1952)

Maschenriss
Gespräch am Caféhaustisch

Im Hinblick auf irgendeine Lücke, irgendeine Helligkeit, einen Maschenriss zwischen zwei Viertelstunden: Was treiben wir eigentlich? Eine Frage angelegentlichster Berechtigung, sofern einem das Abendrot (so rot) aus dem Lautsprecher zu wenig Verkündungen enthält und die Morgenstunde mit Uniformen bleckt. Aber gibt es eigentlich den Ruhelosen, der sich nicht bescheidet mit den lächerlichen Föten unserer so rosigen Aussicht? Gibt es den Immoralisten mit defekter Armbanduhr –, die Zeiger gesunken, die Himmel verhängt, nur die Unruh zuckt noch in Nebeln? Es gibt ihn! Trotz der rigorosen und universalen Reparaturwerkstätte des Staates –, trotz der Bänkelsänger auf frommer Tour –, trotz Toleranz in betreff der Haarschnitte –, trotz verbriefter Sicherheiten hinten und vorn und auch den Normalität verheissenden Stehkragen zum Trotz: Es gibt ihn!

Dieser also steht eines Tages da, zwischen den besagten Viertelstunden, hat einen Vogel, einen Kranich, und fragt sich: Was treiben wir eigentlich? Wir wissen doch, was Gut und was Böse ist; wir kennen den Kartoffelpreis (ruft angeblich nach Schnaps und endet im Trester), werden tagtäglich informiert, was hinsichtlich atmosphärischer Wahrscheinlichkeit einzutreffen für möglich zu halten angebracht sein dürfte, was der Abend elektrisch zu servieren imstande sein wird –; und wen es gelüstet, Übersicht über seine eigenen Qualitäten wie Pflichtgefühl, Freiwilligkeit, Rüben backen und Pfähle rammen zu gewinnen: dritte Zeitung von rechts am Bahnhofkiosk! Wem das nicht genügt, der schwebt in Himbeergelee und hat den Löffel vergessen. Doch Vorsicht: Immer voreilig zum Schlusse kommen, immer abrunden noch vor der nächsten Ecke, das hat nichts auf sich ausser dem melonösen (kommt von der Hutform Melone) «Es ist erreicht, und wenn nicht, so doch bald», und stramm geschoren den First. Dieser Meinung war einer der jungen Männer – «rück-

sichtslos» wurden sie bezeichnet vom ältlichen Monokel, das über denselben Tisch blitzte, autoritativ übrigens, muss ich sagen –, deren Gespräch ich letzthin kurz notierte, um es zum Augenblick eines Einblickes, gewissermassen als Lageplan, zur Hand zu haben. Löffel vergessen, das war gut, und schon deshalb unmöglich jetzt, in Himbeergelee mit Hundeschwumm hochzukommen, um an der Sonne historischer Bewährung zu bleichen.

DER ERSTE *begann ungefähr so (ich beziffere sie lieber – mit Namen ist es entweder angespielt oder anstössig, oder die Sache benimmt sich wie ein Witz; zudem erschweren Zahlen die Statistik keineswegs, und die Literaten finden sich schwerer zurecht im Prokrustesbett):*

1 Ich finde zu viel Phantasie in der Ausdeutung unserer Erlebnisse, oder was man so nennt –; und finde weiter, dass diese Phantasie meist zur Verdammung des Erlebten führt und dass, was danach zu tun einen drängt, verteufelt nach Erlösungssucht aussieht. Nennen Sie Orest, dann kommen die Erinnyen, und beim Götterraub trifft man die Schwester. Wozu sich also mit Zukunft vergiften, wo man ohne Schwärmerei an der Gegenwart zugrunde gehen kann? Unsere Lust ist zu rasch, unsere Antriebe Verschleierung, und dann blitzt hüben und drüben ein Gedanke hoch, und keiner weiss, was dazwischen liegt.

DER ALTE Glauben Sie, ich hätte das je gewusst? Ich bin alt geworden ohne solche Torturen. Mir schob man früh die Wiege an die Sonne, freilich: keine achtundvierzig Stunden die Woche, aber man kam hoch, man hatte seine Beziehungen, und einmal dort, wo die Gamaschen zur Sache gehören, nimmt man Übertreibungen Ihrer Art, junger Freund, weit weniger wichtig als die Ohnmacht der Bankierstochter. Lassen Sie, ich rate Ihnen, den tieferen Sinn der Religionen, und halten Sie sich an das, was Ihre Erlebnisse abwerfen –

II Wissen Sie, was Sie geerbt haben, ich meine nicht vom Onkel, ich meine das, was zeitweilig aus Ihren Träumen übergeht, mitten in eine Tramfahrt –; das, was Sie anhält, Ihre Schritte zu jener Begegnung zu lenken –; das, was Sie zwingt, von einem Munde, der Sie anfiel am Rande der Schicklichkeit, von dem Sie sich zerfleischen lassen mit der Wollust alter Tiger, von diesem Munde also nicht mehr wegzusehen, wissen Sie das? Sie glauben, was viele glauben, und deshalb muss es wohl so sein, wie Sie es glauben: Das ist Verbandslogik, Tüncherei über Wanzenwände! Wenn Gott gut und Geist ist, dann entfernen wir uns allesamt von ihm, und ich selber lebe am stärksten nahe an der Bewusstlosigkeit. Wenn Sie es deutlicher wünschen: Das Leben denkt nicht, ist nicht gut und weiss mit Geistern wenig anzufangen. Da braucht es Härte oder Pfühle, auch Worte, warum nicht: Das Physikalische dazu arrangiert sich von selber.

III Unsere Erkenntnisse: Erfahrungen oder Einmaleins, alles andere ist Badeschwamm im Trüben fischen. Wüssten wir warum, hätten wir das Wozu! Es gab einen, der es wusste: «Das Dunkelwerden ist Sache der Bewusstseinsperspektive ...»

DER ALTE Ich verstehe nicht. Jetzt sitzen wir hier am Cafétisch, jeder hat seine Tasse, auch sein Portemonnaie, was soll da seine Meinung über Dinge, die sich derart von der gesunden Mitte distanzieren, in der man immerhin sein bisschen Anständigkeit durchbrachte?

IV Ihre Mitte also ist das Höchste: Genau was ich wissen wollte! Institutionen aus Schwäche! Moral als Rache! Die Philosophen machen in Nihilismus und aufs Alter, o selige Schwenkung, der christliche Schwank! Dass Sie vergessen haben, ist kein Verwischen: Die Tatsachen bleiben! Unsere Mitte: «In Reih und Glied» und, wenn's hoch kommt, ein bisschen Goethe in Leder und Gold; Rücken hinter Glas genügen. Aber hören Sie jetzt:

Die Lust des freudigen Gehorsams, an der opferwilligen Unterwerfung predigen jene, welche mehr Lust am Kommandieren gefunden; nur sagen sie's nicht weiter, und die andern dürfen es nicht weiter sagen. Was lange dominiert, wird endlich Befehl; und ein ungesunder Begriff, durch Raison stilisiert und zum Schlagwort geprägt, dominiert in jedem Falle: Demokratie, einer für alle und so weiter; dazu könnte man bemerken: eine Hälfte Dummkopf, der Rest senil oder in Staatsdiensten.

I   Was also kommt in Betracht? Falsche Waden bestimmt nicht –, obschon auch schon welche beitrugen zur Fortdauer des Volksbestandes. Sich der Zukunft zuwenden? Die Verlegenheit vom «Vaterland im Krieg»? Nein. Ihren Wert nach dem Tode bestimmt im Falle eines Unfalles die Versicherung, und in den übrigen Fällen: was Sie hinterlassen nach Abzug Ihrer Verwandten, Bekannten, Schulden und Nachkommen!

DER ALTE   Sagen Sie nichts gegen Demokratie! Wenn irgendeine geordnete Gerechtigkeit ist, dann die, dass die Mehrheit recht bekommt. Alles andere macht nur den Anschein von Einigkeit: Heraklit brauchte nur mit sich allein zu sein, um sein «panta rhei» zu sehen …

III   Ihre demokratische Mehrheit, apropos: Merkten Sie noch nicht, dass wir vier zu Ihnen stehen, Sie fünftes Rad am Wagen! Ihr Gewicht ist das des Alters, des frommen Rückblicks: «Es ist vollbracht.» Sie haben gegessen, Steuern in Ordnung, Miliz absolviert, kurz: sind gutmütig. Denken Sie zurück, wo diese Verkümmerung begann? Abschätzen der Situation, das Ergebnis bereichern um eine Null, und um das Ganze die spanische Wand mit den dauerhaften Strohblumen gestellt. Weitere zehn Jahre darin verbracht, und weitere zehn sind abzusehen: Das ist Ihre Vernunft! Was anderwärts Bedeutung hat, war noch immer gegen «civilisation soldatesque, négoce et fonctionnalisme».

IV Gleichheit in der Vielheit: diese läppische Dissonanz, von einer Staatsraison aufrechterhalten, die tantièmiert von ihren Behaglichkeitsordinarien ...

DER ALTE Sprechen Sie leiser, man hört zu am Nebentisch –

IV Der allgemeine Zug der Zeit ist offenbar. Sie glauben an Dinge, die es nicht gibt. Wenn es nicht mehr geht, schieben wir eine andere Rolle ins Rampenlicht, wechseln den Coiffeur und lassen das Allgemeine weiterhin in diesem Glauben. Die Bibel frisiert auf Toleranz, und das tägliche Schwarzbrot dazu verdienen wir uns schon allein. Wahrscheinlich ist die Wirklichkeit nur eine Präzisierung unserer Sinne nach allgemeinen Richtlinien –

DER ALTE Ich verstehe nicht ...

II Was wollen Sie denn? Nachdenken über das Allgemeine, über Kassen, Notstände, Nationalräte; nehmen Sie Wünsche für Probleme? Das finde ich rückständig und würde an Ihrer Stelle in Louis quinze wohnen. Wer wünscht noch? Wünschen Sie? Sie dürfen sich etwas wünschen! Aber damit wissen Sie noch immer nicht, wie unerwünscht Sie sind. Verführen Sie sich lieber! Nehmen Sie Probleme ernst, bei denen nichts für Sie herauskommt? Rührt Sie ein Tramunglück, ohne dass dabei jemand unter die Räder geriet, der Ihnen nahe stand? Sagen Sie «ja», dann kauen Sie eben weiter an Ihrer unverdaulichen Schweinswurst, meinetwegen Kreuze als Speile, aber verlangen Sie von uns nicht den Kniefall vor Ihrer Verdauung. Nadeln Sie Ihre Täuschungen und Sensationen auf, reihen Sie sie ein, und schenken Sie das Ganze Ihrer Freundin; es wird sie unterhalten, und Ihnen zwitschert der Spatz in der Hand.

I Wenn etwas besser werden soll, kennen Sie denn das Weshalb? Ich meine, wenn man nichts weiss vom Menschen, am wenigsten sein Warum, wozu sollte er sich dann ändern in ein Besseres, wo nicht einmal das Gute feststeht? Aber um wieder ins Rechte, will sagen ins Allgemeine zu kommen: Wäre eine Vermehrung der Sicherheit zum Beispiel verträglich mit einer Vermehrung Ihres ganz privaten Gepäcks?

111 Nein! Der Tag sühnt nicht, und die Nacht löscht nicht aus. Wert steckt in der Farbe. Ich färbe meine Stunden und erhöhe damit ihren Wert. Dabei bin ich als Typ kein Glücksfall und bilde mir trotzdem etwas ein auf das bisschen Einbildung, darin ich lebe. Es mag ja sein, wenn man so von links aussen zusieht, dass eine Mehrheit stärker ist, aber die Kraft steckt in der Qualität unserer Enthüllung. Wie es bei den Muskeln unten, bei den Schwingern und Jodlern, wimmelt – eine beschämende Fruchtbarkeit direkt –, und bei den Schwierigen: wieviel Bruch an der Form, wieviel Scherben im Gesicht – rot der Mund von Mohn, koordinierte Intuitionen –, zuviel Elemente, die sich kreuzen, Fäden spinnen und ihren Wirt vorzeitig erwürgen ... Ihr Tag ist lustvoll, langweilig oder verquält, je nach der Beschaffenheit ihrer Umwelt und dem Befinden ihrer Hormone, und nun kommen welche und predigen: Man soll sich stimmen wie eine Leier, genau auf cis und drei Viertel nach neun. Klingt ganz hübsch, aber praktisch versaut dir der Nächste die Klaviatur. Dagegen meine ich: Wo beginnt, frei nach Sartre, die Hölle, wo der Tessin? Es kommt auf die Skala an: Darauf zwitschert unser Zeiger hin und her – und das soll man wohl abstellen? «Meneh tekel u pharsin», und die Fratzen wischen ab durch Türen und Fenster? Kaum, es verbögen sich nur die Nadeln. Sogar der Lyriker von heute liegt nicht mehr an der guten Wärme in Gärten, belauscht nicht das Weben der Gewächse, und dass ein Odem aus schwanken Kelchen ihm die Zeilen an den Bart streicht, erwartet er nicht. Dafür braucht er den eigenen Kopf, spannt die Antennen hoch, um auf Echos zu pirschen, und ist nicht wenig verliebt in seine Instinkte. Seine Inspiration schleift nicht mehr an Musenhand im Nacht-

wind, er hat das Potpourri abgestellt und fächelt sich selber die Kühle des Könnens zu. Er zieht den Faden durch die Verwandlungen; was dabei verändert wird, bleibt unwägbar. Seinen Horizont mit Worten abstecken und gelegentlich erweitern, mit jeder Mondnacht neue Dünen erobern, über Fisch und Kiesel den Mittag zittern sehn und keine Umstände, wenn der Arm des Gesetzes sich vorschieben will: das ist meine Regel. Und eine andere: Sich einziehen können in den Sog einer eminenten Umschlingung, gedämpftes Licht unbedingt vonnöten – ein bisschen Rauch, ein bisschen Lachen; erst Wein, der die Lippen wechselt, dann die Muskeltelepathie und die bewusstlose Tonmalerei; so atmet sich's ohne grosse Schwierigkeiten weiter, und was Sie danach anfällt, ist nicht schlimmer, als was man von Ihnen denkt.

IV Was hier offenbar vorliegt, das ist für künftige Literarhistoriker; *die* werden das schon in Beziehung bringen mit Geschichte, Sozietät und Hammerschlag, *die* verknüpfen ohne Hemmungen zwei gordische Knoten zu einem Beichtgeheimnis. Für uns aber steht hier der Guckkasten, wir haben nicht viel Auswahl, suchen wir das Faszinierende in den wenigen Löchern, solange es Tag ist – denn siehe, es kommt und so weiter ... Also, Nummer II, was treibt sich vor Ihrem Blick?

II Die Mokanten aller Kurpromenaden! Lieben wir eigentlich das Gegenwärtige um der Zukunft willen, oder schonen wir das Vergangene für eine gefahrlosere Gegenwart? Die fehlerhaften Prozeduren, *die* ertragen wir nur mit der Täuschung. Nehmen Sie eine konventionelle Unzulänglichkeit wie die Ehe, ziehen Sie davon ab, was Schein, Schleier und Peitsche ist, und sagen Sie uns, was noch bleibt. Nehmen Sie die Forschung: 2000 Jahre Versuch, X in eine Bekannte zu verwandeln, dann der Atomschock, und alle Bekannten werden zu X. Wenn Sie velofahren, was ändert es, dass Sie denken, ein Dämon treibe Sie vorwärts, und um diesen anzuspornen träten Sie die Pedale? Die meisten

Gesetze sind Mythologie und eine Art, diese zu tarnen. Das Unmögliche ist nicht möglich, aber mit dem Möglichen enden sogar die Gottesdienste. Ein katholischer Biologe, welcher dichtet, ist zum Beispiel im Bereiche der Dichtung und der Biologie unmöglich – vielleicht aber ziemlich katholisch. Indessen will ich Ihnen sagen: Haben Sie mehr konstruiert als eine Maschine? Drängt es Sie nach Differenz oder nach Unität? Mit diesen zwei Fragen spannen Sie jeden Psychologen aus, und falls Sie Antwort erhalten: Sammeln Sie sie wie Knöpfe oder Petersilie. Das eine gehört an die Hemden, das andre in die Schrebergärten. Unsere Gedanken sind selten im Verhältnis zu dem, was sich vorträgt. Begreifen Sie überhaupt etwas anderes, als was Sie selber machten? Haben Sie, mit Verlaub, Kraft konstatiert? Wissen Sie, was Elektrizität ist? Sie sehen nur Wirkungen, aber was Sie sich nicht vorstellen können, von dorten bläst der Samum und wirbelt Ihre Spreue durcheinander.

DER ALTE   Ich will nichts sagen … Man hofft noch immer auf Resultate, besonders im Hinblick auf die Jungen … und was noch bleibt, möchte ich nicht preisgeben.

1   Uff! Haben Sie ein neues Gefühl entdeckt? Haben Sie Fahnen gehisst auf Trümmerfeldern? Nietzsche sagt: «Eine Lust ist Einschlafen, eine andere der Sieg.» Wir alle wünschen den Sieg und schlafen darüber ein; wir verwechseln die Lüste … Wir treiben also, was jeder von uns hätte treiben können, und treiben weiter, was jedem von uns zu treiben möglich bleibt. Sind Sie zufrieden mit dieser allgemeinen Formel? Nur die Generationen klaffen auseinander. Zwischen Ihnen und uns wachsen die Caféhaustische, die Betonpilze, aber direkt vor den Augen ist alles vertauschbar, und die Einheit der Vielheit grinst wie eh und je auf den Milchzähnen. Betrügen wir doch das Individuum um seine eigentliche Leistung, distanzieren wir uns von Knaus-Oginos Zufällen und anderen kirchlich approbierten Tabellen!

DER ALTE Das Wort von der gefährlichen «Vogelfreiheit»: Dazu darf man die Mittel nicht scheuen ...

IV Woran liegt es denn, dass Sie noch keinen Mord begingen? Es gibt doch Fratzen, stumpfsinnig, und Stiernacken, die schreien geradezu nach ihrem Mörder! Gewiss: Zu unserem Fortschritt gehört die Dummheit ebenso wie der Bierbauch und der legalisierte Verächtlichmacher feiner Angelegter, der Offizier; aber zuletzt wächst die Unsicherheit derart, dass alle dem geringsten Vertreter aller, dem Beamten, aus eigener Leere und Ohnmacht die Socken küssen. Die Heilsarmee glaubt, wie die Sozialisten, auf kurz oder lang klopfen sie den guten Menschen aus dem Busch. Daneben die Kasernen vollgestopft, die Erziehung zur Duckmäuserei. Ich sehe da nur Öden, wo Sie Bratkartoffeln wittern, und statt Pflaumenmus den Findling erratischer Gallerte, einen von «Volk und Ständen» hochgestemmten Stanniolsammler für die Heiden in Kentucky und die Huren auf Samoa, darübergebeugt oder darunterkauert eine langhaarige Gruppe, Käfer spiessend, und die Landjägerlust an Verfolgung und Hasche-Hasche. Da haben Sie die natürlichen Triebe wieder, abgetakelt wie einst Ihre Locken im Mai, auf zéro millimètre: kein Staat mehr zu machen mit solchem Geweih. Und diesem entgegenzutreten scheue ich kein Mittel, und ich sage Ihnen, man lebt dabei; Kaffee, Zigaretten, die zivilisatorischen Stimulantia reiner Luxus, die Reize kommen von woanders her: aus Nächten, aus Gängen, allein oder zu zweit; da ringeln sie reihum, die Sie vermissen hinter dem Gleichmass Ihrer Glieder und Schaltertätigkeit. Sahen Sie je einen Pulp im Flieder hocken, kühlen Blickes auf versinkende Segel Zeichen ziehend, ganze Pläne für Nie-mehr-zu-Bauendes? Mindestens so überraschend, wie dass Nero die gewerbsmässige Claque erfand. Natürlich hat man über solche Dinge seine eigenen Ansichten – aber, es gehört nicht zu meinem Wesen, richtigere Ansichten zu haben – sondern eigene. Glück oder Misserfolg, das hängt von den Gründen ab, nicht vom Glauben. Glauben Sie, wenn Sie sich binden, hätten Sie noch Gründe? Dann haben Sie Gewöhnungen, dann tanzt eben die Marionette. Wenn Sie Engländer sind, ist das kein Grund, Engländer zu sein; Sie hatten ja die Wahl nicht. Wenn Sie aber die Wahl gehabt hätten, hätten Sie der Gründe bedurft, sich für England zu entscheiden. Gewiss, man kann sich auch Gründe erfinden zugunsten der Gewöhnung. Das ist dann Nachtrag, wenn die Speere schon stumpf sind.

DER ALTE Charakter!!!

IV Sagen Sie nicht «Charakter»! Sagen Sie «Apfelschimmel»: die bestimmte Rue, der gewohnte Wind um die Ohren, gefahrlos; und um die Verantwortung zu stabilisieren: Scheuklappen! Nur *einen* Weg zu kennen, nur *eine* Möglichkeit imaginiert, heisst heute nicht mehr Charakter, sondern beschränkt! Sind Sie Kunstkritiker? *Das* kramt *seine* Massregeln aus und hat dazu noch das Gefühl, ein Opfer zu bringen.

III Wenige Stunden zeigen uns eigentlich, wieviel Höhenflug, wieviel Wolkenzug möglich ist – aber zugleich, wieviel Widriges, U-Bahnen des Geistes, welche die «menschliche Ordnung» vorschiebt vor das, was uns zu spielen möglich wäre ... Im übrigen scheint es, wir sind eine Art Romantiker ohne Moral. Man wird etwas Ähnliches einmal herausfinden, wenn die Staaten kubisch sind und je nach Jahreszeit diese oder jene Fläche des Würfels ans Licht legen: der Homo maschinesku über die Weichen hüpft und eine triste Sippe schwachschaliger Zweibeiner sich flüchtet vor platzenden Gas-Ballonen. Die Lust an der Lüge, die Attakken der Affekte, die Ekstasen zu zweit: alles passé, keine Märchen mehr, keine Sagen über uns, nur das Handgreifliche; selbst Erzengel filtriert durch Rechenapparate; ihre Rückstände, das oben Genannte, rauscht ab durch die Kanalisationen. Von uns aus gesehen, können dann Kanalträumer sich die umfassendste

Bildung zulegen. Diese Romantik ohne Moral indes gehört zu unseren heiligsten Überzeugungen, zum Unwandelbaren, ist «ein Urteil unserer Muskeln». Unter die Töpfe und Tröpfe kriechen, hochstemmen, ihre dunkelste Seite aufwühlen, pflügen wie Strassenpflaster, mit Strahlen und Strömen spülen, bis der Rest – wir – ein wenig heller wird. Wollen Sie Dummheit anders als mit Spott oder Brutalität korrigieren? Für Ihre Demut und Einsicht wäre es nämlich zu schade –

11 Um zu spotten, steckt man entweder in den Pantoffeln der Behaglichkeit oder im Schneegestöber auf dem Piz Rotondo. In den ersteren schlurfen die Heiterkeitsapostel, die beruflichen Provokateure der Bescheidung (es betrifft sie ja nicht), und aus der zweiten Lage dringt selten etwas bis zu uns herab. Beispiel: Amerika: die Herren Neger freiwillig vor – darf ich Ihnen meinen Jeep anbieten –, gleich hinter dem nächsten Hügelchen rauschen sie ab, famose Gelegenheit, ihre Beine für ihre Gleichberechtigung zu strecken. Beziehungsweise: Dankt uns, so gut ihr's könnt, dass wir gegen die Lynchjustiz sind. Oder: unter Augustus: Bestimmung, dass die Laren an den Strassenkreuzungen zweimal jährlich mit Frühlings- und Sommerblumen zu bekränzen seien. Unsere Automobilisten tun einmal im Jahr mit Wein und Kuchen dasselbe den Grünen. Statt Augustus das raffinierte «Es macht sich besser»-System. Oder: Lily Sweeney, die seltsame Mutter, die ihre Kinder nicht liebt – und das kommt dann in die Zeitung –, wie moralisch das Ganze: die Zeitung und die Sweeney. Schnepfensäcke sind das: Das schweigt mit lahmen Schwingen, rückt zusammen, saugt sich an, verklebt und stinkt durch alle Maschen. In der Pflicht eine Lust zu sehn, in der Lust eine Pflicht: Das wollen sie uns lehren, diese Brüder von «Hand aufs Herz» und Couleurknaben. Die Ehrfurcht vor dem Unangenehmen! Dagegen sage ich: Distanzen aufreissen! Verbindungen abschneiden, so dass man schliesslich Fallgruben um sich hat, das ganze Gunaria-Reich darin zu verschütten. Nur keinen

lieblichen Betrug; ich empfinde, was *mich* angeht, anspringt ... getaucht oder geflogen – und nichts sonst!

DER ALTE   Erinnern Sie sich: Phaëton, der Sohn des Sonnengottes, der beim Versuch, den Wagen seines Vaters zu lenken, einen Weltbrand hervorrief und zur Strafe von Jupiters Blitz zerschmettert wurde?

1   Erlauben Sie, was haben Sie hervorgerufen? Sind Sie vorbestraft? Leben Sie allein mit Ihrer Mitte? Immer rasch sich absetzen, hinter die Hecke flitzen und Vogelscheuche mit Drohfinger mimen – Säusler im Abendwind, die kastrierten Intellekte, immer sanft, voll Verzeihung, kostet ja nichts, und man gelangt in den Ruf der Reife: der Überreife, der Übersüsse! Der Fäulnis fortan! Im übrigen gibt es auch Affekte der Bescheidung; das ist dann die Zurückhaltung um eines Gewinnes willen, dessen Wert man vorher unter sich, das heisst mit den anderen Unfähigen, als Preis für zahme Büffel ausgetüftelt.

Einmal wollten wir das Leben nahe haben, greifen: Unsere Hände glitten ab, es war nasser Schmutz. Lügenschleim von Pfaffen, tückisch durchsetzt von den Scherben des Vaterlands. Wir schreckten zurück, sehen es nun glitzern in angemessener Entfernung, aber wir misstrauen sogar der Distanz. Distanz veredelt und fälscht, verklärt und macht blind in einem. Doch bleibt kein andres Mittel. Und *da* und *so* wollen Sie drohend ermahnen? Man schickt uns unter dem Joch durch und befiehlt noch Freude ...

DER ALTE   Fluchen Sie den Göttern oder mir? Auch mich setzte man nicht auf Austernbänke, und meine Perlen kamen immer in Essig. Trotzdem haben wir alle doch gewisse Blicke, wenn wir allein sind, das bestreiten Sie ja nicht, und das Ewige schliesslich zeigt seine ruhige Seite –

I   Aha! Sie zogen wohl das Chaos auf Flaschen und etikettierten es «Ewigkeit». Der reine Gegenstand, vom Bewusstsein getrennt, ist uns unbekannt –, also gibt es ihn nicht. Die Resultate-Taster des Gegenteils nennt man Okkultisten; auch Philosophen schoben schon dieselbe Marke; doch gehen wir doch nicht über den Äther der Wissenschaft hinaus, über die Ilys des Berosus oder die Trotyle der Chemie. Die Physik will das, die Metaphysik das, aber beide trampen den Schienen der Erscheinung nach, zählen uns die Schwellen vor und erwarten den Train sec mit dem «Ding an sich». Die Rückblicksforschung in vielen Varianten: Sonnenmythen oder Griechensagen, biblisches oder aserbeidschanisches Fachgefühl nützen herzlich wenig vor indischen Palmblättern, hebräischen Rollen, assyrischen Ziegeln und ägyptischen Papyri. Die Symbologie nähert sich zuweilen – ungenau –, Hirnfrüchte zumeist, aus bedrückenden Ahnungen, auch Albdruck, von Schaltern und Kasematten gemischt. Alles spielt da hinein, was eine Zeit auf die Leinwand wirft, und jede Auslegung trägt die fatalen Züge ewiger Ungeduld. Restlos erfunden sind die alten Geschichten wohl kaum, später allerdings mag mancher Derwisch, mancher Mönch seine nächtlichen Schauer darübergelassen haben, aber die Gesichte blieben, je phantastischer, je rätselhafter: der Mensch ein Logogramm, das sich selber versucht zu erraten! Die Drei und Vier, das Dreieck und das Quadrat sind für uns dauernd im südlichen Kreuz wie in der ägyptischen Crux Ansata ausgeprägt. Das Rätsel des Menschen mag in Zeichen gefasst sein; man bestaunt in den Höhlen Hindustans, vor Felsentempeln Zentralasiens, in den Lithios Ägyptens und Amerikas, im Dunkel der Katakomben des Orimandyas, in den Erdwerken des tiefverschneiten Kaukasus nebst der Osterinsel –, also überall greift und gräbt man dieses Rätsel, staunt man der so umfassenden wie ergebnislosen Gedanken: Wer sind wir –

IV   Wir alle, entsprungen dem göttlichen Logos –, Materie befruchtend, dann Talglichter drehend –, Entwicklung aus den

Emanationen des Einen, Unveränderlichen –, Pravarabrahman-Mulaprakriti –, die ewige Wurzeleinheit. Nun, damit knüpfen Sie keine Schnürsenkel und schlüpfen nirgends unter wärmere Daunen. Dass alles lebt, das merkt man –, dass das Unangenehme überwiegt, dafür sorgt sozusagen alles, was kann –, und dass man uns nicht beim Angenehmen erwischt, dafür müssen wir selber Sorge tragen! Blicken Sie um sich: Das meiste schläft; die Ordnungen sind nicht mehr zu steigern, ohne dass man sie unten abzubauen begänne. Für das, was ist, braucht es keinen Mut mehr – auch keine Lust –, es nähert sich alles allem an. Selbst der Künstler, die interessanteste Spezies der Neuzeit, der einzige Sucher – alle anderen haben ja scheinbar gefunden –, doch selbst *er*, Blöcke rollend und Igel ziehend durch die Röhren, Ziegel zertrümmernd auf allen Firsten und mit Flammen in die Glatzen gebrannt –, selbst *er* muss doch wohnen, zahlt den Tribut an Abfuhr-, Miliz- und andere «-wesen»; will auch mal umsteigen, da es zum Nash noch nicht langte, liebt Tee, Bücher, Frauen … Nun macht er mit: mimikriert seine Palette, spitzt seine Lippen zum beglaubigten Horn hin –, dementsprechend sehen die Bilder dann aus, liest sich der Vers. Alles *ein* Schub, alles *ein* Abhub. Hauptsache: Er wird beliebt, verbeugt sich vom Podium, schreit seine Bilder aus. Hingegen, macht er nicht mit, die seltenere Sorte, hat den Mut und auch die Lust, Bild gegen Bild, Meinung gegen Meinung zu stellen –, konfrontiert sich mit den Immerscharfen, Aufgebügelten –; verlässt viel Verletztes nach jedem Duell –, nie konstant auf der Schiene, kein Leistungsbrevet –, sein Avancement drückt andre Scheiben ein –: Dann wird er in sich selber verschlagen, an eine Küste, die niemand mehr sieht. Aber Stolz vor dem Feind – und voll Verachtung für dessen Methoden: Schanghaien zum Beispiel kommt nicht nur in düsteren Häfen vor, auch in Staaten mit reinlichen Schwellen und glänzenden Fliesen –; dort wird man zwanzig, stösst unversehens auf den kategorischen Imperativ – Lederhandschuhe im Juli, Salamidolch nur im Ausgang –: *Der* streckt seine Taster aus, schleift einen über die besagten Beläge zu den Heckenschützen mit Kahlschlag. Sie wissen nicht, was «schanghaien» heisst? Nun, schonend erklärt: wenn einer nicht will, ihn dazu bringen, dass er muss –! Reimen Sie darauf das Ewige oder den Autofriedhof?

DER ALTE Interessant! Aber wenn man das so sieht ...

111 Ist es denn nicht Kraft, dass wir uns die Kulissen zugestehen? Ist es nicht volleres Leben, das sich trotzdem und stärker hält? Hält: an die Wirbel dieser Einheit, an das Rauschen der Viel-zu-Vielen, an die ganze Kirmes der Abendpantoffeln und Stentorstimmen? Verzauberte Formen, Verzerrungen –, sofort zurückbezogen auf ein Gefühl, welches sich hebt und senkt –, oft fast in Worten, meistens geschwiegen –, und doch keine Resultate, und doch keine Brötchen oder Blumen: Binsen, lockerer Zug, halb über, halb unter dem Spiegel der Individualität. Ungezählte Stunden dem Janus geweiht – sie machen keinen Lidschlag aus –, verpasste Chancen, und doch: unter welchem Sternfall nächtlicher Tapeten! Eine feinere Art von Hoffnungslosigkeit aber ist jene, die uns dabei vorspiegelt, etwas erreicht zu haben –

Wenn ich je Erzählungen schreiben werde, so werden das solche sein, darin zwanzig Jahre wie ein Tag sind. Ja, weniger: ein Bummel in die abendliche Stadt; der langsame linkische Entschluss zuerst, wie er gefasst sein muss, um überhaupt je von der Stelle zu kommen –, dann die erschreckend stillen Dickichte der Dunkelheit –, ein wenig Romantik und Trauer, die ernster ist, als sie scheint –, dann, beim letzten Beet mit den Wachsrosen, die Frau. Die Frauen, besser gesagt: die wirklichen und die, die aussen und innen spazieren –, ihre Haare, ihre Stimmen und Beine, bezahlt oder gratis, innig oder lässig, an wolkige Ironien und an die Teiche der Tränen preisgegeben – Von dort an sollen die Rosen echt sein –, verblühen wie echt, entblättern wie echt, und dabei immer scharf mit den Dornen. Es wird überhaupt sehr gewöhnlich vor sich gehen, wie wir das ja vom Ungewöhnlichen gewöhnt sind. Hier und irgendwo das Abgesteckte, Gezählte, die Pläne –, dort und hintenherum die tatsächlichen Details, die Ausführung. Und ich zögere nicht, dort, wo noch ein unbeschriebenes Blatt übrigbleibt, die einzigen Zeichen eigener Auswahl darauf zu ziehen. Monolog ist fast alles! Die Frage heisst nicht mehr *wie* – sondern *wo*. Bestimmt spielt da die Geographie mit hinein –, Hinterhöfe womöglich, städtische Ufer auch, beleuchtete Brücken und zwielichtige Bäume; von fernher Kathedralen und Häfen. In die strenge, aber sichere Sachlichkeit Ménilmontants mischten sich in jedem Falle zweideutige Röten – genauer: das ‹Beste› (aus ‹Reader's Digest›) scheint mir das Erwachen nachher. An einem Morgen, versteht sich, da die dünstigen Stickereien Eos entflammen vor der Möglichkeit einer launischen Rückkunft der Nacht; milde gestimmt und doch zur äussersten Abwehr der Dummheit eingerichtet. Hübsche Räuchlein werden die Industrien zieren – und wenn es anfänglich auch düster, so wird der Tag mit dem Rest fertig –. Das Unbeschreibliche hat den Vorteil, überall zu erscheinen, da es nirgends fixiert werden kann –: *Das* meine ich mit «Erwachen». In welchem Bett, auf welchem Balkon – ob Rinnstein, Flieger oder Métro –, dafür sind wir nicht verantwortlich. Keiner kann von Schlafenden verpflichtet werden zu erwachen. Vielleicht aber darf man sich dann etwas wünschen. Ein Steckenpferd, eine Badehose oder sonst eine Reliquie prompter Verdauung. Ich wäre dann eher für Luftschlösser, für Beweglichkeit innerhalb schwerfälliger Illusionen. Möge der Tag kommen, da die Unmässigkeit aller Vorgänge hinter unserem Rücken zum Schweben neigt und mit ihren Düften Symphonien über Geleise hinhaucht.

Hier unterbrach eine junge Dame und setzte sich an den Tisch der fünf, verdrehte ein bisschen die Augen, während sie die Handschuhe auszog, und schmachtete mit versteckter Ironie:

Wie romantisch! Willst du nicht noch einmal beginnen? Ich stecke dann nach den Offenbarungen des Unverständlichen die Aschenbahn deines Geistes ab!

11 *(ebenfalls ironisch)* Die Dächer blühen erst im November. Es braucht dazu das spätgoldene Herbstlicht, durch welches die Sonne unsere Hoffnungslosigkeit zu Freude im Vergängnis verwandelt. Vorwiegend karmin und kohlbraun erwacht das Turm- und Giebelkraut in der dritten Stunde Auroras. Tief aus dem Geheimnis offenbarer Verstecke ragt schwarzes Kaminschilf mit den Silberfahnen, nach den willkürlichen Mustern des Windes gebildet. Silbernes Gesäme sinkt da und dort wieder zur Erde –, in zwanzig, dreissig Jahren werden neue Kamine keimen.

Hier pfiff die junge Dame durch hübsche weisse und nicht zu kleine Zähne –

11 *(fährt fort, ernster)* Von zehn Uhr an, übertüncht von reinem Grau, ist für jeden Augenblick das Aufspringen der Bläue zu erwarten. Blau: Das ist der Mittag! Königsblaue, breitlappige Sonnenschiefer, leise zitternd über den Lärmstürmen des Verkehrs; über jagende Hast hinströmend die herrliche Mahnung aus Stolz und Unendlichkeit: Blau! Was wird nicht alles *nicht* gesehen über Mittag. Da gibt's Zeitungen, die unbedingt gelesen sein wollen, dann die Radios, um den Lärm ja nicht zu unterbrechen, alles Farblosigkeiten mit unfruchtbar zwingenden Ansprüchen. Der Nachmittag, eingeleitet durch erneute Hochflut der Geräusche, ist den wenigsten bekannt. Die Nuancen heller Bitterkeit, des wissenden Hingangs, gehen unter vor heilloser Geschäftigkeit. Man möchte alt sein, um im grossen Einklang der reifen Pracht mitzuzählen, um als Freund unter lauter Einverstandenen über die Ebene zu leuchten, die einen nicht mehr hält. Denn nur den Verständigten wird die Erkenntnis der schönen Unwiederbringlichkeit! Je inniger sich diese Bindung

schliesst, je näher sich die Gesichter und Farben verstehen, um so rascher behauptet sich die erst zaghaft angetönte Herrschaft der Violetts, der Symbolfarben der Entscheidung, der Gerichte. Der Dämmerkreis des Abends zieht saugend zusammen, was der Mittag ausbreitete; nimmt zurück, was an Versprechungen währte, und legt später dem letzten Zuschauer jene Handvoll Trauer über die Augen, die jeden Zweifel daran, dass es noch nicht zu Ende sei, tief in sein Herz verschlägt.

DIE DAME   Idiot! Bestell mir lieber einen Kaffee! Des Löwen Heimat ist nicht im Zirkus. Je näher dem Menschen aber, desto bedenklicher: denn der Affe fühlt sich bereits wohl im Zoo!

DER ALTE   Nun kann ich ja wohl gehen, ihr seid gewissermassen unter euch, und mein Abend hat nicht gelitten, niemand hing am Kreuz, und die Zeche ist bezahlt.

Er stand auf, drückte einigen die Hand und lief sehr aufrecht hinaus, nachdem er sich erst sorgfältig den Hut aufgesetzt.

111   *(blickt ihm nach)* Oft erinnert man sich an das, was hätte kommen sollen. – Sagen wir, die alten, dicken Bäume, das Abendgold um Park und Brunnen, Terrassenrosen, Spitzenzeit; natürlich entsprechende Karriere: mit vierzig Verwaltungsrat, mit fünfzig Elephantiasis an Bauchpartie und Portemonnaie. Uns reicht es knapp zur Zimmerlinde. Aber, da wir eben so schön gesungen, will ich euch ein Märchen erzählen. Der Alte ist fort, die Zuhörer also reif, und was nicht ist, kann noch werden.

«Da war einmal ein Mann, enorm mit Moto-Guzzi auf Teilzahlung, rasch umworben, grosse Chance; zwei Blondinen, die eine liebte es, an belebten Plätzen, eine Hand auf den Sozius gelegt, halbschräg mit ihm zu schäkern, die andere fuhr lieber Damensattel und wies auf verschwiegene Wäldchen hin; im Grunde kam es darauf an, welche von beiden eher dazu kam, ihre Beine zu zeigen. Es kamen wenig später beide dazu, der Mann blieb unverheiratet.»

Das ist modern, knapp, sachlich; das Resultat reiner Vordergrund! Vordergründe sind wichtiger – wir machen sie wichtiger –, dann geht es leichter mit den Kulissenschüben. Es gibt ja auch neue Schlager, da reimt sich «kindisch» auf «indisch» und «biegen wird» auf «Ziegenhirt». Indessen denkt man sich manchmal, ob man nicht etwa dazu angehalten sei, nur so weit zu denken, als es seiner Erhaltung zugute kommt; die Perspektive des einzelnen ist ja immer gegen die andern und der Rest fixierte Propaganda. Ich schlage ein allgemeines Beispiel vor, und wir werden dabei sehen, wie wir uns verstehen: «Sie trafen sich jenseits der Brücke, des Abends und mitten im Februar; es schneite, stob mit Kristallen, schleppte, klirrte und tutete vor Mandalay – Fernher glomm Golgatha, Tauben rauchten am Spiess: Grill aus den Restaurants. Die Arche ging unter, Tiere schrien nach Vergeltung, während die Gewerkschaft der Garagisten den Ölzweig an ihre Fahne heftete. Triumphzug! Tremolo! Reiherkarawanen mit geschwellten Segeln nach Sidi-Bel-Abbès; doch Körbe voller Formulare rollten jedermann zwischen die Stelzen. Alles fiel! Kunterbunt Schmerz und Gelächter. Für zwanzig Rappen zu ewiger Heiterkeit, empfahl die Tagespresse ‹Fleurs du Mal›, auch Schrebergärten ... Jenseits der Brücke –»

11   *(fährt fort)* So lagen die Dinge, als sie sich trafen: Gestrüpp von Blicken, Dschungeln mit Tigerritt, Bengalenzungen und Stempelgebühr. Dann fleissig die Achterbahn: Figuren, bürgerlich, auf Hochglanz zu schlingern. Steine, Findlinge gar, Gletschermühlen, in denen die immer selben Gedanken sich schliffen. Gedanken vom Rollen der Münzen, vom Zeigen der Schecks, und Schlafkabinen, Konfetti, der kurze, künstliche Rausch aus Papier, eigenes Theater: die Widernatur dramatischer Verse; dazu Kinos, Kassen, Hôtel du Nord und drüber: Wir haben noch weit!

So liefen sie Hand in Hand, wollten ihre Finsternis zwingen, wollten das Dämmergesicht, einen grauen Morgen, eine Lust der Vermummung zum Bahnhof bringen, zur endlichen Abfahrt. Nun GEHE, nun WARTE blitzen Signale: WARTE! GEHE! ... Klerikale Kadenzen der Tollheit riefen als Schicksal, trugen die Häupter hoch, salbten, behängten sich mit Stolen; rechts Kreuz, links die Ketten.

IV *(fährt fort)* Wohin denn? Noch weiter? Hoch die See? Freitreppen? Kulissenschieber zwischen Phantomen oder quer zum Rinnstein das schwere Leichthin: La vie c'est d'apprendre à mourir? Wohin denn? Beide glaubten sie nicht an Gott, und auch sonst stimmten sie oft überein – War es zu spät? War Herbst, Apfelfall, Sintflut mit Chrom, Lack und Bierbauch? Oh, was bewahrt schon den Wert einer Stunde! Was blieb denn nach dem Sturz in muffige Keller? Selbst der Pudel, das Tier grosser Dichtungen, schnupperte heimlich an ihren Strümpfen – Indes: Das Schweigen nach jedem Satze verwandten sie dazu, nett und niedlich das zu bereden, woran sich zu glauben lohnt. Er aber sagte ihr nicht, dass er den Aufruhr gestiftet, die Fackelhelle der Mordnacht, sagte nur, dass er sich Verse erfände, sich zu besänftigen ...

DIE DAME *(fährt weiter)* ‹Nimm meinen kleinen Aufschwung, meinen Wahnsinn›, war ihre Antwort, ‹heut hab ich Ausverkauf!›

I *(meint)* Nun, so umgab ihn der gemeine Reiz der Illusion. Er sah sich in Spiegeln und glaubte, Visionen gehabt zu haben, und sah, was er gesehen haben möchte.

IV *(denkt halblaut)* Sie tranken zusammen noch Tee, standen fröstelnd am offenen Fenster, besahen den Schneemann im Hof; er würde tauen morgen: drei Eimer schmutzige Flut, der Ball zu

Ende, darunter die Leiche. Spülicht über Robe und Rassenhass, kippende Dochte, paarweis in den Wind getrieben, Zischen des stickigen Alltags. Dann drinnen: trümmerbrechende Halme, das Knirschen der Gehäuse, und weiches Fleisch gibt sich den Anschein, es sei alles in Ordnung –

ALLE *(schliessen)* Sie lachten zuweilen und löschten die Lampe nicht.»

DIE DAME   Wunder nimmt's mich, wo wir das geübt haben, das nenne ich Mut zum Hirn, das auch das Jenseits erfunden hat, oder Weg des geringsten Widerstandes für Unwiderstehliche. Jedenfalls äussert sich darin das uns allen gemeinsam schiefe Brett –

11   Ich möchte nicht gerade behaupten, dass Geist über diesen Gewässern schwebt – immerhin keine Schwärmerei, der Asketismus ironice. Dass wir alles verwickelter handhaben, ist noch kein Ausweis gegen das Tier – und dass wir die Augen schliessen, hindert uns ja nicht, mit den Händen zu greifen. Wir sind die Ersten oder die Letzten, oder wie es der interessante Zugvogel unserer Zeit ausdrückt: Tigerdämmerung! Büffelzeit! Schade … Wir finden uns im entsprechenden Rhythmus, im Tak-tak der Kriege, im Nachtschnellzug und im Vers von Liebe und Tod auf Bali.

Wir haben keine Aufgabe als Ganzes! Heil oder Verdammnis gilt für jeden allein. Sollen die Fluten doch schwemmen, die Horden doch kichern im Schilf, uns allein gilt das Heut; wir allein zaubern hier der hängenden Gärten so viel und so gut als möglich. Tanz der Jahre: Was man uns nachtragen wird, drückt nicht mehr unseren Schuh, und im Vexierbild der Gesellschaft fand sich noch je die späte Figur mit den Haaren im West, welche sie nicht zu stutzen vermochte.

Im übrigen fällt mir ein, ich traf den Mann unserer Verse später; er hat mir erzählt: «Nun, es war schrecklich: Mutter-

Tochter-Probleme, nicht für fünf Minuten Liebe, geschweige denn für den Untergang, vorwiegend die Versorgungslage, exklusiv Altersheim: das Lasteselprogramm unter Keep-smiling-Aspekten.»

Nein! Lassen wir die Kamine tanzen, rauchen tun sie schon von selber. Hier, mit dem Blick über die Dächer, über die meine Worte heranjagen, hier eine Menschwerdung, ein Nein dem grossen Ja- und Amen-Sager! Die blutigen Knochen von Händen eines Freiheitskämpfers aus Kopenhagen, ein Stück geborstener Lunge aus den Bergwerken Sibiriens, ein Jahr Fasanenspezialist, oder siebzehn Wochen Nationalstrafe in Helvetien: Her zum Gruss, Gott zum Gruss, dem Mutmasslichen!

Nein! Bleiben wir heiter: in den Wind mit Pierrot und Brüsseler Spitzen zu streuen die Asche der Bestie. Aber eben: die Asche! Wie Feuer zu machen wär, wüssten manche, doch anzünden will keiner. Da hocken sie ihrerseits in der Glut und lassen sich schmoren – nur, wenn einer zum Pissen kommt, gibt das für Augenblicke stinkende Linderung.

IV Ein bisschen allgemein ausgedrückt; doch nehme sich einer Zeit, das ewig Unfruchtbare zu detaillieren! Thule oder Ararat, das Kap dieser oder jener Hoffnung: untergegangen ist überall schon ein Atlantis!

Rücken Sie Ihre Kritik ans Ideal statt an dessen Probleme, also zweifeln Sie am Zweifel: Was haucht Sie von dorten an, was hängt nun aus Ihnen? *Mein* Geschmack deutet auf vergiftete Äpfel, auf ungelöschten Kalk, – selbst das Gesäume um Badekabinen, selbst im Palmhain der Bazare schmeckt es nicht mehr nach Limonen. *Dahin* lässt sich keiner mehr ziehen: Die Lieblinge triefen von Kurvenöl, haben knappsitzende Dichtungen hinter der Stirn, nur gelegentlich wechseln die Kolbenringe. Maschinen scheinbar beharrlicher – gefährlich beharrlich, jeder hält sich daran und erinnert sich höchstens zum 11. Mai an die Muttermilch.

DIE DAME Keine ultramontanen Mysterien! Glück ist immer Rausch und Betäubung!

1 Fanatiker des Verbleibens im Schatten der zehn Gebote und ihrer Übertretungen!

Jedoch, Verehrteste, Kinder sind auch keine Geschenke des Himmels; da spielen andere Zufälle ihren Riss hinzu. Ich kaufe mir auch keinen Acker, wenn ich Semmeln frühstücken will. Nur die Ruhe, nur die Ruhe. Selbst den Senf geschluckt aus Amtshaus I, II, III; immer heiter, immer fit in der Schale; Bananen gerupft à la Pompadour, Dohlen gestopft und den Abend in Sing-Sing-Songs. Anständiger Film: *Le jour se lève*; dafür fand man die Sache psychophil, murmelte seine eigene Schwäche, nicht im entferntesten daran gedacht, toujours hübsch mit den Rosenkränzen durchs Dickicht! Auch die alten Weiblein mit ihrer Moral-Geistlichkeit, Philanthropitis, mit der sie hantieren wie der Rossmetzger Matthieu aus Füglistalden im Hotel «Heiliger Hirsch» in Samara am heissen Hecht, mag ich nicht. Endogene Depressionen bilden die zeitliche Konstante, das übrige ist unsere Leistung! Wo ist der Schwellenwert dieser Felder? Dort müsste man ansetzen mit Scheren und Bast; will sagen, mit Tränen und Eroberungen! O Arien! Nicht mehr zu regenerieren aus Schweisstuch und Lobgesang. Alles freut sich am Gehorchen; die Bürger vom Goldfischglas, wie sie dämmern hinter Primeln und Gardinen, schlucke-schlucke zu jedem Gasbaron.

Felltrommeln am Orinoko; Reisterrassen über Flores; Velorennen als Tempelfries. Gelb fliesst die Sihl. Was besagt dies alles in bezug auf Beethoven zum Beispiel? Beethoven: Wanzen im Sterbebett; Manuskripte, Bücher, Mobilien mit 1575 Gulden unter dem Hammer weg; ass abends, noch vor dem berühmten Gewitter, zwei Äpfel (das erinnerte ihn an die Wiener Polizei), dann starb er.

Was also fordert die Herde?: Deutlichkeit, Dauer, das Breitwalzen der Teige, die Plakatierung gemeinster Verläufe, zur Nachahmung bestens empfohlen!

Was *ist* die Herde? Alle des guten Gewissens, die Gleichmütigen, Stabilen, die heiteren Sesselhocker und Pedaltreter: l'heure bleue am Volant und mit servilen Putten am Hängebauch zur Mainacht! Wir Heimlichen ernten Verachtung; das Unheimliche wird applaudiert! Dies ist die Herde, die Horde, die HändlerEpoche! Soll sie es bleiben! Aber wir, die wir uns fragen, schürfen, harken, was treiben wir denn: *was* denn in aller Welt?

Erstens: Wenn ich eine Pflicht gegenüber dem Staate erfülle, so bedeutet das nicht, mich dazu überwunden zu haben, sondern vergewaltigt worden zu sein.

Zweitens: Glauben Sie, es gehört Intelligenz dazu, morgens nach neun in die Firma zu pirschen, dieses und jenes anzupeilen; darauf zweites Frühstück; dann die Mätresse; nach eins die Blauband und wieder bis vier auf Chef gemacht?

Drittens: Sie haben die Freiheit, Sie haben die Wahl! Aber was Sie auswählen können, wird Ihnen vorgelegt: die Sache mit dem Esel, Göpel, im Kreis durch die Kalahari, verbundene Augen und am Popo den Beamtentritt.

Nun erzwingt sich unser Misstrauen Spannung, Beobachtung; das Leichte zeigt sich lumpig, und das Schwere verlockt. Wen wundert's, dass die Himmel verhängt sind? Entweder: Sie unterwerfen sich, oder sie reagieren: Hamlet 1952!

Was wir aber nicht wollen, gehört nicht *uns* an; es ist das meiste! Das Leben ist die rätselhafteste aller Figuren des Bewusstseins. Wer sucht denn zu verstehen – und was?

iv Ich sehe dämmern die Antwort, sprühen die Blicke, Schatten im Nadelwald, kühl durch den Fluss; doch kein Gepfühl im Gras, keine Kissen für die Küsse, blindlings, die raschen, nervösen auf ein endgültiges Antlitz. Wir bemühen uns zu halten, weil alles vergeht; wir glauben wieder an trockene Planken, noch ehe der Kahn ersäuft; die Klippen sind ja nicht vorherzusehen, und immer die Hoffnung im Lächeln der Gefährten; das Stundenglas stets neu gekippt, bis die Gläser springen und der Sand über die Fliesen rinnt. Fördern oder vermindern die Momente, die ständige Verschiebung des Katzenauges *Ich*, eng verknüpft mit der Lust am Gestalten, mit der Lust zur Lust. Wir brauchen doch keine Gesamtverleumdung für das, was nicht *wir* sind. Schliesslich soll jeder seinen Anblick allein ertragen; seinen Stolz, seine Taten und Untaten, seine Frauen und Blicke als sein Eigentum begreifen. Ausserdem bezweifle ich nicht, dass für den Holzbock die ganze Welt Holz ist.

DIE DAME   Bevor gedacht wurde, ist gedichtet worden – nun neigt sich der Balken auf die andere Seite: Wir denken, bis wir es nicht mehr aushalten, ohne zu dichten.

1   Ja! Die Lockung des Vergänglichen hat auf einer Kuhhaut Platz, und diese kauen wir wieder bis zur Bewusstlosigkeit. Ah: Bewusstlosigkeit! Das ist das Stichwort zu allerhand. Gediegene Griffe zum Koffer des Seelengepäcks, aber lauernde Schlangen auch, plötzlich verwandelt in harmloser Betäubung. Stürme nah an der Erde, zu pflücken die Traumfelder, die reifen Rohre roter und brandschwarzer Wirklichkeit, das Vergessen der Falter und jenes heisse Erinnern an der Esse des Goldes: dies unser Zeitlos!

Nur keinen Halt an Jahrhundertfeiern! Geschichte: Das ist die Reproduktion von Vergangenem, das für wichtiger gehalten wird als der zerstiebende Augenblick; die Weide verdrängter Machträusche, fossil von oben bis unten und aktuell wie jeder zu erwartende Blitz; Umzüge, mit dem gigantischen Aufblähen des sonst Schrebergärtnerischen – und zuletzt eine Mauer voll metallener Pfiffe: die Mündung.

DIE DAME   Weiter, ein wenig tragischer –

111 Höre hin, wenn es iah schreit hinter den Filzen, dass die Goldfische hüpfen; wenn es von Balkonen donnert mit hängenden Persern und der wüste Wirbel die Windungen verknüpft zu trautem Schlamassel; wenn, gemäss einer allgemeinen Folgerichtigkeit, X öffentlich bekennt: er sei U; wenn die Tagediebe aller Nationen auf en gros machen und sich nach Absingen diverser Cowboy-Internationalen und Vaterlandsoden rauhe Mengen von Jahren klauen; wenn fashionable Institutionen Luther nachplappern: «Hier steh ich» et cetera: Höre hin! Und du wirst deine Sinne schärfen wie einen Caran d'Ache und hochleben lassen und preisen jenes filigrane Gemäuer, schattenlos und unaufhaltsam im Zenith! Welche Zeichen dir! Welche Begattung am Grunde der Tiefsee! Du Taucher, du Heiland am Perlbaum, du Günstling sterbender Schwäne!

Und es sterben viele. Auch die Knödeltenöre kommender Kanonen, die Athleten des Eier-Cognac-Clubs (zwecks Leistungssteigerung unter den üblichen Voraussetzungen), die Lehrstühle für die Quadratur gewisser Schädel, und grässlich die unentwegt schwarzen Treppenklimmer des Heils –

DIE DAME   Sehr hübsch – und du?

11   Nichts aufheben! Anstürmen, einnehmen die nächtlichen Röten und das blaue Gestern Vergissmeinnicht – unter Qualen, unter den Spannungen welchen Komets –, auf Hügeln Weiches im Mond und zu Kristallen zwischen Asphalt und Auspuff!

Hier die grosse Gelegenheit: die Ausverkäufe aller Hochschulen – die Denkgeleise antik und das Hellenische verrostet, aber aller Länder Gegenwart zu sich! Diese Tastatur ist nicht unumgänglich, und wäre es auch gar nie gewesen, wenn nicht die sieben Seuchen der Gotik und jenes laienhafte Rasseln unter dem Kreuz Berechtigung zu frommer Dummheit erlassen –

«Alles, was ist, ist gut»: diese aquinische Feierabendstimmung, die Welt im Pfeifenkopf und, sehr bemerkenswert, die gesicherte Ründe des Bauches! Reue, Strafe, Pflicht, Worte ängstlicher Gemeinschaft, puddinglich bereitet und künstlich aufgetrieben mit der Hefe mediokrer Hoffnungen – über Abgründe, über Kolossalgemälde – zur Sicherheit noch einmal Staatspapiere – dann der Einfall, und man sinkt in fremdes Gehirn, für immer ... Nett: so lautet die Norm. Von Lehár zu Hustenbonbons, die Musik der armen Leute, und für Beflissene der Lokaldichter – Bierbauch und falsche Primeln! Pubertätspfahlbauerei bis ins hohe Alter, mit Exhibitionsallüren und Sexualgarnituren – hinter spanischen Wänden die frigide Philosophie, zwecks Beglaubigung durch den Kirchenstuhl, und davor: Lustmorde mit Zuckerguss.

Wenn wir vom Unglück anderer Leute hören, nährt sich unser Mitleid von der Befürchtung, dass uns ebenso geschehen könnte – das ist: Alles, was ist, ist gut!

DIE DAME Sei es über Brücken ins Palmland blauer Sunde – zum Osterfest mit einer Kiki-waki-Kirke, sei es zum siloahnischen Turmbau oder ins murmelnde Thule: ständig Zerstäubung immergrüner Sekunden!

11 Im Ernst: Auf der einen Seite entdeckt man eines Tages sein Tun in Konventionen, die sich unabsehbar langsam, aber sicher und zäh aus ehernen in käsige verwandeln – die eigene Gestalt beschränkend in ihren eigenen Möglichkeiten –, auf der anderen Seite das stets davon bedrohte Blühen im Hirn. Dazwischen alle Skalen des Zwanges, ihre Ausweichvarianten, das Harmlose neben Vulkanischem, die Steppe neben der Schulmilchaktion und das Gewissen (oder was man so nennt) unter Paragraphen, kurz: die ignorierte Tatsache einer Entfaltung. Schattengestalten, Hand anlegend an Gespenster – Augenzwinkern und Schmiergeld für offensichtliche Fäulnis – Direktorenbrillen, kahl geschoren bis unter den Mützenrand – Versicherungsmagnaten und Fackelzüge – hier haben wir die Wahl: treten oder getreten

werden, Hurra oder Geheimnis, Stutzer oder Dichter und vielerlei Mischungen. Entfaltung, Auslese, Wahrscheinlichkeitsrechnung, ein bisschen Gaukler, ein bisschen Asket und unerkannt, voller Auflösung. Solche Differenzen, Spannungen der Erinnerungen sind vielleicht die Substanz, aus der Verse gemacht werden können. Was gelingt, was gelingt nicht? Formen, erproben, ins Wasser werfen, sich dem Winde hinhalten, das Ohr auf dem Asphalt, den Blick in die Wolken, und die Stimme wird Figur, deren man sich nicht zu schämen braucht. Was sein wird, ist auch jetzt, und was die Träume künden, untersteht keiner Zeit. Die Sprache aus dem Zwange logischer Interpretationen befreien, sich selber lösend an unverbrauchten Möglichkeiten – Worte – Golden Hair Angels – Worte mit Peilung auf ein längst Vergessenes – Kitzel in Schutt und Katakomben.

IV   Was sind denn die anderen im Verhältnis zu uns? Gedenken Sie früherer Bekannter – messen Sie sich ruhig an ihnen: ihre Stimmen blieben zurück oder erklommen die Gipfel und Hügelchen der näheren Umgebung: dort gespenstern sie noch ein weniges, während Sie hart und unreif mit dem Kopf klettern. Es braucht Steigeisen, die Illusionen zu zerstören, immer die Felsen hinan und zuletzt hinein in die Schächte der klaren, tödlichen Kristalle: Glückauf! Sie sind Betrüger, Betörer, Vernichter, langweilig, indifferent für diese anderen, und doch wollen Sie aller Oberfläche den schrecklichen, reizenden Charakter nicht bestreiten.

Sie schreiben. Gut. Für Sie ist das eine Art von Halt im Wirbel der Umwelt, im Fatum des «Geworfen-Seins», nun leiden Sie Not, niemand wünscht Sie zu lesen: Ist da nicht dennoch Ihre Not Ihre Existenzbedingung? Sie treiben Kunst: graben, schürfen, heben, hämmern, schleifen – eine kurzsichtige Tendenz –, aber immer noch mehr Ergebnisse, die Stunden zu ertragen, die Würfe zu fangen, als der weiteste Weitblick, der an der Gesamtvermanschung der Menschheit herumäugt. Indes: Hier, wo Sie anders sind, ist die «andere» Welt auch. Diese andere Welt, diese Blütenfrühe noch vor dem Erwachen, diese Morgen im Zeichen verzaubernden Zephyrs, Möwenzüge, günstige Arabesken in heiterstem Himmel; Dianen, grüssend von jedem Balkon. Ein: die Pappelspitzen, die feuchten Geländer. Aus: der Ziegelglanz und die zitternde Venus. Atem: Hengste, mit klingenden Münzen zum Markt der Feigen und Veilchen im milchigen Schatten der Moschee – o Tag! und kein Ende – o Stunde, erwartend die Prinzin, die Opiumziege! Nun ist es soweit: Die Blätter flakkern, und manche Hand wiegt die Kastanie über ihr Haar, Geplätscher steigt niedlich um Ruhstatt, Horn, Speer und Beute um uns, Kelter, Gerät für die Ernte, Traubenstimmen, erpresst zwischen fliegenden Herzen; auch Häute, Felle heiss von Sonne und Korn: Das kreist und wogt und wimmert aus Lidschlag und Lippe: «*Du!*»

I Ja. Das Gesicht einer Frau, unter Platanen und Lampen nächtlicher Allee ausströmend in ferne Jahrhunderte, als Lied, als Herme unwahrscheinlicher Terrassen im Regen, als Schluchzen, das sich dort wieder sammelt zum Antlitz der Madonna im Rosenhag unserer schönsten Einbildung, unseres schönsten Rausches ...

DIE DAME   Wohl eine Art Erlösungstraining?

III   Aber hiermit, wenn Sie soweit sind, können Sie den Schnepfensäcken einen Bibroch pfeifen, dass ihnen die Luser gellen. Das kenn ich, durchaus irdisch, durchaus würdig ist Lust und Unlust, und diese Art zu wägen braucht viel Zwang zu sich selber anfänglich, hebt sich aber dann doch allmählich mit der helleren Schale über das Getümmel der Kioske und Chrysler ... die Erlösung zum Leben durch raffinierte hedonistische Anstrengungen ... nicht besiegt, nicht gesiegt, aber jetzt wollen Sie einschlafen im Mohnfeld rhythmischer Reizung, blicken in

Bläue, die Chiffren wechseln, schwankender Stengel wippende Helme, Umm und Ur und Weiberraub, in Rosen und Trancen nieder die Samenstreue auf ein lose beschworenes Antlitz – Aber jede Einbildung platzt, jeder Rausch endet mit Aspirin!

DIE DAME   Na, schliesslich sind wir keine Lehmwände, an die jedes Ferkel seine Spur wischen kann.

I   Wir meinen: Es handelt sich um unsere Lust und Unlust – aber Lust und Unlust könnten Mittel sein, vermöge deren wir etwas zu leisten hätten, was ausserhalb unseres Bewusstseins liegt – Nietzsche! –, also kein Grund zur Aufregung. In der Liebe sind die Instinkte unsere Kulissen, während der Verstand auf den Schnürboden verweist. Dabei ist es immer der Mann, der die Frau idealisiert; sie wird gescheiter, schöner, raffinierter, wollüstiger unter seinen Blicken. Was die Frau idealisiert, sind gute Stuben, Silberbesteck und viel Besuch, äussert sich folgendermassen: «Bis in den Tod treu.»

Wo steckt der Zeiger auf Ihrer Skala, wenn Sie lieben? Sticht er in die Wolken, oder wackelt er irgendwo unten herum? An solchen Graden ist ablesbar Ihre Mächtigkeit oder Ohnmacht zu leben. Und mit Leben meine ich nicht Einkaufen-Gehen und nicht Bar-Bezahlen. Und die Liebe zu allem und jedem, falls Sie dahin zielten, ist reine Angeberei unter Gespenstern; die Chose klingelt unverschämt, aber die Pumpe fasst nicht.

DIE DAME   Wenn es keine guten und keine bösen Handlungen gibt, wenn es die Determinierung unserer Gedankenstriche oder Strichgedanken nicht gibt, wenn es keine Zwecke gibt, nur die Freiheit, dass man *das* einsieht: ich möchte doch nicht in Gefängnissen logieren.

IV   Immerhin: Wenn Sie zu entzaubern beginnen, dann werden Sie kein Schwert und keine Hüfte mehr anders halten als im Bewusstsein, nur Ihren eigenen Augenblicken neue Reize zu verleihen. Keine Aussicht auf gemeinsame Regulierung durch Dressur auf ein bestimmtes Mass von Dummheit. Der gute Schauspieler seiner selbst sein: *Das* befriedigt den Regisseur!

11 Und die Frage, was wir treiben, ist nicht mehr so evident, wenn wir wissen, dass wir treiben –

111 Ausdruck des Kreiselverkehrs mit Schlaufen und Rüschen von Shell und Lambretta, Ausdruck der Kinos und Kassen – Fric-frac, die Arletty, und quer gekippt in die Lippe den Pernod, Ausdruck aus Match und Massen: wir! Auch wir in besoffenen Malern, Statuen stürzend im Morgengrauen, dafür Bärte gepflegt und dekorativ vor der Leere. All dies verleugnen heisst all dieses wollen; die Verneinung ist mehr unser Ja als das sterile Nicken der Unterbelichteten; zudem bedarf die Darstellung des Negativen doch der positiven Zutat, damit jene Spannung entsteht, die all dies auch für die nächste Stunde noch interessant macht. Was aber bleibt vom Ganzen, was heranzieht beim Blick über die Dächer: *das macht uns erst aus.*

Beispiel: Ein Sommertag war in uns, die 1000 Volt, davon die Funken sprangen von Haut zu Haut. Ein Weg führte abwärts, oben die gelbe Herberge, unten weiss durch die Stämme der Strand, darauf schritten wir mählich und milde zwischen die Kronen. Busch und Kraut uns zu Füssen, nicht mehr zu erraten, wohin man wollte; man ging, man hielt sich und dachte fast nichts. Das Laub roch sanft, etwas von Leder hing in Girlanden, streifte im Gras und betäubte zur Erde hin. Saft rings, doch Schlürfen des Durstes um Steine im heissen Licht. Vor uns der See schieferte silbern, draus Fisch lau oft kristall. Da war die Stille, da war das Lachen, reinlich getrennt nur beim Picknick-Geplätscher von Lippen auf Lautlos ... Wir lagerten und spürten noch, als die Nacht fiel, die Wasser schwer und das Land leichter lag. Nichts mehr war paradox, so konnten wir ruhig die Kelche neigen; entsanken auf Sand und in Schilf. Noch die Sterne flimmerten um ihr Haar, lockend Du und wieder: Du, standen noch lange …, ihre letzten Worte schlüpften ins Dunkel aus; in mir lebt noch ein Sinnen über sie –, viel zu einfach, als dass ich's behielte. Ja, und dann wanderten wir in jenen Morgen, von dem noch niemand klarer berichtete als eine Kondom-Reklame. Die Formel für das Obige wurde schon gesagt: Oft erinnern wir uns an das, was hätte kommen können. Aber dann: Was tritt aus dem Dunkel – schon der Balkon schwarzkühl wie Schierling, heimlich wie Schlaftabletten, sicher wie Kochgas? Die Geister der eigenen Vergangenheit rufen, fordern, zücken mit spitzen Knochen am Hinterkopf und ziehen den Strang ums Herz.

I Ich finde Sie verdächtig, il n'était pas rasé und stand auf der Brücke, nicht wahr? Um ihn wogten die Busen, wippten die Pumps, strebten die Wichtigkeiten; Schlipse für viel Geld (aber das war nicht echt); eklatant jenes Gewedel mit den Hinterbakken, und il n'était pas rasé, aber schliesslich: Roch nicht auch die Brücke nach ausgeweideten Hühnern?

Sie freuen sich zuwenig an Ihrer Einsamkeit, daher rühren die Schlangenbisse auch im Tessin. Ihre Beziehungen zum Intelligiblen sind unbefriedigend.

DIE DAME Wir sind doch unter anderem schrecklich fragwürdige Figuren. Manchmal kann man den Porzellanladen nicht mehr unterscheiden vom Elefanten.

IV Soldat oder Ehegatte, Beamter oder Prolet – für alle genügt derselbe Aschenbecher, dieselbe Nippfigur unter demselben Horizont. Doch seine eigenen Bücher, seine eigenen Landschaften haben: Da beginnt der Dschungel; das Kreisen wird schwierig, von der Mitte weiss man nichts – nicht mit Blumen zu zaubern, nicht mit Bücken zu erbohren –, lauter Tangenten, die das Unbegreifliche touchieren, man merkt erst später, wann das war.

Wahrscheinlich ist Gott daran schuld, dass uns die Welt nicht bekannter ist. Er wird seine Gründe haben dafür. Wie etwa unsereiner Grund hat, etwas so zu sagen, dass es kitzelt, genau so mag Gott Grund haben, uns zu machen: dass wir ihn kitzeln. Vielleicht aber ist er auch nur einer unserer Stile, die Welt zu sehen – und kein besonders geistvoller.

I Der Geist der Zeit trägt sich selber, wir können nur am Rand stehen, dem Strudel zusehen und wie die Blasen platzen. Wer etwas anderes meint, hält zuviel von sich und von den anderen! Deshalb haben Sie recht mit Schierling und Schlaftabletten. Wenn wir den Reigen erfassen, bleibt sich doch alles gleich. Tiberius, der Römer, liess zarte Knaben, Fischchen nannte er sie, zwischen seinen Beinen durchschwimmen zu seiner Ergötzung, während es in einer modernen Villa Zürichs folgendermassen zuzugehen pflegt: Der Mann lässt sich Rehlein kommen, bis sieben an der Zahl, stellt die Bockleiter in die Mitte, steht oben hin und betätigt sich auf seine Weise, indes die sieben um ihn herum den Marsch zu machen haben mit dem Refrain: «J, du bist ein schöner Pfau!» Ihre Bekleidung: eine Pfauenfeder. Das ist das statisch schiefe Licht der Hundelüste auf den Fortschritt.

II Psychophysische Kombihuren und polychrome Rasenzwerge, das treibt schliesslich unter sich, aber die Blicke auf sie sind nicht zu verhindern. Doch auch das Tröstliche der Kunstwerke ist nur ihre Trostlosigkeit, und angesichts dieser Tatsachen fällt es zum Schluss nicht mehr in Betracht, ob wir einer Geburt beiwohnten oder einer Hinrichtung. Dabei erweist sich als einzig wertvoll die Formulierung der in uns heraufgerufenen Lagen, darauf steigt man in sich hoch, oder daran zerbricht man. «For us, there is only the trying. The rest is not our business.»

III Ja, tauchen Sie ein in die finsteren Schächte vergangener Trancen; was Sie dort abbauen werden, sind faszinierende Sensationen; Sie trauen sie selber sich zu, bis sie verlöschen am Tage, die Kohle verglüht, Ihre Hände verbrannt und die Nacht es wert war, geträumt worden zu sein.

IV   Er strich sich selber durch wie einen missratenen Satz – gab sich eine Hieroglyphe – und lebte von nun an: nicht mehr zu entziffern!
  Am Ende ist immer DIE DAME   Gehen wir weiter träumen! «Rühr mich nicht an, ich habe ja gern geglaubt, dass du mich liebtest, auch wenn es nicht wahr war.»

Aphorismen (1950–1952)

Sprüche

Frage: Warum sind Gedichte oft schwer verständlich? Antwort: Weil der Dichter die Sprache kann.

Die Übertreibung im Gedicht heisst nicht, über das Ziel hinaus geschossen zu haben, sondern tiefer treffen zu wollen.

Um zu träumen, genügt ein Roman. Wäre man wach, genügte ein Gedicht.

Man sagt, Dichter seien Träumer. Aber ist es nicht ein Hauptmerkmal des Traums, dass man darin glaubt, wach zu sein?

Der wahre Dichter kann nie modern sein. Es sei denn, das Sein würde modern.

Für den Dichter gibt es kein Parteinehmen; er ist sie selber. Ist jedoch eine Partei einmal wahr, so hat sie die Wahrheit vom Dichter.

Der Gerechte ist der, welcher den Weg vorangeht. Der andere, der ihn zeigt, ist Wegweiser und nur so lange richtig, als der Weg an ihm vorbeiführt.

Der Dichter soll nicht über Witzblättern meditieren; denn Humor ist nicht Schadenfreude.

Auch das ist Ruhm, dass spätere Geschlechter sagen, es gab welche von uns.

Eingeweihter des Ewigen in unserer Zeit ist der, welcher begriff, dass Dagegensein eigentlich dafür ist: für den Menschen nämlich, aber gegen sein Tun.

Manche Grösse ist bloss darin gross, den Fundort ihrer Gedanken geheim zu halten.

Die Masse will nichts weniger als Wahrheit. Denn wie wollte sie bestehen mit einem Begriff, der einzelne verlangt. Masse aber hat nur *ein* Leben, und dieses mühselig genug geteilt in alle: Kommunismus des Seins!

Bewegung ist Leben – Oh, ja –
aber Geschwindigkeit Irrsinn.

Besser als glauben wollen, ist
an das Wollen glauben.

Wenn der Glaube die Kraft ist, mit der man, was man glaubt, auch tun kann, dann glaubt man heute nicht mehr. Man tut bloss.

Welche gibt's, die wissen vor lauter Scheren nicht, was sie abschneiden sollen.

Der Erfolg des heutigen Schriftstellers besteht vor allem darin, die üblichen Tatsachen in einer andern als der bisherigen Art darzutun.

Der Schriftsteller arbeitet mit Gelesenem und Gedachtem. Der Dichter hingegen mit Gesehenem und Gefühltem.

Man muss gewesen sein, was man schreibt. Oder das Geschriebene muss zum mindesten den angehen, der man hätte sein können.

Manche Bücher sind unerhört präzise Beschreibungen jenes Trüben, durch das die Fische schwimmen, die eigentlich hätten beschrieben werden sollen.

Ein Bestseller ist ein Buch, das von allen wiedergekäut werden kann bis zum Brechreiz. Und nach dem Brechreiz wird's verfilmt.

Der Dichter sagt, was er glaubt. Der Schriftsteller sagt, was geglaubt wird.

Ein gutes Gedicht, das niemand liest, bleibt dennoch ein gutes Gedicht. Ein Bestseller, den jedermann liest, wird trotzdem nicht besser.

Aber viele glauben sich Dichter und sind doch nur Reimer.

Der Dichter ist immer einer gegen alle. Und später, wenn man von ihm nichts mehr zu befürchten hat, wird er zu einem für alle.

Dichter sind Reformatoren ohne Konvention.

Gegen eine Zeit schreiben war noch immer gefährlich: Daher gibt's die Ausrede vom Ewigen.
Für eine Zeit schreiben war noch nie echt: Dafür gibt's keine Ausrede.

Da unsere Zeit, mit Ausnahme weniger, schläft, müssen jene, die ihre Lorbeeren zu Lebzeiten ernten wollen, Schlaflieder dichten.

Man hält manchen für einen Dichter; am Ende ist er Sektenprediger.

Ein Vers macht noch lange keinen Dichter. Manchmal aber ist hinter tausend Versen noch weniger.

Viele Gedichte erklären bloss ihren Titel; sofern sie vermochten, über ihn hinauszukommen.

Will dir der Reim einmal nicht gelingen: Für viele bleibt ja selbst das Gereimteste ungereimt.

Reime sind Federn zu Flügeln der Seele. Um aber die Seele fliegen zu machen, braucht's auch noch Sinn.

Jedes wahre Gedicht ist ein Gebet, für oder gegen Gott. Modisch sind heute die Gottlosen.

Welche gibt's, die erheben ein grosses Geschrei, um genügend Zuhörer zu haben, wenn sie beten.

Die Reime Kästners werden gekauft, weil man darob mühelos grinsen kann, Rilkes gute Töne, weil es zum guten Ton gehört; Hölderlin hingegen nicht, weil man sich mit ihm langweilte, ohne gesellschaftlichen Vorteil.

Auch wenn ein Unschuldiger gehängt wird, die Wahrheit stirbt nicht. Dort aber, wo die Schuldigen nicht gehängt werden, ist sie todkrank.

Der Arzt glaubt an die Möglichkeit einer Heilung. Der Dichter auch.

In jedem Stück Vergangenheit, das der Dichter deutet, ist irgendwo Zukunft. Ein Fehler ist, dass man danach glaubt, diese sei so unerreichbar wie das Vergangene.

Ohne Titel

Sind wir einer andern Staatsform abgeneigt, wenn sie uns bessere Geschäfte verspricht als die jetzige?

Zivilisation nennt man die Kultur jener Menschen, die durch Heuchelei gelernt haben, ihre Gefühle zu verstecken!

Darum ist jedes Staatswesen seiner Auflösung um so näher, je vollkommener das Staatswesen ist!

Seit dem ersten Tage, wo ein Staatsgebilde geschaffen wurde, geht des Menschen politischer Kampf um die Form dieses Gebildes. Bis er erkannt hat, dass sein Kampf eigentlich der Uniformierung gilt.

Kein christlicher Gedanke wurzelt im Herzen des Europäers, auch wenn er ihn täglich nachplappert.

Der Europäer sucht, sobald er ein Joch abgeschüttelt hat, sofort einen Schwächeren zu unterjochen.

26 Sinnfiguren

Leier
Die Saiten sperren sich gegen das Spannen und geben doch in stärkster Spannung ihren höchsten Ton.

Brandung
Einer sichtbaren Verwirrung eignet eine unsichtbare Harmonie.

Perspektive
Das Unglück unserer Geburt ist die Angst.

Heimat
Der Alltag ist unser Fremdestes, das Sinnlose unser Nachbar. Deswegen braucht der Alltag nicht sinnlos zu werden.

Tantalus
Wir glauben im Schlafe zu tun, was wir im Wachen nicht wagen. Weshalb der Schlaf auch zum Wagnis gehört.

Früher
Das Vertrauen wirft keine Netze aus.

Später
Dem Misstrauen schlüpfen die goldenen Fische durch die Maschen.

Weinberg
Schnecken haben wohl genug Fuss, aber zu kurze Beine –; Heupferde hingegen fallen zu tief zwischen die Reben.

Spiegel
Viele würden erschrecken, wenn ihr Leben Sinn erhielte.

Steril
Wir teilen den Tag und vergeuden die Nacht.

Dreifuss
Die Sibylle erfand sich das Make-up, um schöner zu scheinen als ihre Worte. Heute sind die Worte geschminkt, und die Sibylle versteckt sich.

Flamme
Worte zu erkennen, braucht es Licht –, Sinn, um Zeichen zu deuten; beides, um Gedichte zu lesen.

Quantum
Die Dummheit versteckt sich am besten in der Menge –, dort fällt sie nicht auf.

Eremit
Das Weise ist absolut – das Absolute aber nicht weise.

Waage
Keiner ist weniger, als dass er immer noch mehr sein könnte. Keiner ist mehr, als dass er nicht noch mehr möchte.

Zirkus
Dinge und Institutionen, welche wir zu hoch schätzen, werden hochmütig und verlangen von uns Dienstleistungen.

Prisma
Mit demselben Sinn geniessen wir Ordnung und Chaos. Mit verschiedenen Sinnen aber wehren wir uns gegen diese und jenes.

Westlich
Obgleich jeder denkt, ist nichts weniger gemeinsam. Zum Glück: Sonst dächten alle für jeden.

Garten
Sein Pfund zu vergraben hat etwas für sich –; sofern der gute Grund gefunden wurde.

Lyrik
Wir haben unsere eigene Art, uns auszudrücken. Zu was denn sonst?

Antwort
Das Leben ist die rätselhafteste aller Figuren des Bewusstseins. Wer sucht denn zu verstehen – und was? Es handelt sich hier um des Lebendigen Ausdruck.

Begriff
Er sah vor lauter Haben nicht, was er besass.

Monolog
Das Selbstgespräch basiert auf keinem Grundriss, sondern schwebt vor einem magischen Hintergrund. Daher die fremde Seltsamkeit dessen, der mit sich selber spricht. Er ist ganz umgeben von seinem Hintergrund.

Sport
Stecke nach den Offenbarungen des Unverständlichen die Aschenbahn deines Geistes ab.

Kristall
Mit Klarheit kann man nicht zaubern; die Geheimnisse bleiben dunkel. Doch wieviel Zauber liegt in unseren Lügen, und wieviel Lügen sind klarer als das Wissen um sie.

Relativ
Wenn dir etwas misslingt, so beeile dich, dir zu genügen! Immerhin gibt es Fälle, da das Misslungene genügt.

Übersetzung (1951)

Paul Valéry

Vom Nackten

Es gab einen Zeitabschnitt der Erde, da das stumpfere Betrachten, wunderbar verwandelt durch eine unerwartete Zunahme an Einsicht, das erste Schamgefühl in Eva und im erbarmungswürdigen Adam erwachen liess. Einmal dem Ungehorsam verfallen und essend von den machtvollen Früchten des Paradiesbaumes, mochte es sich plötzlich ereignet haben, dass sie sich, einer am andern, erkannten, sich selber sehend, dem andern erscheinend in Unterschieden und Ähnlichkeiten. Man weiss nicht, wie sie es bis dahin anstellten, um sich in ihrer Einfalt zu erkennen –.

Nun aber hier im blendenden Tag, in sinnlicher Nacktheit inmitten so vieler Tiere, die völlig bekleidet mit Fellen, Federn oder Schuppen, sind sie heimgesucht vom Bewusstsein ihrer Erhellung; und sie empfinden lebhaft die ganze Schwäche ihres Zustandes. Während des Mannes Blick in die sich verschleiernden Augen der Frau drang, die über und über errötete, verlor die Beschaffenheit der Wesen ihre Reinheit, und die Art des Wunsches verführte zu Geheimnis und Lüge.

Adam bleich, leer und in Besitz genommen; Eva versinkend in strahlender Röte; die unbefangene Freiheit ihrer Spiele plötzlich den Einklang mit der Sonne verlierend; ein zwischen dem Laubwerk sich schlängelnder Beobachter, sie mit höhnischen Pfiffen verspottend –: Welch ein Augenblick übersinnlicher Bedeutung, und welch ein Zusammenklang von unheilverkündender Schönheit in dieser Mischung äusserlicher Prunksucht und ungewöhnlicher Gefühle, den einer der grössten Dichter unserer Rasse aufs vortrefflichste aussann und bestimmte:

Tum patuisse gemunt oculos, nam culpa rebellis
fulsit, et obscoenos senserunt corpora motus.

Gehen wir gar nicht auf die metaphysischen Folgen dieses vom Schicksal verhängten Zeitpunktes ein. Sie sind allzu bekannt, und wir wollen sie nicht in diesem Zusammenhang entwickeln; aber viele andere Wirkungen haben keinen anderen Ursprung. Nichts ist bemerkenswerter und besonderer Betrachtung würdiger als die eigentümliche Nachhaltigkeit einer freien Handlung.

Unsere Gesetze, unsere Sitten, unsere Künste rühren von dieser Schuld her. Auch erfolgte, dass zu diesen eine Art von neuem Sinn sich hinzufügte, der dem Menschen ein «äusserliches Gehaben» anlegte, ihm die Empfindung immer bevorstehender Gefahr anbietend, immer auch verwandt ihm selbst, als in welchem das Dasein seines eigentlichen Körpers sich erwies.

Und mehr noch: Das Dilemma unserer instinktivsten Äusserungen, und folglich der reinsten, und unserer natürlichsten Handlungen, spaltet uns in zwei Persönlichkeiten, von denen die eine, die sichtbare, durchaus nicht von sich sehen lassen will, was die Gefühle der anderen, der unsichtbaren, verletzen würde, welch andere wiederum nur das preisgeben will, was sie preiszugeben für richtig hält.

Seit nun Eden die Geburt des Nackten sah, dieses «Gedachten», setzt sich die ganze Menschheit aus fast völlig bekleideten Körpern zusammen, welche sich nicht durch Gebärden und Worte, sondern durch die möglichen Mittel ihrer stärksten Sehnsüchte offenbaren. Selbst die öffentliche Ordnung, achtenswerte Einrichtungen, den Priesterstand, zivile oder militärische Autoritäten, weder den Unterricht noch Richter und Doktoren können wir begreifen ohne ihr Verhängtsein durch die Sinnlichkeit; um so mehr aber beobachten, dass das Volk fortgeschrittener ist im Einsehen derselben; oder wenigstens bekümmerter um ihre

Erscheinungen. Die Bekleidung abzuschaffen genügte, um diese Dinge gründlich zu zerstören und eine Menge unmöglich auszusprechender oder anzuhörender Ausdrücke hervorzurufen.

Der erfundene Anstand, zu dessen moralischen und beinahe politischen Beweggründen die Strenge der Klimate, die Eifersucht der Gatten und die Interessen jener hinzukamen, die Kleider verfertigen und verkaufen, erforderte, dass man sich bekleide. Und notwendigerweise musste sich der Zauber des Nackten ergeben aus dieser Geltung von Verschwiegenheit und nächster Gefahr, welche ihm die Beschaffenheit unseliger Enthüllung und beinahe tödlicher Lockung gaben.

Das, was er an Wertvollem besitzt, und das, was ihn sich am schwächsten fühlen lässt, ist im Menschen gleicherweise versteckt; und oft genug verwirrt er sich nur zu leicht zwischen diesen zwei verschiedenen Dingen, die beide gleichbedeutend gleisnerisch sind: Jedes unterschlägt den Augen sowohl seine Plage wie seine Herrlichkeit. Auch das, was sich in Scham verbarg, wurde mächtig im Schatten.

Nur die Kunst sann seit je über die Schönheit der Körper nach. Dieser Instinkt, welcher zeichnet oder die Töpfererde knetet, erklärt sich immer gegen das Anrüchige des Nackten; und die Hand, welche betastet und streichelt, weiss sich auch gut genug gemacht, um zu erschaffen, wie es ihr entspricht. Der Töpfer, überdrüssig des Drehens von symmetrischen Wänsten und Gurgeln seiner für den täglichen Gebrauch bestimmten Arbeiten, will endlich die fügsame feuchte Erde zur Ähnlichkeit mit jenen schönen Gefässen des Lebens gestalten, deren Formen, zarte Verführerinnen aussuchender Blicke, an sich selber die erregende Hülle der Gebärden hervorrufen.

Alphabetisches Verzeichnis der Prosa

Balance im Unwägbaren ... 76
Betrifft: Pfahlburg 144
Bitterer Ausschnitt 57
Brief an eine Namenlose 54
Brief aus dem Packeis 92
Dreizehn Meter über der Strasse 85
Echtheit im Gedicht, Die 131
Hauptmann Sack 14
Kay Hoff meinte 18
Kunst und Leben 81
Lumpen der Wahrheit, Die 49
Malerisches Traktat 11
Maschenriss 151
Möglich, dass es gewittern wird ... 97
November am Fenster 61
Ohne Titel («*Kunst und Leben ...*») 134
Ohne Titel («Sind wir einer andern Staatsform abgeneigt ...») 193
Ohne Titel («Wenn einer ein Buch schreibt ...») 27
Reflexionen der andern Seite 116
Rolf Müller-Mappe, Die 9

Sechsundzwanzig Sinnfiguren 194
Seelische Landschaft 45
souveränes und geprelltes Volk, Ein 126
Sprache heute 139
Sprüche 189
Stadtgesicht 23
Tag in Basel, Ein 102
Tag und Traum 64
Träumerische Worte ... 122
Über eine Art Rauch 74
Über Konvention 78
Vom Absolutismus des einzelnen 113
Vom Geiste Zürichs 148
Vom Nackten 199
Von der Nacht 71
Vor den Blättern Rudolf Scharpfs 136
Vorstadt-Legende 94
Zeichen der Welt, Die 142
Zum Möwenflug 88
Zur Theorie und Praktik politischer Ideale 118

Ausgewählte Briefe

Briefe von und an Alexander Xaver Gwerder (1949–1952)

1   An Erwin Jaeckle, ‹Die Tat›

⟨Zürich⟩, 4. Juli 1949

Sehr geehrter Herr Dr. Jaeckle!
Mein Arbeitskamerad, Hans Hilfiker[1], der Ihnen unbedingt die «Zwei Gesänge gegen die Masse»[2] zeigen wollte, sagte mir von der Zustimmung, die diese bei Ihnen gefunden haben.

Diese Zustimmung freut mich doppelt, da ich Sie, Oberhaupt der notwendigsten Zeitung und darin als Autor des «j-Tagebuches»[3], weiss.

Auch bereitet es mir Vergnügen und, um ehrlich zu sein, etwelche Hoffnungen, Ihnen meine übrigen Arbeiten, sofern sie nicht weit zurückliegen und somit unwesentlich sind, vorlegen zu dürfen.

Unter den 122 zum Büchlein gereihten Gedichten[4] befinden sich welche, die eher landläufig (sprachläufig) sind, und solche, die ihre Berechtigung nur in sich selber haben. (Eine Kopie dieses Manuskriptes befindet sich seit etwa 2 Monaten ohne Nachrichten beim Speer-Verlag in Zürich.[5]) Die innere Richtung, mit der man Recht hat und wahr sagt, ist eben oft für lange Zeit, in der ruinösen Betriebsamkeit unseres Alltags, schwer auffindbar.

Die fünfzehn einzelnen Stücke sind neueren und neusten Datums. Von der, im vergangenen Frühling begonnenen, Prosaarbeit[6], die, wie ich glaube, ein Buch aus Innen ergeben wird, lege ich die ersten zehn Seiten dazu. Sie werden darin gleich erkennen, dass ich versuche, eben diesen ruinösen Alltag als Rohmaterial zu verwenden. Ihr Urteil darüber interessiert mich, wie nichts sonst, weil das Schwierigste dieses kommenden Buches, wohl im Auffinden seines Verlegers besteht.

Die «Zwei Gesänge gegen die Masse» übergebe ich gerne für immer der, zweifellos angenehmsten, Nachbarschaft in Ihrer Bibliothek.

Noch etwas: Ich denke mir, dass es möglich ist, dass Sie Brauchbares für Ihre Zeitung finden. Ich habe nichts gegen eine

Veröffentlichung. Im Gegenteil, mit einer Bestätigung meiner stillen Arbeit nach Aussen in ein realeres Dasein, gewänne ich den entsprechenden Grund, mich im weiteren Kreise wirksam zu wissen. (Auch wenns nur eingebildet ist.)

Ich muss nun um Ihre Nachsicht bitten, weil ich die Beantwortung Ihres freundlich gezeigten Interesses mit solchem Ansinnen verbinde, indessen wissen Sie wohl selbst, dass bei uns, ohne den Einfluss der entsprechend kompetenten Persönlichkeit, rein gar nichts möglich wird.

Und zum Schluss möchte ich die Gelegenheit nützen und Ihnen noch sagen, dass die ‹Tat›, rein sprachlich, als einzige Zeitung mir erträglich ist.

Ich danke Ihnen für den Aufwand an Ihriger Zeit, den Sie, mir Unbekanntem, so grosszügig gewähren wollen.

Mit wirklicher Hochachtung
und guten Grüssen:
A. Xaver Gwerder

1 Hans Hilfiker, Zinkdrucker bei Hug & Söhne in Zürich; er war wie EJ Vertreter des «Landesrings der Unabhängigen» im Gemeinderat.
2 Der Gedichtzyklus in: GW I, S. 206–213.
3 Jeweils während der Session des eidg. Parlamentes in Bern publiziert. EJ war von 1947–1962 Nationalrat.
4 TAIL. Gedichte daraus und Kommentar zur Slg. in: GW I, S. 166; 178f.; 182; 184–193; 198; III, S. 265ff.
5 Der Verlag lehnte am 25.1.1950 eine Veröffentlichung ab.
6 Vermutlich «Ohne Titel». In: GW II, S. 27–44.

2 Von Erwin Jaeckle, ‹Die Tat›

Zürich, 12. Juli 1949

Sehr geehrter Herr Gwerder,
ich danke Ihnen für Ihre Sendung vom 4. Juli, die ich Ihnen, ohne die «Zwei Gesänge gegen die Masse», die Sie mir freundlicherweise dedizieren, wiederum zurücksende.

Ich habe Ihre Gedichte, so gut mir dies meine Zeit zuliess, gelesen und mich darüber gefreut. Sie sind in jedem Sinne verheissungsvoll und schon die Stufe, die sie erreicht haben, erfreulich. Gehen Sie den Weg weiter. Verzichten Sie auf alle Rilke-Anklänge. Ihre Gedanken haben diese Art Sprachkleid nicht nötig. Ich habe Ihre Sammlung auch unserem Feuilletonredaktor, Herrn Dr. Max Rychner, der Ihnen bestimmt bekannt ist, übergeben; auch er hat die besten Eindrücke von Ihren Möglichkeiten. Vier von Ihren Gedichten[1] werden wir veröffentlichen. Sie sind bereits in Satz gegangen.

Ich begrüsse Sie mit den besten Wünschen und dem Ausdruck der vorzüglichen Hochachtung.

Jäckle

1 «Dem Städter», «Lied» (= «Kleines Lied»), «Der letzte Aufbruch» und «Aufblick» in: Tat, 16.7.1949, Nr. 193, und GW I, S. 163–166.

3 An Erwin Jaeckle, ‹Die Tat›
⟨Zürich-⟩Wollishofen, am 28. Dez. 1949

Lieber Herr Dr. Jaeckle!
Zum Ersten hoffe ich Ihnen nicht lästig geworden zu sein im vergangenen Jahr mit den unbrauchbaren Einsendungen, und zum Zweiten möchte ich Ihnen herzlich danken für Ihre weiterweisende Anteilnahme.

Es ist schon richtig, was Sie mir das Letztemal schrieben: «Ihr Artikel[1] ist ressentimentgeladen.» Aber gerade das Ihnen-zu-lesen-Geben jener Tirade (Man bedenke, Sie sind immerhin, nebst, noch Nationalrat!) und Ihre abwägende, leicht verweisende Reaktion bewies mir meine Übertreibungen, und dass nicht alles so schwarz ist wie ich zu sehen pflog, besser, als hätte ich nicht geschrieben oder als hätten Sie sich daraufhin in gekränktes, heimtückisches Schweigen gehüllt, wie es bei Regierungsmitgliedern üblich ist in solchen Fällen. (Kobelt!)

Ich kann nun nicht gerade behaupten, ich sei geheilt, jedoch trat damit meine Krankheit ins weniger schmerzhafte Stadium.

Auf Redaktoren, die Dichter und Parlamentarier sind, trifft man zu selten, als dass ich nicht Glück gehabt habe Ihnen unter die Augen zu geraten. Ich wünsche mir nur, dass es bei Ihnen nicht doch eine Seite geben könnte, vor der ich in Ungnade fiele.
Mit herzlichen Wünschen fürs nächste Jahr
Ihr:
A. Xaver Gwerder

1 «Reflexionen der andern Seite» in: GW II, S. 116f.

4   An Erwin Jaeckle, ‹Die Tat›
⟨Zürich-⟩Wollishofen, am 26. Februar 1950

Lieber Herr Dr. Jaeckle!
Fasnacht = Masse. Deren Stand lässt sich somit heute in Zürich auch von denen leicht bestimmen, die im übrigen Jahr auf Widerstände und Stumpfheiten fluchen, ohne diese zu kennen.

Interessant ist übrigens, wie die latente Masse durch einen winzigen Funken möglicher Geilheit sich plötzlich ernsthaft im Willen des Lasters bekennt bis zur dummen Ekstase besoffener Selbstentäusserung.

Nicht dass ich etwas gegen Frauen hätte, im Gegenteil (ich bitte Sie sogar, wenn es Ihnen nicht zu viel Mühe macht, mir die Adresse Oda Schaefers gelegentlich mitzuteilen), aber die unförmliche stillose Paarungs-Sucht, als welche sich die Fasnacht letzten Endes erweist, ist nichts anderes wie Krieg, Verwüstung und Zerstörung von Seelenkräften, wo solche noch vorhanden sind. Lachen – gewiss, aber wenn die Griechen lachten, lag es nicht daran, dass sie nichts anderes zu tun imstande gewesen wären. Ihr Lachen wurde angewandt, das heutige Grinsen wendet uns an. Item, man soll nicht Dingen auf den Grund gehen wollen, die keinen mehr haben. Und Schiller: «Lern dieses Volk der Hirten kennen, Knabe!»

Zur Diskussion über die Kunstgewerbeschule:[1] Dabei wurde das Wesentliche, nämlich die Frage, ob die Kunstgewerbeschule Künstler oder Kunstgewerbler hervorzubringen habe, in lächerlicher Angst geheim gehalten und höchstens von solchen für sich selbst entschieden, die nicht befürchten mussten, nachher keine Künstler mehr zu sein.

Knut Hamsun: Ich kenne ihn nicht, aber Ihre öffentliche Stellungnahme mit dem Leitartikel der ‹Tat› 47[2] ist mehr wie bemerkenswert. Es bleibt noch zu hoffen, dass Ihren Aufsatz alle jene lesen und wenn möglich begreifen, die auf wehrlose Namen lauern, um nach Kräften hervorzutreten indem sie diese beschmutzen.

H.E. Holthusens *Hier in der Zeit* las ich jüngst. Wenn das nicht die Klaviatur Rilkes ist, heisse ich Siegrist[3]. Trotzdem aber packend und wohlriechend. Nach dieser Lesung begriff ich auch, zwielichtig zwar, wie adelig (als Kunstwerk im Rodinschen Sinne) und im Kristallenen Max Rychners *Die Ersten* beeinflusst, und weshalb ichs kühl fand. Ob Schönheit in ihrer Annäherung an Höchstes nicht kühl sein muss? Ich meine damit entfernter vom Herzlichen, vom vielleicht Triebhaften?

Heute, endlich, begann ich Max Rychners *Zeitgenössische*[4] mit Valéry. Zugleich bekam ich auch die Valéry Übersetzungen Rilkes[5]. Leider ist *Eupalinos*[6] so weit ich sehe unerhältlich. Und Valéry französisch zu haben, dazu reichen meine Sprachkenntnisse bei weitem nicht.

Gegen Zeitgenossen, die in Amt und Würden (ein falscher Begriff, denke ich. Würde kommt nicht von aussen, kann also nicht verliehen werden) sind, bin ich seit je skeptisch, ja sogar abgeneigt, aber an Max Rychner finde ich nichts Spezifisches im nationalen Sinn, lauter universale Sachlichkeit in begeistertem Eifer, Grösstes zu feiern und zugänglich zu machen. Und nichts wird mich mehr hindern ihn zum Begriff zu erheben.

Nur die Möglichkeit, dass Ihnen jetzt nach der fastNacht ⟨sic!⟩ noch unwesentlichere Seiten zur Durchsicht zugemutet werden, rechtfertigt die Länge meines Briefes.

Dass Sie wieder ein Gedicht von mir[7] annahmen deute ich so, dass ich auf dem richtigen Wege bin. Besten Dank für die Korrektur im dritten Vers! Manchmal schreibt mein 2-Finger-System zu flink.

Wieviel Bestärkung und Aufmunterung mir schon auf Ihr Konto geschah! Ihnen wirds leicht gelingen und ich bin dadurch verpflichtet, meine wirren Stunden entsprechend einzuschätzen.

Mit herzlichem Dank und Gruss
Ihr:
A. Xaver Gwerder

NS. Ihr «Jenseits der ägyptischen Operettendiplomatie»: Auch ein Gesang gegen die Masse.[8] Meine ganze Zustimmung!

Die Bildseite vom Vorfrühling ist wunderschön und ohne langweilige Heftliallüren. Verse von Ihnen?

1 «Diskussion über die Kunstgewerbeschule» in: Tat, 13.2.1950, Nr. 42. Die ‹Tat› hatte die Schule kritisiert, die sich dagegen verwahrte, was zu einer Artikelserie führte.
2 EJ hatte in seinem Artikel «Gericht vor Knut Hamsun» in: Tat, 18.2.1950, ein gewisses Verständnis für den nach dem 2. Weltkrieg wegen Landesverrats angeklagten norwegischen Schriftsteller gezeigt.
3 Anspielung auf den Lyriker Armin Sigrist, von dessen Gedichten AXG nicht viel hielt.
4 *Zeitgenössische Literatur. Charakteristiken und Kritiken*, Zürich 1947.
5 *Gedichte*, Leipzig 1925. AXG besass eine spätere Ausgabe.
6 Paul Valéry: *Eupalinos oder über die Architektur*, Leipzig 1927.
7 «Nacht». In: Tat, 25.2.1950, Nr. 54, und GW I, S. 168.
8 Anspielung auf TZGgM. Siehe Anm. 2 zu Nr. 1, S. 208.

5   An Erwin Jaeckle, ‹Die Tat›
    ⟨Zürich-⟩Wollishofen, am 30. März 1950

Lieber Herr Dr. Jaeckle!
Es freut mich:
Der Wahlerfolg des Landesrings, weil ich zu schwach und zu frech bin um den Staat nicht als Bedrohung einsehen zu müssen, falls die gerechte Partei fehlte. (Gratuliert man übrigens auch, wenn einer zum Gemeinderat wiedergewählt wurde?[1] Wenn: ja – Gratuliere!)

Das «j-Tagebuch» über die Rede, weil jetzt etliche Redner einsehen könnten, dass sie noch nie redeten.

Die kleine Bildergeschichte des nationalrätlichen Lebens, die keinen Zweifel über ihre Herkunft liess und mit der sich die Dummheit des Ratspräsidenten so glänzend erwies. (Diese Art künstlerischer Reportagen finde ich überaus reizend!)

Dass Max Rychner eine Übersetzung von mir gut fand und für die ‹Tat› übernahm.[2]

Dass ich meine Frühlingsmauser hinter mir habe und doch ein paar nette Arbeiten[3] darunter sind (siehe Beilage). Den Rest kann man ja verschweigen.

Dass ich Ihnen 40 Gedanken[4] als Frühlingsgabe geschenkweise überlassen kann, zu freiem Gebrauch. (Ohne Eigentumsvorbehalt.)

Hingegen freut mich nicht: Aber das ist anders zu sagen: Wissen Sie den Unterschied zwischen einem Viel Dichter und einem Dichter phil.? Er muss im f sein, sofern phil. nicht von Philister kommt. Tatsächlich: Ich gönnte der ‹Schweizer Rundschau› zuweilen den Siegrist[5].

«O See, regloser Gleichmut, grosse Gelassenheit,
Du unbestochener Spiegel unseres Tuns,
wie blickst du fahl im frostigen Mittag auf!»[6]

Was für ungesalzene Mehlsuppen da ausgelöffelt werden müssen, um in solche Worträusche zu versinken! Die Tafelrunde Leconte de Lisle's wünschte ich solchen Dichtern für einen Abend. Es scheint ja, als ginge es darum, mit möglichst günstigen Worten möglichst nichts, oder, wenn schon, etwas falsches zu sagen. Wie vom See:

«Du unbestochener Spiegel unseres Tuns»

Du meine Güte!

Noch etwas Klatsch:

Der berühmte Metzger Meyerhofer aus Winterthur, der im Enzo-Prozess[7] hervortrat mit schlussendlich 800 mille Verlust und dem in Zürich u. a. das Café Ballett gehört, ist Inhaber des Mondia (oder Mundia) Verlags in W'thur. Hätte er nicht ringer 1000.– dem Ansehen der Schweizer Literatur geopfert? Aber nicht! Das Schweizer Verlagswesen hat schliesslich um seine Existenz zu kämpfen; also sonnte er sich lieber im Malteserstern bis er erblich. –

me[8] übrigens ähnelt dem ehemaligen deutschen Schauspieler Romanowsky, (ich erinnere an Pension Filoda) welchselbiger «amel» auch «Remedur schaffte». Der Abend im Kammermusiksaal[9] war brillant, mit den Rednern welche sprachen und mit denen die verstummten.

Wann und wo wir uns einmal sprechen, überlasse ich gerne ganz Ihnen.

Mit herzlichen Grüssen,
Ihr:
A. Xaver Gwerder

1 EJ war Gemeinderat von 1942–1950.
2 Das Gedicht «In Sturmnächten» von Robert Louis Stevenson in: Tat, 15.4.1950, Nr. 101, und GW I, S. 169.
3 Ein Gedicht, «Der Schrei», wurde publiziert. In: Tat, 27.5.1950, Nr. 142, und GW I, S. 170.

4 Vermutlich die Aphorismenslg. «Sprüche» (Frühling 1950). In: GW II, S. 189–192.
5 Siehe Anm. 3 zu Nr. 4, S. 212.
6 Aus «Vorfrühling» von Arthur Häny. In: NSR, März 1950.
7 Die ‹Tat› berichtete im März/April 1950 mehrmals über den aufsehenerregenden Prozess in Winterthur gegen den Staatenlosen Enzo Kaufman. Der Inhaber des Malteser Verdienstkreuzes wurde wegen Betruges verurteilt.
8 Max Eichenberger (1902–1961), Kunstkritiker der ‹Tat›, Journalist und Lyriker.
9 Vermutlich eine Wahlveranstaltung der Stadtgruppe Zürich des «Landesrings» mit Ständerat Gottlieb Duttweiler und Stadtrat Hans Sappeur als Rednern im Kongresshaus Zürich am 22.3.1950.

6 An Erwin Jaeckle, ‹Die Tat›
⟨Zürich-⟩Wollishofen, am 11. April 1950

Lieber Herr Dr. Jaeckle!
Uff – was für ein militärbigotter Redaktor schrieb nur das Nachwort zur «Überanstrengten Infanterie».[1] Wetten wir: Ein Offizier! Psychologische Einteilung: – (minus heisst dieser Strich.) Freizeitbeschäftigung: Scheuklappenträger. Und dann renommiert er noch als alter Füsel im volksdümmlichen Ton. Auf eine Lüge mehr oder weniger scheints nicht anzukommen, wenns ums «Vaterland ums teure» geht. Aber der Witz muss sein zum Schluss, sonst könnte es ja tierisch ernst genommen werden.

Ich gebe zu, die Zeit ist noch nicht da, die Dummköpfe blikken noch rings in Spiegel, aber, und das ist mir tierisch ernst: Merkt man wirklich noch immer nicht, dass unsere Generation den Anfang der Militärdämmerung bedeutet? Dass unter den Stahlhelmen ein Gesicht front, das heuchelt, bis es merkt, dass alle andern Gesichter auch heucheln? Der Geist der Résistance wächst im eigenen Lande gegen die Menschenschinderei perverser Provenienz. Und diese Schinderei soll noch mit Witz erledigt und geleistet werden?

Sei's von mir aus! Ich weiss es besser (siehe Beilage[2]). Gedanken sind Dinge.

Ich lese nicht mehr durch, was ich jetzt Ihnen geschrieben habe, auf dass ich den Brief auch wirklich abschicke. Es bleibt nur zu hoffen, dass Sie nicht persönlich ... aber das glaube ich nicht. Sonst bei aller Sympathie: Es ist jetzt schon gesagt. Hier steh' ich, ich kann nicht anders, Amen. (Luther)

Aber damit Sie nicht allzu grimmig von mir denken, lege ich auch noch eine, wie ich finde, für unsere Begriffe, gute, literarische Arbeit bei: (Dieser Satz hat entschieden zu viele Komma.) «Die Kentaurin»[3]. Um sie drucken zu lassen, brauchte es allerdings noch einen anderen Zeilen-Umbruch; aber Sie werden sie trotzdem richtig lesen.

In aller Herzlichkeit
Ihr:
A. Xaver Gwerder

1   Der Leserbrief «Überanstrengte Infanterie?» in: Tat, 12.4.1950, Nr. 98, beschwerte sich über die «übertriebenen» Marschanforderungen an die Infanteristen und verlangte für «grössere Truppenverschiebungen Transportmittel», wie sie vor allem den Offizieren zugebilligt würden. Der anschliessende «Red.»-Kommentar empfahl, «vor dem WK einmal aufs Kino oder den Fussball zu verzichten» und trainingshalber eine «tüchtige ganztägige Wanderung» zu unternehmen ...
2   Das Gedicht «Prophetisches». In: GW I, S. 217f.
3   In DB. Siehe GW I, S. 17f.

7   An Erwin Jaeckle, ‹Die Tat›
    ⟨Zürich-⟩Wollishofen, am 18. April 1950

Lieber Herr Dr. Jaeckle!
Zuerst: Dieser Brief erheischt keine Antwort. Ich komme mir nämlich langsam unverschämt vor mit dem gesteigerten Briefwechsel, der für Sie jedenfalls eine reichlich unnötige Angelegen-

heit sein dürfte. Wenn ich wenigstens die diversen Konflikte vor Ihnen deutlich ausbreiten würde, statt dass ich hüben und drüben meckerte. Immerhin bleibt mir so der Trost, dass es für Sie am einfachsten ist, durch Bejahung oder Ablehnung eine Richtung zu markieren, die vorläufig noch aufwärts führt und mich von Stück zu Stück mehr in Anspruch nimmt. Und zwar weniger formal, denn ich pflege meine Gedichte nicht nur, wie Valéry sagte, «aus Worten zu machen»; immer ist noch ein Grund da, vor allem. Und dieser Grund fehlt zeitweilig gänzlich. Dann aber kann es sein, dass er da ist in jenen Augenblicken, wo mir die Herkunft der Gegenpole alles Erhebenden so deutlich wird, dass ich den herumfaunierenden Bürger ankotzen könnte. Und danach sieht dann eben auch das Gedicht aus.

Am letzten Samstag passierte mir das sogar an der eigenen Person. Las ich da Ihre Idee von der absoluten Landesverteidigung.[1] Und am Schluss ertappte ich mich darüber, dass ich sagte: «Gut, das wäre immerhin eine Lösung, die Aussicht auf den bezweckten Erfolg hätte.» Ich war nahe daran das Militär zu bejahen. Ich will Ihnen schwören: Es war das erste Mal in meinem Leben! Sofort rief ich mir jenen Wachtmeister in Erinnerung mit den hervorstehenden Augen, von Beruf Kübelleerer bei der Stadt, wie er im finsteren Treppenaufgang der Sust Hospental dem Hauptmann flüsternd hinterbrachte, wie ein Kamerad von mir noch Dreck zwischen den Nägeln des Absatzes seiner Militärschuhe habe. Und damit, siehe da, brachte ich Ihren ganzen, so wirklich gemeinten Leitartikel zum Zusammenbruch. Bei mir wenigstens. Und Gott sei Dank, denn es war nach dem Nachtessen.

Es gibt 40 Millionen hungernde Chinesen. Das las ich in der Zeitung. Solange es nicht unsere Pflicht ist, diesen Nahrung und Obdach zu schaffen, so lang ist es auch nicht unsere Pflicht gesammelte Kräfte militärisch zu verpuffen.

Nach dem letzten Kriege hatten wir einen kleinen Manfred aus Berlin, Sieg hiess er noch zu allem Elend, bei uns, der lauter

Tanks und Flammen zeichnete und in den Nächten aufschrak, während unsere beiden Kinder[2] nicht einmal erwachten darob. Sind wir etwa nicht auch beteiligt daran, mit unserem, mit aller Intensität betriebenen, Kriegsdenken?

Was hindert uns das Beispiel des Gegenteils zu werden? Verschiedenes, das wir nur mit mutigen Lügen verhüllen. Vor allem die Angst.

Und das ist jetzt meine komplizierte Konstellation, dass ich manchmal nicht weiss, ob ich nicht die ganze aufreibende Geschichte der Menschheit aufgeben soll, meinen eigenen Klärungen entgegenstrebend, oder, ob ich mit dem Mute der Verzweiflung im trüben Tümpel der Zeit, mittelst eines Teesiebes, etwelche Klärungen versuchen soll.

Verzeihen Sie mir die Flüchtigkeit, mit der ich mich ausdrücke. Der Abend ist so schnell herum.

Sehr hübsch nahm sich der Stevenson[3] aus auf der letzten Literaturseite. Ich komme noch in den Geruch eines gewiegten Englishkenners und bin dabei nur eine Niete.

Herbert Read scheint ein Verwandter von mir zu sein mit dem «gentlemen's anarchism», der lediglich räsonnierende Erscheinungsformen aufweist. Die beiden Jugoslaven[4]: Sehr schön! Ich bin gespannt auf *mein* nächstes Gedicht; es wird alles andere, als ein «Schlaflied» sein. Nach meiner Schätzung braucht es Mut, den «Schrei»[5] zu veröffentlichen. Sie haben ihn und ich bin froh darüber. Welche gibts, die machen bei der zweiten Strophe schon Pst!

Genug für heute.
Herzlich Ihr:
A. Xaver Gwerder

NS. Die Feststellung über die Philister in der ‹Tat› zur Kenntnis genommen!

1 Im Artikel «Halbbatzige Landesverteidigung» in: Tat, 15.4.1950, Nr. 101, forderte EJ u. a. «eine planmässige Schulung und Bewaffnung aller wehrfähigen Bürger», um im Falle einer Niederlage der Armee die Schweiz in einem Partisanenkrieg verteidigen zu können.
2 Alexander Urban (geb. 1944) und Heidi Eva (geb. 1946).
3 Siehe Anm. 2 zu Nr. 5, S. 214.
4 Zwei Gedichte von Jovan Ducic und Veljko Petrovic in: Tat, 15.4.1950.
5 Siehe Anm. 3 zu Nr. 5, S. 214.

8 Von Erwin Jaeckle, ‹Die Tat›

Zürich, den 19. April 1950

Lieber Herr Gwerder,
weniger Weltanschauung, mehr dichten!

Herzliche Grüsse
Ihr
Jäckle

9 An Oda Schaefer

⟨Zürich-⟩Wollishofen, am 14. Mai 1950

Verehrte Frau Schaefer,
Um mich gleich vorzustellen: Sie erinnern sich an die Literaturseite der ‹Tat› Nr. 54, Oda Schaefers «Spiegelbild» und «Rondo». Dort gabs auch noch die «Nacht»[1] A. X. Gwerders.

Möglich, dass mich die seltsame Farbigkeit, der hinter Ihren Versen wirkende Gefühlsreichtum überraschte; möglich auch, dass mich die Tatsache jener zwei Gedichte aus der Feder einer Schweizerin (denn ich nehme an, sie wärens) erstaunte – kurz, ich verlangte von Dr. Jaeckle Ihre Adresse, die er mir natürlich nicht gab. Ich kannte die redaktionellen Verpflichtungen zu wenig, um zu wissen, dass man erste Briefe an Autoren der Redaktion zur Weiterleitung senden muss. Darüber verging die Zeit, in der mich inzwischen Dr. Jaeckle über dieses *via* aufklärte. Dies zur Entschuldigung, weshalb ich erst heute schreibe. Nun, wozu ich überhaupt schreibe: Ich wünschte mir Sie zu sehen. Nicht gerade, wie man gelegentlich Meerwunder zu sehen wünscht, aber so, wie man gern Menschen begegnet, die ihr Abseits über der Masse haben. – Mehr zu sagen, wäre in diesem Sinne weniger, aber ich lege Ihnen als Gruss ein paar Verse bei.

Ihr ergebener
A. X. Gwerder

1 Siehe Anm. 7 zu Nr. 4, S. 212.

10 Von Oda Schaefer

Mittenwald Obb., den 24.5.50

Sehr geehrter Herr Gwerder,
leider muss ich Sie enttäuschen: ich bin keine Schweizerin, sondern eine in Deutschland ziemlich bekannte «Poetin», die auch dem PEN-Club, der neuen Akademie[1] usw. angehört, die nicht nur Gedichte schreibt, sondern auch journalistisch tätig ist, weil ja der Existenzkampf bei uns sehr krass ist und immer krasser wird. Ich bin mit einem Dichter verheiratet, mit dem Autor der *Schwarzen Weide*, der *Ulanenpatrouille*, *Gedichte aus zwanzig Jahren*, *Am kimmerischen Strand*, *Das Irrlicht* und vielem Erzählerischem, mit Horst Lange. Damit Sie sich ein Bild von mir machen können, lege ich ein Bild aus letzter Zeit bei. Bis jetzt ist es uns gelungen, uns als Dichter von der grässlichen, amusischen Zeit nicht «unterkriegen» zu lassen, von diesem Massen-Fussballtoten-Betrieb, der alles Künstlerische zu verschlingen droht. Das Abendland ist noch kein Museum, soweit es auf uns ankommt. Tapferkeit und Mut sind das einzige, womit wir uns durchsetzen können. Da wir in Bayern leben – wir siedeln demnächst nach München um – werden einem noch viele Hilfen gegeben, so schwer der Existenzkampf

auch ist. Aber es gibt die Bayerische Akademie, in der wir in diesem Sommer lesen werden, es gibt den Rundfunk, der sich leicht mäzenhaft gibt, es gibt die Plattform der Tagespresse. Hierzulande kann man davon leben, und da ich sehr fleissig bin, mit Arbeit auf allen möglichen Gebieten im Journalismus, – auch einigermassen gut. Die Gedichte kommen des nachts angeflattert, sie beglücken und sie trösten. Sie sind von aussen *nicht mehr* zu gefährden, ich würde auch im Gefängnis weiter Gedichte schreiben – d.h. wenn ich nicht gerade gefoltert würde. Und diese Möglichkeit ist in unserm Lande sehr nahe gewesen und rückt wieder nahe, von anderer Seite. Der letzte Begriff der Freiheit ist durch die Geständnisdroge ganz und gar bedroht, und der utopische Roman 1984 von George Orwell nimmt an Wahrscheinlichkeit von Jahr zu Jahr zu. In diesen engen Grenzen und Bedrängungen das wahrhaft orphische Lied ertönen zu lassen – kann es etwas Schöneres geben? Nur durch die Gegensätze gewinnt das Leben an Gestalt. Man weiss auch, wofür man sich einsetzt, wofür man lebt. Ihre Verse haben mich sehr angesprochen, nur hätte ich sie, so sehr ich mich über das Handschriftliche freute, noch einmal gerne in Abschrift, weil ich einige Worte beim besten Willen nicht entziffern kann. Aus diesem Grunde schreibe ich mit der Maschine! Ich lege Ihnen noch einiges bei, damit Sie sich zurechtfinden können. Mir kommt es übrigens so vor, als wehten in Ihren Gedichten die letzten Klänge des Expressionismus, den ich über alles liebte, vor allem die frühen Georg Heym und Georg Trakl, jetzt auch Gottfried Benn, der für mich der grösste deutsche Lyriker ist. Kennen Sie unseren Freund Günter Eich? Er ist sehr modern, auch sehr melancholisch. Ich selbst bin bei uns als sogenannte «Elbische» bekannt, die nun aber recht christianisiert ist. Doch das Reich der Unsichtbaren in Wasser, Schilf, Moor und Luft habe ich noch längst nicht verlassen, wie Sie sehen. – Wenn ich wieder einmal nach Zürich komme – ich war 1947 dort und möchte bald dorthin – würde ich mich sehr freuen, Sie kennen zu lernen. Zwar vermute ich, dass Sie bedeutend jünger sind als ich, aber das schadet ja nichts. Wir Dichter dürfen uns ja eine gewisse Alterslosigkeit bewahren.

Mit den besten Grüssen Ihre
Oda Schaefer

1 «Deutsche Akademie für Sprache und Dichtung», gegründet 1949 in Frankfurt am Main; Sitz in Darmstadt.

11 An Oda Schaefer

⟨Zürich-⟩Wollishofen, am 28. Mai 1950

Liebe und verehrte Frau Schaefer,
Ihre Sendung, die mich riesig freute und für die ich Ihnen herzlich danke, war allerdings eine Überraschung. Und die Enttäuschung, dass Sie keine Schweizerin sind, gibt es keineswegs. Aber, hätte ich gewusst, dass Sie eine berühmte Dichterin sind, ich hätte nicht zu schreiben gewagt. (Ich stehe jedem Literaturbetrieb fern, besitze keine akademische Bildung und bestreite den «Lebensunterhalt» mit meiner Arbeit als Angestellter im graphischen Gewerbe, bin 27 Jahre alt, verheiratet mit einer ehemaligen Sekretärin[1] eines Rechtsanwaltes, von der nichts rühmlicheres zu sagen ist, als ihre zwei gutgeratenen Kinder.)

Haben mich, damals in der ⟨Tat⟩, Ihre Verse[2] mit ihrem achtzehnjährigen Gefühl zutraulich gemacht, so brachte mir Ihr Brief die Bestätigung meines Vertrauens in jenes Deutschland, das man heute nicht mehr recht wahrhaben will: Ins überlegene Ideale *lebende* Deutschland der menschlichen Grösse, wo Gefühle nicht verlacht werden, wo dem natürlichen Ernst nicht jene Heiterkeit gepredigt wird, deren Tiefe im Jazz gründet.

Übrigens, in der ⟨Tat⟩ vom 27. Mai sind zwei Gedichte Erika

Maria Dürrenbergers. Da zweifle ich keinen Moment, dass sie Schweizerin ist. Und hätte ich besser beobachtet, wäre mir an Ihren Versen aufgestiegen, dass Sie Deutsche sind. Eine Schweizerin schreibt nicht: «Der Mittag ist erkrankt». Einen erkrankten Mittag gibts hier einfach nicht; vielleicht darf es ihn nicht geben. Und den «Schrei»[3], den ich Ihnen beilege, hat man zur Vorsicht auf der Magazinseite placiert. Zur Hauptsache ist man nämlich für Schlaflieder, die immer irgendwie satt tönen, gesetzt, wie Kaffeesatz und fast möchte ich sagen: Das wahre Gefühl ist nur gestattet innerhalb einer Statik die schimmelt. Vielleicht, ich übertreibe – Die ‹Tat›, immerhin als einzige Tageszeitung, setzt sich ziemlich kontinuierlich für Dichtung und Dichter ein, nicht ohne jedoch mit Förderungen sparsam zu sein, um dafür den Tadel solider zu begründen. Was ich allerdings so notwendig wie reizend finde. Sicher aber ist, dass bei uns vor allem den Bedürfnissen des Bauches gelebt wird; und um als Dichter leben zu können, müsste man sich zuerst aufhängen – dann ginge es vielleicht, sofern man Erspartes hätte die Begräbniskosten zu bezahlen. Die Erscheinung Dichter ist etwas nicht existentes, dessen man sich höchstens erinnert, um «kulturelle Bestrebungen» zu demonstrieren. (Hier müsste ich eigentlich einiges über die diversen Relativitäten der Freiheit anfügen ... ich lege statt dessen einen Aufsatz bei, der Ihnen genug sagen wird. «Vom Absolutismus des einzelnen»[4].)

Sie sehen, liebe Frau Schaefer, es gibt auch hierzulande etwas, für das man sich einsetzen muss, will man nicht der logischen Entwicklung stumpfer Genügsamkeit Rechte einräumen, die, langsamer wirkend wie Kriege, ebenso gründlich zerstören – nicht im Aussen, aber innen!

Lieber schreib' ich schon mit der Maschine, gerade weil ich meine Handschrift unleserlich weiss, aber ich wollte Ihnen (wie ich nun weiss), ganz naive und überflüssige, Vorschusslorbeeren spenden indem ich von Hand schrieb. Was für Verse ich beilegte, weiss ich nicht mehr genau; ich glaube «Pergola» oder «Das Schiff» und die «Vergeblichkeit».⁵ Ich schicke sie gerne nochmals mit.

Ihren «Kranz des Jahres» las ich heute am regnerischen Pfingst-Sonntag. Mein Urteil ist wahrscheinlich keins, weil ich sehr von Ihnen eingenommen bin. «August» und «Oktober» muss ich trotzdem als ganz wunderbar hervorheben. Die «Braut» und «Mitternacht» erzählen viel von Ihnen. Sehr verwandt ist mir der «Sirenengesang». Überhaupt bin ich wo zuhause in Ihren Versen ... Allerleirauh!

Ich werd' es gestehen müssen: Horst Lange kenn ich gar nicht. Aber das hängt sehr mit den heutigen Buchpreisen zusammen und ich bin finanziell noch ganz auf dem Weg zu den Dichtern. Benn kenn ich aus der ‹Tat›.⁶ Von Günter Eich hörte ich noch nie, aber wenn ich mir einen Zeitgenossen vorstellte, mit einer ungeheuren Vergangenheit in jener Erinnerung, aus der er seine Verse hebt ohne um sie zu wissen – dann war um diesen immer Deutschland.

Meine Lieblingsbücher sind von Carossa, Rimbaud, Valéry, Haecker, Rilke, und Holthusen. Trakl und Heym werd' ich mir wohl nächstens zulegen müssen. Die bevorzugten Maler: V. van Gogh, M. Utrillo. Musik: Chopin, Mozart, Richard Strauss.

«christianisiert»: Es wird wohl weniger auf die Symbole ankommen, als auf die Kräfte die sie bedeuten.

Die Binsenwahrheit: Man ist immer so alt wie man sich fühlt, sollte man bei uns hie und da als grosses Transparent durch die Strassen tragen lassen – Für *uns* bleibt die Alterslosigkeit ohnehin selbstverständlich.

Ihr Wunsch, mich kennen zu lernen, wenn Sie nach Zürich kommen, ehrt mich so, wie er mich freut – Wenn ich daran denke, wird mir zumute wie vor dem ersten Rendez-vous. Hoffentlich wird es bald sein.

Die beigelegte Photo ist zu harmlos, der Fotograf befahl das Gesicht.

Ich wäre glücklich, wenn ich Ihnen von Zeit zu Zeit Verse oder Gedanken schicken dürfte, denen hierzulande eher beklommene Empfänge sicher sind.
Mit herzlichen Grüssen,
Ihr ergebener:
A. Xaver Gwerder

N. S. So gern ich Ihnen ein Büchlein geschenkt hätte: Ich habe noch keins gedruckt. Manuskripte wären genug vorhanden, aber «das schweizerische Verlagswesen» hat um seine Existenz zu kämpfen und wenn der Dichter nicht selber die Druckkosten bezahlt kann er auf nichts rechnen. (Sofern der Absatz nicht durch den Namen gesichert scheint, natürlich.)

1 Gertrud Federli-Gwerder, geb. Wälti (* 1923).
2 Siehe Nr. 9, S. 219.
3 Siehe Anm. 3 zu Nr. 5, S. 214.
4 In: GW II, S. 113ff.
5 Siehe GW I, S. 232; 228. «Vergeblichkeit» ist uv.
6 Schon im September 1948 waren vier Gedichte von Benn in der ‹Tat› publiziert worden. Auch danach wurde sein Werk mit Textproben und Besprechungen immer wieder gewürdigt.

12 Von Kurt Friedrich Ertel
Landau, am 12. Juni 1950

Sehr werter Herr Alexander Xaver Gwerder!
Da ich mich auf den wirklich ausserordentlichen und künstlerischen Instinkt von Oda Schaefer[1] getrost verlassen darf, schreibe ich Ihnen denn. Und um es kurz zu sagen: würden Sie mir einige Ihrer Gedichte für unsere Zeitschrift[2] anvertrauen?

Freilich (und leider) kann ich an unsere Autoren kein Honorar zahlen. Sie können sich denken: Auflage höchstens 300 und noch nicht 100 Bezieher. Ich selbst noch im Studium; bezahle alles aus eigener Kasse und bin vom Verleger bis zum Papierkorbausleerer alles in einer Person. Dessenungeachtet will ich durchhalten, durchhalten auch in Erwartung auf kunstfreundlichere Zeiten.

Leider ist auch nun das letzte Heft vergriffen, so dass ich Ihnen vorläufig auch keinen Begriff unseres Anliegens vermitteln kann. Dessenungeachtet sollen Sie ein paar von bei uns erschienenen Gedichte interessieren. Wie gesagt: ich würde mich freuen, wenn Sie an unseren Bemühungen Anteil nehmen wollten.

Vielleicht kennen Sie jungen bildkünstlerischen Nachwuchs, der auch Anteil nehmen würde?

Möglicherweise komm ich Sie sogar besuchen, da ich dieser Tage von einer Züricher Familie für 10 Tage eingeladen wurde; jedoch hängt dies noch sehr von meiner finanziellen Konstellation ab.

Indes grüsse ich Sie mit besten Empfehlungen als Ihr
ergebener
K. F. Ertel

1 Vgl. B von OS an KFE, 10.6.1950 (uv.; im Besitz von Martina Ertel, Giessen): «Wollen Sie einmal an Herrn Alexander Xaver Gwerder schreiben, einen jungen, sehr begabten Schweizer Lyriker, der mir auf meine Gedichte in ‹Die Tat› hin schrieb? (...) Er macht sehr eigenartige Gedichte, ich setze grosse Stücke auf ihn.»
2 Die von KFE seit 1950 in Landau hg. Zeitschrift ‹signaturen. blätter für grafik und dichtung›.

13 An Kurt Friedrich Ertel
⟨Zürich-⟩Wollishofen, am 17. Juni 1950

Sehr geehrter Herr Ertel!
Herzlichen Dank für Ihre Zusendung, die mich in mehr als persönlicher Beziehung freut. Dass es nicht nur junge Künstler gibt, sondern, was unserer Zeit besonders fehlt, auch junge Verleger

mit anderen als Publikumsidealen ... Dass es Wagemut gibt, ohne väterliches Vermögen im Rücken ... Dass es nicht nur träumenden oder wünschenden, sondern auch tätigen Idealismus gibt ... Dies alles stand in Ihrem Brief –

Gerne überlasse ich Ihnen die beigelegten Verse und möchte nur, dass Sie mir gelegentlich Mitteilung machen, welche davon Sie in Ihrem Heft aufzunehmen wünschen. Dabei hätte ich allerdings auch noch einen Wunsch: Liesse es sich einrichten dass «Die Kentaurin»[1] mit der Widmung an Oda Schaefer erschiene? «Die Kentaurin» ist ein Prosagedicht oder ein Gedicht in Prosa aus einem, etwa achtzig solcher Gedichte umfassenden, Bändchen[2], welches sich für die nächste Zeit noch in Arbeit befindet.

Ich weiss nicht, wie diese Art Gedicht anspricht oder aufgenommen werden wird. Es ist mir übrigens auch gleichgültig, aber für den Verleger zählen diese Punkte und da im obigen Fall Zweifel bestehen für eine günstige Aufnahme, will ich Ihnen näher sagen, *wieso* ich dazu komme so zu schreiben.

Erstens entspricht mir zur Zeit die Form, die mich nicht bindet im Sinne von Reim und Rhythmus. Habe ich diese Freiheit, so stellt sich mir, zweitens, kein, wenn auch noch so kleines, Hindernis vor die direkte Verwandlung des Gefühls in Worte. Und endlich wird auch die Phantasie, indem sie nicht auf Reime jagt, unmittelbarer und gültiger für das Thema, während zugleich die poetische Substanz dichter wird und mehr Ausdrucksvermögen erhält durch die freieren und echteren Symbole und Bilder.

Die Honorarfrage betrachte ich, laut Ihrem Brief, für geregelt. Es ist schade, dass Sie mir kein Heft der ‹signaturen› schicken konnten, und ich denke mir, dass es für zeichnerische Mitarbeit unumgänglich nötig sein wird, welche zu senden. (Formatfragen etc.) Kann ich ein Abonnement auf die ‹signaturen› in der Schweiz bekommen?

Die Adresse eines Zürcher Malers: Willy Hug, Schweighofstr. 111, Zürich 6, und eines emigrierten ehemaligen Buchillustrators: J. Juszkiewicz, Schaffhauserstr. 100, Zürich 57.

Sie werden wohl gerne persönlichen Kontakt mit diesen beiden aufnehmen wollen. Dazu nehmen Sie einfach Bezug auf mich.
Ich hoffe auf ein paar gute Gespräche am relativ schönen Limmatstrand, für den Fall, dass es Ihnen möglich wird nach Zürich zu kommen.

Mit freundlichem Gruss,
ergeben, Ihr:
A. Xaver Gwerder

N. S. Die Gedichte, die Sie mir zeigten, sind wieder beigelegt. Nach diesen und den weiteren Namen Ihrer Mitarbeiter, befinde ich mich ja in bester Gesellschaft!

1 Siehe Anm. 3 zu Nr. 6, S. 216.
2 Sehr wahrscheinlich HAG, das als Ganzes nicht publiziert wurde. Einzelne Texte wurden in DB und Mo veröffentlicht bzw. in TLüD und TStF aufgenommen. Siehe Kommentar zu HAG in: GW III, S. 276–279.

14 An Kurt Friedrich Ertel

⟨Zürich-⟩Wollishofen, am 28. Juni 1950

Lieber Herr Ertel!
Ihr erfrischender Brief, für den ich Ihnen am besten dankte, indem ich Punkt für Punkt antwortend eröffnete, liegt vor mir auf dem Schreibtisch und gleich dahinter, ausserhalb des Fensters, lässt jemand die Rasenspritze rieseln. Fontänenartiger Kunstregen. Ich fürchte, für alle Fragen und Antwort heischenden Aussagen reicht dieser, so sommerliche, Abend nicht. Zudem berührten Sie mit dem Grund Ihrer Worte Themen, die sich nur zu ihrer Zeit, zu unserm jeweils günstigsten Aspekt, ohne Verwirrung zu stiften sagen lassen. Und meinerseits hange ich in widrigen Umständen: In den nächsten Tagen soll ein (la-

chen Sie nur!) Weisheitszahn, der überzählig ist, ausgerissen werden. An mir natürlich. (Dann muss ich noch die ganze nächste Woche auf Hugs Ferienende warten.) Und am 22. Juli das obligatorische Bundesprogramm für Dienstpflichtige schiessen gehn. Ende Juli-Anfangs August sind dann meine Ferien. Bis dahin, Sie ahnen nicht, wie schwer mir solche Taten fallen, muss alles vorbei sein. – Endlich werde ich wieder klar sehen, bis zum 2. Oktober, wo der Staat eingreift und mir die Nationalstrafe: 3 Wochen militärischer Wiederholungskurs aufzwingt. Aber zuvor, das grosse Ereignis dieses Jahres für mich: Die ‹signaturen›.

Braucht es Mut, um die «Begegnung» herauszugeben? Ich denke: Ja! Und weil Sie diesen so vorbehaltlos haben, bin ich gerne mit dieser letzteren Zusammenstellung[1] einverstanden. Die Flagge für das Heft soll Ihren Händen entstammen; ich möchte überrascht werden damit. Oder nicht? –

Willy Hug ist durchaus echt in seinen Werken. Manchmal geradezu Unglaubliches tangierend mit seinem Farbgefühl. Präzise Grosszügigkeit und auch brillante Einfälle: oft unbewusst. Letzten Herbst hatte er zwei Ölbilder an der äusserst streng jurierten Zürcherkünstler-Ausstellung im Helmhaus. Von einem dieser Bilder, einem Stilleben mit Früchten und Geige, kamen sogar Verse[2] später, die ich Ihnen mal, mit der nötigen Bildbeschreibung, zeigen werde. Gerne vernehme ich, dass Martha Saalfeld[3], deren «Ohne Gegenstand» ich nochmals hervorheben muss, für die nächste Nummer die ‹signaturen› besetzt. Ich freue mich auf sie und wünsche für die Dichterin die gänzliche Erfüllung ihrer Erwartungen.

Paul Appel[4]: Mörike, ja, wie Sie sagen. Hauptsächlich im «Spruch». Aber die «Lippenblume» ist nicht konventionell. Was mich nicht anspricht, ist schwer zu sagen. Ungefähr so: Es gibt Dinge, die man sagen muss. Im Gedicht gleichsam die Logik des Dranges, die Architektur der Gefühle, die nur erfühlbare Ordnung des inneren Kristalls, welche diese Notwendigkeit einer Aussage bestätigen. Die Metamorphose des Seins: Gefühlt oder gedacht – Herz oder Intelligenz – Phantasie oder Mathematik. – Nun, es wird Ihnen kein Rätsel, aus Obigem herauszufinden weshalb ... Nur habe ich jedoch nichts anderes von P. Appel gesehen und zwei Gedichte machen wohl den Dichter, aber nicht die Persönlichkeit des Dichters.

Da Sie, lieber Herr Ertel, wie ich merkte, in Gebieten aufbauender, edler Kritik zuhause sind, bitte ich Sie, bei Zeit und Gelegenheit mir Ihre Ansicht über meine Verse nicht vorzuenthalten.

Vring: Vor allem der Schwung, der zweimalige, gefällt mir. Es stimmt auch hier, wie Sie sagen: Rilke! Übrigens, in Rilkes zarten Netzen hing auch ich. Leidenschaftlich gerne sogar. Und noch heute lieb ich den *Malte Laurids* vor allem. Nun, ich übertreibe! Es gibt noch etwelche Verliebtheiten: Valéry *Herr Teste* übersetzt von Max Rychner, die Gedichte, zumal den «Entwurf einer Schlange». Rilke (nochmals) *Der Kentaur*[5] – auch französisch von Guérin. Dann auch Thoreau: *Herbst* und *Walden*. Ramuz: sein *Tagebuch* und *Mass des Menschen*. Bei Holthusens *Hier in der Zeit* kümmere ich mich einen Teufel um Rilkesche Anklänge. Carossa ist der grosse deutsche Erzähler, ja, aber auch der grosse weise Dichter in den *Aufzeichnungen Angermanns*, im *Arzt Gion*; und für *Führung und Geleit*, gäbe ich die ganze amerikanische Literatur, ausser Emerson und Thoreau.

Hesse? Hesse? – Für Benn werde ich mich möglichst bald interessieren. Danke für den Wink: Von Heym las ich einiges: «An das Meer» und «Die Tauben» sind wunderbar. Trakl kenn ich nur biographisch. Mombert etc. aus einem Sammelband *Dichtung des 20. Jhdts*. Was Barras[6] ist weiss ich nicht. Bin ich naiv? Die ‹signaturen› Besprechung Martha Saalfelds sandten Sie noch nicht. Dafür habe ich den «Mut zur Kunst» Oda Schaefers jetzt doppelt. Über Ihre Besprechung zum «vom Scheidt»[7] später; ich will den Brief morgen abschicken.

Die sympathischen Stichwörter Ihres Lebens: Soldat, Abitur, Autodidakt. Klingen durchaus europäisch und das ist gut!

Beinahe hätte ichs vergessen: Purrmann[8] ist für mich kein Begriff, nicht einmal blauer Dunst. Dafür ist es typisch schweizerisch, nur von wohlbestallten, in Amt und Würden sitzenden Bäuchen zu wissen. Wollen Sie mich nicht aufklären?

Herzlich, Ihr:
A. Xaver Gwerder

«Formular
reimt sich auf klar
meist ist es nicht
und dafür Pflicht»
(fiel mir eben ein)

N. S. Hug ist etwa so alt wie Sie. Hiermit wär ich also das Nesthäkchen der ‹signaturen›!?
Besten Dank auch für Ihre Beilagen!

1 Siehe Nr. 15, S. 233.
2 «Kulturlandschaft. Aus dem Stilleben mit Früchten und Geige Willy Hugs» in Mo. Siehe GW I, S. 24.
3 Martha Saalfeld (1898–1976), deutsche Schriftstellerin.
4 Paul Appel (1896–1971), deutscher Lyriker.
5 Die 1911 erschienene Rilke-Übersetzung des Buches von Maurice de Guérin (1810–1829).
6 Siehe B von KFE, 6.7.1950 (uv.): «Barras ist Kommis oder Militär.»
7 Werner vom Scheidt, deutscher Graphiker; Ehemann von Martha Saalfeld.
8 Hans Purrmann (1880–1966), deutscher Maler.

15   An Oda Schaefer

⟨Zürich-⟩Wollishofen, am 2. Juli 1950

Liebe und verehrte Frau Schaefer,
wir leben im 2. Jahrtausend nach dem Ereignis «Christus», in einem Augenblick nur, den uns aber der Bastard-Begriff Zeit, in so und so viele Jahre zerdehnt. Ist die Geschwindigkeit, das Flugzeug, das Auto, nicht der Beweis grösster Verrückt-heit jener, die damit (unbewusst) den Ausweg aus der Zeit zu erreichen meinen. Die Schnelligkeit als irre Maske zur Beruhigung immer noch dunkel vorhandenen Dranges gegens Ewige. Was könnte Tempo anderes sein? Da aber konstante Geschwindigkeit für viele noch unerschwinglich bleibt, gibt es noch den Sport, die geniesserische (sadistische?) Spannung des unerklärlichen Unbefriedigtseins (anscheinend berechtigt, legitimiert durch die Tatsache der Masse) am unwesentlichen Geschehen der Muskelkraft. –
Aber dies nur nebenbei; denn vor dem Fenster gibt es eine kleine Wiese, sonstige Pflanzen und einen Hortensienstrauch. Ein leichter Wind ist drin, wie er auch in Teneriffa wehen könnte, auf den Türmen des Medici-Palastes, oder um das gelbe Haus van Goghs in Arles, wenn es noch stünde – Übertönt jedoch von einem Strom reissender Geräusche. Die Ausfallstrasse ist rechts, keine dreissig Meter entfernt, und ein Flieger macht mehr Lärm als diese.

Das Gestell voller Bücher: Ein paar davon könnten die Welt ändern. Niemand aber hat den Schlüssel, solcherweise Wandlung zu bewirken – Es wäre denn, er sei die Welt. Gut! bin ich die Welt. Sonst hat schreiben keinen Sinn. –

Entschuldigen Sie bitte die seltsamen Sonntagsgedanken – Mit Vergnügen will ich aufs eigentliche Thema kommen: Es scheint, Sie müssen nur den kleinen Finger heben, damit irgendwo Freude wird![1] Das sah ich damals Ihren beiden Gedichten[2] nicht an, dass sie zum Zu-fall meines wesentlichsten Ereignisses dieses Jahres gehörten. Der avantgardistische Verleger K. F. Ertel räumt mir das August-Heft der ‹signaturen›[3] ein! Wir haben uns bereits in allen Punkten geeinigt. Er hat sogar, ganz selbstverständlich, die dreiteilige «Begegnung»[4], die ich Ihnen auch schickte, angenommen. Daneben noch den «Regenbaum»[5], (hat keine Bewandtnis mit dem soeben erschienenen Buch *Land des Regenbaums*[6], da er schon vorher bestand), «Die Klöster der Einsamen»[7] und die «Kentaurin». Nun, das werden keine «Schlaflieder» sein. Und die ‹signaturen› werden auch nicht von Schläfern gelesen. Ich bin sehr froh. Und weil ich jetzt Ihnen auch etwas geben kann, schrieb ich die «Kentaurin» für Sie. (Die Handschrift ist beigelegt.) Nehmen Sie sie für viel, für ein ganzes Buch; ich wüsste niemand, dem ichs mit mehr Berechtigung widmen könnte, aber auch niemand, für den sie noch viel zu wenig wäre. –

Von Rilke heisst es, er hätte nie die Besprechungen seiner Werke gelesen. Ich aber bin gespannt auf das allfällige Echo; oh, ich bin eitel und werde sogar ein Exemplar an die ‹Tat› schicken. Denn es freut mich doppelt und ich bin stolz darauf, dass die erste gewichtigere Veröffentlichung im Lande der vielen Wiegen europäischer Geister geschieht.

Im Modeheft ‹Revue de la saison›, Charles Veillon, Lausanne, das wir zugeschickt bekamen, weil unser Bub, bei Lutz in Zürich, für die Aufnahmen 62723, 77524, 60859 Modell gestanden ist, las ich Ihren «Sommerregen». Darf ich Ihnen den vorjährigen auch zeigen:

Sommerregen[8]

Sommerregen – oh Grau im Grün
Mit dem man Wiese und Wald vergisst:
Heimatlos irrt alles lichte Bemühn
um jedweden Glanz, der doch keiner ist.

Vergehn ohne Mass in den Niederungen,
Abgründe, plötzlich von Unheil entstellt –
Das Land ist in lauernde Stücke zersprungen
Während der Himmel noch immer zerfällt.

Wie wird es rauschen in meinen Schlaf,
Auf das traumergangene Moor – – –
Nie werd' ich wissen, was ich dort traf,
Denn Morgen, der trübe Tag steht davor.

Dieses Jahr tönt alles ganz anders und aus dem Geahnten werden Bilder, besonders zur Nacht, und vieles wartet im Unsichtbaren – Möglichkeiten eines Daseins, voll von der Wirklichkeit ewigen Abendlands – wenn nur das Leben im Chaos durchhält. Da fällt mir Ihr Brief ein! Sagten Sie's nicht schon? Jene, die gezeichnet sind, sind einander nah. –

Mit Dank, der von Herzen kommt, und mit vielen Grüssen und guten Wünschen für diesen Sommer, der so schön sein könnte und doch so schön ist –

Ihr ergebener:
A. Xaver Gwerder

1 Siehe Anm. 1 zu Nr. 12, S. 226.
2 Siehe Nr. 9, S. 219.
3 Erschien erst im Juli 1951.
4 «Die Begegnung» in DB. Siehe GW I, S. 13–16.
5 Das Gedicht (uv.) wurde später weggelassen. Siehe Kommentar zu DB in: GW III, S. 155ff.
6 Ross Lockridge: *Das Land des Regenbaums*, Zürich 1949.
7 In DB. Siehe GW I, S. 11f.
8 In: GW I, S. 201.

16 An Erwin Jaeckle, ‹Die Tat›
Buchwald/Pfäffikon SZ, am 1. August 1950

Lieber Herr Dr. Jaeckle!
Vor lauter schönen Ausblicken weiss ich gar nicht, wo ich beginnen soll. Zuerst einmal die herzlichsten Grüsse aus den Ferien in einem alten Bauernhaus zu halber Höhe des Etzels. Man braucht gar nicht so sehr in die Ferne zu schweifen, (Ragusa!) um sein «südmeerüber»[1] zu haben. Vom Rapperswiler Seedamm bis zum Üetliberg, ohne Halsverrenkungen, aus dem Fenster zu sehen, ist Weite genug auch für anspruchsvolle Städter. Angesichts der Ufenau könnte einem sogar *Huttens letzte Tage*[2] sympathisch werden. Die Wiese unterm Haus zittert von Grillen, und vor mir auf dem Tisch liegen vierzehn sorgfältig ausgewählte Bücher, die auf Regentage warten.

Meine neueste Liebe: Paul Valéry und Romain Rolland. Eben fährt ein Dampfer durch den Kanal von Hurden. Komisch zu sehen, wie der Schiffskamin übers Riedland ragt. –

1950 war bis heute ein gutes Jahr und hat, wie Sie mir auf Neujahr wünschten, viel Bleibendes gebracht: Einen sehr angenehmen Arbeitsplatz; auf Oktober eine Wohnung mitten in Zürich, mit zwei Balkonen voll schönster Aussicht, einem Erker für den Winter und das alles 2 Min. vom Geschäft entfernt. Natürlich auch, was mich bisher am meisten bedrückte, ohne Bespitzelung durch einen PdA-Hauswart.

Dann hat sich eine erfrischende Beziehung mit Oda Schaefer aufs schönste befestigt. Und noch dieses Jahr wird eine Nummer der ‹signaturen, blätter für grafik und dichtung›, mit sechs meiner Gedichte herausgegeben. Wer das grafische Pendant dazu liefert, weiss ich noch nicht.[3] K. F. Ertel in Landau ist der Verleger.

Am 15. Juli war es ein Jahr, seit meiner ersten Veröffentlichung in Ihrer Zeitung, das acht Gedichte und eine Übersetzung brachte.[4] Ohne Übertreibung ist ein Stück Weges fest zu stellen daraus und ich müsste mich schämen, wäre das Manuskript des ersten Bändchens[5] gedruckt worden. Von Rilke, vor dem Sie mich nachdrücklich warnten, ist nicht mehr viel geblieben und die Stelle seiner präzisen Melodik nahm die Genauigkeit der Gedanken eines *Herr Teste*[6] ein, die sich ohne grosse Mühe auch aufs Gedicht übertragen lässt. Möge ich nun so schreiben, dass es Ihrer Grosszügigkeit nicht schwer wird, auch in diesem Jahr meine Anwesenheit in der ‹Tat› zu rechtfertigen.

Das letzte Gedicht, «Sommerabendsonett»[7], nahm sich kühn und ein bisschen wirklicher aus neben Urs Oberlins[8] formal sehr schönem, aber eher zu mythologischem «Poseidon».

Ich freue mich immer sehr über Ihre und Dr. Rychners Zustimmung; denn meine Empfindlichkeit reicht, um daraus, in allem Vertrauen, die weitere Richtung abzusehen.

Ihr «j-Tagebuch» vermisste man zur letzten Session. Waren die Staatsgeschäfte wirklich wichtiger? Der letzte Leitartikel «Kunst der Fuge» war wohl zu schwer für musikalische Laien. Vielleicht hätte man lieber Biographisches über Bach gelesen. –

Der beigelegte Artikel[9] ist zu geschraubt, zu unwichtig und vor allem zu wenig klar. Dessen werd' ich mir vollkommen bewusst, beim Betrachten des schön-wahren Wolkenzugs am jenseitigen Ufer. Ich hoffe wohl mit der Zeit ganz vom Politischen abzukommen. Und der alljährliche Artikel, zum ablehnen, ist vielleicht zusammen mit dem Tagebuch, nur eine Art Weg dazu.

Hingegen steh' ich zu den beigelegten zehn Gedichten und ich bin beinahe überzeugt, und freue mich jetzt schon, auf Ihre Würdigung derselben.

Da und dort hängen bereits rotweisse Fahnen aus Häusern und Türmen und wie ein Spielzeug kriecht die S.B.B.-Schlange eines Churer Zuges. Ich werde mir abends, ganz ohne politische Hintergedanken, die Augustfeuer entlang unseres Sees betrachten und höchstens über zur Erde gefallene Sterne meditieren.

In aller Herzlichkeit, Ihr:
A. Xaver Gwerder

1 Vgl. EJs Gedicht «Die Insel» (= IV,3/4) in: *Die Kelter des Herzens*, Zürich 1943, S. 9: «Und atme duft in der entrückten klause / der südmeerüber von Ragusa loht.» Siehe auch AXGs Gedicht «Südmeerüber...» (1951) in: GW I, S. 313.
2 Die Insel Ufenau im Zürichsee ist einer der Schauplätze in C. F. Meyers Gedichtzyklus (1872).
3 DB erschien mit fünf Holz- und Linolschnitten von RS.
4 Vgl. VGL in: GW I, S. 163–170, und S. 52.
5 Siehe Anm. 4 zu Nr. 1, S. 208.
6 Das von MR übertragene Buch von Paul Valéry erschien 1927 in Leipzig.
7 In: Tat, 15.7.1950, Nr. 190.
8 Urs Oberlin (geb. 1919), Schweizer Lyriker.
9 «Zur Theorie und Praktik politischer Ideale» in: GW II, S. 118–121.

17 An Oda Schaefer
⟨Buchwald/Pfäffikon, SZ⟩, im August 1950

Liebe und verehrte Oda Schaefer!
Im Augenblick ist Sonne mit scharfen Schatten auf dem Land. Der See, von Rapperswil bis Zürich, wirft weissliche Wellchen aus der bleiernen Fläche und der Wolkenhimmel ist von Blick zu Blick anders. Vor mir, auf einem schlecht imitierten Louis 14–16 Tisch, liegen vierzehn sorgfältig ausgewählte Bücher, Notizen und Ihre Postkarte, die mir Ihre seltene Anteilnahme erneut so erfreulich bestätigt. Auch wenn Sie gar keine Zeit mehr haben um mir zu antworten – ich weiss, dass ich mich, irgendwo in einem Letzten, immer auf Sie verlassen kann. Mein Gefühl ist oft jenseits des Rheines.

Soll ich sagen: Sie sollten sich schonen? Das wäre höchstens eine gutgemeinte Phrase. Nein, arbeiten Sie so viel Sie können, aber nur dort, wo Sie im Rennen stehen – für sich oder für andere. Ich kann mir denken, dass die bodenständige Arbeit auf dem Zeitungs-Acker einen nicht gerade zu Flügen erhebt. –

Sie kennen Holthusen! Sicher einer der wesentlichsten Dichter unserer Zeit. Sein *Hier in der Zeit* hab ich auch bei mir und ich will Ihnen gestehen, nur unter uns, dass mir zu etwelchen Stellen seiner Gedichte in plötzlicher Überraschung, in plötzlicher Sicht in Neuland, kalte, aber göttliche Schauer über den Rücken laufen. Ich will mich freuen auf seinen Besuch! Hoffentlich stecke ich nicht gerade im Militär dann. (2.–21. Okt.) Ab 1. Okt. wohnen wir Brauerstrasse 110, Zürich.[1] Karl Krolow: ich habe ein kleines Gedicht von ihm und schreibe ihm gern, sobald ich wieder zuhause sein werde.

In einem alten Bauernhaus zu halber Höhe des Etzels, am oberen Zürichsee, verbring ich ganz allein meine wenigen Ferientage. Bin ich zufrieden? Nun ... So über der Landschaft sollte man doch meinen gesicherter zu sein vor dem Sinnlosen, vor den Tumulten blinder Tagwerkerei. Aber nein, die Wellen schlagen bis unters Haus und Nachts im Regen erwart' ich – jetzt und jetzt – das Zusammenschlagen der Flut. Aber ich wollte es ja so haben. Ferien, nicht im landesüblichen Stil, nach dem man über eine bestimmte Spanne Zeit einfach den Alltag verschiebt in einen andern. Ich wollte mit inneren Beziehungen, mit viel Dunklem noch (das wusste ich) allein sein, um zu sehen, was daraus würde. Und nun wird das Leben, freilich nur das, das ich mitbrachte, in dem Masse tiefer, als ich gänzlich gegen seine Äusserungen bin. Die Ausdrücke der Menschheit sind mir zuwider. Und das ist das Gute, dass ich doppelt auf meine Welt angewiesen werde. Nur sind die Gefahren, abgelöst von einer Oberfläche, die mit genau bestimmten Ordnungen gelingt, noch fremd vorläufig und füllen die Schreibenächte mit dem Schrekken plötzlicher Einblicke in vielleicht Uraltes. Da gibt es z. B. ein Gebirge (ich nehme an, es ist der Gaurisankar)[2] worauf ein Dom steht ganz aus Glas, so dass sich seine Formen nie mit Höhe, Breite und Tiefe sagen liessen. Ein undeutliches Gewimmel, ein sehr lebendiges, scheint ihn zu erfüllen; aber jedesmal, wenn ich mich zu nähern versuche, wird er zur kreisenden Wolke, die, finster und schwarz, von unheimlichem beängstigendem Schwarz, geworden, zum Abgrund erstarrt. Und ich stehe dann am Rand, welcher sich wie Waldboden anfühlt und blicke hinein. Dann taucht, nicht immer, eine gläserne Kugel auf, wie aus grauen Regenschnüren, darin wieder jenes Gebirge sichtbar ist. Unendlich verkleinert und leuchtend, so dass es noch geraume Zeit in meinem äusseren Blick zu vernehmen ist, stärker als das Streichholz mit dem ich die Zigarette anzünde.

Ich halte eigentlich nichts von Nacht- oder Tagträumen, jedoch bleibt immer das Gefühl zurück, ich müsste etwas tun. Aber was weiss ich nicht.

Nun, dieser Brief soll nicht elegisch sein. Ich kann auch kämpfen. Und habe mir noch nichts eingebrockt, ausser vielleicht – dass ich lebe.

Romain Rollands *Reise nach Innen*, das symphonische Präludium zu seinen Memoiren, wie er selbst es nennt, hilft viel – Auch der Essay über den Dichter von Emerson führt eher in handfestere Verklärungen.

Damit es nicht beim trockenen Brief bleibt, leg' ich ein paar Aphorismen (ohne Anspruch auf Unbedingtheit) und Gedichte dazu. Wenn Rilke ein Mond ist, dann ist Trakl ein Wetterleuchten das man umarmen kann. Den zweiten Band der neuen Gesamtausgabe erwart' ich noch vom Müller-Verlag, Salzburg. Dank für den Wink! K. F. Ertel war leider nicht einverstanden mit dem grafischen Pendant das ich ihm vermittelte. Aber ich bin eben grafisch durchaus nicht kompetent. Jetzt wird er sich nach einem andern Maler für meine ‹signaturen› umsehen müssen.

Es regnet schon wieder. Meine Ferien begeben sich im rauhen Zeichen des Gaurisankars. Die Berge zu Nord und Süd sind von unfasslicher Stahlbläue und die Bäume im Vordergrund werden hart und tot. Nicht einmal am Himmel hat es mehr Wind. Ich werde mich gleich auf die «Reise nach Innen» begeben. Nehmen Sie die herzlichsten Grüsse von Ihrem dankerfüllten

A. Xaver Gwerder

1   AXG wohnte seit 1946 an der Albisstrasse 153 in Zürich.
2   Vgl. dazu das Gedicht «Orpheus» und das Prosastück «Tag und Traum» in: GW I, S. 224–227; II, S. 64–70.

18 An Oda Schaefer

⟨Zürich, Anfang August 1950⟩

Liebe und verehrte Oda Schaefer!
Aus den Ferien zurück will ich Ihnen noch den dritten und letzten Teil des «Orpheus»[1] zeigen. Der Band der verrückten Prosagedichte[2] wächst langsam; das erste Drittel ist erreicht. Wenn er je erscheint, bin ich von der Welt der «Normalen» verurteilt und verbannt. Gut, dass es bestimmte Bindungen, wie Familie, gibt, sonst zerstöbe man, wie ein Komet.

Darf ich eine Bitte hinzufügen: Sehr gerne läs ich wieder neue Verse von Ihnen. (Aber erst zu Ihrer Zeit.)

Einen herzlichen Gruss noch, Ihres
A. X. Gwerder

1 Siehe Anm. 2 zu Nr. 17, S. 239.
2 Siehe Anm. 2 zu Nr. 13, S. 228.

19 An Karl Krolow

⟨Zürich⟩, am 11. August 1950

Sehr geehrter Herr Krolow!

«Die schöne Stille der Gewächse
– Zerbrechlich wie die Fabel Welt –
Umschlang ich sanft im Arm der Echse.»

Mit dem Anfang Ihres Gedichts, welches mir K. F. Ertel schickte, will ich diesen Brief beginnen. Oda Schaefer machte mir Mut Ihnen zu schreiben, und so sollen meine Verse mit einem prosaischen Präludium versehen werden, im Gefühl, einen wirklichen Leser mehr zu haben. (Wer, ausser den Dichtern, liest schon Gedichte, wie sie gelesen sein wollen?)

Ich lebe mit meiner Familie in Zürich, in der sehr geschäftstüchtigen, immerhin in manchem auch schönen, Stadt. Meine

Verse sind hier nicht gefragt, ausser dass die ‹Tat›, eine unabhängige Zeitung von gesundem Geschmack, hin und wieder welche druckt. Ansonsten bin ich Antimilitarist; was jedoch nicht verhindert, im Armeetheater auftreten zu müssen. Als Angestellter im graphischen Gewerbe kann man, ohne den Hausaltar Mammons, ganz anständig vegetieren. Nun noch den Rest dieser Kurzbiographie: 27 Jahre alt, ohne akademische Bildung, schlechter Rechner, impulsiv Gegner jeglicher Masse. Ertel will eine Nummer seiner ‹signaturen› mit sechs grösseren Gedichten von mir herausgeben. Das wäre zugleich mein bisher grösstes literarisches Ereignis. – Genug!

Oda Schaefer schrieb mir, dass Sie auch französische Lyrik übersetzten. Ich liebe sehr den genialen Rimbaud und den präzisen Valéry, dessen «Entwurf einer Schlange» sicher zum allerbesten gehört. Mein Französisch ist leider, neben der ehemaligen Volksschulausbildung, gänzlich ungenügend. Immer muss ich mit dem Dictionnaire herumlaborieren. Trotzdem regte ich mich einmal furchtbar auf über die, im Classen-Verlag «Vom Dauernden in der Zeit» herausgekommenen, Baudelaire-, Verlaine-, Rimbaud-Übersetzungen Hedwig Kehrlis. Beigelegt ist die Reaktion: Ich wollte Verlaines «La lune blanche»[1] besser machen. Die Rimbaud-Übersetzungen Walter Küchlers im Lambert Schneider-Verlag, Heidelberg, gefallen mir sehr.

Wenn die Bitte nicht zu gross ist und ich Ihre Zeit nicht zu sehr beanspruche: Darf ich auf ein Echo von Ihnen aus hoffen? Auf Verse von Ihnen freute ich mich doppelt! Was soll ich sonst noch sagen? Man freut sich auf jede Äusserung jener, die über der Masse sind.

Noch herzliche Grüsse!\
Ihr ergebener:\
⟨Alexander Xaver Gwerder⟩

---

1 «Mondsilberfluh –» und Original in: GW I, S. 371; III, S. 331.

20 Von Karl Krolow

Göttingen, 14. VIII. 50

Sehr geehrter Herr Gwerder,
haben Sie schönsten Dank für Ihre Zuschrift und die beigefügten Manuskripte, die Sie mir anvertrauten. Wenn ich Ihnen sage, dass ich mich ausgesprochen über Ihre z. T. *sehr* schönen Verse freute und Ihnen das etwas nett und konventionell-unverbindlich klingen sollte, so bitte ich, bedenken zu wollen, dass mich Ihre Sendung in einem einigermassen dezimierten Zustande (physisch und psychisch verstanden) antraf. Ich sehe mich im Augenblick ausserstande, zu schreiben, was zu schreiben wäre. Nehmen Sie derweilen bitte einfach mit schlichtem Dank fürlieb, den ich nochmals für Ihr Vertrauen ausspreche, das Sie mir entgegenbringen. Ein besonderes Lob für die für meinen Geschmack ganz makellose Übersetzung des Verlaine-Gedichtes! Da haben Sie etwas *sehr* Schönes erreicht: denn Verlaine ist besonders schwer ins Deutsche zu bringen. Vielleicht hat das unter den Zeitgenossen am besten Georg v. d. Vring gekonnt, wenigstens was die Übertragung des liedhaften Verlaine angeht.

Ich freue mich, dass Oda Schaefer Ihnen meine Anschrift gab und Sie mir schrieben! Und wenn Herr Ertel in seinen hübschen, einfallsreichen ‹signaturen› Sie bringt, ist das immerhin gut. Er ist sehr rührig im Aufspüren von Begabungen, offenbar. Sie müssten mir das Heftchen schicken, wenn es soweit ist!

Es wäre sehr liebenswürdig, wenn ich wieder von Ihnen zu hören bekäme. Sie dürfen immer meiner Anteilnahme versichert sein.

Beste Grüsse
Ihres
Karl Krolow

21 An Karl Krolow   ⟨Zürich⟩, am 2. September 1950

Sehr verehrter Karl Krolow,
Die grosse Überraschung Ihrer beiden Gedichte in der ‹Tat› traf mich mitten in gänzlich tauber Zeit. Seit zwei Tagen sind nun die Schreibestunden wieder und ist überhaupt meine Welt voll kleiner Erwartungen, die eine ständige fast wollüstige Unruhe prikkeln lassen. Meine Gedanken streifen oft jenseits des Rheines und ich male mir, vielleicht nur zu poetisch, die Tagesabläufe jener Dichter aus, bei denen ich, solches ungewohnt, so gute Aufnahme fand. Oda Schaefer, die liebe Kämpferin für unser Wort, der ich auf eine Veröffentlichung in der ‹Tat› hin schrieb, weil alles so gleichgültig um mich stand, verhalf mir nun zu Berührungen mit jenem Deutschland ohne geographische Grenzen, zu dem man hinträumt wenn man «Hölderlin» sagen hört. (Auch eine idealistische Gestalt wie Ertel ist in der kleinlichen Sphäre der Schweiz undenkbar.)

> «Meine Augen im Mittag sind ganz
> Aus bitterem Silber gemacht:
> Zwei Vögel aus Schatten, im Glanz
> Zerschnittener Früchte erdacht».

Diese Augen, dieses Silber, und was dieses Silber ist – man läse es bei der Griechin Sappho und fände es uralt, ins Märchenhafte entfernt und trauerte darüber, dass man dies verlor – Und doch hat mans immer und bei diesem und jenem und Ihnen steigts wieder auf und ermutigt einen. Haben Sie Dank auch für die unverhoffte und plötzliche Übermittlung Ihrer zwei Gedichte! Man spürt aus Ihren Versen übrigens, dass Sie nicht davon leben. – Oh, diese Rummelbande der Tagesdichter, diese Kästner und Konsorten, wie machen sie das Ewige billig, wie stülpen sie das Innere an die dreckige Luft des Bestsellerbeifalls – Die heilige Stunde im Kerzenlicht verraten um ein Schweinscotelett – Lassen wir's.

Die Welt der Bücher; ist sie denn unwirklich? Wir, aus der jeweiligen Generation, leben sie doch, diese Welt. Und die ist gut, und wir wollen sie feiern auf der Senkrechten unseres Sterns. Freilich, *ein* Blick nach unten – und unsere Melodie wird hart und die Auflehnung donnert im Herz. In diesen Augenblicken ist's schwer allein zu sein und die grossen Gegengewichte, die aus den Büchern sprechen, müssen wieder und wieder ihre Aufgabe beginnen. Und so bleibt denn doch im Ganzen ein Gleichgewicht. Aber man will hie und da mehr als blosses Gleichgewicht und wünscht sich um einer stärkeren Stunde willen greifbare Zustimmung –

«Die Stimme», «Der Schulterstern» und den «Mandarinen-Mittag», die ich Ihnen, wie ich glaube, auch geschickt habe, nahm die ‹Tat› zur Veröffentlichung[1] an. Und in der heutigen Nummer sind «Die Gefährten» Martha Saalfelds abgedruckt. Abgesehen davon, dass ein gültiger Massstab zur Verwendung kommt auf der Redaktion der ‹Tat›: Sie ist auch die einzige Tageszeitung (die ja immer noch politische Tönungen aufweist) zu der man sich als freier Mensch ganz bekennen darf. Der Chefredakteur, Nationalrat Dr. Jaeckle, ist ein umfassender Geist, der intelligenteste Schweizer wahrscheinlich, und auf der Feuilletonredaktion prüft der grosse Essayist und Übersetzer, Max Rychner, das Wort. – Da fällt mir ein: Lasen Sie schon den *Monsieur Teste* Valérys? (Inselverlag, übersetzt von Rychner) Ein Gedanke an seine äussersten Grenzen gedacht. Ist das nicht viel?

«Die Leier im Laubschutt begrabend, ist nirgends ihr Gold mehr zu hegen, ist anders kein Blau als vertriebenes, kein Wort, als in Schwärze geschriebenes.»

Georg von der Vring muss ein lieber Mensch sein – ich habe, ausser obigen Versen, die mir der rührige Ertel gab, noch nie von ihm gehört –.

Nun – Dichter sind hierzulande da, um nicht da zu sein. Und wenn man ihnen in die Ohren brüllte: Es gäbe noch anderes als Geld, als Autos, als neiderfüllte Armut – sie verständen's nicht –

Das nachstehende Gedicht kam während des letzten grossen Sturmes, der vor ein paar Tagen wütete; was sag' ich: spielte auf der mächtigen Orgel der Kontinente. (Ich lag im Bett ohne einschlafen zu können. Nicht im geringsten dachte ich ans Schreiben. Und doch schriebs.)

Orkanische Musik[2]

Hoch fliegt die Stadt gegens Chaos, vom Stern der erstarrt
Eisig umloht. Und dein Herz inmitten der Türme
Stürzender Wut – Die Welt unterm Pflugschar der Stürme –
Noch zuckt es rot und glühend die Flamme beharrt.

Wie der Gesänge Alleinsein im endlichen Schweigen
Schwinge hinaus im bezwingenden Wirbel der Strömung,
Wirf dich empor am Taumel betäubender Krönung –
Urtiefen bellen im Schlafe zerschellender Geigen!

Schweigen – Oh Ton jenseits der Stimme, dem Ohr
Unverständliches Brüllen – Schon nicht mehr gehörte
Stille, verdammt an die stumme Kelter, vergor,

Dich zu berauschen, zu türmen den sterblichen Stolz.
Abgründe, Klippen der Klarheit, tödlich betörte
Gestalt deiner Sinne – Zerfall im äonalten Holz.

Nehmen Sie's gnädig auf – ich bin ein Anfänger und war ausserdem sehr erkältet als ich's schrieb. Die ruhigere «Rose um Mitternacht»[3], die vorher entstand, leg ich auch bei.

Im dankbaren Bewusstsein Ihrer Anteilnahme, freue ich mich sehr auf Ihre nächsten Zeilen.

Herzlich ergeben, Ihr:
⟨Alexander Xaver Gwerder⟩

1 In: Tat, 10.2.1951, Nr. 39, und GW I, S. 171; 60; 172.
2 In: GW I, S. 250.
3 In: Tat, 14.7.1951, Nr. 188, und GW I, S. 57f.

22 An Max Rychner, ‹Die Tat›

8. 10. 50

«Glücklich die andern, die mit sich selber
dahin übereinkommen, dass sie sich
vollkommen verstehen!» (Teste)

Sehr verehrter Herr Dr. Rychner,
die erste Woche in absoluter Sinnlosigkeit ist vorüber. Warum ich's gerade Ihnen sage? Kurz vor dem Einrücken las ich Ihre «Elemente des Gedichts»[1] – «Die Beziehungslosigkeit oder negative Beziehung zu Gedichten entspricht der Beziehungslosigkeit, die viele Menschen zur Seele haben»: Wo liesse sich die Bestätigung dieses Worts besser erfahren, als beim Militär, wo eine Menge zusammengesteckt wird, die genau besehen in jedem der sie ausmacht schon vorher ganz ist?

(Worin übrigens die gepriesene Kameradschaft nur eine Angsterscheinung schutzloser Nuroberflächen bedeutet.)

Gewiss, ich sehe Einzelne, zwei, die leiden; das war früher bei mir auch so. Zwei also, auf hundertfünfzig, von denen man den Menschen erwarten darf. Wir sind noch weit vom Frieden! Die Selbstverständlichkeit mit der sich der Rest, in einer Art patriotischen Fatalismus, im Recht meint, ist provozierend für jeden der seine Seele weiss. Es gehört schon ein grosser Schritt ins Reife hinein dazu, um Manifestationen gegen den Sinn, letzten Endes gegen Gott, als unwesentlich, nicht scheinbar, als Blendung einzusehen. – Ich bin erst daran, in einem Sinn zu verstehen und zu tun, der aus mir kommt und nur für mich gilt. Es lässt sich beobachten, was auch Rilke sagte, dass sich das Schicksal in dumpfen Stunden in uns vorbereitet.

Warum soll es nicht auch den Winter innen geben, da doch das Leben immer wirksam ist und man den Frühling, wie nichts anderes gerne, erwartet und glaubt.

Herr Teste sieht sehr mitgenommen aus und ich werde mir ein neues Exemplar zulegen müssen. Ihr Brief vom 22. VI. 50, für den ich Ihnen noch herzlich danke, liegt als stolzes «individuelles Vorwort»[2] darin. – Darf ich Sie darum bitten, Herrn Dr. Jaeckle meinen Gruss aus dem Militär zu übermitteln. (Laut ‹Tat› ist er noch immer abw. und für die kommenden drei Wochen ist keine Zeit zu Briefen abzusehen. Manöver.) Die abgeschriebenen Verse[3] sind das Muotha-Tal unterhalb Illgau am Fluss, morgens um halb drei. Deshalb leg ich sie bei.

Muotha-Tal

Die Sümpfe von sahnigen Nebeln geweitet,
Die schreien, die schlafen – und Mohn.
Und schwarz der Gebirge Hoheit, begleitet
Vom Gluten des Orion –

Das Röhren im Rohr und Klirren im Gras,
Gelächter ans träumende Ohr.
Lemurenkristall mit Zimbel und Glas
Umwächst ein mondenes Tor.

Geblüt von Mohn, wie zaubert das:
Mit roten Vögeln dämmert
Im Norden hoch des Sternbilds Mass,
Drin laut mein Herzschlag hämmert.

Die Fürsten der Krönung, Purpursäume,
Zerfahren vergilbend im Wind,
Versinken sanft in jene Räume,
Die jenseits meiner sind.

Mit freundlichen Grüssen, Ihr ergebener
A. X. Gwerder

1 In: *Welt im Wort. Literarische Aufsätze*, Zürich 1949.
2 Vgl. B von MR (uv.): «Und Ihr Wort über den Teste! Sie wissen, dass ein junger Mensch ihn geschrieben hat. Seit 1927 gibt es die Übersetzung, aber wer liest derlei! Dem 1000seitigen Roman gehört die Stunde, aber wie lang?»
3 Das Gedicht «Muotha-Tal» (= «Herbstnacht») in: GW I, S. 274.

23 An Karl Krolow

⟨Zürich⟩, am 3. Dezember 1950

Sehr verehrter Karl Krolow!
Schon längstens wollte ich Ihnen wieder einmal erzählen, von guten Ergebnissen, von erfreulichen Veränderungen, aber auch von Blendungen preussischer Provenienz und ausgesprochenem Durchschnitt. Nun hat es sich immer hinausgeschoben und eigentlich ein wenig abgestossen vom, wenn auch noch so kleinen Literaturbetrieb um mich, zog ich die vielleicht ungeschickte Konsequenz und verschloss mich nach vielen Seiten. Verschanzt hinter Büchern genoss ich ausführlich die neue Wohnung, (ohne den PdA-Blockwart vom früheren Ort!) die mit zwei Balkonen und einem Erker im vierten Stockwerk die schönste Aussicht über das Industriequartier der Stadt mit seinen unzähligen Geleisen und Dampflokomotiven, die an wechselnden Stellen wie Vulkane in Rauchpilze ausbrechen, bis auf die umliegenden Höhenzüge vom Zürichberg zum Üetliberg gewährt. Ganz im Hintergrund, gegen Deutschland, sieht man sogar bei schönem Wetter, den, dann immer zartblauen, Kontur der Lägern. Überdies habe ich noch zwei Minuten zu gehen ins Geschäft, so dass wirklich ein Minimum an überflüssiger Betriebsamkeit erreicht ist.

Romain Rolland eröffnete sich mir gewaltig mit Tagebuch, *Reise nach Innen* und *Freiem Geist*. Er durchbrach wie ein unerhörter Gott den Wolkenhimmel meiner Verehrungen, um sonnig gekrönt diesen zu erhellen, wo irgendwie noch etwas dunkleres schwebte. Auch Winkler, dessen zwei Bücher (Essays und Dichtungen)¹ mir Ertel anlässlich seines Schweizer Aufenthaltes² auslieh, ist in meinen Olymp eingezogen.

A propos Ertel: Die zweifelhafte Kunstgewerblerin Cornelia Forster³, die ich samt ihrer unklaren, ja finsterlichen Umgebung nicht mag, scheint bei Ertel den grössten Einfluss zu besitzen. Mir stellt sich nun die Frage, ob die von Ertel erwähnten Mitarbeiter an den ‹signaturen› wie Carossa, Hesse, Appel, Scheibelreiter⁴ etc. überhaupt und in welchem Sinne Mitarbeiter sind. – Die Forster hat nun einen früheren Freund ihres jetzigen Mannes⁵, Ernst Stoll (heute mit mir befreundet), für die ‹signaturen› vermittelt. Diesem sagte nun Ertel, er wolle ein Heft mit uns zweien um Neujahr herum herausgeben. Mir sagte er davon nichts und auch nichts von der Einschiebung eines zweiten Zürchers.

Hingegen zieht sich jetzt meine Korrespondenz mit Ertel seit Juni hin und erreicht ist noch gar nichts, während er sich nicht entblödet, diverse administrative Ansprüche an mich zu stellen. Endlich genug davon, schrieb ich ihm zu Anfang letzten Monats, ich hätte für die sechs Gedichte der ‹signaturen› einen anderen Druckantrag und stellte auf Grund dessen drei Fragen betreffs Inhalt, Herausgabe und Ausführung, um klaren Bescheid zu erhalten. Seit jenem Brief nun schweigt er. Ich jedenfalls habe nun, etwas enttäuscht, eher die Ansicht, es sei ihm von Anfang an um gewisse Punkte in der Schweiz gegangen, mittelst denen er private Bedürfnisse leichter erkunden oder befriedigen konnte, als um Veröffentlichung von Gedichten.

Etwas anderes: Zeigen möchte ich Ihnen zwei Übersetzungen: «Ophelia»⁶ und ein Sonett Alfred de Mussets.⁷ Die Verse Rimbauds «Ophelia» – nun, an Küchlers Übertragungen reichen sie bei weitem nicht was deren Genauigkeit der Bedeutungen und ihre Folgerichtigkeit anlangt. Meine Vornahme ging aber auch nicht dahin, ihn zu übertreffen. Ich wollte die innere Konstellation Rimbauds, seine Abstände zwischen Traum und Rechnung, zwischen Gefühl und Geschehen erforschen, indem ich mich mit allen Werkzeugen der Innerlichkeit in die Situation seiner «Ophelia» einliess. Wenn nun auch meine deutsche Wiedergabe nur ein Versuch ist, jene Messungen, jene so schwierig zu sagenden Resultate ins Wort zu bringen, so darf ich mich doch rühmen, als fähiger Leser, der sein Möglichstes tat, zu gelten. Abgesehen davon, dass ich jetzt überzeugt bin, keine wörtliche (im strengen Sinn) Übertragung genüge, um wirklich Rimbaud zu verdeutschen. So dass ich mich ferner wundern darf, was eigentlich die Leute mit den landläufigen Übersetzungen anfangen. – Die Voraussetzungen, um solche Arbeiten überhaupt zu tun, sind zum grössten Teil intuitiver Art; und etwa souveräne Sprachkenntnisse, verbunden mit umfassenden Studien im Sprachgebiet selber, fehlen mir gänzlich. Wie weit nun solche Wagnisse Gültigkeit haben weiss ich nicht, aber warum auch nicht: Das lehrreiche Spiel für unfruchtbare Tage! Deshalb stammen auch die beiden Arbeiten noch aus der Zeit vor dem Umzug, wo auch die Nationalstrafe dräuend vor der Zukunft hing, und durchaus nichts eigenes aufsteigen mochte. Das «Zwischenspiel»[8] entstand mitten in der Militärzeit auf dem Klosterplatz in Einsiedeln; alle übrigen sind aus jüngster Zeit.

Ich hoffe, dass Ihnen dieses oder jenes gefällt, damit Sie sich nicht umsonst durch den Worteberg hindurch bemühen. Nächstes Jahr stelle ich ein Manuskript für ein kleines Bändchen mit den bisher besten Versen[9] zusammen und lasse es in Deutschland wandern. Angefangen vielleicht beim Ellermann Verlag in Hamburg, der, soviel ich weiss und sah, sich stark für Gedichte einsetzt.

Sind Übertragungen aus dem Französischen von Ihnen irgendwo erhältlich? Corbière und Mallarmé kenn ich deutsch gar nicht und Baudelaire sehr wenig. – Könnten Sie mir die Nummer und den Jahrgang jener ‹Tat› angeben, wo Ihr Aufsatz über die Situation der deutschen Lyrik abgedruckt war? – Und noch einen Wunsch: Falls Oda Schaefer schon nach München umgezogen sein sollte: Wissen Sie ihre neue Adresse; ich möchte ihr auf Weihnacht spätestens schreiben?

(Der beigelegte Aufsatz[10] ist alt [1949] gilt aber immer noch und beleuchtet meine Situation inmitten gefrässiger Bürgerlichkeit.) Bücher, Bilder, ein bisschen Tag, ein bisschen Nacht – vielleicht ist das die Wirklichkeit oder ist sie mindestens eher darin enthalten, als im dreimal gottverdammten Aussen. Der Krieg ein Traum? Und wir, die träumen, sind die Erwachenden? Quién sabe?

Ich grüsse Sie, Ihnen das Beste wünschend, in aller Herzlichkeit:

⟨Alexander Xaver Gwerder⟩

1 *Gestalten und Probleme* und *Dichterische Arbeiten*, Leipzig 1937, von Eugen Gottlob Winkler (1912–1936), deutscher Schriftsteller und Kritiker.
2 KFE besuchte AXG am 22. Oktober 1950 in Zürich.
3 Cornelia Forster (1906–1990), Schweizer Bildhauerin und Malerin.
4 Ernst Scheibelreiter (1897–1973), österreichischer Schriftsteller.
5 Hildebrand Altepost.
6 «Ophelia» und Original in: GW I, S. 372f.; III, S. 333.
7 «Sonett» und Original in: GW I, S. 374; III, S. 335.
8 Gedicht «Zwischenspiel» (= «Aus dem Tagebuch eines Soldaten») in: GW I, S. 233.
9 Mitte Februar 1951 übergab AXG seinem Arbeitgeber und künftigen Verleger, Willy Hug, das M einer Gedichtslg., eine Vorform von BE. Siehe Kommentar zu BE in: GW III, S. 171f.
10 «Vom Absolutismus des einzelnen». Siehe Anm. 11 zu Nr. 25, S. 261.

24 An Erwin Jaeckle, ⟨Die Tat⟩

Zürich, am 28. Dezember 1950

Lieber Herr Dr. Jaeckle,
nebst einem kräftigen Händedruck (des Einverständnisses) für Ihre Stellungnahme zum Ringierskandal[1], die besten Wünsche für Ihr nächstes Jahr!

Mein Heft der ‹signaturen› ist leider noch nicht gedruckt, der Herr Herausgeber benützt mich vorläufig als Umschlagstelle für seine Schweizerhonorare, sonst würd' ichs Ihnen jetzt mit altchinesischer Weitschweifigkeit zu Füssen legen. Ich hoffe es aber im nächsten Jahre tun zu können.

Einen herzlichen Gruss noch,
Ihres dankbaren:
A. Xaver Gwerder

N. S. Was man gelegentlich entdeckt:

«Die Welt ist klein ... Ich werfe sie als Spieler
Wie ist das Schicksal klein! Das Schicksal vieler
Ist nur ein Gran in meinem grossen Traum

Und auch der Traum ist Tanz und Tanz ist alles
Beschwingten Wurfes und beschwerten Falles
Das ist der Sieg und auch der Sieg ist kaum ...»

Aus der *Kelter*[2] E. Js.

[1] Wegen eines menschenverachtenden Leitartikels über China in der Zeitschrift ‹Sie und Er› war der verantwortliche Redaktor vom Verlag Ringier entlassen worden. EJ hatte in seinem Artikel «Journalist muss über die Klinge springen. Unsere Meinung zum Ringier-Konflikt» in: Tat, 19.12.1950, Nr. 345, dem Ringier-Verlag die eigentliche Schuld zugeschoben, weil er wegen der «Sensation um jeden Preis» die «Verantwortlichkeit zum Äussersten» presse und erpresse.
[2] Siehe Anm. 1 zu Nr. 16, S. 237.

25   An Oda Schaefer

Zürich, am 14. + 21. Januar 1951

Sehr verehrte und liebe Oda Schaefer,
ich danke Ihnen herzlich für Ihren ausführlichen Brief, der mich mit seinen positiven Abschnitten riesig freut! Und eigentlich

lockt es mich, gleich mal Stück für Stück seines Inhaltes antwortend zu betrachten.

Draussen ist strahlender Tag, wie «vom Eise befreit», und auch der Menschenstrom fehlt nicht. Denken Sie: alle acht Fensterflügel voll blauen Himmels, und wenn ich mich erhebe, (ich habe mirs bequem gemacht) ferne helle Häuser und meerhaft zartgrüne Horizonte.

Holthusen: ja, ich erwarte halb und halb ein Echo. Allerdings schrieb ich ihm nicht im eigentlichen Sinne, sondern gab lediglich einen kleinen «Herbstgesang»[1] dem Dichter der «Phantasie über ein Frauenantlitz». Es hat sich was mit der Prominenz – viele hocken auf so hoher Kante, dass sie ausser dieser nichts mehr sehen. Und wenn ihnen der Sitz zu unheimlich wird, strampeln und schreien sie – aber dann hört sie niemand mehr. Thomas Mann, dieser borniert Kulturhochstapler! (Ich kenne nur seine Physiognomie, seine Werke gar nicht.) (Denn, so lange ich das Geld noch nicht habe, um Platon, die prächtige Ausgabe von Lambert Schneider, zu erwerben, müsste ich schön verdreht sein, Mann zu lesen.) Ich sah ihn beim Zürcher Besuch[2]: stinkmüde – ich wünschte ihm für einen Abend die Tafelrunde Leconte de L'Isles. Rimbaud hätte ihm mit drei Sätzen seine Erhabenheit zerschlagen. Sonst habe ich nichts gegen ihn. Er wird wohl auch im PEN-Club sein!? Aber, erstens, sind Sie eine erfrischende Ausnahme mit ideal wirklichen Bezogenheiten und, zweitens, weiss ich, dass ich bei Ihnen nicht etwas vorlügen muss. Soviel vorläufig zur Prominenz.

Max Frisch kenn ich nicht persönlich, obzwar er mir leicht erreichbar wäre. (Auch seine Werke nicht.) Jedoch muss ich meine Sympathie zu ihm aussprechen, da er offenbar nicht militant gewickelt ist. Ich hätte Ihnen auch ein Liedlein singen können aus dem Service, aber meine Hörner sind diesbezüglich schon leicht abgebogen. Was schrieb ich nicht alles gegen diese fatale Einrichtung! Jaeckle, der gute, lachte mich fröhlich aus, (er ist überhaupt für die Heiterkeit) nahm das Dagegensein zur Kenntnis und sagte zu mir: «Wenn Sie Ihre Artikel zu Ende denken, erscheint ja die ganze Eidgenossenschaft fragwürdig.»[3] Nun, mir schien sie eben. Immerhin, in gewissen anderen Ländern würde man versteckt, hätte man derartige Korrespondenzen mit Regierungsmitgliedern. Das ist an und für sich schon sehr positiv.

Ich bedaure sehr, dass es Ihnen gesundheitlich nicht gut geht und wenn ich Ihnen irgend etwas Unerhältliches von hier aus beschaffen kann, bin ich gerne dabei! Unsere Wohnung ist freilich schon sehr trocken, da sie über zwanzig Jahre alt sein muss und vortrefflich geheizt wird zu normalen Preisen –.

Inzwischen hörte ich Musik. Ich sage Ihnen: Musik! so schön wie der Abendhimmel jetzt; so mörderisch, denn er tötet. Man stirbt und gleitet hin durch rotierende Röhren, wo die Gedanken sich jagen – und schliesslich ist man Seefahrer im weiten Pazifik auf funkelnagelneuem Dreimaster und heisst gross und segelt über Lemurien. –

Ihren Hinweis auf Ossa und Olymp verstand ich so, dass Sie eine relative Klaffung spüren, wenn ein Gedicht, mit durchaus deutschem Sinn oder Inhalt, nach griechischen Massen gebaut ist. Nun, ich will sehen, wie ich den Kopf aus der Schlinge ziehe – hindurch mit Platon wird das Beste sein. Von Krolow habe ich leider nur zwei Gedichte aus der ‹Tat›, in dem einen er stimmungsmässig wie Sappho anmutet:

«Meine Augen im Mittag sind ganz
Aus bitterem Silber gemacht:
Zwei Vögel aus Schatten, im Glanz
Zerschnittener Früchte erdacht».

Zu unserer bescheidenen Rechtfertigung möchte ich, wenigstens für den Fall, dass sichs verschlimmerte, anfügen, dass es wohl bei ihm wie bei mir, um eine nicht zu vermeidende Ichdarstellung, Darlegung handelt und diese von uns aus auch gar nicht negiert werden dürfte, ohne durchgangen, durchlitten zu sein. –

Dass Sie mich in Ihrem Vortrag erwähnten[4] kam, als Tatsache, überraschend. Ich fühle mich geehrt, sehr geschmeichelt und – verpflichtet. Verpflichtet zu jener Verantwortung hin, die von Unzähligen um uns herum, über Bord geworfen wurde als ein Bekanntwerden sie anrührte. (Rücksichtslosigkeit im höchsten Sinne wird zur Tugend.) Dieselbe Rücksichtslosigkeit ist es ja auch, die Sie bewogen hat, mich zu nennen. Haben Sie Gedichte zitiert oder so? Oh ich bin eitel! Auf jeden Fall: Sie freuen mich ungemein!

Oh Mensch + Oh Gott = Schrei ist nicht schlecht gesagt. Aber um meinen Fall zu präzisieren, möchte ich eher darauf hinweisen, dass es mir immer noch um und gegen den Menschen, bezw. Zweibeiner geht; jedoch im ersteren Aspekt um den Einzelnen und seine höheren Funde, die ihn, letztlich, als Krönung sichern müssen, in Gott, wenn Sie wollen – gegen den (zweiter Aspekt) Menschen der automatisch lebt, sich von Abfällen (geistigen) nährt und als Zusammenschluss (Masse) brauchbar wird für negative Kräfte, denen er Macht (böse) bilden hilft. Sonst aber überlegte ich noch nie, wie ich töne –

Ertel war gleich am ersten Tage nach meinem Militärservice (ich bin bedient) bei uns. Er redete viel. Man bekam den Eindruck, er höre sich gern. Auch legte er mir seine Besprechung der damaligen Forster-Ausstellung (Galerie Haller), gedruckt im ‹Volksrecht›, vor. Ich sagte ihm, ich könnte höchstens mit der Art, in der sie geschrieben sei, parallel gehen. Über das Ausgesagte müsse er sich selber klar sein. In Tat und Wahrheit wars eine widerliche Heuchelei. Ja, besser, ich verschone Sie mit weiterem Klatsch.

Mein Besuch bei Altepost-Forsters, den mir Ertel im letzten Sommer empfahl, wurde zum Fiasco. Zwei meiner Bekannten (Maler) warnten mich vorher. Ich blieb enthusiastisch, stellte mir so etwas wie eine Käthe Kollwitz vor und dann ... Schluss!

In der neuen Wohnung bin ich abgeschlossen wann ich will, wie in einem Turm. (Es braucht ja kein Elfenbeinturm zu sein; sogar der rostige Eiffel genügte zu Zeiten vollauf!) Um Bergengruen zu besuchen, müsste ich zuerst welches von ihm kennen. Als Persönlichkeit gefiele er mir ausgezeichnet. Man sah vor einem Jahr sein Bild in allen Buchhandlungen. Wie gern wollte ich alle kennen, aber jede Woche gehen 48, in Worten: forty-eight, Stunden ab fürs tägliche Brot und jede Nacht kann nicht zum Tag gemacht werden.

Seltsam, dass sich Stifter erschoss. Ich liebe ihn nicht besonders, aber diese Tatsache gab mir schon zu denken.

Ja – der Engel wich total der Maschine. Während bei Lionardo die Maschine noch seltsames Zeichen war und die Engel herrliche Menschen malerisch umrahmten, sind heute die Zweibeiner von Maschinen umklammert und der Engel spukt als mystisches Zeichen in wenigen noch Geistesgegenwärtigen.

Ihre Idee von der Weltenschwärze, daraus strahlend das Medusenhaupt – sie erweckte mir ganze Kettenreaktionen. Man sollte Seher sein! Vor allem die Vorgeschichtlichen, die Ungeheueren, die Dhyans, die Söhne der Götter, wie es in den esoterisch-okkulten Forschungen heisst, nehmen zuweilen Gestalt an in der Phantasie. Aber was für ein unzulängliches Werkzeug, diese Phantasie! Trotzdem erhebt sie einen über die tagläufigen Zeitbegriffe und macht einen ragen in die dünne Luft des Seienden.

Und nun landete ich auf Atlantis. Atlantis! Gleicht nicht unser Tun, unser Tag, die Morgen hauptsächlich und die Abende draussen, das Geschehen ohne Überlegung, ohne Wahl vielleicht, ohne Denkkraft durchdringende sicher, das Besessene, (politisch) das Durchtränkte – einem versunkenen, ertrunkenen, betrunkenen, ja besoffenen Kontinent? Freilich die verrückte Stunde schlug noch nicht, um etwas daraus zu machen.[5] Je devine la chose de loin. Das Gedicht: «Morgenstern»[6] bedeutet ein fahles Schimmern davon. Ganz im Dunkel hinten der Begriffe, der Sinne, ist's schon Atlantis.

Mit freudiger Anteilnahme beglückwünsche ich Sie zu des, wahrscheinlich hoch gehängten, Lorbeers Ernte! Auch wünsche

ich Ihnen ein gebührendes Gefeiertwerden, so dass Sie einen ausserordentlich guten Tag haben der noch lange anhält. (Derartige Preise[7] treffen ja sicher selten.) Werner Helwig[8] kenn' ich gar nicht. (Für dieses «kenn ich gar nicht» muss ich mir in Bälde einen Stempel anschaffen; zu peinlich diese Wiederholung.)
Ich hätte sehr gerne mehr und öfters Gedichte von Ihnen, aber ich wage nicht einfach so frei darum zu bitten, da ich weiss wie das Abschreiben zuwider sein kann.
Wir kreisen mit ähnlichen Flügelschlägen im Raum der Gedanken (Symbole) und nur die Kristallisation der gewonnenen Luftfiguren schafft wieder Abstände: «alles Verschollene» ... «grausam entblösst» ... «blaue Stunde der Liebenden» ... und das «Sternbild» in Ihren «Gezeiten», «Gewölbe aus Stille», dann die «Röhren», der «Krater», die «Kunde von Innen», «Atlantis!», «zerrissene Schleier», das «Licht aus Osten». Ist nicht dieses alles *uns* beiden? Ich freue mich darüber: es ist gut so, wir bestätigen einander.
Darf ich etwas kritisieren? Haben Sie «Ja» gesagt? Also: weil ich mich intensiv mit dem lockenden Atlantis befasse und dieser Intensität äusserlich wenn auch krause Schriften hinzufügte, machte ich, im Ganzen genommen, die sehr wahrscheinliche Feststellung, dass die letzten Reste von Atlantis, inklusive jener Insel die Platon meint, vor 850 000 Jahren untergingen. In Ihrer «Siebenten Schicht» heisst es:

«Troja, Pompeji, Atlantis, Vineta und Ur,
Die gleichzeitig starben»

Und dieses «gleichzeitig» stört mich nun. Wie wäre es mit «unerhört»? Auch wenn sich «gleichzeitig» ergeben soll aus der Tatsache des Spiegels (Innen), riete ich doch zu «unerhört».

Jetzt muss ich Sie vielleicht noch enttäuschen: Ich habe keine nennenswerte, längere Prosa. Was vorhanden ist: Tagebuchblätter über längere Zeit[9]; ein längerer, merkwürdiger Traum[10] (leider echt); drei, vier Zeitungsartikel[11]; antimilitärisch; ein Brief an einen Künstler[12]; ein Brief an eine Geliebte[13]; «Die Lumpen der Wahrheit»[14] (eine seltsame «Kurzgeschichte»); eine weitere die richtig «Der bittere Ausschnitt»[15] heisst; «Zur Theorie und Praktik politischer Ideale»[16], ein Artikel; «November am Fenster»[17], eine harte genaue, gute Arbeit (Rychner nannte die Atmosphäre ein Poème en prose).

Was jetzt zu veröffentlichen voll und ganz anginge, d.h. in Übereinstimmung mit der schon genannten Verantwortung, wären: der Aufsatz den Sie bereits erhielten «Vom Absolutismus des einzelnen» und die demnächst folgende «Meditation»: ‹Traum und Tag›[18]. Nur fürchte ich, solche Seiten sind schwer unterzubringen. Die Redaktionen leben von der Vorsicht im Sinne der Scheuklappen. (Wenigstens bei uns.) Was ich ausserdem früher schrieb ist alles viel zu sentimental, zu künstlich, Papierblumen von A bis Z. («Mosaik aus Sehnsucht» mit dem Inhalt: «Der Nachbar» (idiotisch), «Stadtgesicht»[19] (welches noch anginge), «Stromboli» (sizilianisch), «Der Fremde» (holländisch), «Zwei Orchideen» (Tahiti, ein Sohn Gauguins).

Mit den Gedichten ist's dasselbe. Ich bin herrgottenfroh, dass niemand die Einfalt besass, mein erstes Bändchen[20] zu drukken. (Von 122 Gedichten vielleicht zwanzig passable Verslein.) Die «Zwei Gesänge gegen die Masse»[21] halten sich noch am ehesten. (Jaeckle hätte sie in der ‹Tat› abgedruckt, wenn sie nicht zu lange wären.) Dann die «Kleine Verklärung»[22], 27 Sonette, nun: so so la la. Und die fliegenden, restlichen etwa 175 Blätter mit Versen, die bis zur Jetztzeit reichen, muss ich erst mal ordnen. Eigentlich finde ich immer die allerletzte Arbeit gut genug, gleich nachher fällt sie meist rapid ab und viel später ergibt sich ein solideres Verwerfen oder Vorziehen. So – jetzt habe ich gebeichtet. A propos: beichten – ich war auch mal Altardiener (Ministrant nennt man das) und schnurrte einst weihrauchbetört und kultbeflissen die Messe lateinisch herunter ohne Lateinisch zu können. Das waren noch Zeiten! Ich erinnere mich genau, wie wollüstig ich im Schott'schen Volksmessbuch blätterte und die schmiegsame Griffähigkeit am Ziegenleder erprobte. Dann, eine ähnliche Wollust ergab sich aus dem Schwung des Weihrauchfasses: ich malte mir immer aus, wie es würde, wenn die Kette risse, und versuchte dabei, ganz unmerklich, den Schwung auf diesen oder jenen der im Chor Sitzenden zu lenken für den Fall –

Ich möchte Ihrem Mann schon wünschen, dass sein Hörspiel ankommt. Viel zahlen sie ja nicht dafür (300.– glaub' ich höchstens), aber immerhin. Radio ist oft eine heikle Sache, da es sozusagen verpflichtet ist, zuerst Inländer zu berücksichtigen und andrerseits die Ausländer sich oft als viel stärker erweisen: ich erinnere an Priestley, W. Borchert, Sartre –. Wenn Sie nicht nach Zürich kommen – vielleicht ergibt sich eine Möglichkeit uns von Angesicht zu Angesicht zu begrüssen auf der Durchreise?!

Ich möchte schon, sobald der Finanzhaushalt sich beruhigt haben wird, über die nördlichen Grenzen gucken. Meine Frau hat Verwandte in Freiburg. Früher vor dem Krieg, auch in Hamburg.

Euphorischer Föhn – sehr schön – den kenn' ich. Die «Sommernacht»[23] beginnt:
«Vor allem das Rauen ziehender Tartaren
sprüht über die Steppe dieser Flaumnacht voll
schwarzer Kissen –
　Goldringe sinken
in luftigen Meeren bis zu den Gründen
plötzlich zündender Salamander –
Traumschiffe stolzer Begegnung fliegen
geblähten Segels gegen die Felsriffe
wolkenberauschter Bäume und
　kristallene Ballone zerschellen schamhaft
im heissen Schosse geballter Ewigkeit –»

Und die Frühlingsstürme – ja – über *die* dichten wir bestimmt! Hingegen die «bleierne Föhnlage»: dann bin ich widerlich wie ein fauler Fisch.

Gegenwärtig versuch' ich ein kleines Essay Valérys zu übertragen: «Du nu».[24] Wenn ich den Segen Krolows dazu bekomme, schick ich Ihnen eine Abschrift.

Ich wünschte mir wirklich dieses Jahr da und dort jenseits des Rheines abgedruckt zu werden; und da ich mich auf die ‹signaturen› kaum verlassen kann, versuch ichs gerne, nach Ihrem geneigten Zuspruch, vorerst beim ‹Deutschland›[25] und beim ‹Merkur›. Der Vorsatz oder die Erleuchtung der Neujahrsnacht war: mich dieses Jahr (ausser vielleicht Atlantis) intensiven Studien hinzugeben. Platon, Kassner, deutsche Lyrik, französische Lyrik. Die Transzendenz muss irgendwie sesshafter, immanenter werden; und das ohne Spiegelgefecht. Oh je, das Leben ist eines der schwierigsten, sagte der Witzbold! Es gibt auch Meditationen über die Langeweile, ferner die Langeweile die meditiert und schliesslich noch die langweilige Meditation.

Jetzt aber habe ich Ihnen ein schönes Stück Zeit geklaut. Bitte, kreiden Sie mirs nicht zu schwarz an. Oder besser: erklären wir doch die Zeit als nicht vorhanden; seien wir ewig!
    Nehmen Sie die besten Wünsche für glückliche Tage von Ihrem
herzlich ergebenen:
A. X. Gwerder

N. S. Weitere Manus folgen gleich nach Abschrift.

1   Vermutlich das gleichnamige Gedicht. In: GW I, S. 272.
2   Welchen der vier öffentlichen Auftritte T. Manns in Zürich in den Jahren 1947, 1949 und 1950 AXG erlebt hat, konnte nicht ermittelt werden.

3   Es handelt sich um EJs briefliche Reaktion auf AXGs Artikel «Reflexionen der andern Seite» vom 16.11.1949 (uv.): «Denken Sie den Beitrag zu Ende, und es wird Ihnen die ganze Eidgenossenschaft fragwürdig.»
4   Vgl. B von OS, 6.1.1951 (uv.): «Ich habe Sie übrigens in einem Vortrag über Lyrik, den ich hier in München (...) hielt, erwähnt, als ‹Phase II des Expressionismus›, wie Gottfried Benn sich in einem seiner letzten Essays ausgedrückt hat – zugunsten dieser Phase. Sie und Wolfgang Bächler (...) sind für mich die jungen Exponenten dieser Richtung. Es handelt sich allerdings um einen ganz anderen Expressionismus als seinerzeit; der ‹Oh Mensch›-Schrei ist dem ‹Oh Gott›-Schrei gewichen».
5   Vgl. das Gedicht «Atlantis» in: GW I, S. 311.
6   «Morgenstern» (= «Venus») ist uv.
7   OS erhielt für ihre Lyrik einen Preis der «Akademie der Wissenschaften und der Literatur» in Mainz.
8   Werner Helwig (1905–1985), deutscher Schriftsteller.
9   Die «Tagebuchblätter» von Januar 1950 – Februar 1952 sind als Ganzes uv.
10 Vermutlich der Prosatext «Seelische Landschaft» in: GW II, S. 45–48.
11 «Vom Absolutismus des einzelnen», «Reflexionen der andern Seite» und «Träumerische Worte ...» in: GW II, S. 113 ff.; 116 f.; 122-125
12 «Brief an einen namenlosen Künstler» ist uv.
13 «Brief an eine Namenlose» in: GW II, S. 54f.
14 In: GW II, S. 49–53.
15 «Bitterer Ausschnitt» in: GW II, S. 57–60.
16 Siehe Anm. 9 zu Nr. 16, S. 237.
17 In: GW II, S. 61ff.
18 «Tag und Traum» in: GW II, S. 64–70.
19 In: GW II, S. 23–26. Die anderen Texte sind uv.
20 Siehe Anm. 4 zu Nr. 1, S. 208.
21 Siehe Anm. 2 zu Nr. 1, S. 208.
22 Gedichte aus TKV und Kommentar dazu in: GW I, S. 202ff.; III, S. 268f.
23 «Die Sommernacht» in: GW I, S. 238.
24 «Vom Nackten» und Original in: GW II, S. 199ff.; III, S. 374ff.
25 Die in Heidelberg hg. Zeitschrift ‹Das literarische Deutschland›.

26 An Erwin Jaeckle, ‹Die Tat›

⟨Zürich⟩, am 18. Januar 1951

Lieber Herr Dr. Jaeckle!
Der alljährliche Artikel¹ (zum ablehnen) ist heuer früh drangekommen. Und zwar als Reaktion auf das denkbar ungeistige, seelenlose Husarenstück dieses A. v. M. (Muralt nehme ich an). Die Schweizerische Zentralstelle für Friedensarbeit auf falschen Geleisen.²
Muralts Schienen wären jedenfalls sehr rostig und vor allem ausgefahren. Wie kann man nur das tausendmal wiedergekaute immer wieder servieren. Da es doch zu nichts führt letztlich und der steifste Kragen einmal nicht mehr zu gebrauchen sein wird.
– – – Aber jetzt wird mir bitter ernst: Was hat der Herr v. Muralt im Rücken als Wahrheit? Nichts als die Tatsachen eines kaum halben Jahrhunderts. Mir genügt diese Kleinigkeit nicht. Und Ihnen?
Weshalb holt man sich, und das ist eine andere Frage, immer Jubelgreise in den Bundesrat? Sie haben den Neuen³ sicher schon gesehen, kann er nicken?
Nun muss ich Sie noch sehr um Verzeihung bitten wegen meiner Frechheit, aber ich sehe in Ihnen vor allem den Verfasser jener Gedichte, die ich hin und wieder mit Hochgenuss und dem Gefühl aufrichtiger Dankbarkeit vornehme.

Mit herzlichem Gruss,
Ihr ergebener:
A. Xaver Gwerder

Wissen Sie bereits, wann meine Verse abgedruckt werden?

1 «Träumerische Worte …». Siehe Anm. 11 zu Nr. 25, S. 261.
2 Gleichnamiger Artikel vermutlich von Alexander von Muralt (1903–1990), Naturwissenschafter, u. a. Initiant und Präsident des Schweiz. Nationalfonds zur Förderung der wissenschaftlichen Forschung. In: Tat, 17.1.1951, Nr. 15. Ein Manifest der «Zentralstelle für Friedensarbeit»

schlug u. a. vor, die Schweizer Armee nicht weiter aufzurüsten als «Beitrag zur Vorbereitung auf einen dritten Weltkrieg», und verlangte vom Bundesrat, «die Initiative zu einer Weltkonferenz für völlige allgemeine Abrüstung» zu ergreifen. Der Artikel polemisierte gegen den «unschweizerischen und unaufrichtigen Geist» des Manifestes, da «sich heute ein Volk seine Freiheit nur durch den sichtbar gemachten Willen zur bestmöglichen Verteidigung seiner Unabhängigkeit erhalten» könne.
3 Josef Escher (1885–1954), Bundesrat von 1950–1954.

27 Von Erwin Jaeckle, ‹Die Tat›

Zürich, 20. Januar 1951

Lieber Herr Gwerder,
ich bin in einiger Verlegenheit. Ihre Ausführungen stimmen natürlich grundsätzlich. Und dennoch sind sie in dieser Form nicht verwendbar. Haben Sie nur in diesem Falle und an diesem Gegenstande eine Diskrepanz des Lebens bemerkt? Macht vielleicht nicht diese Diskrepanz das Leben selbst aus? Und glauben sie, es gehe darum, Götter zu schaffen und die Tiere umzubringen? Ich will mir aber eine theologische Abhandlung ersparen.

Leider kann ich Ihnen nicht sagen, wann Ihre Gedichte erscheinen. Sie warten geduldig wie es eben Gedichte tun.

So grüsse ich Sie herzlich!
Ihr Jäckle

28 An Oda Schaefer

⟨Zürich⟩, am 28. Jan. 51

Liebe und verehrte Oda Schaefer!
Einiges ist nun abgeschrieben. Vergangenes zumeist, nur die Meditation[1] ist noch aktuell. Vier Gedichte aus dem Kreis «Atlantis»[2] sind in der letzten Woche entstanden. Für später.

Platon ist angeschafft; aber noch immer raucht mein Kopf von der Valéry-Übertragung[3]. Da spürt man die mangelnde Ausbildung.

Die Tage jetzt sind so verdammt grau; statt einigen Jubels, statt minutenlanger Aufblicke spürt man die Nebelringe sich drehen, innen. Zu was schreibt man; zu was lebt man? Weder Kunst noch Familie sind ausreichende Antwort!
Aber das wird der Winter sein.

«Unter Dornenbogen, o mein Bruder,
klimmen wir blinde Zeiger gen
Mitternacht.»

Georg Trakl

Glauben Sie nicht, liebe Oda, dass es einst grössere und schönere Menschen gab an Körper und Geist? Die Götter Griechenlands, die sich ja so menschlich benehmen? Die Gesichter der ägyptischen Totenmasken dürften Beweis sein. Die Goldfarbigen, die Mondfarbigen mit den grossen schwarzen Augen!
    Traum, Traum, Traum! Aber draussen, wir, die Autos, die Städte, der Sport, die Politik – das ist auch nicht die Wirklichkeit. Was an uns ist überhaupt wirklich? Die Abgründe?

Hoffentlich gefällt ihnen dies oder das. Und seien Sie streng mit mir. Auch die Form dürfte, aus Göttlichem stammend, zu einer Göttlichkeit hinführen.
    Ich wünsche Ihnen sehr Gesundheit und den baldigen Frühling!

Herzlich, Ihr
A. X. Gwerder

1   «Tag und Traum». Siehe Anm. 18 zu Nr. 25, S. 261.
2   Siehe Anm. 9 zu Nr. 23, S. 251.
3   Siehe Anm. 24 zu Nr. 25, S. 261.

29 An Rudolf Scharpf

Zürich, am 28. Jan. 51

Sehr geehrter Rudolf Scharpf!
Gestatten sie vorerst, dass ich mich vorstelle: A. X. Gwerder, Zürich.
 K. F. Ertel schrieb mir, dass Sie das grafische Gegengewicht zur Ausgabe der ‹signaturen› mit meinen Versen erstellen. Nachdem mein Versuch, K. F. Ertel von hier aus grafische Arbeiten zu liefern, an der Unzulänglichkeit des Grafikers[1] scheiterte, bin ich nun erfreut, dass er Sie dafür gewinnen konnte. Ich habe die Reproduktion eines Holzschnittes von Ihnen, aus dem Katalog der Galerie Franz, den ich «Stadtgesicht» nenne und der mir sehr entspricht! Es würde mich interessieren, wie weit Ihre Arbeiten gediehen sind. Da die Angelegenheit mit den ‹signaturen› sich seit letzten Juni hinzieht, bin ich natürlich eher befriedigt, wenn das Jahr des Hinziehens nicht voll wird.
 Zum Zeichen des Einverständnisses lege ich ein paar Verse bei.
Mit freundlichen Grüssen,
ergeben, Ihr
A. X. Gwerder

1 Willy Hug.

30 Von Rudolf Scharpf

Altleiningen, Pfalz, 4. Feb. 1951

Sehr geehrter Herr Gwerder,
für Ihre Zeilen danke ich Ihnen bestens. Darf ich Ihnen sagen, wie mich Ihre Gedichte in manchem verwandtschaftlich anrühren? Solche Zeichen, über Fernen getauscht, sind heute sicherlich mehr noch als in irgendeiner beruhigteren Gegenwart dem Einzelnen Anruf und Bestärkung.

In diesem Sinn sehe ich auch das Begegnen in einem der kleinen ‹signaturen›-Hefte, die sich wohl nächstens ergeben wird. Ich habe heute zugleich an K. F. Ertel geschrieben und es soll an mir nicht liegen, wenn sich das Erscheinen Ihrer Nummer noch hinauszögern sollte.

Leider kann ich Ihnen aber in diesem Schreiben noch keine Probe meiner Arbeit beifügen – ich habe augenblicklich keine Abzüge zur Hand – und wollte aber nur rasch hingrüssen zu Ihnen

als Ihr
R. Scharpf

31   An Rudolf Scharpf
⟨Zürich, 24. 2. 1951 (Poststempel)⟩

Lieber und geehrter Herr Scharpf,
Ohne auch nur eine Stunde zu warten, was Ihnen beweisen möge, wie sehr ich's meine, will ich Ihnen sagen, dass mich Ihre Arbeiten begeistern! Sie übertreffen die Erwartung, die ich mir auf Grund des «Stadtgesichtes» erlaubte um jenen Abstand, der vermochte, mich aus dem gewöhnlichen Alltag zur reinen Freude hinauf zu heben. Nehmen Sie meinen herzlichen Dank dafür! Wenn man anders noch danken kann, lege ich die Handschrift eines neueren Sonetts bei.

Zu Ihren Zeilen, meinen besten Dank auch dafür: Wir Junge, Einzelne sind eine Tatsache, die sich, trotz Krieg, schwachköpfiger Politik und abstruser Geschäfte, nicht «beseitigen» lässt – Der Mensch im eigentlichen, seinem Sinne, wird überleben – Dazu genügen zwei, drei Abseitige schon, die unwandelbaren Gesetzen unterstehen –

Sind dies die Holzschnitte unseres ‹signaturen›-Heftes? Es wird sich sehen lassen dürfen. Es wäre auch K. F. Ertel einmal zu gönnen, wenn man sich um die ‹signaturen› risse –

Nochmals Dank und Grüsse, wie Rilke sagte: In hohem Bogen über das Volk hinweg –

Ihr: A. X. Gwerder

32 An Kurt Friedrich Ertel

⟨Zürich⟩, am 17. März 1951

Lieber Herr Ertel!
Besten Dank für Ihre Karte. Sie hat mich sehr gefreut! Teils wegen den guten Nachrichten und teils, weil ich dabei merkte, um wie vieles klarer und einfacher sich unsere Beziehungen jetzt befestigt haben, und weiter befestigen. – Die Grippe ist vorüber und äussert sich lediglich noch in einer tiefgreifenden Reizbarkeit beim Lesen von Zeitungen, beim Anhören des korrumpierten Rundfunks und beim Anblick ebensolcher Mitbürger. Doch das wird Ihnen ja nur zu verständlich erscheinen! – Jetzt zuerst noch einmal ausreichenden Dank für längere Zeit für den Majakowsky[1] und die beiden Winklers! Herrlich präzis und schön der Dialog: «Erkundung der Linie»[2]. Von Kirchner hängt jetzt eine gute Reproduktion über meinem Schreibtisch, der «Wald». Bei uns ein viel zu wenig bedeutender Maler. Aber was hat bei uns schon Bedeutung. Höchstens das Militärbudget. Diese Wahnsinnigen!!!

Scharpf: Ja. Ein grosses *Ja!* Er ist einer der Aufständischen im Reiche des Geistes. Ein Bruder in van Gogh. Ein Bruder in Apoll!

Oh über diese Dummköpfe von Zeitgenossen, die nicht einmal ahnen, was für Gewitter unter ihnen umhergehen –.

Es ist fein, lieber K. F. Ertel, dass Sie auch beim Mappenunternehmen[3] dabei sind.

«So blicken denn die Gipfel kristallner Gebirge,
  trüb den verschleierten Augen der Masse,
  zur Schlucht des Motorengewürms – und weiter:

zum Schwerpunkt der Vorzeit,
zu den Gründen der Zukunft –»[4]

Hochtrabend, nicht? Aber ich habe zur Zeit eine grenzenlose Verachtung für die blinden Bäuche aus Weisswurst und Bier.
    Das Honorar der Besprechung[5] verwenden Sie ruhig selber. Es wird ja wahrscheinlich ohnehin dieses Jahr noch nicht möglich werden Sie zu besuchen. (Auch bei der lieben Oda Schaefer bin ich schon längstens eingeladen.) Aber sobalds geht mach ich eine grosse Deutschlandreise. Hingegen würde es mich sehr freuen, wenn Sie mir etwa zwei, drei Belegexemplare der Besprechung beschaffen möchten.
    Herrgott wie brenne ich darauf, der Welt die *Begegnung* um die Ohren zu hauen!
                            Seien Sie herzlich gegrüsst von Ihrem:
                                       A. Xaver Gwerder

N.S. Scharpf und ich wären uns einig, wenn die ‹signaturen› mit dem Titel *Begegnung* hinausgingen. Es ist ja auch eine Begegnung in fast allem Sinn, den man einem solchen Ereignis geben mag. Was meinen Sie dazu? Wäre dies möglich?

1 Wladimir Majakowski: *Ausgewählte Gedichte*, Berlin 1946.
2 «Die Erkundung der Linie» in: *Dichterische Arbeiten* von Eugen Gottlob Winkler. Siehe Anm. 1 zu Nr. 23, S. 251.
3 Die von RS und Günther Rohn initiierte bibliophile «Mappe» mit Texten und Originalgraphik verschiedener Künstler kam nicht zustande, war aber Auslöser für Mo. Siehe Kommentar dazu in: GW III, S. 165.
4 Quelle des Zitates (aus einem verlorenen Gedicht AXGs?) nicht ermittelt.
5 «Die Rolf Müller-Mappe» in: ‹Generalanzeiger und Pfälzer Abendzeitung›, 29.3.1951, Nr. 73, und GW II, S. 9f.

33 An Rudolf Scharpf

⟨Zürich⟩, am 18. März 51

Lieber Rudolf Scharpf –
Ihr Brief, mit den sich steigernden Überraschungen, von der «Flamme» bis zum «Engel» den ich sehr, sehr liebe, liegt vor mir als ebenso befreiendes wie heilsames Geschenk. Ich danke Ihnen von Herzen dafür!

Heilsam sage ich, weil er sozusagen die letzten Ausläufer der Grippe ins Nichtsein verbannte und befreiend, weil die vier Blätter, so, wie Sie sie in der Reihenfolge fügten, aus jeder Art von Konvention entführen, hinausführen, hinaufführen in die Freiheit, die Sie in «Eine Art Rauch»[1] lesen mögen und die mit dem 4. Blatt, mit dem «Engel», in unserer Steppen und Strömen Weite sich gültig vollzieht? – – Immerhin blieb aber noch (von der Grippe) eine gewisse Reizbarkeit, die sich etwa beim Lesen von Zeitungen, beim Anhören von Rundfunknachrichten, ja sogar beim Anblick einer Spezie Mensch von besonderer Mediocrität, aus den Gründen tiefen Ekels zu Tage tritt.

Und nun fürchte ich, dieser Brief genüge in keiner Hinsicht – was aber soll ich von Ihnen erwarten, wenn der Vorliegende von Ihnen, wie Sie schreiben, nicht «ein richtiger» sein soll. Eher schon reicht er vielleicht weit über Ihre Vornahme hinaus.

Dann ist auch zu fürchten, dass die beigelegte, über «tatsächlichem» Rauch erwogene Betrachtung hinter Ihrer Ahnung zurücksteht.

Das sind alles Befürchtungen, für die ich, um sie zu mildern, zum vornherein Ihre gütige Nachsicht erbitte.

K. F. Ertel schrieb ich den Vorschlag für *Begegnung*. Und wir werden schon annehmen dürfen, dass er's annimmt. Aller Wahrscheinlichkeit nach, wird die «Sonnenblume»[2] noch anzufügen sein. Ich bitte Sie aber darum, mir mitzuteilen, wenn die Vorarbeiten zu dieser Mappe gesichert sind und mit dem Druck begonnen werden kann.

Die geforderte Seite: «Kunst + Leben»[3] liegt im Rohen auch schon vor.

Wie «Phytia»[4] hats noch einige. Leider! Wie herrlich beruhigt wäre die Erde, könnten wir über Gräsern und Winden die verwandelnden Zauberstäbe schwingen, ohne auf Schritt und Tritt einem reissenden Bauch auszuweichen.

Beanspruchen wir das gesamte Licht, den Himmel voller Harmonien, die Wälder mit ewig grünenden Dialogen und das gigantische lange Gespräch zwischen Wasser und Winden für uns. Denn für wen sonst dies alles – Etwa der Abfallgrube genannt: Menschheit zugeeignet? – wenn nicht für uns!

Für heute in diesem Sinne mein lieber Rudolf Scharpf,
herzlich, Ihr:
A. X. Gwerder

N. S. Es wären noch viele Gedichte zur Auswahl vorhanden; aber wir müssen uns auf die kürzeren beschränken als Faksimili.

1 Prosatext «Über eine Art Rauch» in: GW II, S. 74f.
2 «Die Sonnenblume» (= «Die Sonnenblumen») war mit drei anderen Gedichten für die bibliophile «Mappe» vorgesehen und wurde später in Mo aufgenommen. Siehe GW I, S. 22, und Anm. 3 zu Nr. 32, S. 268.
3 Die für die «Mappe» von jedem Künstler erbetene «Äusserung seiner Auffassung ‹von Kunst u. Leben›». Die «geforderte Seite» wurde später Teil I des Prosatextes «Kunst und Leben» in: GW II, S. 81–84.
4 Gedicht «Pythia» in: GW I, S. 291f.

34 An Erwin Jaeckle, ‹Die Tat›

⟨Zürich⟩, am 20. März 1951

Lieber Herr Dr. Jaeckle!
Nur kurz, vor Sie zur Session abreisen, möchte ich Sie meiner intensivsten Teilnahme an der Résistance gegen die Bürokratie versichern. Alles in neuerer Zeit vorgefallene bestätigt den Gang der

Entwicklung, die ich im «Absolutismus des einzelnen»[1] 1949 umriss. Es ist die selbe Entwicklung übrigens, die Goethe kurz vor 1798 während einer Schweizer-Reise spürte, als er schrieb: «Frei wären die Schweizer? Frei diese wohlhabenden Bürger in den verschlossenen Städten? Frei diese armen Teufel an ihren Klippen und Felsen? Was man dem Menschen nicht alles weismachen kann! Besonders wenn man ein so altes Märchen in Spiritus aufbewahrt. Sie machten sich einmal von einem Tyrannen los und konnten sich in einem Augenblick frei denken; nun erschuf ihnen die liebe Sonne aus dem Aas des Unterdrückers einen Schwarm von kleinen Tyrannen durch eine sonderbare Wiedergeburt. Nun erzählen sie das alte Märchen immerfort, man hört es bis zum Überdruss: sie hätten sich einmal freigemacht und wären frei geblieben.»

Ich sehe den Augenblick gekommen, (sonst wirds zu spät) das «selbstherrliche» Beamtentum aus den Schuhen zu heben. Aller Wahrscheinlichkeit nach kann jetzt die Weiche gestellt werden für einen späteren Bürgerkrieg, den ich unausweichlich kommen fühle, wenn die Knechtung noch zwei, drei Schritte vorwärts macht. Das Volk denkt nicht mehr so gnädig, angesichts einer Weltlage auch, die ohnehin die «heroische» Einheit unseres kleinen aber von Machthabern zerklüfteten Landes je länger je fragwürdiger beeinflusst. (Um Ihnen einen Hinweis auf viele Richtungsmöglichkeiten zu geben, nenne ich Ihnen das Buch von Denis de Rougemont: *Über die Atombombe*.) Es wird einmal nicht mehr damit getan sein, dass man jeden mittelst des Aufgebots an die Strippe nehmen kann. Es sind immer mehr ringsherum, die, auch wenn sie nicht *Nein* sagen können, so doch *Nein* sind!

Ich glaube, wir sind jung genug, um umfassende Veränderungen zu erleben. Wollen Sie, verehrter Herr Doktor, nicht den oben besagten Aufsatz in der Schublade verwahren? (Es ist eine Abschrift.) Vielleicht gehts nicht mehr lange und man muss die Dinge beim richtigen Namen nennen.

In einem zweiten Umschlag sind zwei ganz andere Betrachtungen, die ich Ihnen zeigen möchte, mit der Bitte, sie unerbittlich zu prüfen. Ich mache mir noch immer eine Ehre daraus, zuerst an die ‹Tat› zu gelangen! – Im Magnus-Verlag wird gelegentlich das erste Bändchen Gedichte[2] herausgegeben.

Nun wünsche ich Ihnen noch Erfolg im Kampf für die Freiheit und schöne Tage in Bern.

Ihr, ausser in militärischen Belangen,
herzlich ergebener:
A. Xaver Gwerder

1 Siehe Anm. 11 zu Nr. 25, S. 261.
2 Siehe Anm. 9 zu Nr. 23, S. 251.

35 Von Erwin Jaeckle, ‹Die Tat›

Zürich, 24. März 1951

Lieber Herr Gwerder,
immer dort, wo Sie dichten, fühle ich mich Ihnen verbunden und mit Ihnen einig. Immer dort, wo Sie denken, beginnen die Widersprüche in mir rege zu werden und müsste ich auf meinem anders gearteten Grunde Meinungen verfechten, die Sie nicht zu teilen willens sind. Sei es aber dies, oder sei es jenes, immer hat das, was Sie voranträgt, mein Interesse. Die beiden Beiträge[1], die Sie mir für die ‹Tat› senden, kann ich mit gutem Gewissen nicht unterbringen. Sie stehen allzu fremd in einem ihnen ungemässen Raume. Im übrigen bekenne ich meine Schuld für viele Missverständnisse, weil immer noch das Gespräch ausgeblieben ist, das ich Ihnen verheissen habe. In der Hoffnung, dass wir aber bald dazu kommen, grüsse ich Sie herzlich

Ihr Jäckle

1 Vermutlich «Tag und Traum» und «Von der Nacht» in: GW II, S. 64–73.

36 An Gottfried Benn

Zürich, am 23. April 1951

Sehr verehrter Herr Dr. Benn!
Dieser Brief sei für Sie zum Zeichen meines bewundernden Einverständnisses mit Ihrem Trachten und Dichten und, auch das sei offen eingestanden, um Ihnen eigene Arbeiten zu Gesicht zu bringen, geschrieben.

Sie sind der Sturm, der uns Zweifelnden ins Haar fährt. Der Turm ist gebaut – «Zwei Schritte vom Rand», aber wir kämpfen nicht, wir springen: Denn er trägt! (Das glaube wenigstens ich und zwar mit jenem Glauben, der nicht fürwahrhält, sondern die Kraft ist, mit der man was man glaubt auch tun kann.)

Autobiographisches: Ich hasse die Kulturschnorrer, die Richtungsrichter, das Militär incl. Patrioten und Kunststückler – zu lieben bleiben noch: Frauen, Gifte und ihre Erscheinungen, wie Kinder oder Bücher; Pflanzen mit ihrem Anhang, darunter vornehmlich die Wolken ... Im graphischen Gewerbe tätig schlägt man sich durch, sofern man nebenbei noch ein gut Teil Indifferenz aufbringt für unabänderliche Machenschaften. Geburtsjahr: 1923.

Die beigelegten Manuskripte[1] sind von keinem Anspruch begleitet; doch wäre ich erfreut und bestärkt, wenn ich erführe, dass Sie zur Kenntnis genommen hätten: das bin ich.

Und nun grüsse ich Sie noch in aller Unbescheidenheit, als den ich bewundere und verehre, ohne indessen ihn zum Vorbild zu erheben, (ich mag Vorbilder nicht!) den ich bewundre, wie ich etwa Lionardo da Vinci oder van Gogh bewundere: Im Bewusstsein des Abstandes, aber nicht ohne eine gewisse, vielleicht vermessene Verheissung – mit meinen besten Wünschen und

in herzlicher Zuneigung:
A. Xaver Gwerder

N. S. Eben lese ich im ‹Literarischen Deutschland›, dass Sie am 2. Mai Geburtstag feiern² – Darf ich mich den Wünschen die Sie wohl aus aller Welt erreichen werden anschliessen: Möge Ihnen die Kraft für viele Werke noch lange eignen – wir brauchen Sie!

1 Es ist keine Äusserung Benns darüber bekannt.
2 Benn feierte den 65. Geburtstag.

37 An Rudolf Scharpf
⟨Zürich, Anfang Mai 1951⟩

Lieber Rudolf Scharpf,
ich habe Ihren ausserordentlichen Handdruck vor mir liegen und kann mich des Eindrucks, der vielleicht in Ihrem Sinne falsch ist, nicht erwehren: Dass dieser nämlich das bevorstehende Zeitalter darstellt, und zwar mittelst der komprimierten Aspekte unserer Rückblicke, unserer Gehirnhochleistungen, Gedanken-Assoziationen entlegenster aber gleichwohl zugehöriger Bilder und Begriffe, welche in Ihrer Anordnung, unter Ihrer eigentümlichen Organisation, feste prophetische Gestalt angenommen! «Janus 1951» nenne ich das. – Und vielen herzlichen Dank dafür! Vielleicht macht es Ihnen Spass, zu wissen, wie ich vier Ihrer Holzschnitte, meine Klause zu schmücken, bearbeitete: auf einen starken Karton ein schwacher, grauer, mit entsprechenden Viereckausschnitten versehener gelegt, dazwischen weisses Papier worauf die Holzschnitte befestigt, eingefügt, und darum herum schmale Holzleisten, die das Ganze zusammenhalten. Sieht ungefähr so aus: ⟨Skizze⟩
Eventuell schicke ich Ihnen mal eine Aufnahme davon.

Die Mappe ist aber doch hoffentlich nicht überhaupt abgesagt. Es wäre insofern dumm, als ich bereits die Druckplatte habe und die Zusage für den Auflagendruck im Geschäft erhalten habe. Ich lege eine Photokopie bei. Die Auflage wäre genau so: also 4 Blätter zusammenhängend, nur auf dünnem gelblichgrauem Zeitungsdruckpapier. – Diese Woche hätte ichs drucken lassen. Nun warte ich, bis Sie dies veranlassen.

(Auch die Seite: «Kunst + Leben» wäre bereits geschrieben.)

K. F. Ertel schrieb auch auf heute, die ‹signaturen› seien gedruckt, er müsse sie lediglich noch bezahlen, ehe er sie ausgehändigt bekäme. Er verspricht sie für die nächsten Tage. Diese Schwierigkeiten! Und Schundhefte werden staatlich subventioniert! Kulturschnorrer, Richtungsrichter in Stehkragengazetten – Kunststückler und Feuilletongladiatoren in Müllmagazinen – alle können ungeschoren veröffentlichen nur weil sie Geld haben. Der Teufel soll sie – aber das habe ich schon einmal gesagt. Streusand darüber und in die Augen – na ja –

In den nächsten Tagen schickt meine Frau ein kleines Paket Kaffee und Schokolade (für die Kleinen[1]) an Sie ab. Nehmen Sie's als Zeichen unserer Verbundenheit, die, da ja der Geist von Greifbarem abhängt, nicht unbedingt nur Geistiges zu berühren braucht. Wir haben auch zwei Kinder: Alexander + Eva.

Jeden Abend ist grosse Vorstellung vor unseren Fenstern: Die Sonne geht unter! Welch' ein Schauspiel. Ich verzichte auf Shakespeare, auf Goethe (der mir gar nicht so genial erscheint!) (Vielleicht ist er der Irrtum einer gewissen Periode!) und auf alle die populären Machenschaften dabei. Hingegen wird mir unsere Wohnung immer lieber und wertvoller.

Eine Bitte: Wenn sie in Paris sein werden: Grüssen Sie Lionardo von mir! Vor der «Gioconda» natürlich. Dieser war ein Genie, ohne den grossen Spektakel, ohne den Ratssessel und die aufgewärmte Sauerkohle und auch ohne die zusammengestohlenen Historien – Einsam, steil, mit welchen Blicken in Blindes!

Schluss nun endlich: Nehmen Sie und Ihre Familie die herzlichsten Wünsche und Grüsse von uns allen:
Gwerder

N. S. Schreiben Sie nicht mehr, bevor Sie wieder zurück sind!

1 Clarissa und Judith Scharpf.

38 An Oda Schaefer

⟨Zürich⟩, am 5. Mai 1951

Sehr verehrte und liebe Oda Schaefer!
Karl Krolow wird nächstens über Sie in der ‹Neuen Zeitung› schreiben – aber das ist nicht eigentlich der Grund, warum ich schon wieder schreibe – ich könnte, glaub' ich, gar keinen anführen – jedoch weiss ich jetzt das Präludium bereits hinter mir und folglich ...

Also –: Wolfgang Bächler hat mir auf Ihren Vorschlag hin geschrieben. Ein lieber und interessanter Geist wie ich sehe; Gedichte von ihm werden wohl noch kommen. Leider konnte ich ihm den Artikel, den er gerne in der Schweiz veröffentlicht hätte, nicht unterbringen. Bei uns ist alles, ausser einem knallroten Revolverblättchen, antirussisch. Und zudem wirkt mein Einfluss, wenn ich überhaupt über welchen verfüge, von hinten und, sichtbar geworden, bis zur Unkenntlichkeit entstellt, als nicht mehr von mir aus gegangen. So kann ich ihm eben, so gern ich's täte, keine Goldgrube hier eröffnen. Jedoch, sehen Sie meine Vermessenheit: Wir wollen noch einige Jahre warten!

Wolfgang klagte mir auch, dass er die *Zisterne* heute anders zusammengestellt herausgeben würde, da (das alte Lied) ihm viele Gedichte darin nicht mehr genügten und an ein neues Bändchen in absehbarer Zeit nicht zu denken sei. Auch mir gehts beinahe gleich, nur mit dem Unterschied, dass ich noch nach Lust und Laune auswechseln kann. Vorläufig. Schon einigemale dachte ich daran, Ihnen das Manuskript[1] zu schicken, damit Sie, wählend und ratend, skeptischen und distanzierten Auges und Ohrs, eingriffen und klärten – aber dann wieder schien mirs feige und dumm von mir – und jetzt bin ich unschlüssiger in Bezug auf Zusammenstellung und Titel, als je. Ebensogut könnte man nämlich zum Titelgedicht die «Kentaurin» erheben. Auf jeden Fall gedächte ich alles Krasse, politisch Anspielende, überhaupt zeitlich anzüglich Betreffende, gar nicht in die Wahl zu ziehen. Nur das Eigenständige, von welchem Publikum auch Abgehobene, und in der dünnen Luft gänzlicher Unangreifbarkeit Destillierte, mit strengstem Massstab auf Reinheit und Präzision Gemessene, in die Wahl für die Auswahl zu ziehen! Aber, gehörte da «Die Kentaurin» (heute) noch dazu?[2] Sie sehen, der Schwierigkeiten gibts kein Ende. Und dabei dreht sichs, im Zeitalter der Atomistik, um Verse! Wer sind die Verrückten?

Und noch eine Schwierigkeit: In letzter Zeit entstanden, wie mir scheint, vor allen früheren gänzlich in Herkunft und Genauigkeit sich unterscheidende Gedichte, die kaum von mir aus vermischt in einem Bändchen gedruckt werden dürften. Soll ich nun warten, bis dreissig «Neue» entstanden sind, oder soll ich «Atlantis», oder «Kentaurin» druckfertig machen?[3] Ich werde grau darüber! Sie werden lachen als erfahrene und weite Gefilde beherrschende Musentochter. Nun ja – wenn ich auch wie Savonarola wüten kann gegen das Militär – in obiger Hinsicht bin ich ein Hasenfuss.

Themawechsel: Vor vierzehn Tagen hatten wir übers Wochenende einen vorerst unbekannten, dann aber lieben Gast aus München bei uns. Den Geiger Curt Herzog vom philharmonischen Orchester, welches am Freitagabend in der Tonhalle ein Konzert gab unter der Leitung Knappertsbuschs. Er konnte sich kaum trennen von unserer Aussicht und auch die Zürcher Altstadt, nächtlicherweile, hat ihm's angetan. Jetzt sind wir eingeladen zum Oktoberfest. Aber erstens wäre dieser Rummel nichts für mich und zweitens, wird der Mammon ohnehin fehlen.

Wolfgang Bächler wollte übrigens auch in die Schweiz kommen. Die Reise fiel ihm in letzter Minute ins Wasser. Nun aber gelingts ihm vielleicht diesen Monat.[4] Ich wäre sehr gespannt auf den deutschen Kollegen.

Ich lege Ihnen zwei der «neuen» Gedichte und zwei aus dem bestehenden «Atlantis»-Manuskript bei. Wenn Sie etwas daraus ersehen mögen, wäre ich sehr froh um Ihre Deutung, damit endlich irgend ein deutlicher Ausschlag des Züngleins an der Waage feststellbar würde.

Jetzt wird der Brief wieder ungebührlich lang und dabei gäbe es noch allerhand zu sagen: Über ein neues Prosastück: «Hauptmann Sack»[5] – über weltanschauliche Umbrüche in denen ich mittendrin stehe etc. Jedoch für heute: Maulkorb!

Dr. Friedrich vom Literaturblatt ‹Neue Zeitung›[6] hat jetzt einige Arbeiten von mir. Vom ‹Literarischen Deutschland› ist noch nichts zurück. Ich hoffe aber, offen gestanden, dass E. Skulima mich ablehnt. Diese Zeitung wird langsam aber sicher ein simples Lehrerblättchen. Ich schickte übrigens auch gar nicht die besten Sachen ein, daher: So oder so, passieren kann nichts. Die ‹signaturen› seien gedruckt und sollten jeden Tag hier eintreffen. Wenn Krolows Aufsatz über Sie erscheint, könnten Sie mir diesen zu lesen geben? Ich sehe den Tag kommen, da auch meine Stimme gewisses Gewicht haben wird und (unter diesem Aspekt freue ich mich jetzt schon darauf) meine Dankbarkeit Ihnen gegenüber zu öffentlichem Ausdruck berechtigt ist.

Sie schrieben mir einmal von Benn![7] Nun endlich, vor ca. 14 Tagen, fast durch Zufall, erreichte mich sein Werk! Tatsächlich: Der grösste Lebende – man kann ihn gar nicht hoch genug einschätzen. Und mehr: Was verachtet und für verrückt gehalten abseits lag (wie besagter «Hauptmann Sack», den ich jetzt ungescheut ans Licht zerren darf) wird durch ihn legitimiert und die brachen Explosionen dürfen sich in offensichtlichen Bildern zur rücksichtslos eigenen Welt entfalten. Vor allem seine Prosawerke fundieren auf ganz neue Art unser Schwimmbassin – sie entheben uns nicht des Schwimmens, aber sie lassen uns am Grunde ebenso atmen und sein, wie mit dem Rüssel in der Menge.

Einige Sätze aus «Hauptmann Sack»:

«Gewagt hat niemand, nur tun gemusst. Die Tat ist viel; es fällt mir eben ein, dass es tutet vor lauter Tun. Trompeten: Auf! Auf! es reicht noch für den Punkt nach dem letzten Satz und, nach dem Sprung an die Stiefel, für einen überwältigenden Fluch –. Nun wird überwältigt, was die Nacht angeschwemmt: die Fische, der Tüll und die Insel der Seligen. Zwischen die Stämme wachsen schon die ersten Felsen, die Knochengestrüppe einer banalen Endlichkeit und die herztreffenden Pfiffe aus Metall. Es glüht kaum mehr, aber alles kocht. Der Kakao schlägt Funken und versengt jede Lust am Morgen. Was will das: Morgen? Muezzine gewundenen Singelsangs, ausbiegend an die Hügelrücken des Libanon, streifend das Tanghaar die Dörfer im Kaukasus und, glücklichen Fischzugs, eingefangen die Leviathane zuhanden der Moschee.»

Sehen Sie, ohne Benn hätte ich nie gewagt, diese Verrücktheiten ans Licht zu ziehen. (Jedermann findet das übrigens verrückt.)

So, jetzt reicht es aber. Seien Sie mir nicht böse! Aber seien Sie herzlich gegrüsst aus einem Frühling, «weder Fisch noch Vogel», aus dem noch ein ganzes Jahr werden kann, von Ihrem dankbar ergebenen:

A. Xaver Gwerder

1 Siehe Anm. 9 zu Nr. 23, S. 251.
2 AXG nahm das Gedicht nicht in «Atlantis» bzw. BE auf, sondern in DB. Siehe Anm. 3 zu Nr. 6, S. 216, und Kommentar zu BE in: GW III, S. 171f.
3 AXG übernahm aus der Slg. «Atlantis» noch neun Gedichte in BE.

4　Der deutsche Schriftsteller W. Bächler (geb.1925) besuchte AXG erst kurz vor dessen Tod im September 1952.
5　Unter dem Tit. «Ein Tag des Soldaten» in: DL, 15.6.1952, Nr. 7, und GW II, S. 14–17.
6　Die in München hg. ‹Die neue Zeitung. Die amerikanische Zeitung in Deutschland›.
7　Siehe Nr. 10, S. 221.

39　An Erwin Jaeckle, ‹Die Tat›

⟨Zürich⟩, am 15. Mai 1951

Lieber Herr Dr. Jaeckle!
Zeitweilig auftauchend aus einem Nihilismus in dem sich gut dichten lässt, fällt mich die alte Rolle des Empörers wieder an: Das Resultat[1] ist beigelegt. Sonst lebe ich in aller Zurückgezogenheit, die sich heute noch denken lässt; was der genaueren Verarbeitung diogenesischer Spaziergänge zugute kommt. Ein weiteres Buch, das ich Ihnen nennen möchte: Denis de Rougemont, *Der Anteil des Teufels*. Auffallend wie sich unsere geistige Elite um diesen grossen Schweizer drückt. Er hingegen drückte sich schliesslich auch und lebt jetzt in Amerika, während seine Bücher in Wien herauskommen.

Indessen:
«Es stiebt und dünstet schwarz von Mohren:
Verfinsterung der Wahrheit.»[2]

Max Rychner wird langsam weltberühmt – Er ist so ziemlich der einzige lebende Schweizer, den die Deutschen, mit denen ich korrespondiere, kennen und anerkennen.

Wenn es gestattet wird, spreche ich gerne, nach telefonischer Anmeldung, im Laufe der nächsten Wochen bei Ihrer Redaktion vor. Die beiliegenden Verse[3] trugen mir schon allerhand deutsches Lob ein; nun bin ich gespannt auf Ihre Ansicht.

Inzwischen die herzlichsten Grüsse, Ihres:
A. Xaver Gwerder

1 «Ein souveränes und geprelltes Volk» in: GW II, S. 126ff.
2 Aus dem Gedicht «Elegie» (1950). In: GW I, S. 261.
3 Drei der Gedichte – «Tag», «Gedicht» (= «Gedichte») und «Rose um Mitternacht» – wurden veröffentlicht in: Tat, 14.7.1951, Nr. 188, und BE. Siehe GW I, S. 31; 50; 57f.

40 An Kurt Friedrich Ertel

⟨Zürich, Mitte Mai 1951⟩

Lieber Herr Ertel!
Herzlichen Dank für die 30 Exemplare!¹ Ich werde nämlich allerhand zu verschicken haben: es lauern schon etliche Kunden darauf. Aber spannen Sie mich nicht ein ganzes Jahr auf die Folter – dieses vollendete sich nämlich Mitte nächsten Monats. Dr. Friedrich habe ich diesbezüglich orientiert und ihm eine ordentlich grosse Auswahl vorgelegt², damit das Honorar für Sie sicher wird.

Hoffentlich haben Sie die ‹signaturen› korrigiert, sonst wimmelts von Fehlern wie in der «Rolf Müller»-Besprechung³. Bächlers Gedicht an Gottfried Benn las ich im ‹Lit. Deutschland›; stimmt – brav. «Unter Büffeln der Stille»⁴ ist auch ein Gedicht an Benn. (Nur unter uns) Es ist beigelegt. Von Benn kenn ich jetzt alles erhältliche – wahrscheinlich existieren aber noch Sachen von vor 1930 – wissen Sie etwas davon? Sie machten mich übrigens schon viel früher auf diesen wirklich grössten Lebenden aufmerksam mit dem Turin Gedicht. Ich lehnte dieses damals ab⁵, weil es, wie ich jetzt sehe, ohne Vorkenntnisse, auch über Nietzsche, nicht gut ist. Nun im Zusammenhang gibt es sich natürlich ganz anders. Immerhin: ich bin froh diesen Mann und dieses Werk kennen gelernt zu haben.

Gegenwärtig arbeite ich an einem neuen Bändchen⁶, welches ziemlich sicher, nach Bestätigungen Krolows und Oda Schaefers, dem bestehenden Manuskript «Atlantis» vorzuziehen wäre. Ohnehin wird vor nächsten Herbst mit dem Druck nicht begonnen, so dass es möglich wäre, die Manus zu vertauschen. Der Verleger liesse sich ohne weiteres dahin ein.

Hier stinken die Militärkredite zum Himmel und die Intellektuellen ebenfalls. Dafür wirds langsam Frühling, was auch an der Zeit ist. Saalfelds *Wald* liest man nur einmal. Die Figur des Corvin ist geradezu läppisch. Und für Botanik und Ornithologie gibt es gründlichere Bücher. Saalfelds Lyrik ist doch ganz etwas anderes. Unbegreiflich, dass sie so ein laues Geflüster losliess. Carossa hin Carossa her: ich bin nicht einverstanden.

Jetzt hoffe ich aber bestimmt auf die demnächst erscheinenden ‹signaturen›; ich habe sie mit warten und nicht mit schreiben verdient – meinen Sie nicht auch? Von Forster und Co. weiss ich gar nichts mehr, ausser einer schlechten Kritik letzthin. Egal.

Ich grüsse Sie herzlich mit besten Wünschen Ihrer Pekunia:
Gwerder

Eben kam noch Post: ‹Die neue Zeitung› München! Die erste Sendung Manuskripte retour – ohne was. Ich lege Ihnen das Begleitschreiben bei – Teufel, wenn das so weiter geht, halten wir doch lieber die 12.– aufrecht für die zusätzlichen Exemplare.

1 Von KFE zugesicherte Freiexemplare von DB.
2 Siehe Nr. 38, S. 278.
3 Siehe Anm. 5 zu Nr. 32, S. 268.
4 In TLüD. Siehe GW I, S. 87f.
5 Vgl. B an KFE, ⟨Ende Juli 1950⟩, uv.: «Ich mag das Kästnersche meditieren über Witzblättern nicht und demzufolge Benns ‹Turin›, als Witz, gut. Aber als Gedicht, als Gedicht im tiefen Sinne, wie z. B. Bertram es auffasst, ist es indiskutabel.»
6 Die als T nicht erhaltene Slg. «Tula, die Gegenwart», eine Vorform von BE. Siehe Kommentar dazu in: GW III, S. 172f.

41 Von Erwin Jaeckle, ‹Die Tat›

Zürich, 24. Mai 1951

Lieber Herr Gwerder,
wie immer: Was die Gedichte[1] betrifft, haben Sie meinen Beifall. Mit dem kleinen Aufsatz[2], den ich wiederum beilege, fallen Sie bei mir durch. Und da Ihre Forderung absolut ist, werde auch ich vor Ihnen durchfallen, wenn ich Ihnen die Arbeit zurücksende. Hier begänne das Gespräch.

Aber immer herzlich
Ihr Jäckle

1 Siehe Anm. 3 zu Nr. 39, S. 281.
2 Siehe Anm. 1 zu Nr. 39, S. 281.

42 An Erwin Jaeckle, ‹Die Tat›

⟨Zürich⟩, am 27. Mai 51

Lieber Herr Doktor,
natürlich fallen Sie bei mir auch durch und zwar mit jener Seite des Chefredaktors, die in direkter Ableitung vom Nationalrat, nebst einem kleinen Zufluss von Offizierlichem[1], das Heil des Staates vom gepflegten Igel her erhofft.

Hingegen gabs in der letzten grünen ‹Tat›[2] eine feine und mutige Seite in was *und* wie: der Brief an Pannwitz! Einen solchen Brief an Hesse, oder Mann zu schreiben bedeutete nichts. Jedermann fände solches wiedergekaut und im Einverständnis mit Mode, Betrieb und Langweiligem (laut Gallup). Aber Pannwitz! Ich fühle mich angesprochen, und wer weiss, vielleicht ist es mir beschieden, jener eine zu werden, den Sie mit Ihren Schlussworten meinten.[3]

Und dieses ist nun die Seite Chefredaktor, an der sich die «Relativität meines Absolutismus» erweist: Sie hier durchfallen lassen hiesse die Flagge des Nihil in ein Vakuum hängen –.

Dann noch etwas aus selbiger ‹Tat›: «eine Forderung des Rechtsstaatsgedankens»: Ich werde Ihnen wohl kaum sagen müssen, wie sehr mich dieser kleine Artikel freut –: abzüglich Militär, abzüglich meine Subjektivität (möglicherweise ein Geburtsfehler) – müsste ich genau das und das genau so sagen.[4] Item: der Landesring ist kerngesund – wenn einmal der letzte Offizier in den See fällt, mit der letzten Kanone um den Hals. (Frei nach Voltaire.)

Wenn auch die «Wahrheit» abfällt, mit der Dichtung (vielleicht auch ohne Geburtsfehler) gehts vorwärts – Sie haben mich bestätigt, bestärkt, und wenn mir noch Zweifel kommen, dann nur in ohnehin zweifelhaften Stunden – Meinen besten Dank! Und für den Pannwitz-Brief, für seinen Anspruch, auch!

Auf nächstens, herzlich Ihr:
A. Xaver Gwerder

1 EJ war im Militär Oberst.
2 Nach der Farbe des Titelbalkens benannte Samstagausgabe mit der Seite «Kunst – Literatur – Forschung».
3 Vgl. EJs Artikel in Briefform: «Rudolf Pannwitz – Helfer durch die Zeit. Zum 70. Geburtstag des Dichters und Philosophen am 27. Mai», Tat, 26.5.1951, Nr. 140: «Vielleicht findet sich auf Grund meiner Zeilen zu Ihrem Feste irgendeiner, der sich mit diesen Worten auf eine Bank setzt, wie ich es seinerzeit getan, in dem sich eine ähnliche Leidenschaft regt, sich an die unverrückbaren Sterne zu halten und Ihr Werk kennen zu lernen.»
4 AXG hat sich wohl besonders von folgenden Worten in EJs Artikel angesprochen gefühlt: «Der Ausbau der Verwaltungsgerichtsbarkeit nach der Initiative des Landesrings (…) schafft somit eine klare Institution rechtsstaatlichen Denkens zugunsten des rechtsuchenden Bürgers gegen die Gefahr der Willkür in der Bürokratie des Staates.»

43 An Oda Schaefer
⟨Zürich⟩, am 23. Juni 51

Sehr verehrte, liebe und schweigsame Oda Schaefer,
unverhohlen will ich zuerst gestehen, dass ich mich sehr freute, wieder einmal von Ihnen zu hören[1] – die Lebenszeichen werden ja in unserer Zeit je länger je wichtiger. Und zum zweiten muss ich mich austoben:
 Von der ‹Neuen Zeitung› kam der weitere Schub Manuskripte zurück. Der Kommentar dazu einer Liselotte Julius gipfelte im Ausdruck: etwas zu substanzlos für Zeitungszwecke –: Ausgerechnet substanzlos – diese Ziege – wo doch der explodierte «Hauptmann Sack»[2] und «Fata morgana»[3] dabei waren. Freilich, die Geschichte hat Bezugssysteme, (ein ausgezeichnetes Wort von Benn!) die nach Erdöl und Geschäftsdiktatur riechen, was sie jedoch kaum bemerkt haben dürfte, auch schneidet die Soldateska nicht sehr gut ab dabei – aber wenn man auch schon als Deutsche eine amerikanische Zeitung redigiert, soll man sich doch gefälligst europäisch orientieren – oder eben die Bezeichnung Verrat der guten Stelle zuliebe hinnehmen – was das Wahrscheinlichste scheint. Nun ja, ich tat es für Ertel, dessen Dr. Friedrich allerdings nicht gerade mit Kompetenzen gesegnet zu sein scheint. Für Ertel sage ich, denn sonst könnten mir amerikanische wie russische Zeitungen 80 cm weiter unten. Die koreanische Gaunerei[4] geht mir ohnehin langsam auf die Nerven. So, jetzt wär der Kropf zur Hauptsache geleert.
 Erfreulicheres: Drei Gedichte sind wieder bei Max Rychner und warten auf ihren Abdruck[5] – auch die Valéry-Übertragung, die ich Ihnen auch schon sandte, soll veröffentlicht werden[6], sofern es die komplizierten Nachlassdispositionen in Paris erlauben. Dann hat sich – endlich – die ‹Neue Schweizer Rundschau› für meine Verse interessiert[7], was zweifellos einen Fortschritt bedeuten darf. Im Magnusverlag eilt es nicht, aber – umso besser – so kann ich die dreissig Gedichte immer wieder nach neusten Er-

gebnissen ergänzen bis zum Moment der Drucklegung. Gegenwärtig arbeite ich an einem Aufsätzchen «Für das Gedicht»[8] und warte noch weiter, nach vielen Versprechungen, auf die ominösen ‹signaturen›.

Preisfrage: Wie kam Martha Saalfeld, deren *Wald* eine öde Komplikation ist, dazu, die miserablen Reimereien der C. Forster in jenem signaturenheft zu rühmen?

Solche Fragen gäbe es noch dutzendweise. Ich sehe nichts anderes, als dass sich Kritiker und Literaten, Dichter und Denker auf niedriger Basis nichts als ein- oder gegenseitig den Hof machen oder mit Fäkalien bewerfen. Wissen *die* überhaupt, was sie tun?

Und das alles schreibe ich Ihnen, liebe Oda Schaefer, nur mit halbem Kopf – die andere Hälfte gruppiert sich neugierig und abgestossen zugleich um eine schauerliche Höhle, die ein Stockzahn, ein renitenter, hinterliess.

Noch etwas: Wenn Sie irgend einmal, irgend eine Arbeit von Ihnen besprochen zu haben wünschen, bin ich gerne dabei (probeweis) zur Verfügung zu stehen. (Eine Besprechung der «Rolf Müller-Mappe» ist vor geraumer Zeit in einer Pfälzer Zeitung gedruckt worden – mit unzähligen Druckfehlern natürlich). Werner Helwig bekam, auch vor etlicher Zeit, einen gehörigen Stups von Max Rychner, mit dessen kleiner, in der ‹Tat› erschienenen, Untersuchung «Razzia auf Schwätzer». Jetzt bin ich vor lauter Höhlenforschung auch noch ins Schwätzen geraten – nun, –: amüsieren Sie sich an meiner Aufgeblasenheit, der immerhin von Zeit zu Zeit, wenn sie zerplatzt, entsprechende Explosiönchen entschlüpfen.

In herzlicher Zuneigung und mit vielen guten Wünschen für Ihre Gesundheit und Ihre Arbeit verbleibe ich Ihr:

Alexander Xaver Gwerder

P. S. Ein herrliches Buch: *Minima Moralia* v. Th. W. Adorno, im Suhrkamp-Verlag und Denis de Rougemont: *Der Anteil des Teufels*.

Wissen Sie eine Adresse Gottfried Benns? Hier noch das neueste Gedicht (Gestern Nacht):

*Nach Mitternacht*⁹

Vergessen – Schmeichelhände,
Verblühtes im Regen spät,
vergänglich Zeichen, Strände
mit Wellenperlgebet –
Des Ganges Milde lichter
aus Kiemen aufgestört
bestrahlt die Steingesichter
der Wüste unerhört ...

Nein!, wieder dunkel verfallen
endloser Sanftmut der Nacht,
das Leben in Intervallen
von Träumen dargebracht –
Nun Flocken fliehender Rehe,
nun Angst, Lemurenkraut –
am Lid der Jäger Gespähe
nach einem Vogellaut ...

so schläfst du, Lethe – Lethe –
in Tränentropfstein tief,
verbliebner Lust Geräte
das hinter Bäumen rief –:
der lauen Morgenmitte,
der Tauben Guttural,
der Zimbel jener Schritte,
ehern –: Sardanapal.

                        Nochmals herzlich:
                        Gwerder

1 OS hatte letztmals am 6.1.1951 geschrieben.
2 Siehe Anm. 5 zu Nr. 38, S. 280.
3 In: GW I, S. 307.
4 Der Krieg zwischen Nord- und Süd-Korea (1950–1953), mit Beteiligung u. a. von amerik. und russ. Truppen.
5 Siehe Anm. 3 zu Nr. 39, S. 281.
6 AXGs Übersetzung «Vom Nackten» von Paul Valérys Prosatext «Du nu» blieb uv. Siehe Anm. 24 zu Nr. 25, S. 261.
7 Obwohl AXG bis zu seinem Tod der NSR immer wieder Gedichte geschickt und deren Redaktor, Walther Meier, sie durchaus positiv beurteilt hatte, konnte sich die Zeitschrift zu keiner Veröffentlichung entschliessen.
8 «Für das Gedicht» (= «Die Echtheit im Gedicht») in: GW II, S. 131ff.
9 «Nach Mitternacht» (= «Wieder dunkel») in: GW I, S. 309.

44 An Rudolf Scharpf

⟨Zürich⟩, am 29. Juni 1951

Denn das Einsamsein ist, glaube ich beinahe, das einzige Menschsein, welches uns noch erlaubt ist.

Mein lieber Rudolf Scharpf,
für diesen Satz möchte ich Sie umarmen – der fehlte mir gerade in diesen Tagen und fügte sich mit seinem Kommen ausgleichend in die dunklen Balancen der Abseitigkeit. Einsamsein – von Ihnen zu mir – von mir zu Ihnen! Blau – Strände – Strömungen, Quellen –: alles brache Figuren jenseits der Masse. Gesegnet seien jene Hände die sammeln und fügen, die die Götter entthronen und erfinden!
Aber auch verflucht die Parvenüs und Parasiten! Behüte uns dieser und jener ... und trotzdem regen sich die unglaublichsten Totschläger: Schrieb mir da diese Woche ein deutscher Dichterling[1], (ich nenne den Namen nicht, da ich nichts mehr mit ihm zu tun haben will) den ich nie um irgend etwas gebeten hatte, der sich bei mir eingedrängt und aufgezwängt wie Buchbinderleim

und der ein kleines Bändchen gedruckt hat von sich und seit jenem doch so unbedeutenden Ereignis überhaupt nur noch für sein liebes Ich Himmel und Hölle in lächerlicher Dynamik erhält – also schrieb dieser Schreiber: (Stegreif) Leider, Sie sind unverdauter Benn – (dabei sah er Gedichte von mir, die um etliches zurückliegen [ich kenne Benn erst etwa seit 2 Mt.], da ich so vorsichtig war, seiner Potenz zu misstrauen) es brüllt und schreit und tobt und kraftmeiert allzusehr – Sie sollten sich, Sie sollten haben, Sie werden sehen – ich habe auch, das war damals, ich bin jetzt und darf jetzt – doch sehen Sie, das ist von mir – und daraufhin sagte mir Benn – (folgt ein Zitat aus *Doppelleben* – was der Besagte wahrscheinlich für Verdauen hält – ich sage dem gestohlen und gelogen) und das möchte ich Ihnen empfehlen, denn ich gelang mir selber – und jener Kritiker N.N. und N.N. und auf der Gruppe 47 und hintenrum und vornedran – und könnten Sie mir – ich gehöre doch auch in den Schw. Rundfunk und welche Zeitung und überhaupt die biedere Schweiz ... Der Teufel hole diesen Dummkopf! Attrappen – Gaukler; und das Ganze ist genau das, was ich Literaturbetrieb nenne. Gibt es das unter Malern auch? Ein Phänomen wie Hundedreck, der an der Sonne dürr wird: Erst der Riesengestank, dann der Anblick mit dem Fliegenschwarm und zuletzt verhaucht die tolle Jauche und übrig bleibt etwas brüchiger Mischmasch.

Aber Bitte!, machen Sie doch so lange an den Drucken[2] als es in aller Gemütlichkeit braucht. Sie heissen doch nicht Ertel! Keinesfalls will ich Sie irgendwie anspornen zu Höchstleistungen – und ich warte gerne – wenn ich weiss, dass überhaupt etwas dran ist – verzeihen Sie mir diese spitzen Worte – aber Ertel geht mir jetzt noch einige Zeit auf die Nerven, eh ich ihn vergesse; ich wundere mich diesbezüglich über gar nichts mehr.

Bei Ihnen ist tatsächlich *etwas* daran – die Schnitte gefallen mir sehr – ausser dem Druckvermerk – aber der ist ja auch nebensächlich. Wir werden uns voraussichtlich gut zusammen befinden in den *Monologen,* hingegen befürchte ich, das allfällige Publikum wird, nach dem ersten Schock – jene Dinge spucken, die es ja von je kennzeichneten –. Das heisst – befürchten – nun ja –: eher steigt die Genugtuung mir auf über den zweifellos gelingenden Schock. Niemandem zu sagen, und doch liegt es offen zu Tage – unser Verhältnis – unsere Situation zu den Genossen Zweibeinern.

Die Titelvignette scheint mir sogar eine kaum überbietbare Verdichtung zu sein – ich könnte das zwar malerisch oder graphisch nicht begründen – nur so aus dem Gefühl heraus, welches sich seltsam gruppiert um dieses Zeichen ... Ich habe Ihre Holzschnitte schon einigen Bekannten, die oft so tun, als ob, gezeigt – und keiner war begeistert – was wollen Sie: wo der Geist fehlt, kann man auch nicht begeistern. Man hat es, oder man hat es eben nicht. Dafür ist die Einsamkeit und dafür ist jenes Tun, welches sich, nach Rilke, in hohem Bogen über das Volk hinweg spannt ... Gesetz, Gewäsch, Banausen etc.

Bei Rychner war ich noch nicht. Heute Nachtmittag beim Chefredaktor[3] und innerhalb der nächsten vierzehn Tage wahrscheinlich wird ein etwas gemütlicheres Zusammentreffen zu dritt stattfinden. Es geht aber auch ohne die ‹signaturen› – im Gegenteil, das schien so ziemlich allen als unwichtig.

Noch einmal muss ich Ihnen sagen, dass mich Ihr Brief dort angerührt hat, wo noch keinem gelang hinzukommen (ausser Toten) und dass eine reine Tatsache so ... weiter reicht als in hundert Verse.

Grüssen Sie mir auch die Gattin[4] und den Nachwuchs des Künstlers (verzeihen Sie mir den Ausdruck Künstler – ich kann ja nichts dafür, dass er so anrüchig geworden ist) und seien Sie herzlich bedankt für Ihre schöne Sendung,

Ihr: A. Xaver Gwerder

Der Geist Gottes weht nicht wo er will,
sondern wo er kann und was
er kann –

Auch ein Zitat, entweder von Benn oder Valéry⁵ –
Lache Bajazzo!

1   Wolfgang Bächler. Siehe auch Nr. 38, S. 276ff.
2   RS schuf für Mo vier Holzschnitte. Siehe Anm. 1 zu Nr. 48, S. 298.
3   Gemeint ist EJ.
4   Charlotte Scharpf.
5   Autor und Quelle des Zitates nicht ermittelt.

45   An Erwin Jaeckle, ‹Die Tat›

⟨Zürich⟩, am 16. Juli 51

Lieber Herr Dr. Jaeckle,
nach der Lektüre Ihrer Betrachtung «Mensch und Krieg»¹ bin ich noch keineswegs geneigt, (v. Steiger² macht gerade seine Sprüche im Radio; anlässlich des Turnfestes in Lausanne) irgendein Staatsgebilde als verbindlich hinzunehmen (nicht einmal Platons Staat) solange dieses nach militärischen und vegetativen Gesichtspunkten eingerichtet ist. Es gibt ja doch im Grunde nur Einzelne – Einer gegen alle – nur die höchste Ebene, «blödem Volke unverständlich» – und Madame *** stellte ein Klavier in den Alpen auf (Rimbaud): das ist alles. Damit meine ich Träume, Gedanken, zerstiebende Augenblicke, Röten, Untergänge und unaufhörliche Selbstmorde. Wiedergeburten zur Wolke – Strömendes und der Riss durchs Gesicht. Nennen Sie das konfus –: was ist politisch gesehen Welt – was der Beamte, menschlich gesehen – wer denkt, wer lebt, wer weiss? Was bleibt –: Gedichte, Bilder, Symphonien! Nicht einmal 1% aller Romane sind zweimal lesenswert – eine Frau, ein Rausch, ein Erwachen ohne Wahnsinn, das behält man und erinnert sich seiner zur kristalle-

nen Gelegenheit. Deutsches Tao: «Was schert mich Weib, was schert mich Kind» – aber ohne Kaiser – das wäre auch etwas Nennenswertes –. Vielleicht sind wir, Sie und ich, Schwächlinge, die mitmachen ohne eigentlich zu wollen? Suchen wir unsern Han-Gu Pass –: bestimmt wartet dort schon unser Verleger: Letzter Gruss der Geschäftswelt. Leben ist doch nur Anarchismus, den niemand wahrhaben will –: die Bäuche in Tüll und hinter Gardinen mit den Tyrannen – auf der Gasse die Ehrenlegion im Knopfloch und im Bruchband den Revolver.

Der Untergang des Abendlandes[3] – ja – wenn damit die niedliche Erde diese syphilitische Alte gemeint ist. Pessimismus zu schlürfen wie ein Honigopfer auf Bali – sich den Weihrauch der eigenen Sätze um den Bart streichen zu lassen und dann die 48 Stunden Woche und der Wiederholungskurs, das Steueramt und die Badeanstalt – Überschrift Schweiz.

Was bleibt: der Boxer oder das Gedicht – gleichviel wieviel Tote zum Schluss übrig bleiben!? – Der beigelegte Aufsatz «Kunst und Leben»[4] ist auch so ein Einfall. – Einige Randbemerkungen zu «Mensch und Krieg» sind dem Manuskript dann beigelegt, das ich Ihnen mit bestem Dank für Ihr Vertrauen zurückgebe.

Nein –: noch einmal: je mehr ich zu überblicken vermag, desto mehr zeigen sich die Situationen unseres Lebens als Unsinn – die Vergangenheit ein wenig Asche, die Zukunft ein kleiner Eiszapfen – P. V.[5]

Was bleibt: das Gedicht, der zerstiebende Augenblick:

Schatten sinken –[6]

Schon Absturz, eh' die Schatten sinken,
schon zu Tal der Aar – ?
Noch Regenbogenräume trinken
eh' das Letzte war!
Aus Archipelen, Andromeden

Drachendämonie –
Schon schwellen Lippen, Wortreseden,
Wurzeln rollen sie …

Gefälle strömlings, Ebbe, landen,
Mitte, Melodie –
Die Herkunft schleierhaft vorhanden,
Jahre raffen sie:
Die Sphinxe bröckeln mit Sekunden
Schutt, Monotonie,
noch brüten Vögel, bündeln Stunden
nichts und jetzt und nie …

O Lager, Zelte, nächtlich Palmen,
Kiki-waki-Kirken …,
doch weiss und hoch und nördlich malmen
Bären unter Birken.
Genug denn – fliehe Nordlicht letztes
aus dem Sternrevier –
vor Rangoons Tigern ein gehetztes
Gletscherfabeltier …

An Inseln spät das Treibgut her –:
Tempelsäulenbilder –,
die gelben Schlachten, Mond im Meer,
Totes auf die Schilder –
und blau ein Reis, ein Opferschwelen
raucht dir Träume zu …
Der Tauben Blut, zerschnitt'ne Kehlen,
Melancholie und du –

Gott: ein Nichts – der Mensch: ein Nichts – es lebe der Krieg –:
aber: *ohne* mich Mister Adenauer!
                                      Und Ihnen herzlich, Ihr:
                                                 Gwerder

P. S. Die ‹signaturen› sind angekommen. Mit besonderer Dankbarkeit die bevorzugte Stellung meiner Verse[7] wahrgenommen. Leider zwei störende Druckfehler: im «Tag»: vielen statt Spielen; im «Gedicht»: Kreise uralte Klänge, enthalten, –, Komma zuviel.
«Lava» Erika Maria Dürrenbergers ist von gutem, seltsamem und abseitigem Anspruch!

1 Der undatierte, in den dreissiger Jahren entstandene «Beitrag zur eidgenössischen Besinnung» ist vermutlich uv. Die diesbezüglichen «Randbemerkungen» AXGs sind nicht erhalten. T im Nachlass EJ bei Annebeth Jaeckle, Zürich.
2 Eduard von Steiger (1881–1962), Bundesrat von 1940–1951.
3 Anspielung auf das gleichnamige Buch (2 Bde., 1918–1922) von Oswald Spengler.
4 Siehe Anm. 3 zu Nr. 33, S. 270.
5 Paul Valéry.
6 In BE. Siehe GW I, S. 53f.
7 Siehe Anm. 3 zu Nr. 39, S. 281.

46 An Erica Maria Dürrenberger

⟨Zürich⟩, am 16. Juli 51

Lackiertes Lächeln, billig am Markt verkauft,
Verdarb das echte unter der Maskenschicht.
Es ging die Sonnenspur verloren
Zwischen den Falten des engen Zwanges.[1]

Verehrte E. M. Dürrenberger –
leicht lässt sich vorstellen, dass Sie sich freuen könnten an einem Zeichen der Zustimmung zu Ihren Versen in der letzten grünen ‹Tat›. Deshalb – und auch deshalb, weil ich diese, auf derselben Seite auch zu Wort gekommen[2], überhaupt las und somit deren seltsamen und abseitigen Anspruch entdeckte – möchte ich nicht am Tage vorübergehen, ohne Ihnen meine Freude an dieser Entdeckung (was heute ja immer seltener sein dürfte) mitzuteilen.

Mehr zu sagen in diesem Sinne, wäre weniger! – Einen herzlichen Gruss noch –: Ihr ergebener
                                                    Alexander Xaver Gwerder

1 Aus «Lava» von EMD. In: Tat, 14.7.1951, Nr. 188.
2 Siehe Anm. 3 zu Nr. 39, S. 281.

47 An Rudolf Scharpf
⟨Zürich, Mitte Juli 1951⟩

Mein lieber Rudolf Scharpf –
aus einer äusserlich tatenlosen Eremitage (ich habe Ferien bei, bis jetzt, trübem Wetter) will ich Ihnen einige Zeichen eines kümmerlichen Geistes unterbreiten, in der Hoffnung immerhin, auf verstehende Absolution. Also: ich bin zusammengeschlagen, ausgebreitet, zum Trocknen aufgespiesst in einem Herbarium zwischen Grau und Zarathustra – Was könnte einen da noch interessieren? Doch höchstens das Wörterbuch der Antike. Platon hängt mir zum Hals heraus – Montaignes Essais sind zu beruhigt für unsere Zeit – Trakls Verse halten noch, auch Rimbaud, aber nur bei geschlossenen Fenstern. Die ‹signaturen› (3 Expl.) kamen letzten Freitag; mit nur zwei Druckfehlern, die nicht einmal gross stören: «Klöster der Einsamen», letzter Vers: Banken statt Bänken – «Begegnung» III 7. Zeile v. unten: Ergreifendes statt Ergreifenden. Ja, ja, diese Verse sind nun schon alt, aber trotzdem kann ich mich noch gut zu ihnen entschliessen. Gedruckt sind sie sehr schön, hauptsächlich Ihre Holz- und Linolschnitte.

Sehen Sie – da fliegen nun, wie Sie zu sagen belieben, einige Blätter von uns und leben in den Winden geschäftlicher und pseudokünstlerischer Zufälle – während wir irgendwo unter einem Dach, oder auch nicht, ackerhaft vegetieren, jedem Pessimismus brach liegend …

«Et pour ta punition tu feras
de très belles choses.» Valéry
Aber: «Die Mitschaffenden sucht der Schaffende, die, welche neue Werte auf neue Tafeln schreiben.» (Nietzsche/*Zarathustra*)
Nehmen Sie, lieber Rudolf Scharpf, noch und nur mit dem neuen Titelgedicht vorlieb:

Herbstzeitlos –[1]

Unter Strahlen, unter Stunden
Spuren nur – Bewältigung –
Beste Blüte, früh erfunden,
herbstzeitlos –: Erinnerung.

Was wir tun wird nie verstanden,
was gelingt ist nie erreicht –
flüchtig dauern, fremdher stranden,
wasserschwer und aufgeweicht ...

Kahle Lichtung, Laub im Winde,
jede Höhe Herbstlandschaft –;
Segelnd unterm Zufall, linde
Lösung lieblich zweifelhaft.

Atme –, ach, der Spiele Grenze,
solches Ungeahnt im Hirn –,
steige, falle –, deiner Tänze
Trunkenheit und Duft zu wirr'n.

Was wir tun wird nie verstanden,
was gelingt ist Traumgefild' –
Später dann in Weihern landen,
sinken in ein Spiegelbild.

Und herzliche Grüsse und Wünsche für Sie und Ihre Familie
Gwerder

⟨Am Rand:⟩
P. S. Eben kam eine Postkarte Ertels: er fragt, ob ich ihn schon in den Orkus verflucht habe – nun ja: es soll ihm verziehen sein!

1   In BE. Siehe GW I, S. 27. T der Slg. «Herbstzeitlos», eine Vorform von BE, nicht erhalten. Siehe Kommentar zu BE in: GW III, S. 173.

48 An Rudolf Scharpf
⟨Postkarte⟩: Zürich, am 31. Juli 1951

Mein lieber Rudolf Scharpf –, entschuldigen Sie bitte diese offene Karte –; die Ferien sind passé und die Zange der Zeit – na ja: Sie wissen es! Die Drucke[1] sind auch angekommen: wirklich, man sollte sie aber doch der Öffentlichkeit unter die, auf bestimmte Gerüche spezialisierten, Nasen halten können. Zu verkaufen wird so nichts sein –: schon der Unterschied der Formate ist ein Peitschenschlag von Einsamkeit. Ist das ganze Fehlen des Druckvermerks meine Schuld? Dann habe ich mich zuwenig deutlich ausgedrückt. Ich «beanstandete» lediglich seine Form – gegen die Worte hatte ich gar nichts einzuwenden. Haben Sie ihn nicht etwa mit Widerwillen, nur meiner falsch ausgedrückten Meinung zuliebe weggelassen? Dann tät es mir leid! Das Dichterporträt auf der Seite gegenüber (ich bilde mir ein, ich sei's) Ha! –: nichts für Spiesser. Sahen Sie die ‹signaturen› Pankoks[2]? Ein Könner –: that's all –!, wirkt ein wenig ausgemolken. Falls Sie später noch Exemplare unserer Ausgabe[3] benötigen: fragen Sie ruhig bei mir an – wahrscheinlich bringe ich ohnehin nicht alle los.

Diese trockene Gesellschaft hier läuft lieber mit ‹Reader's Digest› in der Tasche herum!

Pst! Beethovens pastoral-Symphonie – – haben Sie Beethoven auch gern? Teufel!

*«Wehe, wenn das Land-Heimweh dich befällt
als ob dort mehr Freiheit gewesen wäre
– und es gibt kein Land mehr!»* (Nietzsche)[4]
Nehmen Sie, lieber Rudolf Scharpf, für diese Woche mit diesem Wenigen fürlieb und sagen Sie auch Ihrer Familie unsere herzlichsten Grüsse

Gwerder + Fam.

1   50 (total: 100) Leporellos mit vier Holzschnitten, die mit den von AXG gedruckten Gedichten Mo bildeten. Siehe Slg. und Kommentar dazu in: GW I, S. 19–24; III, S. 164–168.
2   Otto Pankok (1893–1966), deutscher Maler und Graphiker.
3   AXG hatte RS 50 gefalzte Blätter mit vier «nach der Handschrift» gedruckten Gedichten geschickt und behielt weitere 50 Ex. für sich.
4   Motto der Slg. TLüD. Siehe GW I, S. 66.

49 An Bundesrat Karl Kobelt, Chef des Eidgenössischen Militärdepartementes

Zürich, am 1. August 1951

Sehr geehrter Herr Bundesrat Kobelt –,
als Jahrgang 23 hätte ich dieses Jahr noch einen W. K.[1] zu bestehen, weil ich für das Jahr 49 Dispens erhalten habe. Indessen wurde ich zur Rekrutenschule mit dem Jahrgang 22 eingezogen, da der damalige Arbeitgeber[2] mich austauschen konnte mit einem R. S.-Anwärter Jahrgang 22, der seine Lehrzeit noch nicht absolviert hatte und für dieselbe Waffengattung ausgehoben war. In der Folge nun erfüllte ich die Dienstleistungen des Jahrgangs 22. Somit habe ich mit dem W. K. 50 auch den W. K. 49, für den ich dispensiert und welcher der sog. «letzte» des Jahrgangs 22 war, nachgeholt –.

Hingegen scheint dies jetzt lediglich *meine* Version zu sein, da das Bundesgesetz über die Abänderung der Militärorganisation vom 28. Oktober 1949 die Anzahl W. K.'s, den diversen Varianten nicht Beachtung schenkend, nach Jahrgängen zumisst.

Es ergäbe sich nun: 1. Jener Abtausch des Prinzipals (1942) erspart jenem ein Jahr später Eingerückten einen W. K., während 2. dieser W. K. dafür mir aufgebrummt wird, der ich unaufgeklärt genug war, diesen Kuhhandel nicht zu ahnen.
3. Würde ich also damit zum, zu seinem Nachteil Betroffenen eines Gesetzes von 1949 – auf Grund einer Ursache, die sich 1942 ergab …

Mir schiene das offen deklarierte Willkür. Ich kann natürlich dagegen nur protestieren; gegen eine tatsächliche Weigerung wartete ohnehin irgendein Zugerberg.[3]

Verzeihen Sie mir diese bittere Epistel – aber der Ekel vor dem Militärbetrieb verlangt, dass ich mich mindestens ideell gegen logisch erweisbares Unrecht stelle. Ich wende mich mit dieser Darstellung und mit diesem Protest an Sie, weil ich überzeugt bin davon, dass Sie Recht sprechen können, selbst wenn das Gesetz Unrecht ist.

Mit dem Ausdruck meiner Hochachtung gezeichnet
⟨Alexander Xaver Gwerder⟩

1 (Militärischer) Wiederholungskurs.
2 Siehe Anm. 4 zu Nr. 59, S. 337.
3 Strafvollzugsort bei Zug für von der Militärjustiz verurteilte Armeeangehörige.

50 An Erwin Jaeckle, ‹Die Tat›

⟨Zürich⟩, am 1. Aug. 51.

Lieber Herr Dr. Jaeckle!
Besten Dank für die Heupferd-Epistel![1] «Mehr dichten – weniger Weltanschauung!»[2] steht über meinem Schreibtisch. Noch immer. Aber ich komme und komme nicht vom Militär los – und eine Erbstrafe ist es, sich mit Molöchern herumschlagen zu müs-

sen. Und: man *muss* wohl, wenn die Dinge so stehen, wie aus der Beilage[3] ersichtlich. Dass je so ein Gesetz bei den eidg. Räten durchschlüpfen konnte, ohne dass den Tatsachen dieser Kuhhändel Rechnung getragen worden wäre, heisst ganz einfach, dass keiner der Räte davon betroffen wird. Und wenn vor diesem Gesetz (1949) dieselben Zustände ev. hingenommen worden sein sollten –: es käme auf dasselbe heraus. Warum bestimmte man die Anzahl der W. K.'s nicht nach dem Jahre der Rekrutenschule? Vielleicht existiert eine Lochmaschine, die auf Jahrgänge eingestellt ist –. Oder eben: der Bauernfang ist bewusst so angelegt, damit eine genügende Anzahl Simpel zur Schuhkontrolle vorhanden sind! Sei's, wie es sei: ich ärgere mich mit Magenweh und allem Komfort – und irgendwoher erhalte ich noch einen Brief, da steht darin: «Ans Vaterland aus teure schliess dich an»[4] –, in allem Ernst!

Der letzthin in der ‹Tat› besprochene Briefband Winkler[5] (ich kenne die übrigen Arbeiten W's.) zeigt, auf welch' noble Art man am Staat krepieren kann.

«Eidgenossenschaft ohne Eid»[6]: mit dem bin ich sehr einverstanden und es überraschte mich der Mut zu diesen Perspektiven. Aus dem Tonfall zu schliessen, haben Sie das geschrieben! Auch die Zürcherspiegel-Seite: Eine gute Tat am 1. August ist eben doch viel dauerhafter, als tausend Tropfen Helveticum.

1 Expl. ‹signaturen› für Sie ist beigelegt.

Jetzt habe ich Ihnen wieder einmal den Kropf geleert und für diesmal, glaub' ich, nicht ohne Berechtigung. Nehmen Sie mirs, wie immer, nicht übel –, ich bin Ihrer Grosszügigkeit unersättlicher Empfänger und grüsse Sie

herzlich:
Gwerder

1 Vgl. EJs Reaktion vom 30.7.51 (uv.) auf das ihm zugesandte Prosastück «Dreizehn Meter über der Strasse»: «Nur ein Stichwort, das für Ihre Prosa, aber auch für Ihre Gedichte gilt: Weniger wie ein Heupferd denken, Assoziation an Assoziation reihen. Denken heisst eben Folgeketten zu bilden, und daher ist mir der Weg der Schnecken lieber.»
2 Siehe Nr. 8, S. 219.
3 B von Militärdirektion Zürich vom 31.7.1951 (uv.) und Kopie von Nr. 49.
4 Aus dem B von EMD vom 28.7.1951 (uv).
5 *Briefe 1932–1936*, Bad Salzig 1949, von Eugen Gottlob Winkler. Aus Angst vor einer befürchteten – zweiten – Verhaftung hatte sich E. G. Winkler am 28.10.1936 in München das Leben genommen. Siehe auch Anm. 1 zu Nr. 23, S. 251, und Nr. 64, S. 351f.
6 In EJs Artikel «zum 1. August» in: Tat, 1.8.1951, Nr. 206, werden die Schweizer als «Eidgenossen nicht des Schwures, sondern der Geschichte wegen» bezeichnet, die «nicht mehr frei, sondern vom Schicksal unberührt» sein wollen. Deshalb die Forderung: «Echte Eidgenossenschaft ohne Eid immer wieder zu begründen und sie zu erhalten, ist die Aufgabe selbstbewusster Persönlichkeiten als der Glieder ihrer. Die Eidgenossenschaft wird damit zu einem Werke der Bildung und nicht zu einem solchen des verbürgten Rechts.»

51 An Karl Krolow

Zürich, am 5. August 51

Lieber Karl Krolow,
Ihnen gelingt es immer wieder, mit wenigen Worten zu erfreulicher Selbstbesinnung zu ermuntern – zu Überblicken, zu Ausblicken. Sie wissen um meine Dankbarkeit! Gern hätte ich Ihnen die *Begegnung* selber geschickt – mit verbesserten Druckfehlern – aber, da es ohnehin ein längeres Hin und Her absetzt bis ich zu den ausbedungenen Exemplaren kommen werde – wenn ich überhaupt dazu komme – möchte ich nichts versenden ehe ich weiss was ich ausgeben kann ohne dass es mich reuen muss. Ich bitte um Ihr Verständnis. Ja, ich habe Ertel gebeten Ihnen die ‹signaturen› zuzustellen.

Ich muss gestehen, die Gedichte dieser *Begegnung* waren tragische Prozesse und durchwegs der Inspiration mit allen Zufällen, in allen Zufälligkeiten unterworfen – in diesem Sinne ist die «Begegnung» wohl das echteste Gedicht, das ich je geschrieben habe – indessen: Leiden sollen nicht unbedingt zu Kunstwerken führen; indem die Selbstkontrolle beinahe ganz fehlt und sich auf sprachliche Richtigkeit beschränkt, die bewussten Mittel, die den Rang, die Stufe des Künstlers dabei ausmachen, irgendwie imaginär werden und bei vollem Bewusstsein zuerst wieder aufgefunden, ja errungen werden müssen. Jedoch liegen diese Gedichte ein gutes Jahr zurück und Sie wissen, was ich inzwischen tat, um die eigenen Mittel zu sprachlicher Präzision und Geistesgegenwart hin zu erziehen. Je mehr ich aber an mir selber feile und bohre, meine ganze verfügbare Zeit und dazu noch gemogelte Stunden, die eigentlich nicht mir gehörten, dafür einsetze, das zu erreichen, was mir vorschwebt, desto niederschmetternder zeigt sich die Einsicht, noch gleichsam im dicksten Silur-Zeitalter zu stecken. Meine Produktivität: ich weiss nicht ob das produktiv zu nennen ist: Dieses Jahr sind bis jetzt ca. 50 Gedichte entstanden – aber nur die Hälfte davon unter Bedingungen, die ich gelten lasse – und das sind jene, der Art und Arbeit, die Sie mir als gelungen bezeichneten.

Seit etwa vierzehn Tagen staut sich wieder einmal verschiedenes an zu mächtig trüben Tümpeln – auch das Militär taucht seine schmutzigen Pfoten hinein – so dass ich mich wohl oder übel entschliessen musste nurmehr Briefe zu schreiben und im übrigen mich an Bücher zu halten, die mir zusagen. Dummerweise kommt noch eine materielle Flaute hinzu, weil etliche, schon seit längerer Zeit bestellte, Bücher gleichzeitig eintrafen, so dass es mir vorläufig unmöglich gemacht ist, mich mit Fritz Ernst[1] bekannt zu machen. Die Briefe Eugen Gottlob Winklers, die ich eben lese, (neu im Rauch Verlag, Bad Salzig) offenbaren ein gewaltiges Talent, aber auch eine gewaltige Bemühung zur Genauigkeit und beweisen sonst noch, was ein Staat alles, wenn auch nur direkt, an Kunstwerken und an wirklichen geistigen Grössen zu verhindern und zu vernichten vermag. Dieses gewissenloseste, dümmste und den Menschen abträglichste Gebilde!

Von Benn, von dem ich ausgewählte Stücke besass, habe ich nun alles Erhältliche; auch die beiden Bändchen *Trunkene Flut* und *Statische Gedichte* – Bächler, der mir ja Benn zum Vorwurf machte, gab den Anstoss dazu.[2] Nun: wieso sollte Benn die zwei- oder dreihebigen, jambisch und trochäisch gemischten Achtzeiler etwa für sich gepachtet haben? Ich sprach darüber auch mit Dr. Walther Meier, der so ziemlich alle meine Gedichte neueren Datums gelesen hat und der mir dazu sagte, ich solle das nicht so ernst nehmen, schliesslich komme es auf dasselbe heraus, ob man in konventionelle oder neuere Schemas seine Worte giesse, und es sei kein schlechtes Zeichen, nach Benn zu tönen, ohne dessen Gedanken importiert zu haben. Hingegen C. F. Meyers und Mörikes Formen mit Benns Gedankenwelt zu mischen sei bedenklich … Dann sei aber in erster Linie alles eine Frage des Könnens – und die meisten derartigen Einwände verraten den Neider. Ich konnte mir ein leises Lächeln nicht verkneifen.

Das Manuskript ist jetzt endgültig fertiggestellt. Ich habe den Verleger gebeten, nach Möglichkeit das «Vorwort»[3] wegzulassen, indem ich darauf hinwies, nicht so ohne weiteres mit dem Leser gemeinsame Sache machen zu wollen. Der Titel jetzt: «Herbstzeitlos»[4]. Das letzte Gedicht des Bändchens[5] lege ich Ihnen bei.

Die *Anthologie der Abseitigen*[6] enthält übrigens auch je ein Porträt der Künstler und wird wohl gelegentlich den Weg zu Ihnen finden.

Mein Bruder[7], der glückliche, der allerdings nicht viel damit anzufangen weiss, kann seine Ferien in San Remo, an der Ital. Riviera, verbringen. Da sind wir schlechter dran. Ich hoffe fest, nächstes Jahr einmal weiter in Deutschland einzudringen; so bis mindestens in die Pfalz. Aber was hofft man nicht alles!

Bleiben Sie, lieber Karl Krolow, meinen Bemühungen weiterhin gewogen und nehmen Sie meine besten Wünsche,
herzlich Ihr:
⟨Alexander Xaver Gwerder⟩

Was halten Sie von dem Gedicht «Lava» in der letzten ⟨Tat⟩ von EMD. Mir scheints ausserordentlich für eine Frau.

1   Fritz Ernst (1889–1958), Schweizer Essayist.
2   Siehe Nr. 44, S. 288f.
3   Vermutlich «Zueignung an den Leser» im Kommentar zu BE. Siehe GW III, S. 172f.
4   Siehe Anm. 1 zu Nr. 47, S. 297.
5   «Morgenröten» in: GW I, S. 321. Es wurde nicht in BE aufgenommen.
6   Das von Carola Giedion-Welcker herausgegebene Buch erschien 1946 in Bern-Bümpliz.
7   Johannes Gwerder (geb. 1930).

52   An Erica Maria Dürrenberger
⟨Zürich, Anfang August 1951⟩

Wehe, wenn das Land-Heimweh dich befällt, als ob
dort mehr Freiheit gewesen wäre,
– und es gibt kein Land mehr!   Fr. Nietzsche

Sehr verehrte und liebe E. M. Dürrenberger –,
Am Donnerstagabend, während endlich das ersehnte Gewitter halbwegs jene Spannungen löste, von denen feinere Naturen dumpf eingemummt zu werden pflegen, kann ich anfangen Ihnen endlich auf Ihren so lieb mitteilenden und auch hellhörig forschenden Brief zu antworten. Vielleicht ist es nicht richtig, sich schlechten Gewissens an Ant-Worte zu wagen von denen man annehmen muss, dass sie dem Empfänger schwerer aufliegen als seine Frage –: aber da er gefragt hat, wird er die Antwort

nicht scheuen. Indessen – ich habe das schlechte Gewissen Ihnen gegenüber, als der zu Vertrauen und Verständnis Bereiten, die vieles schon gefunden haben mag, was durch die Verwendung dieses Vertrauens erschreckt würde, riesig und rätselbildend –. Am liebsten schriebe ich Ihnen eine Seite erläuternder Zitate; mich mit schonenden Grössen entschuldigend – die sich immerhin auf der Linie einer gewissen Konvention hielten, wenn auch nur auf jener des Gedrucktseins. Dann noch: –

Haltungen oder Gesinnungen zu erklären heisst doch sich wieder zurückversetzen an ihre Ursprünge, zu den Quellen und ihren Umgebungen; leichter für Epiker oder Journalisten – wie ja auch der Vorgang zur blossen Reportage würde, weil jetzt und hier gelebt wird ohne dass das Ereignis der Geburt sonderlich wirkende Bedeutung hat – als für die wiederkehrende Eintagsfliege von Lyriker.

Nun –: der bittere Kelch wird wohl geleert werden müssen; ohne besondere Eleganz und auch nicht ohne dass der bittere Rest zurückbliebe – – –: Sie fragen: Gibt es in ihrem Leben keine Möglichkeit, dass sie das, was sie «den grossen Schock meines Lebens»[1] nennen, endgültig überwänden?

Doch: eine tote Erbtante um auswandern zu können – oder der Stempel «untauglich» im Dienstbüchlein.

Ich habe mir nicht den Planeten meiner Geburt aussuchen können – zweifelsohne aber bin ich ein Mensch – woher nehmen also Zweibeiner der zufälligen Umgebung sich das Recht heraus, über mein Dasein zu verfügen? Und diese Frage reicht über unseren Staat hinaus – verwirft fast die ganze konfuse Erde, stellt den Menschen als solchen unter ein Licht, vor dem sämtliche Gottes-Theorien als fadenscheinige Felle im Fluss der Zeit davonschwimmen.

Sie fühlen sich vom Staate beschützt –, ich: bedroht.

Was jetzt noch breiter und ausführlicher zu sagen bleibt, bitte ich Sie, mir zu ersparen. Das Glas meiner Augenblicke beschlägt sich von innen, und durch die Worte, die ich mit meinen

Gedanken darauf male, zeigt sich eine detestable Landschaft. Unter der Sache günstigeren Konstellationen lässt sich dies alles schonender sagen und mit weniger Aufruhr hüben und drüben. Im Zuge späterer Briefe werden sich Ihnen wohl allmählich die Figuren dieses Mosaiks, dessen gesamte Deutung meine gegenwärtigen Fähigkeiten überstiegen, erklären – so hoffe ich.

Ersparen Sie mir bitte auch einen Kommentar zum Spruch vom Vaterland.[2] Dass Sie jedem Soldaten dankbar sind für seine Opfer, entspricht Ihren guten und weiterum ungetrübten Anlagen und ich nehme diesen Dank von Ihnen als von Dichter zu Dichter an! Das mit den Alpweiden: auch Lavafelder haben ihren Reiz, und die gibt es seltsamerweise in angenehmeren Zonen. Hingegen das mit Confituren und Schlafsack könnte einmal, so scheint mir, ein richtig heller Augenblick werden. Meine Ferien gingen letzten Sonntag zu Ende, sonst hätte ich Ihrer Einladung mit Freude nachgegeben. Ein Gespräch zwischen Dichtern, und noch dazu in einer stillen und beinahe heilen Welt, wie Sie mir sie so zufrieden schildern können, ist zu selten, als dass ich mir nicht eine helle Erinnerung daran prophezeien dürfte. Knacks –: da ging das Licht aus – es ist nämlich inzwischen Freitagabend geworden – und da wir für Gas und Elektrisch Zählautomaten installiert haben hier, kann es vorkommen, dass eines von uns sich vor oder nach Mitternacht aufmachen muss, um Fränkler einzuwechseln. Diesmal fiel das Los auf Frau Trude und ich behelfe mich bis dahin mit Kerzen.

Unsere Verleger warten keineswegs auf Gedichtmanuskripte – wie sollten sie auch, da die Leser von Versen entweder solche sind, die selber welche schreiben, oder solche, die über Verse schreiben –, kurz: an beiden Händen abzuzählen sind auch in der Grossstadt Zürich. Und ein Verlag ist vor allem ein Geschäft – und die schönen Zeiten, wie sie z.B. Rilke noch erlebte – mit Gräfinnen und Klim-bim und Legaten; wo es nur darauf ankam inständig zu heucheln und Honig um die Bärte zu streichen –

sind begreiflicherweise passé. In Bezug auf Peter Schifferli[3] kann ich Ihnen rein gar nichts versprechen – was ich tun könnte wäre ihm Ihr Manuskript mit entsprechendem Kommentar zu übergeben oder was mir noch gewichtiger schiene: das von Ihnen an Schifferli direkt übersandte Manus durch einen Brief meinerseits, der nur von der von Ihnen vernommenen Absicht, ihm das Manus einzureichen, inspiriert wäre, mit dem nötigen Nachdruck zu versehen. So oder so müsste ich mit den betreffenden Gedichten vorerst vertraut werden.

Aber insgesamt: denken Sie nicht zu hoch von meinem Einfluss – oft bin ich unerbittlich unbequem und unnachgiebig in meinen Ansichten – (die nur zu oft nicht einmal zur Hälfte pariert werden können) und schaffe mir so eher den Anschein eines seltsamen Vogels, als dass ich mir geschäftlich verwendbare Beziehungen herstellte.

Die Sache mit den Rosinen: Max Rychner (kennen Sie übrigens den von ihm übersetzten *Monsieur Teste* Valérys?, eine glänzende und durchaus unüberbietbare Leistung!) wählt zweifelsohne die besten Verse aus – aber die besten einer bestimmten, nämlich seiner, Richtung. Nichts Negatives, nichts, das sich so abseits gelegen zeigte, dass es als elementar anzusprechen wäre –: das ist meine Beobachtung. Und ich wunderte mich nicht wenig, dass er «Lava» druckte. Ein krasses, durchwegs der Negation entsprungenes Gedicht von mir: «Der Schrei», druckte er wohl deshalb, weil der Guss des Gefühls ihm als selten gelungen erschienen sein mochte – aber zur Vorsicht auf der Magazinseite – es vertrug sich wahrscheinlich schlecht mit Literatur. Deshalb vermute ich, dass bei Ihnen noch allerhand zum Vorschein kommen könnte, nebst den von M. R. bevorzugten Gedichten ...

Unsere Beziehungen zum Roten Kreuz erschöpfen sich darin, dass wir vor drei Jahren ein (fünfjähriges glaub ich) Berlinerkind für drei Monate bei uns hatten, welches vom R. K., aus der russischen Zone sogar, vermittelt wurde. Manfred *Sieg!* hiess der arme Kleine noch zu allem ... Inzwischen kehrte sein Vater aus russischer Gefangenschaft heim.

Mehr mag nicht in diesen Brief hinein. So viele anders geartete Fragen müssen, um des Ernstes willen, den ich an sie zu verwenden denke, warten bis ihre «Stunde schlägt». Und dass ich nicht sofort, wie Sie es verdienen, geantwortet habe, hat seinen Grund in einer jener zeitweiligen Stauungen, wo die im Fluss sich jagenden Gedanken keine Möglichkeit mehr finden auf Papier zu hüpfen. Und das was jetzt geschrieben wurde, der seichte Rest von Stichworten, wird unter Ihrer wägenden Schätzung verdampfen zu einem Himmel voller Wolken die schöner sein könnten.

Meine Frau erwidert Ihre herzlichen Grüsse und bittet Sie, auch den Herrn Doktor[4] von ihr zu grüssen – als Parallel-Fall. Und ich – versenke mich jetzt in die *Geburt der Tragödie* (Nietzsche), um mich von der Tragödie der Geburt zu erholen –.

Herzlich und ergeben,
Ihr A. X. Gwerder

Es ist Sonntag – und ich komme nicht umhin, indem ich die Sendung für Sie zusammenstelle, noch einiges anzufügen. Die beigelegten kleinen Aufsätze haben durchaus nicht verbindlichen Charakter und sollen lediglich erhellen – oder verdunkeln – wie Sie lieber wollen. Überhaupt ist mir diese ganze erklärend sein sollende Antwort unangenehm. Die Politik ekelt mich an, ohne dass ich mich bis heute je einmal ganz hätte von ihr lösen können. Sie zerschlägt jede aufkommende kontinuierliche Arbeit und mischt sich mit und auch gegen persönliche Anlagen, die, wie Sie ahnen, Kräfte enthalten können, welche lediglich darauf warten, nicht mehr von ihr gebunden zu sein –. Aber eben solange man in die dumpfe Dummheit der Gesellschaft einbezogen ist, hat man ständig um kurze Atempausen zu kämpfen – denn an den Blick, wie an die Worte des Menschen hat sich die Sphinx schon längst gewöhnt. Sie ist übrigens fetter geworden, seit sie wieder aus dem Abgrund aufgetaucht und da ihr Rätsel einstmals gelöst wurde, hat sie sich vor rein nichts mehr zu fürchten. Ernst Jünger sagt zwar statt Sphinx – Leviathan und hören Sie sich einmal diesen Satz an:

«Einer der Schachzüge des Leviathans liegt darin, der Jugend vorzuspiegeln, dass sein Aufgebot mit dem des Vaterlandes identisch sei.»

Gefahr gibt es da für den Leviathan keine, da die Wenigen, denen Einsicht in andere als nationale Bezüge gegeben wurde, sollte es je ernster werden damit, in Bälde zu versenken wären.

Das ist also noch das P.S. zum Brief. Ich komme mir vor, wie einer, der eine Bombe gelegt hat und darauf wartet, dass der Schnellzug in die Luft fliegt.

Verzeihen Sie mir so weit wie möglich –, denn Ihre Frage war ja danach.

1 Gemeint ist die 1942 absolvierte Rekrutenschule in Kloten, gemäss B an EMD, 24.7.1951 (uv.).
2 Siehe Nr. 50, S. 300, und dazu Anm. 4, S. 301.
3 Peter Schifferli (1921–1980), Gründer und Leiter des Arche-Verlages in Zürich.
4 EMDs Ehemann, Dr. med. Robert Dürrenberger.

53 An Karl Krolow

⟨Zürich⟩, am 2. September 1951

Lieber Herr Krolow –,
ich hatte sogar angenommen, irgendein seltener Glücksfall sei Ihnen in den Weg gefallen und habe Sie nach einer helleren Welt entführt; z.B. nach Amalfi oder Toledo –; zuweilen erwartete ich allen Ernstes eine Karte von dort. Nun war ich fast ent-

täuscht, Sie aus einem Berg von Arbeit auftauchend zu vernehmen. Indessen: das sind natürlich Vögel – Zugvögel von viel zu gut gemeinten Wünschen. Und die südlichen Freuden haben sich ja bei Ihnen in beste nördliche verwandelt durch den Vertrag mit der DVA.[1] Ich gratuliere Ihnen von Herzen zu dieser wohl verdienten Anerkennung und freue mich mit Ihnen dem neuen Band entgegen.

Ich sehe immer mehr die Seltenheit ein von denen, für die Dichten auch Leben bedeutet –; nach einigen genügenden Einblicken in den hiesigen Literaturbetrieb, darf ich feststellen: Ich hielt viel zu viel von seinen Vertretern – auch was «Rang und Namen» hat, ist nur eine besser gestellte Figur des gesellschaftlichen Schachspiels –. Gedichte sind halb rätselhafte, halb belanglose Gebilde jener Sprache, mit der doch hübsch Geld zu verdienen ist, weiss man sie «richtig zu behandeln». Und Dichter sind geduldete Erscheinungen, die sich im Zeitalter der Psychoanalyse immerhin befriedigend erklären lassen. Je volkstümlicher sich einer «gibt», oder «geben muss» (weil er nicht anders ist), desto eher hat er Chancen Beglaubigungsschreiben zu bekommen. Goethe z.B. ist eine Konvention; dagegen geht keiner, auch nur in Gedanken, an. Nietzsche z.B. ist ein Verrückter, dessen Genie gerade dieses Treiben blosslegt, und dem in der Folge die Rationierungskarten entzogen werden. – Hübsch, nicht? Alles was ist, ist gut! Sehr wohl, mein Herr; schmeckt die Pfeife – und sind die Pantoffeln gut vorgewärmt?

Aber ich langweile Sie sicher mit solchen Notizen. An meinem Büchlein ist noch nicht begonnen worden. Es sind noch ältere Aufträge zuvor zu bewältigen. Ich benütze dies natürlich und prüfe und prüfe. Ach –, ich bin ein ruheloser Geist, und was heute gut ist, scheint mir morgen zweifelhaft, sobald es um eigene Arbeiten geht.

Ich habe für Sie ein kleines Gedicht geschrieben «Moment poétique»[2], das ich Sie bitte, als Zeichen meiner Verbundenheit mit Ihnen, entgegen zu nehmen.

Ein Himmel voll riesiger Reiter –, jagend von Westen nach Osten – Sonne und Schatten, nebst dem unheilverkündenden Wind.

Eliot hat ein paar treffende Äusserungen über Gedichte, Tradition und Kritik in seinen Essays[3] – und E. Jünger einen prächtigen Versuch gemacht: *Sprache und Körperbau*. Im übrigen ist Platons *Phaidros* wunderschön, und Heinrich Manns Essayband[4] nicht mehr erhältlich. Dieser sagte auch:
«Betriebsamkeit kann dem Unsittlichen die Seele ersetzen, seine Welt fühlt sich, weil sie sich dreht.»

Eine Bitte: Zwei Betrachtungen[5], ganz private, sind beigelegt und ich wünschte mir, darüber Ihre Ansicht zu hören. Es sind Versuche, mit der Absicht, dem Gedanken hart auf den Fersen zu folgen, ohne einen Schritt auszulassen.

Und nun noch Dank für Ihren Brief – beste Wünsche, wie immer – und herzliche Grüsse, Ihres

⟨Alexander Xaver Gwerder⟩

1 Für den 1952 in Stuttgart bei der Deutschen Verlags-Anstalt erschienenen Gedichtband *Die Zeichen der Welt*. Siehe AXGs Besprechung in: GW II, S. 142f.
2 In BE. Siehe GW I, S. 43.
3 T. S. Eliot: *Ausgewählte Essays 1917–1947*, Berlin/Frankfurt a. M. 1950.
4 Heinrich Mann: *Macht und Mensch*, München 1919.
5 «Über eine Art Rauch» (siehe Anm. 1 zu Nr. 33, S. 270) und vermutlich «Von der Nacht» in: GW II, S. 71ff.

54 An Erica Maria Dürrenberger
Zürich, am 3. Sept ⟨-5.9.⟩ 51

Es fällt mir in der Tat keine angemessene Anrede ein –, ich bin in dieser Hinsicht ziemlich beschränkt – und bitte Sie deshalb, liebe ländliche Freundin, jene vom vorigen Brief[1] an obige Stelle zu versetzen.

Sie werfen wieder allerhand Fragen auf, so dass ich zum vornherein um Verzeihung gebeten haben möchte, wenn diese oder jene als übergangen worden sich zeigte. Indessen: schon die amüsante Idylle mit dem Pfarrer reizte mich zu näherer Betrachtung – um des ironischen Vergnügens willen. Sagen Sie ihm, dem Gestrengen, nebst einem Grüsschen von mir: wie es mit einem elektrischen Klavier wäre – auf ein wenig mehr oder weniger Automatik wirds ja wohl kaum ankommen.

Meine Definition für Pfarrers: Was entweder dumm ist, oder lügt, ohne im ersten Falle um das zweite zu wissen, oder im zweiten Falle das erste zu müssen. – Aber dafür würde er mich wohl Naseweis nennen und einen väterlichen Segen über die ungeratene Zunge ziehen.

Nun etwas ernster: (um oben in Ihrem Brief anzufangen) Lieder, d. h. Musik mit Worten zu Musik, mag ich gar nicht; ausser wenigen Einzelstücken, wie die Arie des *Figaro*, einiges aus *Aïda* und – lachen Sie nur – bestimmten amerikanischen Schlagern, wo die rhythmische Einheit von Wort und Ton ins Möglichste getrieben wird. (z. B. «Bewitched») (oder auch «Cinderella»)

Ein Bild, ein Buch und eine menschliche Beziehung *wenn* sie sich im Gleichgewicht halten vermag. Eine ziemlich fragwürdige Bleibe! Ich bleibe bei Symphonie, Bild, Buch – ohne –.

Zu vernehmen, dass Sie Orgel spielen, ist erfreulich. Bach hat es mir nun gerade nicht angetan; aber das Spielen an und für sich, ist doch ein schönes Mittel mehr, eigensten und unerreichbaren Figurationen, wenn auch ein kurzes, so doch Leben zu verschaffen. – Das Thema Gott müssen Sie mir für heute erlassen –, es wird einen späteren Brief ausmachen –, das Menü wird sonst zu überladen.

Hingegen, die «geschäftige Tüchtigkeit», da will ich mitreden! Lassen wir zuvor Hch. Mann (nicht zu verwechseln mit dem grossen Kulturschnorrer Thomas Mann) sprechen: «Betriebsamkeit kann dem Unsittlichen die Seele ersetzen, seine Welt fühlt sich, weil sie sich dreht.»

Und jetzt die Sache mit dem Zuckerl: ich sehe, dass ich mit Ihnen offen reden muss, auch wenn es im Augenblick heikel scheint: Einigen wir uns zuerst über den Begriff Konvention in der Kunst. Sicher war noch jeder Künstler das Kind seiner Zeit, d. h. er erhält von der Zeit, in der er lebt, das bereits von ihr Begriffene an künstlerischer Form. Sieht er sein Ziel darin, zu erreichen, was also vor ihm schon da ist, bleibt er innerhalb der zeitbedingten Grenzen künstlerischen Verstehens. Er wird verstanden! Ich sage dem: epigonal. Der wirkliche Künstler, aus seinen, meinetwegen psychophysischen, Anlagen heraus bildet niemand, sieht sich, wenn er ehrlich bleiben will vor sich selber, gezwungen, die Konvention seiner Zeit zu durchbrechen – mit oder ohne bitteres Ende.

In diesem Sinne ist Rychner konventionell, wie Martha Saalfeld. Ich wage sogar zu behaupten, der erstere noch viel mehr! Ich sehe immer mehr die Seltenheit ein von denen, für die Dichten auch Leben bedeutet –; ja, nach einigen genügenden Einblicken in den hiesigen Literaturbetrieb, darf ich feststellen: Ich hielt viel zu viel von seinen Vertretern. Auch was «Rang und Namen» hat, ist nur eine besser «gestellte» Figur des gesellschaftlichen Schachspiels. Was soll ich also Zückerchen annehmen, wenn darauf die Wurmpillen folgen müssen? Ich verstehe so wenig die Sprache nach Erwerb zu drehen, wie aus mündlichen Spiegelfechtereien Gewinn zu ziehen. Und wenn das hart tönt – lassen Sie mir trotzdem meine Einsamkeit ohne Vorwürfe – in Kaffeehäusern und Redaktionsstuben sind noch nie wesentliche Werke

entstanden. Auch die Auseinandersetzung mit Sternen begibt sich nicht hinter Folianten. Laotse verschwand in die Berge – Sokrates war nicht Verleger –, Lionardo war 500 Jahre zu früh geboren –, Rimbaud, ein Zigeuner –, Verlaine, ein Trunkenbold –, van Gogh versteckte sich in Farben, Gauguin in Tahiti –, Beethoven verstand keiner – Nietzsche sprach mit den Wolken.
Was wollen Sie also mit Zückerchen?
Konventionell heisst nicht dass eine Sache schlecht ist, denn sie wird von der Zeit verstanden. Es ist dies lediglich eine Tiefenfrage –, eine Frage anlagemässiger Notwendigkeit –, eine Frage der geistigen Rasanz und Intensität.

C. Forster ist sogar eine höchst mittelmässige Epigonin. Ihre Teppiche, durch die sie in Zürich einen gewissen Ruf erhielt, machte schon längstens Jean Lurçat[2] und ihre Symbole entlehnt sie bei der Lasker-Schüler Else.
Die Verslein sind geradezu ein gottsträfliches Trottoirgemisch:

An Vinzenz

Ich bin das Kind vom Blütenbaum
ich bin das Kind vom Fluss.
Ich bin ein erfüllter Traum.
Die Rose ist der Kuss.

Ich bin das Kind vom grossen Meer
vom Hügel und der Stadt,
ich bin das Kind vom Himmelswind,
der nie ein Ende hat.

Hoffentlich genügt Ihnen das! (aus den ‹signaturen›!)
Die «Forelle» der Saalfeld ist gut. Die Holzschnitte Pankoks – nun ja – gemässigte Zone.

4. Sept.
Gott lebt überall – glauben Sie. Ich wäre eher für die Version: Gott kann überall leben. Benn, glaub ich, sagt irgendwo sehr gelungen: «Der Geist Gottes weht wo er will? Nein –, wo er kann und was er kann.»³ Vermutlich zitierte er aber dabei sogar Nietzsche. Diese Ansicht scheint mir auch für G. B. zu genial. Ja-Ja, dieser Gott ist eines der «schwierigsten». Glauben tut man ziemlich blind – und selig sind die, die sehen und doch glauben. – Aber sich fern halten von Chopin – auch von Sonetten? Wo wären Sie denn inzwischen: Irgendwo in einer vegetativen Körperlichkeit, die Sie «Blumen der Reue pflücken liesse im Gedränge» (Baudelaire) («Recueillement»).

Ein prächtiger Abendhimmel, unten, über pastellvioletten Hügeln, tieforange – dann hellblau wie Schmetterlinge, weisse, im Schatten – und immer stärker lila bis in den Zenit. Den fernen Höhenzügen vorgelagert: Kamine, Dächer, Zinnen, Türme –: tiefschwarz und mit qualvollem Duft. Die Erde wird herbstlich.

«Können Sie sich wirklich etwas vornehmen, das Sie dann dichterisch ausführen?» Dichterisch: Nein – «Sehen Sie dann Bilder vor Ihnen, die Sie im Wort gestalten können?» In selteneren Fällen: Ja. – Und meistens wird daraus, aus natürlicher Ehrfurcht vor dem so Geschauten, das reimlose, ungebundene, aber entsprechende Sprachbild, das Prosagedicht. Meistens aber sinkt irgendwann und irgendwo Gesehenes, Gehörtes, Gefühltes und auch Getanes so nachdrücklich in (wahrscheinlich) seelische Tiefen (besser Schichten), dass es, nach längerer oder kürzerer Zeit, je nach Verwandtschaft mit bereits Vorhandenem, angestossen oder aufgerufen vom ihm entsprechenden Augenblick, als fertiger Satz, auch als ganze Strophe manchmal, dieser Tiefe enttaucht – gleichsam ausgetragen – und sich nun mühelos weiter verfolgen lässt bis es seine Form gefunden hat. Das Ausarbeiten betrifft dann nur noch einzelne Worte, grammatikalische Formung, oder oft sogar Streichung ganzer Strophen. Gewöhnlich lasse ich ein eben geschriebenes Gedicht ein, zwei Tage beiseite und sehe dann beim nochmaligen Vornehmen sofort die nötigen Änderungen. Entweder ist es dann für mein Dafürhalten gut, und dann wird es ad acta gelegt, oder es ist gänzlich missraten – und wandert zum berühmten Papierkorb. Gefühle, Töne, Wolken, Sterne, Blicke über Dächer –: das sind die Auslöser des Gedichts – wenn es darauf wartet.

Den Namen Lauterburg hab' ich schon einmal gehört, mir scheint aber, als wäre es im Mittelalter gewesen. Wer ist Martin Lauterburg[4]?

Oda Schaefer ist eine deutsche Dichterin, lebt in München, verheiratet mit einem Dichter: Horst Lange. Es war die erste apollinische Grösse, die den Eindruck hatte, meine Gedichte wären es wert, gelesen zu werden. (In jener ‹Tat› mit ihren zwei «Rondo» und «Spiegelbild», hatte ich die «Nacht» abgedruckt.) Vor einem guten Jahr machte sie den Ertel aufmerksam.[5] Ich habe ein kleines Heftchen von ihr, den *Kranz des Jahres*, mit Illustrationen von Asta Kull-Soffner.

Das Zuckerl für Sie habe ich bis zum Schluss aufgespart. – Tatsächlich nehmen Sie an Ihren Gedichten gewaltige Änderungen vor – und das soll beileibe kein Vorwurf sein. Genial Hingeschmissenes ist meistens weniger genial wie geschmissen!

Nehmen wir zuerst den Entwurf vor: «An die Natur», «Sonnen-Odem», «urvertraut», «Nahrung saugen», «O, du, o Köstliche, o Mutter Erde, heil'ge Herde», – dies alles, mit Verlaub, (ich sage meine Ansicht) ist billigster, langweiligster Goethe. (Jetzt werd ich dann wohl noch replizieren müssen, da der Geheimrat, auch mit seinen mageren Kohlköpfen, dick ins Kraut geschossen ist.) Was Sie hingegen daraus gemacht haben, «An einen Spätsommertag», das, auch mit Verlaub, (ich sage meine Ansicht) ist glänzend, golden grauend – schön!! Präziser: Die

Wortwahl gelang bis zur möglichsten Harmonie – die ganze Anrufung stockt nicht einen Augenblick und das Land wird vor dem Leser sichtbar!

5. Sept.

Nachtrag: Hat man besondere geistige Anlagen angeboren erhalten, so trägt man die Verantwortung dafür, diese durch das Leben hindurch, mit seinen möglichen Mitteln, darzustellen. Und eine Seite meiner Veranlagung besteht nun darin, dass mich sehr oft das Bewusstsein anfällt, diese unsere Wirklichkeit sei gar nicht wirklich. Ich komme mir dann etwa vor, wie ein Verbannter – in was für aschgraue Gefilde – ohne indessen am Ursprungsland Zweifel zu hegen.

Heute morgen im Geschäft ist mir die erste Strophe des beigelegten «Sturmvogels»[6] eingefallen; die erste Niederschrift leg ich dazu. So sehen auch Sie ziemlich genau meine Arbeitsweise für gebundene Gedichte. Wenn später noch Änderungen kommen, betreffen diese höchstens einzelne Worte. – Da fällt mir übrigens ein: ich habe dennoch am «Spätsommertag» zu meckern: 2. Quartett, 3. Zeile: statt: sich, *nun* – einverstanden?

Verstehen Sie, dass von mir aus keine Rede sein kann von «Hobby», wenn es um Geschriebenes geht –? («Hobby» ist es höchstens dann, wenn sich Literaten nach Redaktionsschluss über Verse auslassen.) Es bedeutet mir vorwiegend Leben, sieht man vom Vegetativen ab, ist auch zeitweilig sogar eine Seinsfrage. Ich werde natürlich nicht so dumm sein und solches jedem beliebigen Redaktor unter die Nase halten –: Lächerlich ist man ohnehin für diese Zeit zur Genüge.

Worte für Gedichte ergeben sich nicht allein aus der Lektüre früherer Dichter, sondern (wiederum meine Ansicht) daraus, dass man sich die Mühe nimmt, bei jedem Fremdwort nachzuschlagen, was damit gemeint wird. Es ergeben sich so, hauptsächlich

aus antiken Worten, ganze Reihen von brauchbaren Ausdrükken. →*Wörterbuch der Antike* (Kröner-Verlag)
Jetzt aber in Eile und, etwas gedrängt, meine herzlichsten Grüsse und Wünsche für Sie und Ihre Familie[7] (nebst Gruss meiner Frau natürlich)

Ihr A. X. G.

1 Gemäss B an EMD, ⟨August 1951⟩ (uv.): «Liebe und verehrte E. M. Dürrenberger».
2 Jean Lurçat (1892–1966), franz. Maler; machte auch Entwürfe für die Gobelinmanufaktur Aubusson.
3 Siehe Anm. 5 zu Nr. 44, S. 291.
4 Martin Lauterburg (1891–1960), Schweizer Maler.
5 Siehe Anm. 1 zu Nr. 12, S. 226.
6 «Sturmvogel» in BE. Siehe GW I, S. 55.
7 Robert Dürrenberger und die Kinder Andrea, Christoph, Eva, Jacqueline und Salome.

55 Von Karl Krolow

Göttingen, 5. Sept. 51

Lieber Herr Gwerder,
vielen, lebhaftesten Dank für Ihre rasche Antwort, für die beigefügten beiden Betrachtungen, für das Gedicht[1] vor allem, das Sie liebenswürdigerweise mir widmeten, eine Widmung, die mich ehrt! Ein wunderbares, präzises Ding von einem Gedicht, wirklich ein poetischer Augenblick und eine kleine Ewigkeit, ein Leuchten dazu, ein Blitz, der durch 8 Zeilen fährt. Ein *sehr* schönes Gedicht, wie gesagt. Ich glaube, Sie errieten es, als Sie diesen Geister- und Geistesgruss mir sandten, dass er mir sonderlich nahe sein müsste. Er ist es in der Tat!

Von den beiden Betrachtungen gefällt mir «Über eine Art Rauch» besser. Gründe wüsste ich dafür nicht zu nennen: eine reiche, behutsame Gedankenschritte setzende, an Valéry schön geschulte Sprache auf alle Fälle. Die müsste doch Rychner gefallen, meine ich! Haben Sie sie ihm noch nicht geschickt? ‹Die Tat› wäre doch ein Platz, wo sie sich gut ausnähme. Sie sollten Ihre Begabung für solche Betrachtungen ruhig noch mehr kultivieren als Sie bisher taten, d. h. *mehr* – wenn's geht – davon versuchen. Sie haben dafür gleichfalls eine offenbare Begabung: die Diktion ist sogleich einprägsam. Im Vergleich zu früherer Prosa fiel mir die gewonnene grössere Klarheit, die intellektuelle wie bildliche, auf. Das ist sicher kein Zufall. –

Nein, in den Süden kann ich nicht reisen. Ich kann überhaupt – ausser beruflichen Reisen, die also mit Vortrag oder Lesung verbunden sind – nicht reisen. Dafür habe ich zu wenig Geld. Das Leben ist so sündhaft teuer, auch wenn man bescheiden wirtschaftet, wie ich es tun muss. Vielleicht sollte ich – wie mancher Zeitgenosse – noch mehr «unterwegs» sein, von einer Rundfunkstation zur nächsten mich bemühend: allein es liegt mir nicht und nützt die Kräfte ab, die bei mir ohnehin nicht die stärksten sind. Der Krieg und seine Erlebnisse haben uns doch ziemlich fertig gemacht. Man merkt's vermutlich sein Leben lang. Doch soll das keine Lamentation sein! Wann der DVA-Band erscheint, weiss ich noch nicht. Sie wolle mit diesem, übrigens einzigen Band Lyrik, den sie plant, gewissermassen ihren Beitrag zum deutschen Gedicht der Gegenwart leisten, wie sie mir schrieb. Sie ist sonst überaus zurückhaltend.

Eliots Essays sind glänzend! *Sprache und Körperbau* ist es gleichfalls. Jüngers Prosa erreicht für meinen Geschmack ihr höchstes Niveau im um 1930 entstandenen «Dalmatinischen Aufenthalt». Sie hat jetzt oft die Neigung, zu petrifizieren. Sie ist an schwachen Stellen ohnehin zu unzeugerisch, zu ephebisch. –

Der Sommer entfaltet sich noch einmal! Ich komme gerade aus den «Tropen», d. h. den Gewächshäusern des hiesigen Botanischen Gartens, der übrigens sehr gut angelegt ist. Ich versetze mich gerne in solche vegetativen Fernen, in fremde Klimata.

Nochmals Dank für das mir zugeeignete Gedicht! Dass ich Ihnen anrate, es, wie auch das letzthin geschickte[2], noch in Ihren Band aufzunehmen, in den es für mein Gefühl unbedingt gehört, brauche ich Ihnen vermutlich nicht eigens zu sagen.
Bliebe doch der Sommer, die Wärme, der Reichtum der jetzigen Szenerie noch recht lange!

Ich grüsse Sie herzlich für heute
als Ihr
Karl Krolow

1 Siehe Nr. 53, S. 310, und dazu Anm. 2 und 5, S. 311.
2 Siehe Anm. 5 zu Nr. 51, S. 304.

56 An Rudolf Scharpf

Zürich, am 8. Sept. 51

Ja, mein lieber Scharpf – Sie haben es gut mit Ihren Zeichen – Sie haben mit Ihrer Zeit –, ohne jegliche Vergangenheit – ohne jegliche enkelhafte Zukunftsaspekte –, nur die Materie gemein: das Holz, das Papier und die Werkzeuge. Wägen Sie ab, was es heisst, in einer so uralt gebundenen und bindenden Substanz wie die Sprache das zu giessen, was weder Konvention, noch Hoffnung, nur Augenblick bedenkt –! Es heisst oft Wochen um Wochen das leise aber bittere Leben eines Nachtschattengewächses zu führen: Blicke vom nächtlichen Balkon; Halbschlaf vor blauschwarzen Fenstern – Lichtreklamen – der nächtliche Express, – alles weit –, alles tief –; ein paar Blumen, Astern –, welche knistern vor Purpur, welche sind bereits so weich wie das Dunkel; Gelächter unten –, Röcke, Flüche, Lieder. Ja, mein Lieber: der Mensch lebt nicht – es ist das Denken –, und das von der Schlange gebissene, das vergiftete, ruhelose ständig sinkende, strömende Bauen von Ideen –!
Stellen Sie sich vor: ich und die Literaten –, ich, der ich es

nicht für nötig finde in die Knie zu sinken vor ihrem verblasenen Gewäsch. (Tatsächlich vorgekommen, zu zweien Malen, an Freitagabend-Tafelrunden[1]. Namen nenne ich keine, aber es sind «Namen».) Mein Gott, was für Hüter und Pfleger gänzlich unbegründeter Eigenliebe: Narziss-Novelliere, Balladen-Barden, Kulturschnorrer, Vers-Filous, Chansons-Schinder, Tenor-Epiker, Roman-Rüppel –
Kurz: die ganze Fauna künstlicher Kohlweisslinge. Nun, ich schimpfe schon wieder – mögen Sie daraus ersehen, dass ich immer noch viel zu viel vom Homo sapiens halte. Indessen schreiben Sie, dass es bei Ihnen nicht besser sei. Ich will es glauben – Ihre Arbeiten lassen es sehr vermuten: Es gibt dabei Monumente der Osterinsel, (Monologe)[2] Fussstapfen aus der Tartarei – rückwärts gedrehte Gebetsmühlen in Tibet –, deren Antipodik genau das Himmelbett sein dürfte.

Ich trainiere momentan auf Überblick: Begriffe klären, Gründe verfolgen, Hintergründe entwerten, auf Apfelklau bei den Hesperiden. Die Cézanne-Briefe[3], ein seltener Fang, gingen mir heute ins Garn; mit Photos besser Daguerreotypien des Meisters –. Ich schätze ihn sehr – nicht nur der Bilder wegen, sondern um seiner, ich möchte sagen: Gesetzmässigkeit willen, die ihm galt und keinem nach ihm – und vor ihm nicht war.
«Die Erfassung des Modells und seine Realisation stellen sich zuweilen nur sehr langsam ein.»: das ist tröstlich, und eine Erfahrung von ihm.

Auf der Rückseite dieses letzten Blattes schreibe ich ein Gedicht hin, das Ihnen Ihre Frau beim Einnachten vielleicht vorlesen könnte: (ich erinnere mich, von unserem Ertel gehört zu haben, die Mutter von Frau Scharpf[4] sei eine Dichterin – für diesen Fall – einen herzlichen Sondergruss für die Grossmutter!)

Eine familiäre Frage: Können Sie Kondensmilch brauchen? (Ich sollte nämlich Ertel noch Kaffee schicken und muss zu diesem Zweck ein viel weitläufigeres Paket zusammenstellen)

Sturmvogel

Nimm dich zurück aus Schatten und aus Leere!
Sieh deines Tages Qual und Ordnung fällt
vor dieses Himmels Fluten arg entstellt –
und andre Ufer harren deiner Fähre ...

Wähl' eine Strömung, lass dich ziehn dann, treiben
auf jenen Meeren voller Wolkenbruch –,
lass Blitze Blumen zucken, Mondgeruch
mit blauen Kielen in die Wellen schreiben.

Springt dort des Rätsels Dreizack drohend vor:
Es gilt Bedrohung nicht; im Herz verborgen
rollt sanft die Dünung dir aus Urweltmorgen
und spricht von Stränden, Fisch und Schilf im Ohr.

Sturmvogel –, der Sirenen Lockruf füllt
den Rest der Dämmrung, drin die Stunden gilben –
Oh, einer Letzten wehr' mit letzten Silben,
dass sich der Abend am Gedichte stillt.

Und herzlich Ihnen und Ihrer Familie von meiner Frau und mir beste Wünsche

– Gwerder

1   Seit 1942 trafen sich EJ, MR und der Verleger Walther Meier regelmässig am Freitagabend zu einer Gesprächs- und Tafelrunde im Café Odeon in Zürich. Später nahmen für eine gewisse Zeit auch der Germanist Emil Staiger und der Literaturkritiker Werner Weber daran teil

sowie – als Gäste – verschiedene Schriftsteller, Literaturwissenschafter und Verleger. Siehe auch Nr. 64, S. 351.
2 Auch Anspielung auf Mo.
3 Paul Cézanne: *Briefe*, Erlenbach 1939.
4 Lina Staab.

57 An Kurt Friedrich Ertel

⟨Zürich, Mitte September 1951⟩

Mein lieber Herr Verleger und Historiker –, vorerst wünsche ich Ihnen schleunigste und haltbarste Genesung! Sodann hoffe ich, dass Sie das Päcklein von letzter Woche erhielten –, es werden neuerdings komplizierte Zollvorschriften gemacht. Kaffee ist nur in die russische Zone ohne Einschränkungen zu schicken. Die Westler hätten zuviel damit gehandelt! Nun ja, das Geschäft machen eben immer doch die Rechten. Ich stehe gegenwärtig im Kampf mit den Militaristen: Drei Wochen Dienst, die mir zuviel aufgebrummt werden sollen, weil sie mich ein Jahr zu früh ins Militär einzogen 1942, und jetzt nach Jahrgängen zumessen, ohne Rücksicht auf effektive Leistung. Wenn sich kein Teufel einmischt, steck ich Ende nächsten Monats im Gefängnis. Klein kriegen sie mich nicht. Je länger je weniger. Im übrigen ist mir nicht ums arbeiten. Jede Woche ein Gedicht – dazwischen reine Phantastik – Denkpyramiden – Zerstäubung immergrüner Sekunden. Nietzsche: «Woran glaubst du? Daran: dass die Gewichte aller Dinge neu bestimmt werden müssen.» – Ein ziemlich umfangreiches Vermächtnis. Dazwischen bekiekt man die Welt von oben, d. h. vom Balkon aus. Ob man Gesichter erkennt oder nicht, läuft auf dasselbe hinaus. Von Krolow wird in der DVA ein Band Gedichte herausgegeben. Er ist ein selten edler Mensch. Des Weiteren meditiere ich hie und da vor Holzschnitten Scharpfs – das mag etliches aussagen über deren Qualität! Aconitum napellum wird mein, drei Dutzend präziser Gedichte umfassendes, Büchlein heissen – d. h. «Blauer Eisenhut»[1], natürlich, aber sagen Sie's niemandem – ich bin nämlich gar nicht so sicher, ob ich noch gesellschaftsfähig bin nach dem helvetischen Kartzer. Möglich, der Verleger haut ab. Auf die Rückseite schreib' ich Ihnen ein neues Gebilde, das an R. Scharpf gemeint und gegangen ist.

Darf ich nach Ihrer Heimkehr die restlichen zehn ‹signaturen› en bloc erwarten? Wenn Ihnen die Zusammenstellung der letzten Sendung gefällt, kann man das beliebig wiederholen.

Reigen[2]
für Rudolf Scharpf

Nur nie nach aussen zeigen
was Blüten und Sterne hat –
Heute schon schickt sich zu neigen,
zu fallen an auch diese Stadt.

Bleiben die Reinen, die Toren,
bleibt Hellas, die Sonnenspur –
Rom spitzt nur noch die Ohren
und wir –, wir stammeln nur ...

Halten das Messer, die Feder
und pflügen uns durch wie der Fisch –
durch schwärzere Meere muss jeder,
singt er nicht mit am Tisch.

Freilich, es gibt andre Welten:
Nietzsche –, die Inkakultur –,
welche, die halten, die gelten,
doch immer sind sie Figur!

Nur nicht nach aussen zeigen
woher dieser Blick jetzt war –
Morgen schon endet der Reigen
– die Opfer bringen sich dar.

⟨Am Rand:⟩ Ihnen also die besten Wünsche und unsere herzlichsten Grüsse

Gwerder + Frau

1 BE in: GW I, S. 25–64.
2 In BE. Siehe GW I, S. 44.

58 An Erica Maria Dürrenberger
Zürich, am 20. Sept. ⟨–22. 9. 1951⟩

Also: Liebe Freundin! Ihren «amüsanten» Brief vor mir (ich bin bereits soweit, dass ich jeweils auf selbigen warte ...), will ich das Experiment wagen, gleich und Punkt für Punkt das Echo, das allfällige, hinzuschreiben. Ich könnte nun sagen, indem ich mit dem Spiesse spielte, dass Sie mir den Brei zum Curry liefern – indes: ich weiss nicht, so fade sind Sie nun wieder nicht, und ausserdem ess' ich alles ausser Reis – und ausserdem wärs nicht lady-like.
Die Sache mit dem *«reifen* Klang der Dinge» ist nicht präzis; es fällt mir deshalb auf, weil ich, noch gar nicht lange übrigens, nach dem Höchstmass von Genauigkeit im Ausdruck strebe. Die Süsse freilich muss in unserem Innern beschlossen sein, – das stimmt –, als etwas, das wir uns verwandelnd beschlossen. Lassen Sie gelegentlich mal eine Kaffeetasse, was doch zweifelsohne ein «Ding» ist, fallen – und der «reife» Klang wird Sie überraschen. Die hievon abgeleiteten Terzinen jedoch, haben es in sich! Stellen Sie sich den Purzelbaum vor, den ich schlug, als ich las: «Ein Morphinist ist feiner als ein Säufer»[1] –: glänzend. Ich habe

mir schon überlegt, ob es (in rein expressiver Hinsicht) nicht besser wäre, man konsumierte Spritzen, oder rauchte Marihuana-Cigaretten – Resultat: ein Bündel Gedichte, die sich sehen lassen können – und dann: Abmarsch in die Gefilde der Seligen! Nun, auf so was meldet sich ja immer wieder der Spiesser, besorgt um den Bauch, um das Renommee und zudem ist es üblich, dass man mit einigem Anstand stirbt. Vielleicht auch ein Grund, warum Meisterwerke so selten sind. Und, oder aber, wer weiss, wie viele ungesalzene Mehlsuppen der Geheimrat auslöffeln musste, bis der faule Apfel von *Wahlverwandtschaften* breitgetreten ward;[2] «doch dem Chor der Täufer ist er geheim entronnen»[3] – deshalb wohl. Der zweite Teil der Terzinen wird auch später, wenn ich genaues darüber schreiben könnte, keinen Anlass zum Meckern bieten. – Bravo! Besseres las ich noch nicht von Ihnen! Kohlfeld im Oktober! Schön? Dann ist es eben nicht mehr Kohlfeld – sondern Violett in Orange. Kohl als Begriff hat nichts Gutes zu bedeuten – Kohl als Feld, als Farbe also, hat eminenten dichterischen Reizwert. Wobei wiederum, in einer seltsamen Umkehrung Kohl als Realität brauchbaren Ausdruck schaffen kann, während der Ausdruck «Kohl» keine Realität, keinen Reizwert aufzuweisen hat –: ausser *den* zu obigem Geplätscher.

A propos schnöden:

An Goethe

Das Unvergängliche
Ist nur dein Gleichnis!
Gott, der Verfängliche,
Ist Dichter-Erschleichnis ...

Welt-Rad, das rollende,
Streift Ziel auf Ziel:
Not – nennt's der Grollende
Der Narr nennt's – Spiel ...

Welt-Spiel, das herrische,
Mischt Sein und Schein: –
Das Ewig-Närrische
Mischt *uns* – hinein! ...

                                    Friedrich Nietzsche

Was sagen Sie dazu? Ich lache ... Wie ich feststelle hat die Figur dieses Pfäffleins auch eminenten Reizwert – für Gedichte. Stellen Sie sich vor: ohne ihn wären die «Terzinen statt Lanzetten» nicht! Ein ganz perverser «Geistlicher» wie mir scheint. Es gibt, mehr als man glaubt, die Sorte Asketen mit Beziehungen zur Rossmetzg! Aber das werden Sie ihm auch nicht sagen.

Sie werden nicht auskneifen, wenn Sie einmal mir ein spezielles Konzert auf der neuen Orgel geben sollten?

«Eine Freundschaft zu treiben» – ja, das is ja doll – würde der Berliner sagen. Und im Ernst: eine Freundschaft zu pflegen auch, ist nach meiner Ansicht der Beginn der Lüge – die Aufgabe seiner selbst –; und was hat ein Freund davon, dass man nicht mehr sich selbst ist? Nein –: eine Freundschaft *ist* – oder nicht. Jede Bemühung dazu bedeutet einen ganz anderen als freundschaftlichen Hintergrund –, Untergrund. Ich bin ziemlich jung (lieber wäre mir schon sechzig), dann wäre der geistlose Rummel, genannt Leben in Städten, schon vorüber und ich sässe, sehr kurzsichtig, auf dem Balkon – 13 Meter über der Strasse. Aber diverse, sehr selbstkritische, denn woher nähme ich sonst die Einsichten, diesbezügliche Erfahrungen brachten mich auf das obige Ergebnis.

Dann: ziehen Sie weniger oft Vergleiche zwischen sich und anderen – Dichtern –, es genügte doch zu wissen, dass die eigene Bemühung rein ist, dass es nicht um den billigen Schmierer einer nur geglaubten (ohnehin) Popularität geht, dass man in den

Augenblicken des Schaffens sehr allein ist –, um jeden Vergleich aufzuheben. Hier ist Ihre Welt – hier die meine – wir sehen die Figuren und ihre Abläufe und zeichnen sie nach wie es unserer Grundlage, unseren Bauplänen entspricht.

In formaler Hinsicht kann man natürlich nur von grossen Vorgängern lernen – jedoch lernen heisst nicht vergleichen (sonst hängte man sich mit Vorteil auf) und zudem ist es fraglich, ob jene, mit denen man sich vergleicht, sich je Gedanken machten über das Vergleichen. Unsere Zeitgenossen – ohne Ausnahme – sind keineswegs besser wie wir – höchstens angesehener! Weil sie sich eben ansehen lassen – zur Schau stellen, oft. Aber glauben Sie mir, die Intensität, wie wir sie kennen, die Unbedingtheit unserer Verse –: das mögen Sie – liebe Freundin – suchen hierzulande – und nicht finden. Hiltbrunner[4], dieser Feld-, Wald- und Wiesentrottel, Frisch, der Konjunkturritter – oh, über diese helvetischen Schaum-Schläger liesse sich eine umfängliche Liste anlegen. Sie sagen alle nur, was gestattet, was normal (Psychoanalyten ⟨sic!⟩), was positiv! (dieses Lieblingswort der Kulturkneter) ist. Nur ein einziger Funken Ehrlichkeit vor sich selber, und man schaut in Abgründe, in Mörderseelen, in Taufbecken voll Tränen und Steppen verlogener Gemeinschaft.

Und *der* ist Dichter, der sagt, *was* und *wie ihm* geschah – und nicht, was gerne gehört wird und, vor allem, verkäuflich ist.

Schiller: ein Nationalverbrecher mit seinem *Wilhelm Tell!*

Goethe: ein Topf heissen Wassers, darin alle jene steril gesotten werden, die sich an seinen Überheblichkeiten messen!

Hofmannsthal: ein verblasener Ästhetiker, der die Nöte des Menschen mystifiziert!

Hesse: weiss was gekauft wird und versteht dieses fabelhaft zu machen!

Dies alles ist sehr subjektiv –: Aber, leben Sie objektiv – und es wäre besser, die Zange des Geburtshelfers hätte ein bisschen tiefer gedrückt.

22. Sept. abends

Und jetzt bin ich am Ende der 2. Seite Ihres Briefes und beim «unerbittlichen»[5] –: ja – dies ist ausser dem «ein Päcklein Stella Filter» rauchen pro Tag, das zweite grosse Laster.

Ich will den grossen Schauspieler kennen –, und zu diesem Zweck versuche ich so zu leben, dass er bei mir geringe Chancen hat, sich zu manifestieren.

Sich zurückversetzen in das einfache Bewusstsein Mensch und dann auf der Hut sein und langsam vorpirschen ins heute und hier, – in die gekünstelte Situation der Jetztzeit –: das trieb' ich schon von ganz klein auf (natürlich nicht darum wissend) und der Moment der Einsicht, des Darum-Wissens, ist die Vertreibung aus dem Paradies! Aber ganz klar: es sind die zwei gestrigen Briefe[6] beigelegt – als Resultat des verlorenen Edens. Faule Früchte –

Dazu fällt mir gerade ein: das ehemals grossartige Bild des opferwütigen alten Mannes, der seine düsteren Lüste, hinter Wolken verborgen, abreagiert, ohne präzise Folgerungen bei präzisen Forderungen –: hat abgewirtschaftet. Heute will ein anderer Popanz bestimmen was gut oder böse ist; er hat auch präzise Forderungen. Doch wenn sie ihn fangen wollen, so ist er – Viele. Ich sage nicht Alle – weil eben die besagte Rückkehr zum Bewusstsein des Menschen und die Wiederpirsch ihn unmöglich machen von Mal zu Mal.

Möglich, ich komme Ihnen etwas konfus vor. Ich bin es auch. Die Gedanken jagen sich – Amok des Herzens.

Aber gestern Nacht noch um elf Uhr, nach Erledigung der beiden unerquicklichen Stücke, stiegen, beim Gott der Dichter, Verse[7] auf, null Komma nichts da – und nun werden sie bleiben. Dass Ihr Name darüber steht[8], das müssen Sie mir verzeihen – es ist indessen trotzdem so.

Rosen, Margueriten und die Sonnenblumen aller Formate sind meine Lieblingsblumen. Auch trage ich lieber Seide um den Hals, als irgendwelchen Uniform- und anderen Stoff. Eine seltsame Affinität besitze ich zum Aconitum napellum. Ich werde versuchen meine drei Dutzend Gedichte, falls sie gedruckt werden, auch wenn ich, via Militärgefängnis, nicht mehr gesellschaftsfähig bin, «Blauer Eisenhut» zu betiteln. «Credo» will ich auch noch einschmuggeln, d. h. auswechseln mit einem belangloseren.

Ich muss dieses Aconitum napellum sehr früh einmal besonders eindringlich gehört haben[9] – Und dann, im Jahre 44 (oder 45 mags gewesen sein) (die Zeit ist dazu nicht wichtig) im Meiental, nach einem langwierigen Aufstieg auf eine Felskuppe hoch über dem Talboden, standen wir (der Aconitum) uns gegenüber, Aug in Auge – Diese einsame, jenseitige Grösse wird mir nie mehr begegnen. Übrigens muss das um die Zeit herum gewesen sein, fällt mir ein, da der damalige Hptm. Weiss (jetzt in Basel) das Telegramm, darin mir meine Frau die Geburt des Alexander Urban ankündigte, mir 5 Tage lang hinterzog, um den Urlaub (wir wohnten in Riehen) nicht geben zu müssen.

Nebenbei bemerkt: Bruno Weiss ist auch so ein guter Schweizerbürger. Die Pest doch endlich über dieses heuchlerische Hammelpack!

Sie sehen: es ergeben sich überall her Zusammenhänge, die einem ohne Zweifel Zweifel abnötigen an dieser syphilitischen Alten von Erde. Mir scheint, Sie dichten zuviel hinein in die Empfänger Ihrer Sonette! Solange irgend einer nicht, ausser für Witzreime, so begeistert sein kann, dass er sich mit einem einzigen Wort Nachmittage lang zu beschäftigen vermöchte – solange sollten Sie ihm keine Sonette schenken.

Ich höre gute amerikanische Lieder im Augenblick – es muss an den verschiedenen und sehr mannigfaltigen Färbungen der Vokale liegen, dass diese Synchronisierung von Wort und Ton so vollkommen erreicht werden kann bei amerikanischen Dialekten.

A propos: Jodellieder bringen mich bis zum physischen Brechreiz. Sie haben etwas grässlich-geistig-Obszönes. Achten Sie einmal gelegentlich auf den Schlager «Beautiful, beautiful brown eyes» wie das «brown eyes» um eine Lage subtiler nuanciert gesungen wird, als wir in der Schule englisch lernten.

Ich erschrecke: hoffentlich können Sie meine Handschrift entziffern. Ich liege nämlich auch ... und die Unterlage ist ziemlich labil.

Ertel ist gegenwärtig im Spital – er ist überhaupt viel krank – kein sehr leichtes Leben – indes: er ist auch ein wenig leichthin ⟨sic!⟩; hat aber als Kunsthistoriker einen seltenen Spürsinn in Geschmacksfragen. Oft kam er mir schon dubios vor.

Dazwischen ein paar Notizen, wie sie eben einfielen: (noch einen Schluck Kaffee zuvor – das 3. Laster) Menschen, die sich vor dem Automaten nicht beugen, sind ja gerade deshalb Menschen.

Wir Dichter verwenden doch Zeit und Zeit – geschehen nur, um unser eigenes Weltbild zu erfüllen.

Darum: je konventioneller, desto unwesentlicher, (im Sinne von Wesen) desto näher der allgemeinen Historie (Histerie) (die später in Schulbüchern stehen wird).

Indessen lässt sich «Unkonventionalität», die Beglaubigung des «Echten», nicht erlernen und nachahmen.

«Unkonventionalität» ist auch nicht zu verwechseln mit Gefallsucht. Was auffällt, fällt den Konventionellen auf; gehört in ihren Bereich.

Es fällt aber niemandem auf, dass z. B. der Nazarener zum grossen Teil auf Kredit gross tat. Er wusste, was späteren Jahrhunderten gross erscheinen werde. Und er tat es. Aus – was?

Und er verschlang das Buch und kriegte Bauchweh. Ich habe Magenweh wenn ich nur von Militär höre. Ich las Ihre, reizend geschilderte übrigens, Nelkenreminiszenz mit nachsichtigem Lächeln –: Erwarten Sie weniger – viel weniger von anderen! Das meiste ist Hammelherde – der Rest ist Schweigen und sich abfinden mit einer Kleinigkeit. Auch wenn diese Kleinigkeit – verzeihen Sie – Mademoiselle Yvonne unter irgend einer Seine-Brücke sein sollte.

Südfrankreich – auch mein Traum schon lange – Sète, Roussillon, Languedoc, das gelbe Haus in Arles[10] steht nicht mehr, der Canigou, die Camargue, Argelès – Teufel, warum bin ich nicht Zuhälter in Marseille! Das wäre was mit Hand und Fuss. Denken Sie, die Sonette, die das abgäbe! Man traute sich plötzlich etwas zu.

Vielleicht, wenn es mir finanziell den Hals nicht abdreht in absehbarer Zeit, kann ich nächsten Frühling für eine Woche nach Paris. Aber die Fallenstellerin Helvetia wird schon etwas bereit halten.

Ich liebe die Präzision, das wissen Sie, und deshalb wunderte ich mich, dass ich Ihnen als Änderung *nur* vorschlug – ich meinte in der Tat auch *nur* – vielleicht wars undeutlich geschrieben.

Nun etwas unter uns: Glauben Sie's, wenn ich Ihnen sage, dass Sie mit grosser Wahrscheinlichkeit ⟨Lücke im M⟩ belanglos vorkommen und gleichgültig sind? Richten Sie nicht immer gleich einen Kristall-Tempel von Gefühlen ein für jedes freundliche Wort! Sie haben ja die Enttäuschung nur umso schwieriger zu ertragen.

Werden Sie geizig mit den Gefühlen –: der Rest ist immer noch zuviel für unsere heutige Umwelt.

Sie werden mir doch nicht böse sein –, ich denke, es hat keinen Sinn mittelst eines Briefwechsels, der sich in jedem «besseren» Feuilleton sehen lassen könnte, eine Freundschaft mit mystischem Tüll zu behängen –, ob meiner «eklatanten» Ausdrucksweise?!

Ich lege eine Skizze meiner linken Hand[11] bei – manchmal ergibt sich das dringende Bedürfnis, einen leicht zugänglichen Teil von sich selber in Linien festzuhalten, sich zu vergewissern, dass man überhaupt vorhanden ist. Man glaubt oft eher was man sieht, als was man denkt. – Ob aber nicht die geistige Induktion mit unbekannten Strömen, genannt «Intuition», Eingebung, wahrer ist in Bezug auf das, was ⟨ist? Ich⟩ sollte dringend endlich den Nietzsche ⟨Lücke im M⟩ ⟨aber⟩ die Kröner Ausgabe, welche vollständig wäre, wird nur ganz allmählich nachgedruckt. Wahrscheinlich ist Nietzsche «gefährlich»: – die Idioten wiederum – dafür inszenieren die Deutschen heftiger denn je den militanten Kesselpauker Wagner – das Volk ist – und darin wären die Idioten keine – doch viel leichter mit «heldischen Klängen» für eine so dubiose Einrichtung mit so fatalen Folgen wie ein Staat zu entzünden. Wagner + Stechschritt + Tarnung mit drei Tropfen Helveticum: Die Formel der Remilitarisierung. Die Formel für den «neuen Menschen».

Sonntags. Es stört mich übrigens auch nicht, dass das «Credo» ein Veto ist. Ich bin meist sonntags allein zu Hause. Eigentlich vegetiere ich in Erwartung eines Lebens ohne staatliche Schlingen. Es ekelt mich an, unter den träumerischen Pfeifenköpfen und Mandarinchen des Sonntags Schritt vor Schritt dem Einverständnis mit einer Maskierung des Grauenhaften zu begegnen. Sie werden denken, das sei schon beinahe Irrsinn! Im Gegenteil: Die Folge ehrlicher Anwendung von Vernunft ist Pessimismus, ohne den metaphysischen Schleier, dass alles gut sei. – Der Arzt hat in höchstem Masse Einblick in den masslosen Zerfall, den die Propheten mit dem Firlefanz des Paradieses und der Hölle zu verbrämen geruhten. Immerhin hat schon geraume Zeit vor Christus ein Chinese (mag sein Dschuang-tse) etwas Bedeutendes herausgefunden. Er schaute nämlich einem Schmetterling nach, bis er vermeinte, selber dieser Schmetterling zu sein.[12] Und als er dann erwachend, sich wieder auf seinem Kissen als Mensch vorfand, wagte er festzustellen, dass es durchaus nicht sicher sei, ob er geträumt hätte ein Schmetterling zu sein – oder ob er ein Schmetterling sei, der träumte Mensch zu sein. Diese Relativität, diese dichterische Metamorphose, entzieht, in all ihrer «Träumerei», dem gesamten Religionswirken seit dem Jahre 0 seine Wirksamkeit. – Weil es schon Sonntag ist: Ich wage zu behaupten, dass unsere Erde noch nie so grauenhafte Zeitfolgen erlebte, als seit dem Christentum. Eine, in jeder Hinsicht, furchtbare opiatische Methode, den Menschen an eine Täuschung zu verpflichten, mit der sich geradezu alle Verbrechen schon rein biologisch entschuldigen lassen.

«Ein Traum» und die «Sache mit den Oboen»[13] kommen bei mir nicht zu liegen.
Wenn ich je «friedevoll bereit» bin, brauch ich nicht mehr erlöst zu werden!

Wenn es diesen höchsten Thron gibt, dann ist er nicht *seiner*, (lassen Sie Gespenster – Annahmen einer gewissen Feierlichkeit – zugunsten einer inhaltlichen Vermehrung, ohne länger zu werden, [der Traum scheint mir bereits zu *lang*] versuchsweise beiseite) sondern *unser*.

Sie sahen sicher allerhand vom letzten Krieg. – Mir genügte ein erhängter Deutscher, dessen Füsse, er hing an einem schrägen Pfahl am Ufer des Rheins, leise in der Strömung schwappten –, um gründlich aufzuräumen mit universalen Gottheiten. Vielleicht gibt es eine Sünde –, die: sich fortzupflanzen.

Aber nun genug, sonst verderb ich Ihnen noch die Vorfreude der Ferien – nehmen Sie einen grossen Schluck Süden auch für mich – und seien Sie herzlich bedankt und gegrüsst von Ihrem

A. X. Gwerder

N. S. Ihr Mann hat ganz recht, wenn er alles selber machen will – Er brauchte den doppelten Energieaufwand, müsste er auch nachprüfen, zu was er allein sich für fähig hält. Ich halte es im Geschäft ebenso.

⟨Am Rand:⟩ Wäre ich nicht allein, würde auch meine Frau Ihre Grüsse erwidern!

1 Aus EMDs Gedicht «Terzinen statt Lanzetten» (T in Nachlass AXG bei TF).
2 Vgl. B von EMD, 15.9.1951 (uv.): «Sie wollen mich also nicht an Goethes Freundesbusen einschlummern lassen? Auf dem Kohlfeld der Mittelmässigkeit?»
3 Siehe Anm. 1.
4 Hermann Hiltbrunner (1893–1961), Schweizer Schriftsteller.
5 Vgl. B von EMD, 15.9.1951: «Sie haben schärfere Augen, manchmal auch unerbittliche.»
6 Kopien von Nr. 59, S. 335ff., und vom B an das Eidg. Militärdepartement, Direktion der Militärverwaltung, 21.9.1951 (uv.).
7 «Credo». Siehe Anm. 2 zu Nr. 59, S. 337.
8 AXG strich die Widmung «Für EMD» vor der Publikation des Gedichtes in BE. Siehe Anm. zu «Credo» in: GW III, S. 196ff.
9 Siehe auch Nr. 74, S. 374.
10 AXGs «Lieblingsmaler» van Gogh lebte dort vom Mai 1888 bis April 1889.
11 Siehe die Abbildung einer Variante dieser Skizze in: GW III, S. 21.
12 In Wirklichkeit heisst es bei Dschuang Dsi, *Das wahre Buch vom südlichen Blütenland*, Düsseldorf/Köln 1979, S. 52: «Einst *träumte* ⟨Hervorhebung durch den H⟩ Dschuang Dschou, dass er ein Schmetterling sei ...».
13 Zwei Gedichte von EMD.

59 An Erwin Jaeckle, ‹Die Tat›

Zürich, am 21. Sept. 1951

Lieber Herr Doktor –,
in der Beilage der weitere Verlauf des geschichtlichen Blackouts[1] + zwei Gedichte[2]. Nochmals die Situation: 1942 konnte ein Unmündiger (ich), ohne dass dessen Vater[3] befragt worden wäre, durch einen Oberleutnant und angesehenen Herrn Fretz[4], obschon die Wehrpflicht *persönlich* und *nicht abtauschbar* ist!, ein

Jahr vor seiner gesetzlichen Dienstpflicht, in die Armee versenkt werden. Hat sich damals das Militärpack um den Jahrgang gekümmert? – Aber jetzt, 1951, als der Verdingte anfängt zu merken, was für Uhren in Helvetien schlagen, schiebt man einfach die Paragraphen vor! Wenn das nicht zurückgenommen wird, bedeutet es nichts anderes, als dass die Herren ihrer eigenen Maschinerie nicht mehr gewachsen sind. Was nützen die dreimal gottverdammten Phrasen in allen Zeitungen, wenn auch die Taten Geschnorr bleiben! Jeder auf seinem guten Posten – und brav wiederkäuend der Bürger – denn dieser will ja alles selbst. Will aber einer einmal sein gutes Recht, siehe da: Er soll gefälligst den Schnauz halten oder ins Gefängnis marschieren. Nun, marschiere ich halt: Es sind schon sehr gute Sonette hinter Gittern geschrieben worden. Und zudem dürften sich etliche meiner Freunde im In- und Ausland für das Innere helvetischer Karzer interessieren.

Ich sage Ihnen wieder: Ich bin diesem Land in keiner anderen Weise verpflichtet, als durch meine unglückselige Geburt – und da ich den Ort dieses Ereignisses nicht auswählen durfte, fällt auch diese Verpflichtung dahin. Das reden Sie mir auch in zweistündiger Dialektik nicht aus.

Was will man denn anderes, als in Ruhe gelassen zu werden? Man isst, arbeitet, schläft – aber nein: man wird zu Idiotien gezwungen, schikaniert, erpresst und ständig bedroht – 9 Jahre leb' ich jetzt unter dieser heimatlichen Fuchtel; das genügt! Um das zehnte Jahr mitzumachen muss man ein Heiliger sein; schliesslich sind meine Nerven nicht aus Eisen – und ich möchte noch ein paar gute Stunden ohne Magenweh vegetieren.

Begreifen Sie allmählich die geistige Dürre unseres Landstriches, da doch jede menschliche Regung im Keime erstickt wird, sich so überhaupt nie entfalten kann? Daher unsere vertrödelten Talente, darüber auch keine Nationale Kunstausstellung, die ja bedenkliches Niveau aufweist, und keine frommen «Merk'-auf-Sprüche» der Total-Glatze hinwegtäuschen. Hat man sich denn

endlich ohne Schaden über die Militärjahre hinaus erhalten, so darf man den bescheidenen, gestutzten Rest von abgehärtetem Menschen über die Quaimauer hängen lassen und den See, diesen trüben Tümpel, mundgerecht besingen. (siehe z.B. Schuhmacher[5])
Nun, Sie werden sagen, ich denke wie ein Heupferd[6]. Aber es ist mir nicht mehr ums Lachen. Die Situation sieht windig aus und wenn ich noch etwas erhoffe, dann dies: Dass Sie Kobelt in einer dunklen Ecke (solche gibts ja genug in Bern) diesen Brief in die Ohren flüstern. Aber mit Vorsicht und Aspirin in der Tasche.
Bitter, aber Ihnen trotzdem herzlich,
Ihr:
Gwerder

1 B vom Eidg. Militärdepartement, Direktion der Militärverwaltung, 19.9.1951 (uv.), und Kopie von B an diese Stelle, 21.9.1951.
2 «Credo» in BE und «Die Mauer» in TLüD. Siehe GW I, S. 63; 76f.
3 Josef Xaver Gwerder (1900–1976).
4 Max Fretz von der Firma Gebrüder Fretz in Zürich, wo AXG von 1938–1942 eine Lehre als An- und Umdrucker machte.
5 Hans Schumacher (1910–1993), Schweizer Schriftsteller.
6 Siehe Anm. 1 zu Nr. 50, S. 301.

60 Von Erica Maria Dürrenberger

Reigoldswil, 26. Sept. 51

Lieber gequälter Freund!
Ich danke Ihnen für alles und bin erschüttert, denn ich glaube, dass Sie auf einem Irrweg gehen. Auch wenn Sie im Recht sind, ist es nicht recht, sich in solche Schwierigkeiten zu begeben. Soll denn Michael Kohlhaas wieder auferstehen? Am liebsten würde ich Ihnen persönlich sagen wie ichs empfinde; so von weither und auf dem Papier ist es schwerer, vielleicht aussichtsloser. Es betrübt mich masslos, dass Sie keine Heimat haben in unserem

Land. Ich habe einen Freund, der Monate im feuchten Kerker in Florenz vegetierte; er hatte Tauben zur Gesellschaft. Nachher wurde er auf ein halbes Jahr in eine Steinwüste verbannt. Er ist überzeugter Kommunist, leider. Als Sohn eines polnischen Fürsten und einer Venezianerin der höchsten Kreise, musste er dies folgerichtig wohl werden, denn er ist sozial und rechtdenkend bis auf den einen Punkt, an dem er seine hervorragende Intelligenz mit Scheuchledern des Blindglaubens vertauscht. Doch er hat das Opfer seiner Gesundheit und seines Vermögens für sein geliebtes Italien gebracht. Für seine jetzige Heimat. Sie aber wollen partout keine Heimat haben. Zugegeben, man hat Sie in der R. S. gemein behandelt. Und dann die Geschichte mit diesem verfl. M. K.[1] Bruno W. Das ist empörend niederträchtig! (Zum Trost für Ihre Frau: auch mein erster Sohn[2] ist ohne väterliche Hilfe zur Welt gekommen; er war in einem W. K. und sah ihn nach 10 Tagen zum ersten mal. Doch entschuldigt dies nichts.) Aber nun tragen Sie dies Trauma wie eine Trophäe des Trotzes mit sich herum; das ist nicht recht, denn dies Übergewicht lässt die Waagschale des besten wie ein Nichts in die Höhe schnellen. Das beste jedoch sollen Sie wie Balsambinden um Ihr krankes Ich legen: Ich bin gesund, jung, besitze hervorragende Talente, eine Frau die mir Kinder geschenkt, zwei liebe Wesen, denen ich alles sein kann, wenn ich will, so dass sie gewappnet sind gegen alles, woran ich leide. Ich kann Früchte und Blumen kosten und darf mich abends niederlegen ohne Angst, am eigenen Herd. – So und nun werfe ich noch das ganze Gewicht meiner Freundesliebe hinein, damit sich die Waagschale noch tiefer senke. – Sie sollten zu rauchen aufhören, es verdirbt die Widerstandskraft der Nerven mehr als wir glauben. Mein Mann war ein so starker Raucher bis zu dem Augenblick, da er die Welt in Violett sah. Da hörte er von einem Tag zum andern auf. Es war seine Rettung. Damit das Haus nicht so ein puritanisch nichtraucherisches Odeur bekomme, hab ich dann mit Rauchen angefangen. Ich kann das mit Mass, meine Laster liegen woanders, z. B. im

Schimpfen und Lästern. Da muss ich geschwind noch etwas beifügen wegen dem Urheber der Terzinen, unserem Pfäfflein. Sass ich da am Samstag an der Orgel, als er zur Tür hereinkam, très doucement, wie mir schien. Und dann geschah das Unglaubliche: er bat mich um Verzeihung für alles Dumme der letzten Zeit. Hoch klingt das Lied vom braven Mann; es ist doch etwas Grosses um die Demut vor Gott. Wir sprachen beide ganz aufrichtig, d. h. ich sprach und er konnte zuhören (Was auch nicht selbstverständlich ist bei Pfarrern). Darauf gingen wir friedlich auseinander; die Predigt am nächsten Tag war der Beweis.

Spotten Sie, lächeln Sie; die Kristalltempel der Gefühle müssen weitergebaut werden. Auch wenn kein Fuss sie betritt, oder wenn die Stufen und Fliesen von Schuhnägeln zerkratzt werden. Übrigens ist einer dieser Tempel bereits vom herrlichen Klang einer Bach-Sonate erfüllt; der Nelkenfreund hat ihn erneut als Asyl auserwählt. Was aber Dr. R. angeht: Er hat mich vor dem Ertrinken gerettet; man könnte auch sagen, vom brennenden Holzstoss gezogen. Er war mein Seelenarzt, schon bevor wir uns begegneten. In diesen heiligen Hallen kann mir nur Gutes geschehen und meine Dankopfer sollen weiter aus purem Golde bestehen. – Auch wenn meine Eitelkeit im Moment enttäuscht ist. (Das beiliegende Blatt soll Ihnen noch mehr sagen; es wurde gerade noch vor dem Einschlafen geschrieben.)

Heute ist der Himmel hässig wie ein unausgeschlafenes Kind. Wir wollen ihm entfliehen. Am liebsten würde ich Sie gleich mitnehmen, die Weisheit meines Mannes würde Ihnen gut tun, und Ihr Jungsein würde mir gut tun. Vergessen Sie nur nie, dass ich eine alte Frau bin; sonst bekommen Sie einen Schreck, wenn Sie mich sehen. Ihr Sonett für mich[3] blüht und wird von den Bienen der Inspiration befruchtet werden. Mehr weiss ich heute nicht zu sagen und zu danken; Geschwindigkeit ist jetzt notwendiger als Ausführlichkeit. Hier sind noch die Copien[4] zurück. Können Sie sie mit meinen Augen lesen? Sie sind ehrlich aufgebracht, ungeschickt und – leider muss es gesagt sein – Ihrer unwürdig. Alles Verächtliche über die grossen deutschen Dichter ausser Nietzsche nützt Ihnen nichts bei mir, sie haben alle ihre Kristalltempel, um das Gleichnis noch einmal aufzunehmen. Goethe, Rilke, Hofmannsthal, Carossa; Thomas Mann, Stefan Zweig in seinem Bekenntnisbuch; Mörike, Peter Gan[5], Alexander Xaver Gwerder, Carl J. Burckhardt und Max Rychner sind meine Freunde.

Dem jüngsten von ihnen biete ich meine Hand und Gruss und meine innigen Wünsche für die allernächste Zukunft
Erica Maria Dürrenberger.

P. S. Ihre linke Hand[6] steht wie Beruhigung neben Ihrer Photo auf meinem kleinen Schreibtisch. Folgen Sie ihr! Doch schlimmstenfalls, meine Treue folgt Ihnen auch ins Gefängnis. Aber denken Sie daran, bestrafte/gebrannte Kinder fürchten oft das Feuer, das wäre schade für ihren Impetus.

1 Vermutlich «verfluchten» oder «verflixten Militär-Kommandant» oder «-Kopf».
2 Christoph Dürrenberger.
3 Siehe Anm. 7 zu Nr. 58, S. 335.
4 Siehe Anm. 6 zu Nr. 58, S. 335.
5 Peter Gan, eigtl. Richard Moering (1894–1974), deutscher Schriftsteller.
6 Siehe Nr. 58, S. 332f.

61 Von Erwin Jaeckle, ‹Die Tat›

Zürich, 29. September 1951

Lieber Herr Gwerder,
ich habe Ihren Brief einige Tage liegen gelassen und mich besonnen, ob ich ihn beantworten soll. Er hat mich nämlich traurig gemacht. Ich selbst war auf dem Militärdepartement und habe mich davon überzeugt, dass nach den gesetzlichen Grundlagen, die tatsächlich auf die alte Militärorganisation zurückgehen, die

Jahrgänge einberufen werden. Über dieses Gesetz kann sich selbst das Militärdepartement nicht hinwegsetzen, obwohl ich selbst eine gewisse Ungerechtigkeit darin erblicke. Immerhin halte ich Ihnen entgegen, dass während des Aktivdienstes, aber auch in den verschiedenen Waffengattungen während des Friedensdienstes, die Dienstzeiten völlig verschiedene sind, ohne dass ein grosses Gebrüll deswegen entstehen würde. Man kann sich überlegen, ob man den fraglichen Artikel der Militärorganisation für Ausnahmefälle Ihrer Art zu ändern hätte. All dies scheint mir aber nicht wichtig. Traurig hat mich Ihr Satz gemacht: «Ich bin diesem Land in keiner anderen Weise verpflichtet, als durch meine unglückselige Geburt – und da ich den Ort dieses Ereignisses nicht auswählen durfte, fällt auch diese Verpflichtung dahin.» Da sprechen wir eine andere Sprache. Und Sie werden einen langen Weg zu gehen haben, um in der Welt die Werte erkennen zu können, und so lange wird auch Ihre Lyrik nicht bei einer echten Leistung ankommen. Ich bedaure Sie in diesem Bekenntnis, aber ich grüsse Sie herzlich

Ihr Jäckle

62 An Erwin Jaeckle, ‹Die Tat›

Zürich, am 3. Oktober 1951

Lieber Herr Dr. Jaeckle –,
ich danke Ihnen, dass Sie mir trotzdem geschrieben haben! Zugegeben, mein Brief an Sie war in seiner Tonart kurzschlusshaft. Ich bitte Sie deswegen um Verzeihung. Auch steckte ich zu tief in der Angelegenheit, als ich an jenem Tage jene zwei Briefe[1] schrieb – und der Beschluss, nicht einzurücken, war noch zu frisch, um gänzlich gefasst zu sein.

Jene Sätze die Sie mir vorwerfen, sind lediglich formal mein Produkt – das Gefühl, die Gesinnung hinter ihnen, pflanzte das Militär. Und auch der Fehler, Militär mit Vaterland gleichzustellen, ist ja nicht von mir. Besteht doch seit Ende des letzten Krieges das Vaterland in seinen Hauptgeschäften, Aufwendungen und Forderungen ausschliesslich aus Armee. Die Militaristen und «Grosskaufleute» haben gerade während des Krieges ihre Chance wahrgenommen – und was bis heute erreicht wurde, hat nicht das Geringste mit Heimat zu tun. Auch die Presse trägt dazu bei, jene Zukunft, die G. v. Uxkull zu beschreiben[2] die Ehre hatte, herbeizuführen, wo der sog. Bürger unter der Stimme des Stahlhelms fronen darf.

Ich weiss nicht, ob die «Getreuen» der Gesellschaft und Politik nicht langsam in der Luft schweben ... Ich sah schon Gesichter, die erwachen und finde es höhnisch oder naiv, wenn Kobelt, wie jüngst an der «Fiera»[3] wieder, für die Opferbereitschaft des Volkes dankt –, während das Volk lediglich noch einige Drehungen der Schraube aushält –. Es wird einmal so sein, dass den Fäusten nur noch der Kopf fehlt. Vorläufig wird noch gegangen – und geflucht. Fluchen ist bodenständig – ein wahrer Wert für die Militaristen. Andererseits: Sehen Sie sich Beispiele aus unserer Stadtjugend an –: viel zu früh alkoholgeschwächte Gehirne, Kenntnisse in Boogie-Woogie, Flirt, auch kleine und grössere Gangstereien, aber fit und schneidig in Uniform –: die zukünftigen Stützen der Gesellschaft. Man kann ruhig feststellen – je näher dem Tier, desto erwünschter dem Staat. Tiere kann man nämlich dressieren – dort, wo der Mensch beginnt, zeitigt die Dressur andere Früchte.

Mit Befremden allerdings nahm ich zur Kenntnis, dass echte Leistungen in Lyrik mit vaterländischer Gesinnung zusammenhängen sollen. Ich selber denke darüber gegenteilig. Der Hauptharst interkantonaler Lyrik stellt die genaue Parallele zu unserer Architektur (ohne Corbusier) dar: Bodenständigkeit, Geiz, lückenhafte Nachahmungen, – später solide Nachhilfen mit Wohnkolonien, das Individuelle anzunähern, – dann die neue Sachlichkeit (Stillosigkeit) und zu Abend die Alphörner übers Dach.

Bis zum Naturalismus in der Malerei, liefen Architektur und diese mehr oder weniger mitsammen. Die Malerei sprang von da in die versch. Ismen und Experimente, während die Architektur geradewegs in die Sackgasse der Sachlichkeit geriet. In der Lyrik heisst diese Sachlichkeit: Vaterländische Gesinnung. Ob darin eine echte Leistung zu erblicken sein soll? Ich neige eher dazu, zu sagen, dass die echten Leistungen, intern wie extern, ohne Vaterland auskommen wie sie auch je ausgekommen sind. Was sollten Max Rychners *Die Ersten*, oder Zemps[4] «Aganippe» mit Vaterland zu tun haben? Goethe schrieb an der *Iphigenie* indes der Schlachtlärm von Auerstedt in sein Zimmer drang.

Ich wage also füglich zu bezweifeln, ob die Erkennung wahrer Werte im Ja- und Amenlied zu finden sein wird.

Freilich kann ich mir vorstellen, dass die Bewertung von Lyrik abhängig sein könnte von der Gesinnung.

Dieser Brief ist keine Polemik gegen Sie! Ich schätze Sie viel zu hoch –, und gerade deshalb will ich die Angelegenheit meiner Gesinnung nicht auf diesen Sätzen, die Sie mir zum Vorwurf machten, beruhen lassen. Ohne jene indessen irgendwie zurücknehmen zu können, glaube ich diese näheren Erklärungen Ihnen zu schulden.

«Und wem da noch Hoffnung blieb,
dem sei die Enttäuschung verzieh'n.»[5]

Mit einem herzlichen Gruss, Ihr:
Gwerder

1 Siehe Anm. 6 zu Nr. 58, S. 335.
2 Vermutlich Anspielung auf Gösta von Uxkulls Artikel «Indexziffern gegen östlichen Idealismus?» in: Tat, 22.9.1951, Nr. 256. Darin konstatiert der Autor: «Statt an den Magen, sollte die westliche Propaganda etwas mehr an Herz und Hirn aller vom kommunistischen Zukunftsglauben angesteckten, diesseits und jenseits der Grenzen, appellieren und statt den kommunistischen Weg in eine ‹bessere Zukunft› zu brem-

sen, sollte sie einen anderen, überzeugenderen – in eine noch bessere Zukunft zeigen.»
3 Herbstmesse «Fiera Svizzera» in Lugano.
4 Werner Zemp (1906–1959), Schweizer Schriftsteller.
5 Schlusszeilen einer früheren F des Gedichtes «Auf einem helvetischen Ziegel aus dem Jahre 1952» in: GW I, S. 327.

63 Vom Eidgenössischen Militärdepartement, Direktion der Militärverwaltung

Bern, den 8. Oktober 1951

Sehr geehrter Herr,
Wir sind im Besitze Ihres Wiedererwägungsgesuches vom 21. September 1951 und teilen Ihnen mit, dass wir aus den in unserem Schreiben vom 19. September 1951 genannten Gründen nicht in der Lage sind, Sie von den ordentlichen Dienstleistungen Ihrer Altersklasse zu befreien. Die von Ihnen richtiggestellte Tatsache, dass Sie nicht vorzeitig rekrutiert, sondern auf Grund eines bewilligten Gesuches um ein Jahr vorzeitig in die Rekrutenschule aufgeboten wurden, vermag nichts daran zu ändern.

Auch nach Ihren Präzisierungen stellen wir fest, dass es sich im Jahre 1942 weder um einen «Kuhhandel» noch um einen Dienstabtausch gehandelt hat. Der Fall des damaligen Lehrlings H. Mösch einerseits und jener Ihrer vorzeitigen Einberufung in die Rekrutenschule haben vom Standpunkt der gesetzlichen Dienstleistungspflicht aus gesehen *miteinander nichts zu tun*. Im einen Falle wurde offenbar ein Gesuch um Verschiebung der Rekrutenschule und im andern Falle ein solches um Vorverlegung der Rekrutenschule bewilligt. Auf die gesetzliche Dienstleistungspflicht hat dies grundsätzlich keinen Einfluss. Wir haben Ihnen schon mitgeteilt, dass für die Anrechnung des Aktivdienstes auf den *Jahrgang* abgestellt werden musste. Das gilt auch für Sie. Wenn Sie 1942 durch Ihre Arbeitgeberin dazu verhalten wurden, das erwähnte Gesuch zu stellen, dann können nicht nachträglich die militärischen Stellen dafür verantwortlich gemacht werden.

Schlussendlich machen auch wir sie noch auf etwas aufmerksam, nämlich dass Sie die schwerwiegenden rechtlichen Folgen zu gewärtigen haben, wenn Sie dem militärischen Aufgebot keine Folge leisten.

Mit vorzüglicher Hochachtung
Der Direktor:
i. V. Hasenfratz

64 An Erica Maria Dürrenberger

Zürich, am 14. Okt. 51

Liebe Freundin,
wenn ich ein wenig weniger bitter wäre heute, so würde ich Sie mit etlichen Stellen Ihres Ferienbriefes einfangen und vor jenen Scheiterhaufen führen, den Sie beharrlich zu ignorieren belieben – Was Sie jetzt im Sund unternehmen und erleben können[1], unternimmt und erlebt nur ein geringer Prozentsatz aller Menschen. Diese freilich sind dann im Stande zu sagen: «doch ist das Glück des Leibes und der Seele auch unserem Herrgott recht! –» Während die anderen, übriggebliebenen, hinzufügen: dass auch die Qual der Kriege, die verbrecherische Dummheit und die bewusste Anwendung beider unserem Herrgott recht sei, worauf sich dieser, angesichts seiner eigenen Relativität, hinter die Leoniden verzieht. Ecce homo – quel dieu!

Ich habe in letzter Zeit ein wenig universalische Forschung studiert, soweit konkrete und ziemlich vage Resultate vorliegen. Dabei ein interessantes Moment, sich ergebend aus der Raumkrümmung, dass wir, treiben wir die Technik so weit, unendlich weit sehen zu können, am Ende uns selber, von hinten, erblikken. Hübsche Aussicht – nicht wahr? Das Weltall ein Irrtum im Kreise, ein Wirbel von Täuschungen – und in dieses Mundwas-

serglas steckt ein Gott den Finger und rührt bedenkenlos Odol durcheinander. Was für unerhörte dichterische Perspektiven.
«Ein Staub unterm Kern, der des Nichts bleichen Schemel
am oberen Eck nur verziert –:
So hängst du, so einsam vom Pol bis zur Memel,
und wähnst dich gross organisiert!»[2]

Zurück aus den Perspektiven, bürgerliche Verdichtung, Erhärtung der nächsten Tatsachen: In einer halben Stunde wird es Sauerkohl geben etc., gestern begann ich die Tagebücher Kafkas zu lesen und in einer Woche wird mir die helvetische Wunderblume blühen.

Die Streichung der Widmung bezog sich nicht unbedingt auf den «Sommerseligen»[3] –; schliesslich kann man ja das «Credo» auch ohne Zusammenhang mit jenem annehmen: ich werde also versuchen, die Widmung wieder hineinzuschmuggeln.

«Kunst + Leben»[4] ist nicht so kompliziert, wie es auf den ersten Blick scheint. Die Empfindungen sind ohne grosse Organisation, möglichst direkt in die z. Zt. entsprechenden Sätze gelegt worden (daher viel einfacher als ein gut gebautes Gedicht) und die Schwierigkeiten ergeben sich nur aus dem weltanschaulichen Abstand des Lesers. Der zweite Teil ergab sich spontan nach Zürichs Jahrhundertfeier. Der erste Teil war als Vorwort zu einer Mappe gedacht, die sich dann auf die *Monologe* reduzierte.

Ich habe nichts gegen Ihre gut gemeinte Warnung vor, leider deutschsprachigen, Verirrungen –, Nietzsche wird aber nur bewussten Verbrechern oder Dummköpfen gefährlich (sofern er dann noch Gefahr bedeutet) – beobachtete ich an kleinen Abhandlungen von ihm, wie die ersten paar Sätze den Militaristen günstig sind – *wenn* man nicht zu Ende liest. Denn nach der Hälfte kehrt sich sozusagen alles um – der Anfang war Nietzsches Finte, um die Vorurteile jämmerlich zu blenden und von ihrer Rückseite her ruhmlos aufzulösen.

Glauben Sie, ich schätzte Nietzsche, wenn er nicht den Pessimismus mit dem durchdringendsten Geiste, und dem nicht die Schlechtesten unserer Zeit anheimfielen und noch -fallen –, untersuchte und begründete? In diesem Sinne bedeutet er nämlich Heilung. Vom Irrtum, vom Verbrechen, von der Dummheit. (nahe Beziehungen zum Expressionismus) («Pessimismus ist ein Glücksgefühl»)

Was die Deutschen heute wieder machen: «musste mal jesacht sein!» etc., also die Wiedergeburt jener Kräfte, die im Westen überhaupt nie gestorben sind, im Osten erst jetzt in kontinentaler Wirkung aufwachen, und deren Zweck die Bereicherung weniger – an Geld, an Ruhm, an «Grösse» – zum vorläufigen Ziel hat, ist, im Lichte Nietzsches, von der Erde nicht anders zu erwarten. In *Erde* inbegriffen: die Maschinen, die automatischen Zweibeiner, die triebverhafteten Schurken –: kurz, in Bewegung versetztes Material. Nietzsche ist aber uns selber gefährlich, wenn ihn die oben genannten für ihre Ziele einspannen!

Schluss – sonst wird die Sache endlos, oder viel zu triste. –

«nicht wichtig *was* man glaubt sondern: dass man glaubt!»: meinen Sie damit, dass Glaube die Kraft ist, dass man, was man glaubt tun zu können, damit auch tun *kann*? Sonst wäre ich nicht einverstanden –: denn glauben an sich, ohne *was*, heisst im besten Falle Seifenblase + Seifenbläser.

Analyse ohne Synthese = nichts. Warum nicht! Indessen kann eine objektive Analyse mit anschliessender subjektiver Synthese zu schönen Gebilden führen. Und Subjektivität ist beinahe verboten für uns, weil schädlich für die Staaten, die objektiven Synthesen. Ich bin so arm daran, dass mir nichts anderes übrig bleibt, als im Michelin-Führer und -Plan bei Worten zu verweilen die mit jener Gegend geladen sind.

«Man ist nie mehr allein als angesichts der ganz grossen Dinge in der Kunst.» Wie recht haben Sie damit!!

Der Onkel – nennen wir ihn Nevermore[5] –, eines der hoffnungslosesten Worte!

Atmen ohne zu denken!? Ja: mit mindestens dem Gedanken, dass ich nicht denke.

«Sich selber nicht allzu ernst zu nehmen ist schon fortgeschrittene Sachlichkeit. Und Sachlichkeit ist objektiv, ist in hohem Masse gestattet und zur Verbreitung empfohlen» – raten Sie von wem? Inzwischen habe ich mir den Kopf gewaschen (objektiv) – dabei fiel mir ein, dass Sie sich die Oktober-Nummer des ‹Du› kaufen sollten. Hieronymus Bosch: grossartig! In dieser Richtung liegt ungeheuer viel Stoff für alle Verrückten, vom objektiven Standpunkt abgerückten.

A propos Neurose: ich schlafe auch schlecht – trösten Sie sich! – wenn Träume aufgeschrieben werden müssten, wäre ich zeitweilig vollauf damit beschäftigt. Aber Träume sind eben doch keine willentlichen Werke und in diesem Sinne, wenn auch noch so bestsellerig, wertlos. Auch rätselhaftes Albdrücken: Es schnürt sich der ganze Körper zusammen wie ein hartes, dumpfes Paket. Die verbleibende Wahrnehmungsfähigkeit muss mit einem, scheinbar riesigen, Willen erzwungen werden. Dann setzt ein alles erfüllendes Rauschen ein. An diesem Punkt, wo ich vermeine überspült und ausgelöscht zu werden, zwinge ich mich zu Bewegungen des Kopfes und des Kehlkopfes –, ich glaube aber, dass sich weder der Kopf noch die Stimme rührt –, und konstatiere, gänzlich bewusst (?), dass von einem Punkt aus, vermutlich dem Schwergewichtspunkt, blitzartig Funken nach jeder Stelle der Aussenhaut zucken, um im darauffolgenden Intervall nach der Gegend des Halsansatzes zurückzublitzen, (wie mit der Nachricht, es sei doch dort nichts mehr zu holen) worauf die Atemluft bedenklich gedrosselt wird. Gleichzeitig setzen anschwellende Sirenen mit hellem Sirren in den Ohren ein. Das ist dann meistens das Äusserste dieses Schabernaks, denn dann ringt mir der vegetative Lebenswille, der sich bedroht fühlt, wer weiss?, mit ungeahnter Mächtigkeit jene Bewegungen des Kopfes und des Kehlkopfes ab und ich erwache, spüre, wie alles nachlässt – mit seltsam aufgequollenem Hirn.

Nein –, zeichnen kann ich nicht! Das war der erste Hieb, den mir die Bürgerlichkeit versetzte: ich wollte Maler werden – und da Maler kein Beruf ist der Geld einbringt, steckte mich mein Vater in die Lehre.[6] (Die tägliche Arbeit hat mit Zeichnen nichts zu tun. – Ein rein chemisch-photographisch-technischer Vorgang.) Möglich ist es, dass in zehn oder zwanzig Jahren ein paar Bilder entstehen[7] – ich denke oft daran.

Übrigens hat sich in der Pfalz eine Kunsthistoriker-Professoren-Witwe bei Scharpf für die *Monologe* bedankt. Erstaunlich – nicht?

Carossa: ich liebe seine schwebenden Aufzeichnungen Angermanns und das italienische Tagebuch. Auch den Doktor Bürger und die sonnigen Jugenderzählungen. Prachtvolle Stellen, wie: am Strom.

Besten Dank auch für den Sandhaufen! Die Postkarte ist jetzt die sechste über meinem Schreibtisch. 3 aus Italien, eine aus Paris und eine mit dem Freiburger Münster. Dazwischen die Zeichnung van Goghs: «La Crau, vue prise à Mont major.»

Ich finde im Tagebuch Kafkas folgende erhellende Bemerkung: «Goethe hält durch die Macht seiner Werke die Entwicklung der deutschen Sprache wahrscheinlich zurück. Wenn sich auch die Prosa in der Zwischenzeit öfters von ihm entfernt, so ist sie doch schliesslich, wie gerade gegenwärtig, mit verstärkter Sehnsucht zu ihm zurückgekehrt und hat sich selbst alte, bei Goethe vorfindliche, sonst aber mit ihm nicht zusammenhängende Wendungen angeeignet, um sich an dem vervollständigten Anblick ihrer grenzenlosen Abhängigkeit zu freuen.»

Noch ein paar Sentenzen:
Um sich in unserer Zeit wohlzufühlen muss man Ding oder Soldat sein.

Gedanken sind zollfrei –, jawohl! Hingegen wird alles verziehen, ausser dem Denken.

Volksmeinung: Lassen wir die Pferde denken – die haben grössere Köpfe.

Ihnen und Ihrer Familie herzliche Grüsse
Ihr
A. X. Gwerder

N. S. Sicher werden Sie auch die «Kritik» der Zürich-Land-Ausstellung, Uster, in der ‹Tat› lesen. Dazu: Vor etwa drei Jahren schickte ich eine Entgegnung[8] der damaligen Kritik der Z. L. A., Horgen, die diverse Überschreitungen des guten Geschmacks richtigstellte, die Lobhudelei der malenden Lehrer geisselte und die wirklichen Werte hervorhob. Unter anderem, dass Helen Dahm[9] die weithinaus wahrhaftigste ungekünstelte Künstlerin sei und die mit keinem Wort erwähnt wurde. Heute bequemt sich der Dummkopf von me[10] (kennen Sie den auch?) H. Dahm an erster Stelle zu nennen. Er weiss wohl nicht mehr, wer ihm das gesagt hat! Indessen erhielt ich damals von Rychner die Antwort, (ich kannte die Redaktion noch nicht) dass ihre Besprechung im Rahmen einer zehnjährigen Tätigkeit ihres Kritikers zu betrachten sei und dass ihm meine Einwände auch nicht stichhaltig genug erscheinen. Nun, nach drei Jahren kann natürlich die Einsicht dieser Herren unmöglich auf einen grünen Poeten zurückgeführt werden. Ha ha … me aber setz' ich noch einen Vampir an den Hals. Walter Kerker[11] nämlich; kenn ich sehr gut. Er ist ein Jahr jünger als ich, wir arbeiteten mal in der selben Firma in Winterthur. Nun findet me, er müsse, um sich selber beklatschen zu können, das dumme, einfältige Wortspiel von

Kerker-Gefängnis, vorbringen, obschon dieser alles andere als Grau in Grau malt. Welch' ein ausgewachsener Trottel!
Henri Schmid[12] und Willy Hug, beide gute Bekannte, machen gegenwärtig eine Ausstellung in der, übrigens von ihnen noch kurz vor deren Abreissen restaurierten, Galerie Oberdorfstr. 6. Sie haben viele Bilder von Südfrankreich, auch Banlieusches Paris, Kanal von Beaucaire etc. me hält es indessen nicht für nötig solche Anfänger zu besichtigen. Bin nun gespannt, ob er noch erscheint, und wenn ja, was er zusammenbraut. Oh, ich verspreche ihm eine prächtige Explosion wenn er dämlich wird. Das geht mich dann auch an, insbesondere, da er, als ich letztes mal im Odeon war, von meiner Bekleidung (Manchester-Airdress, hellgraue Hosen, gelbes Halstuch) als von der Tankfahrer-Uniform zu schwätzen sich getrieben sah. Und nun: beurteilen Sie die Menschen auch nach ihrem Umgang? Am selben Tisch waren noch Jaeckle, (der me immerhin auf 30 fehlende Buchbesprechungen aufmerksam machte) Rychner, Schifferli, Prof. E. Staiger, (Militärkopf par ex.) Meier v. d. ‹Rundschau›, und meine nichtswürdige Abstrusität – Ich ziehe in Zukunft den Anarchistenkongress vor!

Wie es oben ist, so ist es auch unten: Dafür gibts nur ein Ausserhalb. Glauben Sie mir: eine literarische «Laufbahn» ekelt mich an, wenn ich sehe, wenn einem die anderen jene Schienen dazu bezeichnen, die ihnen genehm wären.

Allah sei gepriesen, dass mein Portemonnaie nicht davon abhängt.

Rychners *Literatur zwischen zwei Weltkriegen*[13] wird neu aufgelegt. Besonders wegen Valéry dürfte sie interessant sein.

«Sokrates hatte gut leben mit seiner Menschenliebe. Wie aber, wenn einem schon mit achtzehn Jahren das grundlegende Erlebnis von der halsstarrigen Dummheit der Menschen zuteil geworden ist? Sokrates: Wer das Rechte weiss, tut auch das Rechte.

Die meisten aber von den wenigen, die es wissen, verharren aus Trägheit im Zustand des Falschen. Die Unverbindlichkeit der Wahrheit ist eines der hervorstechenden Kennzeichen unserer Zeit. Wenn noch etwas als verbindlich gilt, so sind es die Konventionen des Falschen.»
Eugen Gottlob Winkler
(er starb 1936, im Herbst, an einem Abend, durch Veronal.)

Draussen ist Nebel und in einer Stunde Montag.
Gute Nacht.

1 EMD hielt sich zur Zeit der Niederschrift ihres B vom 5.10.1951 (uv.) im südfranzösischen Les Saintes-Maries-de-la-Mer auf.
2 Aus dem Gedicht «Fanal» in: GW I, S. 260.
3 Vgl. B an EMD, 29.9.1951 (uv.): «Da ich feststellte, dass Ihr Gedicht mit dem ‹Sommerseligen› M. Lauterburg zugedacht ist, strich ich die Widmung an Sie beim ‹Credo›.» Siehe auch Anm. 8 zu Nr. 58, S. 335.
4 Siehe Anm. 3 zu Nr. 33, S. 270.
5 Wiederkehrender, zentraler Ausdruck in Edgar Allan Poes Gedicht «Der Rabe». Vgl. auch B von EMD, 21.7.1951 (uv.): «Manchmal wünscht man sich doch, dass der Onkel Wurstfabrikant aus Chikago – nennen wir ihn Uncle Neverborn – uns so nebenbei sein Landhaus am Genfersee vermacht hätte, den neuen Dichterbund zu beherbergen/umrahmen.» Und B von EMD, 5.10.1951: «der Onkel – wie hiess er doch bloss in Chikago?»
6 Siehe Anm. 4 zu Nr. 59, S. 337.
7 Mehrere Bilder, wovon die meisten in der Jugendzeit AXGs geschaffen, sind im Nachlass bei TF vorhanden.
8 «Über Kunst und Kritik an der Zürich-Land-Ausstellung in Horgen» (1949; uv.).
9 Helen Dahm (1878–1968), Schweizer Malerin und Grafikerin.
10 Max Eichenberger. Siehe Anm. 8 zu Nr. 5, S. 215.
11 Walter Kerker (1924–1989), Schweizer Maler.
12 Henri Schmid (geb. 1924), Schweizer Maler und Grafiker.
13 MR: *Zur Europäischen Literatur zwischen zwei Weltkriegen*, Zürich 1951 (zweite, veränderte Auflage der 1943 in Zürich erschienenen Erstausgabe).

65 An Erica Maria Dürrenberger

Zürich, am 21. Okt. 51

Meine liebe Freundin,
die Stunden schrumpfen zusammen – es ist halb drei – bis Mittag noch im Geschäft, da ausgerechnet jetzt eine Fülle von Arbeiten heranrauschte. Dringender Urlaub wird natürlich sofort angefordert. Drei Monate Kerker wurden angekündigt, – es ist nicht bessere Einsicht meinerseits, wenn ich also gehe, sondern ziemlich gewissenlose Berechnung. Zahl' sie die Eidgenossenschaft! Dieser Krieg, den sie mit Militär aufzuhalten trachten, wird sie noch treffen. (Eine der wenigen Prophezeiungen die ich wage.) Ich will Ihnen noch rasch danken für Brief und Aufmunterung. F. v. Assisi als Barmixer[1]: das lässt sich hören! Ja: «Jeder ist einmalig in seinem Glück, in seiner Trauer» – was dann verbindet, ist unser Ausdruck. Briefe bedeuten mir viel. Begegnungen sind selten, oder imaginär. Drei Briefwechsel nur: Sie, R. Scharpf + Karl Krolow. Gelegentlich Bekannte, fast gleichgestimmte oder auch nicht: dann weiter: hinüber – hinab. Schade, dass ich jetzt nicht näher auf Ihren Brief eingehen kann – es wird mich trotzdem freuen – ja: ich bitte darum – wenn Ihre Worte mich auch im KZ[2] erreichten. Adresse bitte nicht: Sdt. oder sowas. Schw. Kan. Bttr. 146, Feldpost. Zwei Gedichte[3] noch, die letzten, die äussersten links und rechts, sind hier.

Herzlich u. auf Wiedersehen, nachher:
Gwerder

1 Vgl. B von EMD, 19.10.1951 (uv.): «Lassen Sie in den nächsten 14 Tagen, die der W. K. Ihnen beschert (...), Nietzsche und Kafka und die ganze Reihe dieser unglücklich Gescheiten. Probieren Sie einmal den Wermuth des Incognito (Geistesfürst unter Läppelis ⟨?⟩) so zu kosten, als sei er von Franz von Assisi zubereitet.»
2 Krankenzimmer.
3 Vermutlich «November» und «Dämmerklee» in TLüD. Siehe GW I, S. 67f., und auch Anm. 2 zu Nr. 66, S. 356.

66 An Erica Maria Dürrenberger

Ober-Ehrendingen
im Oktober 1951

Es ist ein Knabe, dem ich manchmal trauere,
der sich am See in Schilf und Wogen liess,
noch strömte nicht der Fluss, vor dem ich schauere,
der erst wie Glück und dann Vergessen hiess.

Gottfried Benn

Liebe Freundin –,
seien Sie vielmals bedankt für Ihre Sendung ins Militär. Ich muss mich sehr knapp fassen –, im übrigen brächte ich auch gar nichts Rechtes zu Papier. Ihr Brief kam schon wie aus Untergegangenem: Wurzel aus – 1 x 3, etwas ganz Imaginäres. Ich weiss nun sicher, dass ich mich noch viel mehr zurückziehen werde – nachher – und diverse Personen, ob nützlich oder nicht, stehen bereits am Rande meiner Indifferenz. Wie, oder was ich wieder arbeiten werde, wird, wenn es eintritt, Sturz mit genau berechnetem Fall sein. Ich denke an einen Roman ohne Handlung.

Meine militärische Lage könnte, wenn ich Militarist wäre, äusserst günstig sein. Feldwebel + Wachtmeister sind alte Kollegen von mir. Indessen geht natürlich hin und wieder ein Offizier in die Luft ob einer bissigen Sentenz. Von Dummköpfen wimmelts, das ist nicht neu (das staatserhaltende Prinzip!), und zivile Verdrängungen feiern da helvetische Orgien. Kameraden –: ja, warum nicht. Aber eben das Niveau der Damaligen in der Art. Beob. Kp., die vor drei Jahren aufgelöst worden ist, zeigt sich bei weitem nirgends.

Was sind das für abgeschmackte Richtungen zur Sicherung des Bauches und des Ansehens, die die diversen Redaktoren betreiben!

Der Hauptm. ist Redaktor am ‹Winterthurer Tagblatt›. Auch einer ⟨?⟩.

Spiegelung[1]

Ich trank mit dem schweren Rot
meiner Augen
die Schärfe jahrlanger Wanderungen –,

da hob ein Gekreuzigter,
federnder Tulipan,
an schweigende Spiegel sein Leid.

Lächle Mond –, hinter das Letzte,
Krümmung des Raumes,
senkt neues Gewölk seine Drohung.

Oh, landlos gelehnt an die Felsen
des Doppelblicks,
rief ich längstens das Glück in den Abgrund.

Nun flammen die Echos und schmale
Fluchten des Todes
spalten die Sekunde der Entscheidung.

Das war so ein Blick über Wasser – gestern. Ab heute Nacht sind wir in Zizers. Bis jetzt in der Nähe Badens. «Es ründet sich» gefällt mir am besten. Mit der «Bäuerin» kann ich nicht viel anfangen. Ich sehe Kuckucksuhren dabei. Später vielleicht mehr darüber. – Amerikaner les' ich selten. Emerson + Whitman, das ist alles. Engländer gäbe es zwei, drei, die mir lesenswert schienen. Ich lese überhaupt keine Romane im herkömmlichen Sinn. Ich neige viel eher zu Erforschungen, als zu Erfindungen.
   (Es wäre falsch «über Dächer» zu setzen.[2])
Ich wünsche Ihnen alles Notwendige für Ihre Gesundung!
                                       Herzlich,
                                    Ihr A. X. Gwerder

1 In: GW I, S. 315.
2 Vgl. B von EMD, 23.10.1951 (uv.), betreffend das Gedicht «Dämmerklee»: «Aber etwas behagt mir nicht. Zu den Reimen ‹Brecher, Fächer› gehört: Dächer. Wäre es falsch statt … ‹blüht von den Dächern›, blüht *über Dächer* zu setzen?»

67 An Kurt Friedrich Ertel
⟨Zürich, Anfang November 1951⟩

Lieber K. F. Ertel –,
soeben aus der dreiwöchigen Nationalstrafe zurückgekehrt, fand ich Ihre Karte vor. Besten Dank dafür. Ich bin zufrieden mit der Anzahl ‹signaturen› die Sie mir überlassen konnten. Bächler schrieb mir unter anderem auch einmal, dass er für den Funk arbeite, und faselte nebenher etwas von einem Amerikaner, mit dem er nächstens in die Schweiz fahren könne –, nach zwei Briefen, in denen er sich widersprach, merkte ich mit was für einem Prahlhans ich's zu tun bekommen –, und als er dann gar seine *Zisterne* schickte, oh Graus, war's aus.[1] Willi Fehse[2] kenn ich nicht, das ‹Lit. Dtschl.› hab ich soeben abbestellt. Ein Jahr sah ich jetzt zu, wie sich diverse Herren gegenseitig belobigten, mit dem erhabenen Resultat, dass Valéry und Benns Gedichte noch immer die besten sind, und die Feld- und Flurromane von der Pfalz bis Berlin keinen Deut gewannen. Krämer-Badoni[3] macht gute Aufsätze.

Tschudy-Verlag[4]: sehr gemässigte Zone, gut bürgerlich: man kann also ohne Risiken rezensieren, was er herausbringt. Die Lorca Gedichte[5] kosten etwa 10.– Fr. Ich werde dafür besorgt sein, sobald unsere Kasse wieder normale Bestände aufweist. Haben Sie übrigens, als Sie im Spital waren, unser Päcklein und meinen Brief[6] nicht erhalten? Scharpf wurde zu gleicher Zeit auch um ein Päcklein geprellt. Wahrscheinlich durch den Zoll, denn die eingeschriebenen Sachen gehen durch ohne zu verschwinden.

Die ersten Korrekturen zum *Blauen Eisenhut* sind gelesen (aber nur unter uns gesagt) und auf Ende Jahr wird er wahrscheinlich herauskommen. Ob sich jemand für mich interessiert, wird mir immer gleichgültiger. Ein paar Auserwählte, ein paar Briefe, dazwischen Verse, die sich sehen lassen können, oder ein paar Sätze, auf ihr Genauestes, Einfachstes gebracht: das genügt mir persönlich.

Hingegen: Vaterländisches, das ist mir bis zum Ekel zuwider geworden. Auch die gegenseitige Arschleckerei der Literaten (auch in der Schweiz).

Da lob ich mir das Paris der Jules Romains, der Supervielle, der Valery Larbaud, der Graham Greene etc. Oda Schaefer schickte ich gar keine ‹signaturen›; ich dachte doch, Sie hätten ihr welche im Abonnement übersandt?! Der einzige, der bis heute merkte, um was es dabei ging, war Karl Krolow. Der Neid grassiert sonst anderswo ganz bedenklich. Aber: lassen wirs. Ich bin ohne zu übertreiben, nicht schlechter geworden. Der Weg wird allerdings noch lang sein bis zur Kopfgruppe, aber nicht unmöglich, besonders wenn man sieht, wie alte Strohpuppen heute den Markt beherrschen.

Ich muss noch Schlaf nachholen. Seien Sie herzlich begrüsst und bedankt von Ihrem

A.X. Gwerder

1 Siehe Nr. 44, S. 288f.
2 Willi Fehse (1906–1977), deutscher Schriftsteller und Kritiker.
3 Rudolf Krämer-Badoni (1913–1989), deutscher Schriftsteller und Publizist.
4 Im Tschudy-Verlag in St. Gallen kam u. a. die von HRH hg. Zeitschrift Ho heraus, die einige nachgelassene Texte AXGs erstmals publizierte.
5 Siehe Nr. 94, S. 407, und dazu Anm. 6, S. 408.
6 Siehe Nr. 57, S. 323ff.

68 An Rudolf Scharpf

⟨Zürich⟩, 10. Nov. 51

Lieber Rudolf Scharpf –,
Zu meiner nicht geringen Freude erreichte mich heute (Frau Trude schickte sie nach ins Militär) Ihre 2. Sendung. Ihr vorletzter Brief begleitete mich, natürlich ohne die zwei, in jedem Sinne grossen Holzschnitte, durch die drei äusserlich strohdummen Wochen. Ich habe Ihnen viel zu danken, denn schon die Realität eines solchen Briefes wie des Ihrigen vermochte zuweilen, seltsam überwirklich, der doch dreckigen Wirklichkeit des Kommis, das Berührende zu nehmen um ihr lediglich das Bewusstlose eines Albdrucks zu belassen. Manchmal, und ich sage das keineswegs, um zu komplimentieren, entbehrte ich, hauptsächlich am frühen Morgen und zur Zeit der Abenddämmerung, Ihre Arbeiten. Irgend eine unerklärliche Affinität zu Ihren Zeichen ward vernachlässigt. – Vor allem muss ich jetzt schleunigst, d.h. so bald die Kasse wieder normal funktioniert, einen Rahmen anschaffen um Ihre herrliche «Figur aus Schicksal» aufzuhängen.

Wenn ich jetzt begänne Ihnen aus den drei Wochen aufzuzählen, – ich wüsste keinen Anfang der ganz richtig schiene und die Blöcke des Unsinns zu zersägen, – dazu fehlen mir die Maschinen. Ich beobachtete einmal an mir selber, dass mir, nach einem «Mittagessen» in einem Landrestaurant, Lehár gefiel!!! Welche Zerstörung! Man erschrickt, lässt sich nichts anmerken –, und stürzt immer von neuem. Und dann:
Was für unglaubliche Ansichten über Musik, über Abstraktes überhaupt – zum Glück ist Literatur in solchen Kreisen, da sie präzisere Äusserungen verlangt, verpönt. Der Einheitskommandant ist Redaktor am ‹Winterthurer Tagblatt›!
Durch meine Stellungnahme zur Ungerechtigkeit dieses Dienstes, bin ich wahrscheinlich auch in den kriegshetzerischen Gefilden der ‹Tat› in Ungnade gefallen.[1] Ich bin nur noch ge-

spannt, wie sich die Herren aus der Affäre ziehen. Ich habe noch einige Manuskripte dort liegen: etwas muss also erfolgen. Und da die ‹Schweizer Rundschau› liiert ist: von dort auch. – Indessen: sind das etwa Sorgen? Je länger je mehr interessiert mich alles andere als Zustimmung zu Dingen, die den Herren der grauen Masse diese nur deshalb entlocken, damit sie sich selber nicht blamieren. Ihre Beschränkung, und vornehmlich bei denen die an Zeitungen verhaftet sind, darf ja unter keinen Umständen «ruchbar» werden. Wo natürlich das Vaterländische fehlt, da darf man schon mehr riskieren. – Genug: ich ziehe mich zurück, beschränke mich auf eine Auswahl und wünsche allen Glück *mit* den Strömungen zu schwimmen. Aber: *ohne mich.*

Momentan Debussy im Radio –, Welt aus Wellen und Schilf. Gefühl von sonniger Sauberkeit. Eben kam Frau Trude heim und sagte mir, dass sie die zwei kleinen Schriften von E. Jünger und F. G. Jünger, die ich hätte haben sollen, nirgends erhalten ⟨habe⟩. Vielleicht gilt die Prophezeiung, dass es bald gänzlich die Aufrüstung sein wird, die die Schweizer Literatur bestimmt. Die Sauereien der einheimischen Feld- und Flurdichter liegen ja haufenweise auf. (Mit taktischen Berücksichtigungen unseres Geländes.)

Um das Visum zu erhalten, benötigen Sie, soviel ich weiss, gar nichts anderes als die Einladung von uns mit der Bestätigung, dass für Ihren «Unterhalt» gesorgt wird.

Es freut uns übrigens riesig, dass sich Ihr Besuch, Ihre Ferien bei uns verwirklichen werden. Ich trachte dann danach auch einige Tage Urlaub zu nehmen.

Leider kann ich Ihre Reportage von Zuhause am Bildstock nicht erwidern – erstens muss ich den Apparat entlehnen und zweitens habe ich nur Frühling und Sommer Lust zu photographieren.

Und jetzt, nachdem ich, zur Not, Ihre guten und grosszügigen Sendungen zu beantworten versucht habe –, verzeihen Sie mir's –, muss ich schlafen. Das ganz erhebliche Manko aus den Manövern her fordert sein Recht. Selbst die Zündhölzer knicken unter den Lidern ... Nehmen Sie noch unseren herzlichsten Dank für alles und kreiden Sie mir's nicht an wenn dieser Brief so trocken endet wie er beginnt.

Ihr: Gwerder

N. S. Eine Bitte: Die Tochter E. M. Dürrenbergers, Salome[2], schickte mir einen Riesencake ins Militär – ich möchte sie überraschen mit einem kleinen (handsignierten?!) Druck von Ihnen (gemässigte Zone natürlich, gegens liebliche zu.) Ihre Sachen aus den ‹signaturen› kennt sie bereits. Wenn Sie etwas entsprechendes vorrätig und entbehrlich hätten, es wäre mir daran gelegen, wenn Sie's ihr von Ihnen aus übersandten. (Sie kennt und schätzt sehr Martin Lauterburg.)

Ertel, der stets überlastete, schickte mir eben auch den Rest der *Begegnung* mit Ihren handsignierten Blättern. Seltsam, dass es uns drei im Verlauf eines Jahres am selben Ort, am Kiefer, erwischte. Vielleicht will uns jemand den Mund schliessen, auf langweilige Art immerhin.

Tief wird es blauer ...[3]

Noch schliefst du und sandtest
den Träumen entlang
Figur die du banntest,
Weg, den du wandtest
voll Überschwang –

Allein, in den Nächten
der herbstliche Ton,

mäandrisch Verflechten
von Blauem und Wächten,
das kanntest du schon.

Nur dieses, nur deines
am Abhang des Glücks,
ein Hartes, ein Feines,
das Herbe des Weines
zum Augenblick –

Dies Spät und Am-Ende
der Gluten, der Pracht:
Wenn dieses verschwände,
so blieb deiner Hände
Gebild in der Nacht.

So halte die Schauer
der Stille denn aus –
Hier trennt eine Mauer,
doch tief wird es blauer
und weiter hinaus …

                                                 AXG

Frau Trude wird auch mal schreiben und schliesst sich mit Dank und Grüssen hier an:

                                                 Trudy

1 Vgl. Nr. 59, S. 335ff., Nr. 61 und Nr. 62, S. 340–344.
2 Salome Dürrenberger, mit der AXG in Arles im September 1952 gemeinsam Selbstmord begehen wollte.
3 In: GW I, S. 322.

69 An Erica Maria Dürrenberger

Zürich, am 11. Nov. 51

Liebe Freundin –,
Sie erlauben mir doch, ohne weitere Umschweife auf das mir bedeutendste Ereignis der letzten drei Wochen zu kommen. Erstens kann ich kaum etwas anderes jetzt Ihnen schreiben, denn ausser diesen zwei, drei Nachtstunden, die noch leben, bin ich lauter Apathie – Die aufgelaufenen Briefe erschrecken mich und mein eigenes Ungenügen in Bezug auf alles was ich will ist zugleich meine einzige Verbindung mit dem Welttheater. Gestern einen sehr guten Aufsatz Rudolf Kassners gelesen über Thomas Hardy[1], den Opiumesser – Unterscheidungen zwischen Virtuosität und Genie, unter den Aspekten der Gifte. Doch zurück zu meinem Jerusalem: Zu Anfang der zweiten Manöverwoche hatte ich von 23 h an in Wallikon, einem sonst bedeutungslosen Kaff, eine Zwischenstation zu besetzen. Ich schleppte also die Telephongeschichte in einen kleinen Vorbau des Schulhauses, das sich übrigens wie ein Privathaus ausnimmt und auch nicht nach Offizial riecht. Ich richtete mich ein so gut es ging, hörte unsere Wagen abfahren, erfuhr noch, dass die ersten 800 m Leitung gelegt seien und fand es eigentlich gar nicht so kalt wie im voraus anzunehmen Gründe bestanden hatten. Der Himmel allerdings war sternenklar und mein erster Blick suchte wie immer den Orion. Als ich ihn senkte streifte er im Oberbau des Schulhauses ein schwach wie von Kerzen erleuchtetes Fenster. Ich setzte mich wieder an den Apparat, setzte den Kopfhörer an die geduldige Ohrmuschel und malte mir aus, wie es jetzt möglich sein könnte, dass der Abwart einen Kaffee braute –.

Wirklich, es ging nicht lange –, ich summte etwas, das sich anhörte wie die Melodie von «Darling Clementine», vor mich hin –, da vernahm ich durch das unbedeckte Ohr Schritte auf einer Treppe. Ich verstummte, hängte den Kopfhörer ab und stellte mich in die Nähe der Tür. Die Schritte waren deutlich, kamen lange leis aber bestimmt aufgesetzt. Ich tippte auf eine rüstige Matrone, rechnete auf gelingende Bemühungen meinerseits, möglichst Vaterländisches nicht vor den Kopf zu stossen. Auch zuckte einen Augenblick der Gedanke, diese Schritte könnten vorübergehen, gar nicht mir geltend. Da klirrte jedoch etwas wie ein Löffel, etwas wie Porzellan und Licht fiel durchs Schlüsselloch, – dann dunkel, und der Schlüssel wurde gedreht. Einmal –, die Klinke nieder – es war doppelt verschlossen –, zweimal, und ein breiter Lichtstreif floss mir entgegen. Die Tür öffnete sich wie von selbst. Eine Frau, mit dem Rücken gegen mich, bückte sich nach diversen Schälchen und erhob sich rasch, als die Nagelschuhe auf den Fliesen meine nahe Anwesenheit verrieten. Ich schaute staunend in ein sehr junges Gesicht mit schweren Augen –, (ich kann es Ihnen nicht genau beschreiben. Was noch blieb ist zu viel um Recht zu haben und etwas Falsches mag hier doch nichts beitragen) in ein südlicheres Lächeln darin und bin dabei nicht mehr sicher, was zuerst und wer zuerst sprach. Dem Kaffee folgte eine Büchse voll Pulver, ein Holzteller mit Zucker und ein Kännchen heissen Wassers um ständig aufzufüllen. Dies aber nur nebenher. Es stellte sich heraus, dass diese Frau die Lehrerin war, dass sie Rolland, Baudelaire, Rilke kannte (welchen sie liebte fand ich nicht ⟨heraus⟩) und dass sie es für selbstverständlich hielt auf einen Uniformierten zu stossen, der durchaus kein Barbar war. Sie war schön und nicht sehr zugeknöpft (im kleidsamen Sinn). Es fällt mir erst jetzt ein, dass ich weiss bestäubt war von der Sacra terra di Züri-Oberland und mit einem schaurigen Bart verunstaltet. Cigaretten gingen hin und her, Worte, Lachen –, wobei ich darauf achtgab im Dunkel zu stehen, was sich natürlich nicht ständig durchführen liess –, da sie ähnliche Absichten zu haben schien. Das Militär war vergessen. Was war nicht alles vergessen –, es war noch die Nacht mit ihrer fremden Kälte, mit ihren Mauern aus Stille. Es war noch die Sprache, die keine Grenzen mehr zu haben sich entfaltete wie Teppiche aus Cimmerien –, eingewoben alle Reiche der Erinnerung, alle Zonen des Möglichen – mit dem göttlichen Hinab. Ich bemerkte einmal wie ihre Knie zitterten – es ging ja schon gegen den ersten Morgen – und liess nicht mehr nach, bis sie sich entschloss, schlafen zu gehen. Ich blickte ihr nach, wie sie die schräge Treppe hinauf ging –, ägyptisch, mit der Uräusschlange in den Haaren. Sie kehrte noch zurück mit einem Strauss Astern. Sie ging nochmals –. Dann schloss ich unten die Tür. Worte standen mir bereit. Jeder Wink befahl neue heran. Ein Meer von Worten. Ich wählte aus, erinnerte mich an mein Bemühen, genau und einfach zu werden, schrieb ohne zu streichen, schwebte über den Wassern und konnte viel –. Nicht lange, so rasselte das Telephon, später das Auto –, und ich weiss nicht mehr, ob ich auf der Welt war in jener Nacht. Es blieb ein violettes Gedicht –, es blieb eine jungenhafte Lust zu träumen und ein paar Takte jener Musik, die man nur allein hört. –

Wo begann der Sinn irgendeiner Realität –, wo verlor der Flug seine Kraft? Es gab nur einen Ausweg: das Letzte, das Spät, das Spiel. Lied – Linie – Laut. Doch darüber ein andermal. Hier das Gedicht jener Nacht:

Astern[2]

So schwer wie ihr sein,
erst halten – dann fallen,
versinken und hier sein,
so geht es uns allen ...

Du fühlst wie am Strauch
die Nebel hangen,
Pulse aus Rauch
und der Tag vergangen.

Das Herz in Watte,
der Weg noch weit –,

was schlug nicht, was hatte
nicht Wirklichkeit?

Ob wir hier enden,
ob Träumen, ob Tanz –,
auch unseren Händen
gelang einmal Glanz.

Nun stehen die Uhren,
uns bräunt das Spät,
nur Zeitfiguren
und bald verweht.

Oh liegen –, oh landen,
wie sehr im Ziel –
wir flogen und fanden
und alles war Spiel.

Ich hoffe, Sie sind zufrieden mit diesen Zeilen ohne jeglichen Zusammenhang mit den in unseren letzten Briefen angeschlagenen Themen. Es ist jetzt unmöglich an Dinge anzuknüpfen durch die der Keil getrieben wurde. Es heisst jetzt überbrücken, so gut es geht. Ich habe R. Scharpf gebeten, Ihrer Tochter Salome einen seiner handsignierten Holzschnitte zu überlassen, zu Dank und Anerkennung der geleisteten Dienste als Kuchenbäkkerin. Für Sie habe ich noch den «Hptm. Sack»[3] abgetippt.

Ihr Gedicht auf den jungen Franzosen ist sehr gelungen und wenn ich einen Einwand anbringen zu müssen glaubte, dann diesen: ich hätte mich über die Stelle mit der Feder kürzer gefasst –, was aber nicht objektiv genug wäre, um als Kritik aufgefasst zu werden Berechtigung hätte.

Nun, haben Sie, liebe Freundin, noch allen Dank der mir momentan möglich ist – und herzliche Grüsse wie immer,

Ihr: Gwerder

1 AXG irrt sich. Es handelt sich um den engl. Schriftsteller Thomas de Quincey (1785–1859), der u.a. *Bekenntnisse eines englischen Opiumessers* schrieb.
2 In TLüD. Siehe GW I, S. 69.
3 Siehe Anm. 5 zu Nr. 38, S. 280.

70 An Erwin Jaeckle, ‹Die Tat›

⟨Zürich, Anfang Dezember 1951⟩

Lieber Herr Dr. Jaeckle –,
am Sonntagabend sass ich in einem Café der Altstadt; an etwas erhöhtem Platz, so dass ich ohne Anstrengung dem Gespräch, besser, der Debatte von fünf jungen und jüngeren, anscheinend Malern, folgen konnte. Ihr Thema kam mir dabei immer bekannter vor. Es gab zwei, die sich betroffen fühlten und verletzt, indem ein dritter ihnen ihre Bewusstlosigkeit ihrer blossen Inspiration vorhielt. Im Augenblick dachte ich daran, dass ich mich eigentlich mit ziemlich billigen Gemeinplätzen beschäftige da ja das kürzlich geschriebene «Malerische Traktat»[1] gerade davon handle. Aber es kam doch schöner: der obgenannte Dritte zitierte meine eigenen Sätze, was mich alsbald bewog, genauer hinzusehen. Und siehe da: Die Überraschung war in der *Tat* gelungen!

Ein neues erregendes Gefühl dabei, sich selber im sichersten Inkognito kommentiert und angewandt zu hören. Die Zeit ist natürlich diesem Thema günstig; die Helmhaus-Ausstellung[2] bewirkt, dass sich zum mindesten die Ausgestellten auf jeden Satz in den Zeitungen stürzen, der mit Mal... beginnt. A propos: Sogar den Schluss, «ob Apfel oder Birne», deuteten sie ganz richtig so, dass es nichts ausmache, welchem ...ismus und welcher Technik ein Kunstwerk entstamme.

Nun bin ich höchlich erfreut über die Veröffentlichung wie über ihr Resultat das mir zufällig zufiel. Meinen herzlichen Dank an Sie für beides.

Da Sie auch Naturwissenschaftler sind, interessiert Sie vielleicht die nachstehende Beobachtung:

Letzthin ass ich abends einen Apfel. Das heisst, ich wollte ihn essen –, biss ihn mit grossem Bisse an und legte dadurch eine Wurmhöhle frei. Der Bewohner war ca. 10 mm lang, die Höhle mass das Doppelte im Durchmesser. In den restlichen Teil der Frucht führten links und rechts am Stielhals vorbei zwei Gänge von 3–4 mm D⟨urch⟩m⟨esser⟩. Das Tierchen, welches sich nervös bäumte und bog, schlich plötzlich rasch durch den rechten Gang ab –, um nach einer Zeit von ungefähr 1 1/2 Min. unter dem Eingang des linken Ganges zu erscheinen. Da ich darin eine gewisse Schlauheit zu entdecken glaubte, legte ich den Apfel beiseite, um später feststellen zu müssen, dass dieser linke Eingang gänzlich verstopft ward von Wurmkot und (wie ich mit der Lupe sah) weichem Apfelfleisch, welches gewissermassen die Bindung zwischen den Rügelchen vollzog. Ich schnitt dann diesem Gang entlang weiter auf, um dem Tier bei seiner äusserst intensiven Arbeit neuerlichen Vermauerns zuzusehen. Es stiess dabei mit streichenden Bewegungen des Kopfes Apfelfleisch los, wobei ich nicht weiss, ob es zwischenhinein welches aufschlürfte, denn es gab in bestimmten Intervallen die besagten Rügelchen von sich, schichtete sie auf, und zwar nur als einfache Lage, schmierte das Apfelfleisch dazu, bis der Gang wieder geschlossen war. Das dauerte etwas mehr wie eine halbe Stunde. Ich schliesse nun daraus, dass diese Würmer hochgradig lichtempfindlich und folglich lichtscheu sein müssen. Denn die Bedrohung des Aufgefressenwerdens durch Vögel oder Ameisen zu empfinden, schiene mir in Anbetracht eines so einfachen Organismus zu hoch gedacht.

Noch Dank auch für die freundschaftliche Widmung im «Tagebuch in Blau»[3] – und herzliche Grüsse von Ihrem:
A. Xaver Gwerder

1 «Malerisches Traktat» in: Tat, 3.12.1951, Nr. 5, und GW II, S. 11ff.
2 Ausstellung «Zürcher Künstler» im Zürcher Helmhaus.
3 Kapitel in EJs *Kleine Schule des Redens und Schweigens*, Basel/Lausanne/Paris 1951, im Nachlass bei TF. Die Widmung lautet: «Alexander Xaver Gwerder, dem Dichter, dem Unermüdlichen, dem Reifenden. Erwin Jaeckle, besorgt, freundschaftlich.» Siehe Abbildung in: GW III, S. 77.

71 An Rudolf Scharpf

⟨Zürich⟩, 6. Dez. 1951

Lieber Rudolf Scharpf –,
Sie finden immer mit einem geheimen Spürsinn das Format für jene Bestärkung, die als einzige des jeweiligen Augenblicks zu wirken vermag. (Auch das Format Ihrer Briefe wechselt ja von Mal zu Mal; ich glaube, noch keine zwei von derselben Grösse zu besitzen.) Was Sie über den Erfolg schreiben ist weiterum im Recht, nur glaube ich andrerseits, dass er, stellt er sich schon gelegentlich ein, nicht abgewiesen werden darf – *innerlich* vor allem –, da sich wahrscheinlich dabei die unsichtbaren materiellen Gesetze *negativ* und nicht mehr gleichgültig zu einem stellen. Jede Verneinung, das erfuhr ich oft und oft ohne vorerst darauf aufmerksam zu werden, bestätigt *in* uns das, was wir verneinen, als eine Zahl, die es besser nicht geben sollte. Ich denke dabei an eine «Gegenformel», vorläufig und als Ansatz zur Rekonvaleszenz: *Indifferenz!* Aber das ist nun beinahe wieder das, was Sie mir schon sagten. Die «kontrollierende Vernunft» ist, wie Sie schreiben, die «langsamere Wiederholung» der ersten «Regung» – nur: ich denke mir, dass sie, die «Vernunft», keineswegs weggelassen werden darf –, sowenig wie sie allein imstande wäre *Werke* hervorzubringen. Ich nannte dies in einem Aufsatz[1], den ich vor der Milizzeit geschrieben und der letzthin abgedruckt ward – *organisieren* –, deshalb, weil, nach ihrer «ersten Regung» und Ausbreitung, unweigerlich das Wachstum – es

wächst wie Organe, organisch – im Auge des Bewusstseins zu halten ist, welches aufmerksam (die Franzosen nennen das clarté, Präzision, Reinheit) seinen, meinetwegen: intellektuellen, Anteil der künftigen Figur zu leisten hat und ohne das die besagte Figur, das fertige Werk, nur aus dem vegetativen Akt des Menschen stammt. Seine Wirkung ist dann ebenso vegetativ und fördert schlussendlich so oder so, im Leser, Betrachter und im Schreiber, Künstler nur das, schonend gesagt, Elementare. Was aber heute elementar zum Ausdruck kommt, ist vor allem –: Sie wissens wie ich! Was fangen die lieben Mitbürger mit Ihren Zeichen an? mit meinen Fragmenten? Und jetzt sind wir schon wieder beim «Erfolg». A propos: Erfolg: Der unverwüstliche Ertel hat eine «fixe Idee»: Er will, so er finanziell zurecht kommt, im nächsten Jahr ein kleines Bändchen Verse von mir im ‹signaturen›-Verlag herausgeben.[2] Ich schlug ihm auch den «Hptm. Sack» als «Anhang» dazu vor! Ich würde mich natürlich sehr darüber freuen, zumal die Verse, die hierzulande gedruckt bezw. zur Veröffentlichung vorgeschlagen werden, vorwiegend formal oder nur formal, zur Beurteilung gelangen. Motto: was sich nicht reimt, ist kein Gedicht! So sind auch im *Blauen Eisenhut* ausschliesslich gereimte Verse. Wahrscheinlich auch gehört das so dazu, dass einer erst zeigt, dass er das Handwerkliche beherrscht, ehe man auch dem Melos und den Stromschnellen seiner «Prosagedichte» traut. Wer indessen etwas von Versen hat, wird in einem einzigen Satz das in jedem Augenblick zu erwartende «Aufspringen der Bläue» wahrnehmen.

Das folgende Gedicht überlasse ich Ertel für sein Heft der Jungen (machen Sie auch mit? Wir könnten eigentlich wieder zusammen sein!)

Morgen in Aussersihl[3]

Blaue Lauben, Balkone im Schimmer
der Eiszeit –
Frühstückend im Uhrenstil,

Späherblick dann und die gewiegte
Kurve ohne Orakel.
Milch wallt im Hüttenrauch
während die Zinnen frieren –: Zahn–
klappernde Gitter vor den Gärten
des Himmels.

Sind wir das? – Grau, transparent
und besinnungslos –, Kreuzigung,
barock im Halbschlaf –
Wir? Im Autobus, hochseefahrend
Titanic, vor sieben?

Siehe dich tagend: Feine Sichel,
Fischgold im Ententeich, – Mohnhorn
schmal, bluthoch und die Rasenzwerge
des Mondes.

Meine Frau erlaubte sich ein kleines Paket vom «Sankt Nikolaus» an Ihre Kleinen zu schicken. Sagen Sie bitte Ihrer Frau, dass es nicht eine «milde Gabe» sein soll, sondern lediglich ein Zeichen dafür, dass für uns andere als nationale Grenzen gelten.

Hier ist noch keineswegs Winter. Die Dächer blühen erst im Dezember. Natürlich nur mit Sonne, aber das trifft für die letzten Tage zu. – Die Adresse (wenn ich nochmals «insistieren» darf) der Salome:
   Frl. Salome Dürrenberger
   b/Dr. Dürrenberger
   Reigoldswil
   Baselland

Jetzt noch herzliche Grüsse, besten Dank, und gute Wünsche für Sie und Familie Scharpf –

                                          Gwerder

1 Siehe Anm. 1 zu Nr. 70, S. 368.
2 Die Publikation von TLüD kam nicht zustande.
3 Siehe Anm. 4 zu Nr. 95, S. 411.

72   An Max Rychner, ‹Die Tat›

Zürich, am 14. Dez. 1951

Sehr verehrter Herr Dr. Rychner –,
soeben langte ich auf Seite 332 Ihrer *Europäischen Literatur*[1] an, bei dem so schönen wie bedeutungsvollen Satz: «Denn der Hass richtet sich zutiefst immer gegen den Hassenden, und er will letzten Endes nur eines zugrunderichten: das Herz, das ihn hegt.»

Auf diesen Satz traf ich nun, als auf die Bestätigung dessen, was mich schon (oder erst) einige Zeit beschäftigt, und das Ende letzten Monats zu folgender Frage in einem blauen Heftchen gedieh: «Bedienen wir uns nicht immer dessen was wir hassen, als eines finsteren Drehpunktes unserer Verneinungen? Verneinung also ein Passivum, welches erst durch den Hass evident wird –?»[2]

Es gab in diesem Buche noch manche plötzlich aufscheinende Übereinstimmung, aber keine, von derart persönlicher Aktualität. Natürlich gefällt mir der Aufsatz über Valéry sehr, auch Benn, Rilke und die interessante Beleuchtung Spenglers. Ich ziehe dieses für mich neueste Buch den beiden früheren[3] entschieden vor.

Doch dies nur kurz, in einer augenblicklichen Anwandlung von Dankbarkeit, (und solche Augenblicke sollte man ja nicht schläfrig ablaufen lassen) mit freundlichen Grüssen:

A. X. Gwerder

1 Siehe Anm. 13 zu Nr. 64, S. 352.
2 Eintrag vom 27.11.1951 in: MGuG I (uv.).
3 *Zeitgenössische Literatur* und *Welt im Wort*. Siehe Anm. 4 zu Nr. 4, S. 212, und Anm. 1 zu Nr. 22, S. 248.

73 An Ernst Jünger

Zürich, am 23. Dezember 1951

Sehr verehrter Herr Jünger,
womit ich mich entschuldigen soll, da ich so ungebeten vor Sie hintrete, weiss ich nicht. Ihre Bücher wurden mir vor Jahren von Bekannten so angelegentlich und unglücklich empfohlen – wie z. B.: Sie seien eine Art Antipode Valérys – dass sich in mir ein Vorurteil gegen Sie, im Hinblick auf meine Bekannten bildete. Im letzten Frühling kaufte ich dann ganz zufällig Ihre kleine Schrift *Über die Linie*; sie schlug buchstäblich ein. Es folgten alle weiteren erhältlichen Werke von Ihnen (ausser Romanen) –, schade, dass *Blätter und Steine* fehlen –, und ich korrigierte jenes Urteil der Bekannten dahin, dass ich gerade bei Ihnen die von Valéry gerühmte Genauigkeit der Gedanken und ihrer Darstellung gefunden.

Jedoch: der Mensch besteht auch aus Ansprüchen –, und ich wünschte mir im *Über die Linie* ein Zeichen Ihrer zeitgenössischen Anwesenheit[1]; Sie kommen mir hinter Ihren Büchern so unwirklich vor.

Da vor wenigen Tagen mein erstes Gedichtbändchen gedruckt worden ist, bilde ich mir ein, es könnte als Passepartout zu Ihnen hin gelten –, indessen dürfte es soviel wert sein, um Ihnen das Rückporto zu entschädigen.

Eigentlich, dass ich es auch gerade sage, eigentlich müsse ich einer Photographie von Ihnen sehr viel Bedeutung zu! Ein kultischer Überrest? Gleichwohl: über meinem Schreibtisch gibts die Photo von Rimbaud, eine Zeichnung Valérys[2], die Karyatide Rodins und eine ägyptische Totenmaske –; Deutschland wäre durch Sie vertreten. Aber halten Sie mich nicht für verrückt –, an irgendeine Welt muss man sich doch halten.

Ich wage zu hoffen, nicht allzusehr zur Last zu fallen mit den, wie ich mir vorstellen kann, nicht gerade «Niveau» bezeu-

genden Ansprüchen –, denn ich bin erst 28 Jahre alt, und in diesem Alter erlangt man noch eher Verzeihung.
Mit dem Ausdruck tiefster Verehrung
verbinde ich die besten Wünsche für Sie,
Ihr ergebener
Gwerder

NS. Ich weiss, dass getippte Briefe weniger geschätzt werden, aber ich halte für wichtiger, dass Sie diesen Brief nicht zu entziffern haben –.
Die beiden Büchlein folgen separat als Drucksache.

1 Die Widmung in *Über die Linie* im Nachlass bei TF lautet: «Für A.X. Gwerder, mit herzlichem Dank für den *Blauen Eisenhut*. Ernst Jünger». Siehe Abbildung in: GW III, S. 90.
2 Porträt «Paul Valéry» von G. Aubert; Holzschnitt nach einer Zeichnung Valérys.

74 An Erwin Jaeckle, ‹Die Tat›

Zürich, am 23. Dezember 1951

Lieber Herr Doktor –,
gerade auf gestern Mittag war es soweit, dass die ersten 20 Exemplare des *Blauen Eisenhutes*, frisch aus der Buchbinderei kommend, den Weihnachtsversand noch ermöglichten. Die übrigen 980 gelangen erst nach Neujahr in den Handel. Ich beeilte mich, sofort eines an Sie abzuschicken, damit es noch irgendwie unter Ihren Christbaum zu liegen käme.

Sie wissen, wie man sich einesteils an solchen Dingen freut, und, andrerseits, sie bereits allzu weit hinter sich hat, als dass die Freude neu wäre und ganz. Ich schloss das Manuskript – eine selbstvorgenommene Auswahl der Jahre 1950/51 – im September ab. Das früheste Gedicht ist der «Schulterstern»[1] –, das neueste «Credo»[2]. Der Keim zum Titelgedicht[3] legte sich mir 1943, im Meiental, ins Gemüt. Dort stand ich oben, wo nach den mageren Matten die Felsenpfade beginnen, um eine Wegbiegung herum, plötzlich Aug in Auge mit dem königlichen Kämpen der hohen Flora. Er wurde mir dunkles Symbol –: seine tonlose Einsamkeit, sein Trotzen, seine Form und Farbe, sein Gift, seine Unberührbarkeit und schliesslich die verschiedenen und seltsamen Orte seines Vorkommens. Mit Gletschern sei er z. B. in die Lüneburger-Heide ausgewandert –; das ist doch fanatisch genug für eine Pflanze, nicht wahr?[4]

Dies aber nur für Sie; es widerstrebte mir, die Hintergründe von Gedichten an eine Öffentlichkeit zu bringen, von der ich mir nicht viel verspreche. Dem Verleger freilich möchte ich einigen Absatz vergönnen. Unter dem Erfolg, den ich mir davon wünschte, verstehe ich nicht Lärm, aber die Achtung einiger Weniger, die auch ich achte.

Es kann sein, (so wie er mir schrieb) dass der deutsche Dichter Karl Krolow etwas über den *Eisenhut* schreibt und an die ‹Tat› schickt. Solche Kritik möchte mir freilich frommen –; umsomehr, als es Ihrerseits wohl nicht anginge, da Sie zu bekannt sind und ⟨ich Ihnen⟩ doch das «Stundenspiel»[5] gewidmet habe – und Max Rychner wohl kaum Zeit hat, sich mit mir zu beschäftigen.

Für nächstes Jahr soll in Deutschland, sofern es die Finanzen des Verlegers erlauben, das Bändchen *Land über Dächer*[6] erscheinen. Ich lege Ihnen daraus den «Morgen in Aussersihl»[7] bei.

Ihr «Tagebuch in Blau»[8] entspricht mir am meisten; auch der Heilige – es gibt darin Konstellationen, die sich unerwartet zusammenfinden –, bis zu den Heupferden und Schnecken, die Sie mir ja schon privat dozierten.

    Schöne Festtage wünsche ich Ihnen
    und für nächstes Jahr ein noch besseres
    als es dieses war –, herzlich, Ihr:
    Gwerder

1 Siehe Anm. 1 zu Nr. 21, S. 245.
2 Siehe Anm. 2 zu Nr. 59, S. 337.
3 In BE. Siehe GW I, S. 47.
4 Siehe auch Nr. 58, S. 330.
5 «Stundenspiel» in BE. Siehe GW I, S. 36f.
6 Siehe Anm. 2 zu Nr. 71, S. 371.
7 Siehe Anm. 4 zu Nr. 95, S. 411.
8 Siehe Anm. 3 zu Nr. 70, S. 368.

75 Von Erwin Jaeckle
   Zürich-Witikon, am letzten Advent ⟨24.12.⟩ 1951

Lieber Herr Gwerder,
ich habe heute auf der Redaktion Ihren Gedichtband empfangen. Ich danke Ihnen herzlich für die doppelte Gabe: die dieser Gedichte und darüber hinaus jene des echten Bewusstseins einer grossen und schönen dichterischen Leistung. Ich freue mich, zu wissen, dass Sie den wenigen Stimmen im Lande Ihre vernehmliche gesellt haben, und ich bin heute des guten Wissens, dass Ihr Weg für Sie, mich und viele noch voll von Geschenken sein wird. Dies heute zu Weihnachten von Ihrem

Erwin Jäckle

76 Von Karl Krolow
   Hannover, Weihnachten 51

Lieber Herr Gwerder,
trotz der Feiertage möchte ich Ihnen rasch für Brief und vor allem für den *Blauen Eisenhut* danken. Ich habe die Lektüre gleich aufgenommen: es war für mich schönste und reinste Wiederbegegnung. Ich finde – kurz gesagt – Ihr Bändchen ganz ausgezeichnet, so ausgezeichnet, dass ich mich auf der Stelle daran machte, für die Münchner ‹Neue Zeitung›, sowie für die ‹Tat› eine 35–40 Zei-

len-Besprechung zu schreiben. Die Manuskripte sind bereits abgegangen. Alles andere ist eine Sache der Redaktion, doch denke ich, dass Rychner zugreift. Vielleicht suchen Sie ihn dieser Tage auf, finde ich. Auch die ‹Neue Zeitung› wird wohl wollen, weil ich dort mit einiger Regelmässigkeit bespreche. Verzeihen Sie den etwas «geschäftigen» Ton. Im Grunde wollte ich nur Sie in Kenntnis setzen und vor allem gern gestehen, dass mich Ihr Buch wirklich *entzückte:* es sind hier einmal nicht Versifikationen, Reimereien sondern durch und durch poetische Gebilde versammelt.
Herzlichst Ihr
K. Krolow

77 An Karl Krolow
Zürich, am 30. Dez. 1951

Sehr verehrter und lieber Herr Krolow –,
Sie haben mir das schönste Geschenk aller Weihnachten, soweit ich mich zu erinnern vermag, mit Ihrer spontanen und herzlichen, tatkräftigen Anteilnahme, mit Ihrer mir wohl sehr gewogenen, aber Punkt für Punkt mir anliegenden Besprechung[1] gemacht! Nirgends eine hohle Phrase, nirgends eine überflüssige Geste. Wohl haben Sie durch unsere Briefe tieferen Einblick in die Dinge die mich bewegen –, und Ihre Briefe haben grossen Einfluss auf die Bewegung –, doch erkenne ich auf den ersten Blick den genau erfassenden Ernst, mit dem Sie aus der Masse der Briefe und Gedichte das Wesentliche dichterischen Daseins zogen und zugrunde legten. Kein Satz ist mir fremd; und ich begreife erst jetzt ganz, wie weit und wie stark Ihre seltene Anteilnahme von Ihnen geleistet wird.

«… gepresste Algen, Fabelwesen, Chimäre, Unikum und selbstverständlicher Vorgang dichterischer Äusserung»: eine Definition von Valéryscher Genauigkeit!
Dann: Die Arbeit, die Sie sich auferlegten für diese Bespre-

chung –; (es liegt Stoff für einen ganzen Aufsatz darin) keine Begriffe, Fassungen oder Wendungen wie sie zu Besprechungen üblicherweise Verwendung finden; Sie erfanden eigens für mich eine eigene Besprechung! Das ehrt und freut mich dermassen, dass ich mir ganz arm vorkomme in meinem Wunsche, den Dank auch zu erweisen. Als schäbiges Zeichen liess ich gestern den dritten Band Rychner[2] an Sie abschicken. (Nach einer kleinen Finanztransaktion, da es mir eigentlich frühestens nächsten Monat hätte möglich werden sollen.) Nehmen Sie ihn für Vieles mehr, damit ich nicht beschämt bin.

Jetzt will ich Ihnen aber noch erzählen, wie alles kam. Am Samstag vor Weihnachten Punkt 12 h erhielt ich 20 eilig gebundene Bändchen. Nachmittags schickte ich die zwei ersten ab, an Sie und an Jaeckle. Zum Heiligen Abend kam ein Brief von Jaeckle privat, worin er mir dankte für «die doppelte Gabe: die dieser Gedichte und darüberhinaus jene des echten Bewusstseins einer grossen und schönen dichterischen Leistung.» Meine Freude war gross; ist er doch ein Mensch von hohem Range und einer, der es sich, wie Sie, leisten kann, ohne ängstlichen Neid zu urteilen. Ich schrieb ihm zwischenhinein, dass Sie eventuell eine Besprechung an die ‹Tat› schickten. Am Freitagmorgen erhielt ich Ihren Brief mit der Ankündigung und am Freitagabend war es in der ‹Tat› schon. (In der vorhergegangenen Nummer der ‹Tat› stand ein Schildchen, mit dem Hinweis: Beachten Sie morgen «Gedichte von René Rilke»!) Am Samstagmorgen kamen 2 Briefe, einer von Jaeckle, in dem er schreibt, dass ein Gespräch fällig sei, und ein Dank und Neujahrswunsch:

«ô toi que j'eusse aimée

ô toi qui le savais!»[3] von Rychner.

Sie können sich denken, wie mich diese Tage in freudiger Spannung hielten; ich schlief oft nicht vor drei Uhr morgens. Die Erschütterung von so Vielem, auf die wenigen Tage gerichtet, war fast zu kräftig; die Eingeweide vibrierten; d. h. meine Nerven sind schwach.

Noch etwas: Ihre kritischen Seiten legen mich nicht fest –, Sie lassen mir offenes Land –, das weiss ich besonders zu schätzen!

Zu Weihnachten schenkte mir meine Frau zwei seltene Valéry Aufsätze, deutsch: *Die Politik des Geistes* und die *Rede bei der Aufnahme in die Académie*.

Sie haben einen Moment des Überschwanges, der herrlichen Bestätigung in ein sonst recht unscheinbares, klösterliches Leben gebracht –, und in der Dauer bestätigt sich Ihre, in Gedanken und Worten wirkende, Anteilnahme an meiner dichterischen Zuversicht.
Herzlich dankend und herzlich grüssend
Ihr Gwerder

N. S. Eine ‹Tat› ist an Sie abgegangen.
 Ich glaube Rychner hat sich auch sehr über diese Besprechung gefreut!
 Ich habe eine Reproduktion der Mona Lisa im Zimmer aufgehängt und beginne zu begreifen.
 Es gibt keine Grenzen, es gibt nur die Sperre der Auswahl!!!

1   KK: «Ein junger Schweizer Lyriker» in: Tat, 29.12.1951, Nr. 352.
2   Siehe Anm. 13 zu Nr. 64, S. 352.
3   Aus dem Gedicht «A une passante» von Charles Baudelaire.

78 An Erwin Jaeckle, ‹Die Tat›
⟨Zürich⟩, am 30. Dez. 1951

Lieber Herr Doktor –,
zuerst kann ich Ihnen sagen, dass Ihr Schreibebrief auf den Heiligen Abend mein schönstes Weihnachtsgeschenk ward! Und das will viel heissen, gab es doch noch zwei alte, lange gesuchte Auf-

sätze v. Valéry und Nietzsches Werke. Am Freitagmorgen darauf kam ein Brief v. Krolow, welcher seine Grüsse brachte und die Mitteilung, eine Besprechung sei bereits abgeschickt. Am Abend dann die ‹Tat›: eine riesige Freude; soviel habe ich nicht zu erwarten gewagt! Am Samstagmorgen Ihren Brief worin sich Ihre aufrichtige Anteilnahme wiederum auf das Schönste bestätigte. Mein Weg ist gebirgig –, jede Abweichung kann Verirren bedeuten, bestimmt aber zusätzliche, vergebliche Anstrengung. Sie errichten auf den Höhen der Horizonte die Signale, bezeichnen die wechselnde Grenze, die Richtung; jedoch ohne das misstrauische Gefühl einer Vorschrift zu beschwören. So trotte ich, das impulsive Menschlein zwischen Türmen und Bastionen, zwischen Trümmern und klaren Bächen dahin,– aus der Höhe von wohlwollenden Riesen beäugt. Aber noch ein Brief kam: ein helles Zeichen eines im Geheimen sich vollziehenden Einverständnisses: von Max Rychner.

Es gibt wenige, die ich kenne *und* achte; aber viele, die ich kenne und deren Rat sich mir sofort verzerrt zur Grimasse die ich hinter ihnen spüre, deren Zuspruch mir so doppelzüngig erscheint, wie deren Kritik. Was ich Ihnen schrieb das ich mir wünschte, die Achtung der Wenigen, die auch ich achte, hat sich bis jetzt erfüllt und ich habe kein schlechtes Gewissen dabei –; fanden doch die Mühen, die «Askese», die Tänze auf Messers Schneide, der Flug über Abgründe mit imaginären Schwingen, oder, konkret, die Nachtstunden, die körperliche Besessenheit, die Räusche ohne Alkohol, das Kopfweh ohne «Ausschweifung», kurz: die Auf- und Anwendung der gesamten freien Zeit, ihre Anerkennung. Vieles ist zwar Warten, und darin gilt es oft den Zweifel zu bannen; doch wenn dann eine kühle, blaue Halbestunde des Vollzuges anbricht, dann möchte man mit nichts tauschen:

«Fernes Land mit einem Lockruf
aus Muschel und Veilchen –
Ebenen, hinter die Schatten lang,

und zuweilen auch schweben
da Blüten und Brisen ...
Hörst du die Sterne? Wald
hoher Levkoien, mähnendurchtrabtes
Geheimnis im Blaufrost –,»[1]
usw.
Nun: «Ces nymphes, je les veux perpétuer». (Mallarmé) Ihnen meinen herzlichen Dank von der ersten bis zu der neusten Tat und ‹Tat›! Das verheissene Gespräch soll stattfinden, wann es die Zeit Ihnen ermöglicht. (Ich kann mich darauf einrichten.)
Mit Sylvester- und Neujahrsgrüssen an Sie und Ihre Frau Gemahlin[2]:

Gwerder

N. S. Auch ein Rat: im Indian store, vis-a-vis Fantasio-Bar, sind ind. Räucherstäbchen erhältlich, etwa 36 Stck. 2.– Fr., denen zu beliebigen Tagen Festtagsdüfte entschwelen –.

1 Aus «Der Schläfer» in TLüD. Siehe GW I, S. 74.
2 Annebeth Jaeckle.

79 An Erica Maria Dürrenberger

Zürich, am 31. Dez. 51

Für die beiden Gedichte habe ich Ihnen zu danken, liebe E. M. Dürrenberger, – das aus der Nacht ist sogar sehr gut! Ich würde es gelegentlich auch an die ‹Tat› schicken, (ohne die Widmung!) Das andere indessen ist mir persönlich peinlich, weil es Verse aus Sonnengold nicht mehr gibt. Seit Hölderlin –, vielleicht sogar gab es sie überhaupt nie. Und der Kummer und der Sold –: das stickten unsere Urgrossmütter in die Divandecken: «Nur ein Viertelstündchen.» Lassen Sie sich doch von Ihrer Buchhandlung die *Probleme der Lyrik* schicken, v. Benn; da steht einiges drin das gilt. Sehen Sie: so berühmt Goethe nun einmal ist –, das mag als Mahlzeit hingehen –, aber von ihm her kommt man nicht mit Versen von Bedeutung. Sogar Schröder[1] nicht. Und überdies ist meine Meinung, dass viele sog. Klassiker noch in unserem Jahrhundert ihren Rang einbüssen. Shakespeare wird bleiben, Stendhal auch, Dante, die Griechen, Storm und viele kleinere noch. Daneben werden ein paar grosse Anzüge aus Pietät im Winde hängen gelassen. Ich schreibe das Ihnen aus dem Grunde, weil ich sehe, wie sehr Sie an Dingen kleben, die Sie doch nie in ihrer Form erreichen können, und andrerseits von diesen Dingen aus beurteilen, bewerten, auswählen, was ohne den Hinblick auf diese Dinge entstanden. Und übrigens immer mehr entstehen wird. Prüfen Sie sich einmal selber: Lesen Sie die *Wahlverwandtschaften* –: wird es Ihnen nicht grundlangweilig dabei, dann haben Sie das Recht als Dichterin eine Nachfolge anzutreten die fruchtlos bleibt. Sonst nicht! «Die Seele, die im Strahlenbeginn, getragen vom Geisterchor schwebt», das muss ich Ihnen noch sagen, (ich habe nämlich das Gedicht vor mir) –: diese Seele ist Luft. Fragen Sie einen Seelenspezialisten einmal, was das mit der Seele auf sich hat. Sie werden staunen, ob seiner Verlegenheit. Dann: ein Geisterchor, ein Chor, der etwas trägt? Etwas, das man erst noch fangen soll im verwunschenen Netz? Da wird das Ganze so ungenau, wie Ihnen der Spezialist Seele definieren wird; sofern Sie einen fragen natürlich. (Es sind meistens Pfarrers) – Die 2 letzten Strophen, sehe ich grad, sind etwas ganz anderes. *Die* sind gut. Tatsächlich. Schicken Sies doch lieber nicht an die ‹Tat›; es kommt *so* mit Garantie zurück.

Ich sehe nun, dass ich wieder nur geschnödet habe. Aber, was hilft es, wenn man sich etwas vorheuchelt? Darauf bauen sich zwar grosse Teile der heutigen Gesellschaft auf –, indessen handelt es sich bei uns nicht um die Gesellschaft, sondern um das Gedicht – und das ist mehr! Glauben Sie, es ist für mich nicht angenehm, zu warten auf eine kühle, blaue Halbestunde in der allein ein Vers das werden kann, was man als gelungen anspricht – für ein, zwei Jahre. Und was zwischenhinein? Zwischen die Moments poétiques²? Jedenfalls nicht Gesellschaft; die Kanzel im Grünen ist ein Greuel; jedenfalls nicht Masse; jedenfalls nicht Politik! (endlich); jedenfalls nicht Geheimräte. Sondern: auf das müssen Sie selber kommen; hier beginnen Sie –, oder nirgends.

Sie nehmen mir wohl nichts übel, oder sagen es – wenn!

Unsere Festtage waren schön –, wir wünschen Ihnen Gutes, der ganzen Familie Dürrenberger,

Gwerder

1 Rudolf Alexander Schröder (1878–1962), deutscher Schriftsteller.
2 Auch Anspielung auf AXGs Gedicht «Moment poétique». Siehe Anm. 2 zu Nr. 53, S. 311.

80 An Rudolf Scharpf

Zürich, am 17. Januar 1952

Lieber Rudolf Scharpf –,
Ihren herzlichen Brief vor mir, aus dem ich mir hie und da ein wenig echten Weihrauch an die Nase steigen lasse, sehe ich ein, dass ich ihn nie so werde beantworten können wie im Augenblick da ich ihn zum erstenmal las –. Da ist ein Zweifel aufgestiegen, ob Sie den grossen gelben Umschlag erhalten haben mit der blauen Ballade¹. Es ging um Weihnacht herum noch allerhand Post ins Ausland verloren! Und wenn ich mich recht erinnere, war in demselben auch mein Dank an Sie für die auserlesenen neuen Schnitte. Die «Dichter»! Dieser Dank dürfte keinesfalls etwa Sie nicht erreichen!

Und zum andern beschäftigte ich mich mit Ihren Problemen. Es freut mich ausserordentlich, dass Sie eine persönliche Ausstel-

lung veranstalten können. Leider bin ich noch nicht derart mit materiellen Gütern überschüttet, dass ich die Pilgerfahrt zu Ihnen hin dann unternehmen könnte. Und wie gerne wäre ich einmal so eine Art Ehrengast an einer wirklichen Kunstausstellung! Aber wenigstens den Teil der mir dabei möglich bleibt will ich nehmen. Was Sie zu Ihrem «Brief an einen Kunstfreund» zitieren wollen steht Ihnen natürlich frei. «Es braucht da keine Genehmigung des Verfassers». Ein Motto ist mir noch eingefallen:
Das Leben ist die rätselhafteste aller Figuren des Bewusstseins. Wer sucht denn zu verstehen und was? Es handelt sich hier um des lebendigen Ausdruck![2]
Das hätte direkten Bezug zu Ihrer Art und Arbeit.

Dann schrieb ich den beigelegten Aufsatz über Sie[3], und ich bitte Sie dazu im voraus um Verzeihung falls Ihnen irgend etwas missfällt, oder nicht zu Ihnen gehörig erscheint! Da ich von Ihrer Person eigentlich nicht soweit «unterrichtet» bin, als dass ich irgendwie den «Werdegang» berücksichtigen konnte, (ich denke aber, dass das noch viele andere genau besorgen) hielt ich mich eben an das, was mich persönlich beeindruckte –, und wurde dementsprechend schwierig. Indessen dürfte es ja kaum «Leichte» geben, die Ihre Werke ansprechen! Das Original schicke ich an K. F. Ertel zur beliebigen Verwendung. Sie müssten also Ihre Einsprachen an ihn richten.

Der *Eisenhut* hat mir bis jetzt eingetragen was ich mir von ihm wünschte: die Achtung jener Wenigen, die auch ich achte! Immerhin ist er bereits passé und das neue Bändchen *Land über Dächer*[4] wäre druckfertig. Darin gibt es, was man sich jetzt eher leisten kann, einige schärfere Sachen. Ich lege Ihnen zur Illustration den Mittelteil der «Weise vom Kriterium eines Heutigen»[5] bei. Krolow besprach sehr zuvorkommend, aber auch sehr präzis in der ‹Tat›. Mein Vater, der immer Tatsachen sehen will, suchte mich eiligst auf und zeigte eine Riesenfreude. Und im Dorf, wo ich klein war, hiess es nun: ah' darum war er immer so komisch und guckte über einen hinweg. – Zum lachen, mein lieber Rudolf Scharpf. Wir, Sie und ich, wissen, was es auf sich hat mit dem Land über Dächer.⁶ In diesem Sinne herzlich zu Ihnen und Ihrer Familie

Gwerder

1 «Ballade in Blau» in TLüD. Siehe GW I, S. 79ff.
2 Eintrag vom 13.1.1952 in MGuG III (uv.). Auch in Aphorismenslg. «26 Sinnfiguren» und, leicht gekürzt, in TMa. Siehe GW II, S. 196; 176.
3 «Vor den Blättern Rudolf Scharpfs» in Auszügen im Ausstellungskatalog von RS «Bilder/Graphik der Jahre 1950/51», Kaiserslautern: 5.4.–5.5.1952, und in ‹Pfalz und Pfälzer›, April 1952, Heft 4. Siehe GW II, S. 136ff.
4 1. F dieser Slg. Erstdruck von TLüD als Ganzes in: GW I, S. 65–116.
5 «Die Weise vom Kriterium eines Heutigen» in TLüD. Siehe GW I, S. 91ff.
6 Aus «Die Weise vom Kriterium eines Heutigen».

81 An Erwin Jaeckle

⟨Zürich⟩, am 1. Februar 52

Lieber Herr Doktor –,

‹Tat› spät noch gesehen!¹ Hoch erfreut – aber, so scheint mir: *Eisenhut* nicht so viel wert. Gleichwohl herzlichen Dank!

Und besonders: Bin unterwegs – *Land über Dächer* beendet – das nächste, ganz unvermittelt, über dessen Art Sie zu mir sprachen: «Städtische Dithyramben»². Rechne Ihnen bald eine Probe vorlegen zu können. Inzwischen abendliche Gänge, um das «Milieu» einwirken zu lassen. Sie sehen, was ich Ihnen danke. Und auch Mut und savoir-vivre. –

Einen schönen Sonntag Ihnen und Ihrer Frau! Dank und Gruss,

Ihr: Gwerder

P. S. Ihr Wein war der Stunde angemessen und bekam mir sehr gut!

1 Nachdruck von ‹Stundenspiel› und ‹Der Schulterstern› aus BE in: Tat, 2.2.1952, Nr. 31.
2 Ursprünglich unter diesem Titel oder «Rausch». Städtische Dithyramben» als längerer Gedichtzyklus zum Thema Stadt geplant. Siehe GW I, S. 329f.; III, S. 315ff., und Anm. 3 zu Nr. 82, S. 386.

82 An Erwin Jaeckle, ‹Die Tat›

Zürich, am 21. Febr. 52

Lieber Herr Doktor –,
Ihre generöse Reklame für den *Blauen Eisenhut*[1] hat allerhand gezeitigt. Im ‹Hortulus› sollen in diesem Jahrgang zwei Gedichte, «Dämmerklee» + «Tee», abgedruckt werden.[2] Und vom Lektorat der Deutschen Verlags-Anstalt bin ich gebeten worden neue Gedichte einzusenden für den ‹Merkur› und ‹Die Literatur›. Keine schlechte Einladung –, nicht wahr?

Im Augenblick fühle ich mich ziemlich geladen (man soll das Schicksal nicht reizen) und wenn es so weitergeht, wie es aussieht, auch privat, wird doch etliches zutage treten in diesem Jahr. (Natürlich muss dieser elende Jahrgang 23 auch wieder antraben; abkaufen wird ihn mir wohl keiner; aber das hat noch Zeit.)

Um auf mein heutiges Anliegen zu kommen: in der Beilage möchte ich Ihnen ein, nach meinen Begriffen und sonstigen, gutes Stück aus den «städtischen Dithyramben», an welchen ich vorerst noch kein Ende absehe, vorlegen. Immer noch messe ich sehr viel Gewicht der ‹Neuen Schweizer Rundschau› zu und denke nun, dass die «Intime Ausstellung»[3] doch einigen Staat machen könnte darin. Wenn Sie ähnlicher Ansicht darüber zu sein vermögen, so bäte ich Sie, im Namen der freien Rhythmen, das schwere Wort für diese und mich beim Schriftleiter einzulegen. (Ich schicke ein Doppel bis nächsten Freitag an Dr. W. Meier) Nächsten Dienstag Vormittag erlaube ich mir, Sie telefonisch anzufragen –

Sie werden lachen –: Anfangs April sollte ich in der Pfalz eine Ausstellung[4] eröffnen ... mit Rede und allem Komfort – Nun: das lege ich vorderhand aufs Eis. (Ein Triptychon «Von letzten Dichtern»[5], das Max Rychner gewidmet ist, wartet auf Annahme oder Ablehnung bei der ‹Neuen literarischen Welt›. Ich sage ihm's natürlich erst, wenn es angenommen ist) So –, hoffentlich störe ich nicht mit dem Anspruch –, da hätten Sie die Neuigkeiten und die Aussichten Ihres dankbaren und ergebenen Poeten,

herzlich: A. X. Gwerder

1 Siehe Anm. 1 zu Nr. 81, S. 385.
2 Ho veröffentlichte im Dezember 1952 nur «Tee» als Nachdruck der posthumen Erstpublikation in NLW. Siehe die beiden Gedichte in: GW I, S. 68; 83 bzw. 133.
3 Das Gedicht in TLüD war als Teilstück der «Städtischen Dithyramben» vorgesehen. Siehe GW I, S. 106ff.; III, S. 225f., und Anm. 2 zu Nr. 81, S. 385.
4 Siehe Anm. 4 zu Nr. 80, S. 384.
5 In: NLW, 10.3.1952, Nr. 5, und TLüD. Siehe GW I, S. 102f.

83 An Rudolf Scharpf

Zürich, am 12. März ⟨1952⟩

Lieber Rudolf Scharpf –,
so ungern wie jetzt habe ich noch nie geschrieben. Unsere Begegnung muss aufgeschoben werden. Ich befinde mich in einem tollen Wirbel der Gefühle und der Überlegungen. Tanz mit der ganzen Familie, mit der ganzen Sippschaft. Vermutlich aber der letzte! Ich schäme mich, unsere gegenseitigen Abmachungen derart sabotieren zu müssen. Ich bin den Verhältnissen hier zum Teil über und zum Teil nicht gewachsen. Welche Veränderungen für dieses Jahr bevorstehen, ist nicht klar zu sehen höchstens zu ahnen. Möglich, dass meine Frau und ich uns trennen, – möglich,

dass ich auswandere. Der entscheidende Punkt ist noch nicht heute, aber seine Vorauswirkungen sind, dass Sie in unglaubliche Verhältnisse gerieten bei mir –, und dass ich andrerseits weder die, wenn auch nicht grossen, Kosten der Reise zu Ihnen, noch meine Urlaubstage anwenden darf, ohne das Kommende leichtsinnig zu erschweren.

Es fällt mir furchtbar schwer Ihnen dies alles zu schreiben –, erlassen Sie mir bitte Einzelheiten für vorläufig. Behalten Sie diesen Briefinhalt für sich –, ich mag keine Ausreden erfinden Ihnen gegenüber. Ich wusste schon lange, dass sich das Leben hier einmal ändern muss. Ich habe es nicht auf jetzt erwartet und bin gegen Unfälle ebenso machtlos wie gegen stockdumme Vorschriften.

Wenn ich jetzt Zeit dazu hätte, – ich könnte mich hinsetzen und den Roman dessen schreiben – na, lassen wirs! Aber ich habe oft abends eine gefährliche Klarheit in der Erinnerung. Auch würde ich zum 30. September damit fertig, so dass es reicht für den europäischen Wettbewerb. Aber hol' der Teufel die Ketten um den Hals! Ich hoffe, dass solche Anzeichen Vorzeichen sind dessen, was noch möglich sein wird. Trotzdem: die Mutlosigkeit dazwischen, die Zweifel an sich selber. Es hilft da wohl nur die Zeit – und es ist erschreckend, diese ablaufen zu hören. Ich war gestern wo, da stand eine Uhr im Zimmer – eine Pendule – die Ergänzung zu Katzen und Schrebergärten. Auch Turnvater Jahn.

Werden Sie mir sehr böse sein? Ich habe Ihren letzten Brief vor mir und spüre den Vorwurf Ihrer Grosszügigkeit. Verzeihen Sie mir die Enttäuschung –, verstehen werden Sie ja –,
herzliche Grüsse,
Gwerder

84 An Kurt Friedrich Ertel

⟨Zürich, 13. 3. 1952⟩

Lieber K. F. Ertel –,
ich habe Ihnen zu danken für zwei Briefe und für Ihren rührigen Einsatz zu meinen Gunsten! Aber mit diesem Brief muss ich Sie auch enttäuschen: ich kann nicht kommen! Scharpf habe ich bereits gestern näheres mitgeteilt –, ich trat in das Jahr der gründlichen Auseinandersetzungen. Es ist immerhin nicht meine Schuld, dass es gerade auf diesen Zeitpunkt begann. Nun wird sich entscheiden, wie ich die zweite Hälfte meines Lebens einrichte. Natürlich wäre das mit der Vorlesung in Darmstadt[1] viel gewesen für mich; ich sage nicht gern ab, das glauben Sie mir! Aber, Sie wissen auch: ich habe das bürgerliche Leben satt bis zum Überdruss, und nur den Paragraphen zuliebe oder aus Furcht vor den Paragraphen das Scheindasein weiterzuführen –, dazu eigne ich mich nun immer weniger. Genug für heute!

‹Hortulus› ist eine Vierteljahres-Zeitschrift für Lyrik und andere Poesie. Erscheint im Tschudy-Verlag St. Gallen. DVA ist die Deutsche Verlags-Anstalt in Stuttgart, wo übrigens gerade jetzt Krolows neuer Band herauskommt. (Ich werde ihn übrigens in der ‹Tat› besprechen.[2]) Bächler hat mir geschrieben, er sei froh gewesen, den *Eisenhut* bei seiner ‹signaturen›-Besprechung[3] ebenfalls gehabt zu haben. Die Prosagedichte seien eben zu expressionistisch. Was verstehen diese Leute überhaupt unter Expression? Sie kommen mir vor wie Modeschöpfer: immer à jour und politisch auf der Höhe der Miststöcke. Mit dem *Eisenhut* wirds neuerdings auch besser werden, bezw. mit dem Verlag –, ein Verlagsleiter, der sich besser auskennt, ist bereits eingestellt. Sabais hat tatsächlich erst *jetzt* ein Exemplar überwiesen bekommen: Die hiesigen Zeitungen kommen nun auch dran mit Besprechungen. Bis heute ist noch nirgends weiter besprochen worden. Dabei sind doch schon etliche fünfzig verkauft –, lediglich auf die Anzeigen der ‹Tat› und sogar die kleine Erwähnung in der NLW hin. Was *Cuolin*[4] ⟨sic!⟩ ist, werde ich mich erkundigen und, wenn erhältlich, gelegentlich schicken. Ich kann Ihnen vorläufig keine Beziehungen zu Zeitungen vermitteln, ich bin immer noch sehr allein –, aber ich muss selber damit rechnen, allmählich einiges zu schaffen für den Fall, dass ich vom Ausland aus von Schwizer-Franken leben werde. Natürlich nur bis ich die andre Sprache beherrsche, was nicht sehr lange dauern dürfte. Ich freue mich, wenigstens mit dem Aufsatz etwas zu Scharpfs Ausstellung beigetragen zu haben. Ja, ich bitte Sie darum, mir, wenn es irgend angeht, *zwei Expl.* der ‹Pfalz + Pfälzer›, wenn möglich *ganze*, zukommen zu lassen. Scharpf wird wohl sehr enttäuscht sein. Es tut mir wirklich sehr leid. Und wie gerne hätte ich ein paar Abende zwischen Ansichten verbracht, die sich nicht nur aus der Wurst ergeben.

(Fest steht, dass ich in Argentinien landen werde. Wann, ist noch nicht bestimmt. Es ist mit Jahren zu rechnen.) Das nähere Ziel liegt auch näher. Ich halte Sie jedenfalls zur gegebenen Zeit auf dem Laufenden. Schreiben Sie aber nichts davon auf Postkarten.

Noch etwas Poesie:

Aus «*Intime Ausstellung*»
(Bilder aus der City)

III
Sagst du Zauber, so hörst du
die Asche rieseln –, Vesuv
im Genick und die Überreste
der Sappho –: glimmende Nacht,
Gefieder stieben und blass
um die Schenkel verhangene Bisse,
schwarze Maschen ligurischer Netze
und endlich,
aus Farn und Gestrüpp,
ein Morgen …

Am Rinnstein springt an
der neue Nash (Schlafkabine)
und durch die Gosse schleift
Abraxas,
den falschen Pass in der Tasche,
die herrliche Vielfalt vor sich:
Ein Gott am Zug!

Und herzlichen Dank für Ihre Bemühungen und herzliche Grüsse,

Ihres:
A. X. Gwerder

⟨Am Rand:⟩ P. S. Habe die NLW[5] noch nicht gesehen. Scholl[6] + Sabais + Stahl[7] gefielen mir auch!

1 KFE versuchte die «Deutsche Akademie für Sprache und Dichtung» in Darmstadt für eine Lesung mit AXG zu gewinnen.
2 Die Besprechung blieb uv. Siehe Anm. 1 zu Nr. 53, S. 311.
3 Wolfgang Bächler: «Blätter für Graphik und Dichtung» in: NLW, 10.2.1952, Nr. 3. Siehe auch GW III, S. 160.
4 Jules Coulin: *Die sozialistische Weltanschauung in der französischen Malerei*, Dissertation, Bern 1908/1909.
5 Siehe Anm. 5 zu Nr. 82, S. 386.
6 Albert Arnold Scholl (geb. 1926), deutscher Schriftsteller.
7 Hermann Stahl (geb. 1908), deutscher Schriftsteller.

85 Von Max Rychner

Z.⟨ürich⟩, 15. III. 52

Verehrter Herr Gwerder,
Welch eine Überraschung, für die ich Ihnen zu danken habe und herzlich danke! Drei kleine Säulen[1], da stehen sie, verschieden an Figur und doch zusammengehörend von Ursprungs wegen, von

eigener Windmusik umspielt und zugleich melodische Fetzen eines anderen «Letzten» empfangend und weiterspielend. Mich freut es, dass ich dabei war, als die Wortzauberei in Ihnen begann, und ich wünsche, deren Fortgang und Wandlungen mitzuerleben, gewiss, dass Ihnen noch vieles bevorsteht. Ihre «Luftfigur» wird sich selber zur Vollständigkeit bringen wollen, und meine Hoffnung mag ihr, soviel ihr gegeben ist, dabei hilfreich sein.

Dank sei mein letztes Wort wie das erste – und meine freundlichsten Grüsse seien darum geflochten!

Ihr
Max Rychner

1 «Von letzten Dichtern». Siehe Anm. 5 zu Nr. 82, S. 386.

86 An Herr Walther

Zürich, am 16. März 1952

Sehr geehrter Herr Walther –,
in der ‹Deutschen Rundschau› vom Januar 52, lese ich in einem Aufsatz von Jürgen Pechel, «Die Schweiz im Ost-West-Konflikt», Seite 53, dass die schweizerische Bevölkerung zur Vorbereitung des Volkswiderstandes Verpflichtungen *freiwillig* auf sich genommen hätte.[1]

Wann und wo bitte?

Ich habe den betreffenden Artikel der NZZ von Bretscher[2] nicht gelesen; es ist wahrscheinlich, dass schon ihm diese Freiwilligkeit aus der Feder floss. (Das reimte sich ohne Widerstand mit der patriotischen Schlagwortartistik dieser Zeitung.)

Was hat es also mit dieser Freiwilligkeit auf sich? Über militärische Inszenierungen, Budgets und Pflichten entscheidet nämlich nicht das Volk, höchstens die Räte. Ist der Rat berechtigt, sich mit *Volk* zu identifizieren? Viele Räte sind Partei- oder Verbands-Sekretäre, manchmal gewesene, haben weiter oft auch

Schlüssel-Positionen an Zeitungen etc., und sind dabei erst noch Offiziere. Und das soll wohl *Volk* sein? Jene Ratsherren, welche wirklich solches von sich sagen dürfen, sind immer nur gegen die andere Mehrzahl. Es gibt keine Volksabstimmung über die Höhe der Militär-Ausgaben; es gibt, um wirklich die Freiwilligkeit zu beweisen, auch gar nie eine Abstimmung über Militär oder nicht.

Keinem Mann der in der Schweiz, als Schweizer, geboren wird, überlässt man die Entscheidung, ob er die Idiotie der Soldateska mitzumachen gewillt sei. Der Schweizer hat einfach bereit zu sein mit Sack und Flinte, auf dass man ihm zu irgendeiner kürzeren oder längeren «Ausbildung» pfeife. Und keinem Gesinnungsdelikt wird hier so scharf entgegengetreten, wie dem antimilitaristischen in Wort und Tat. Der Schweizer mit der echtesten Liebe zur Freiheit ist am schlimmsten dran: man wirft ihn in den reichlich finsteren Wirbel: ohne Armee keine Freiheit –, ohne persönliche Freiheit eine Armee! Also, was bleibt: eine «Freiwilligkeit», die vielleicht eine staatserhaltende Lüge, aber keineswegs eine, die man dem Ausland mit heroischem Anklang zu zeigen das Recht hat.

Das sind ein paar abwegige Gedanken gegen den besagten Begriff. Immerhin mögen sie unsere schweizerische Freiheit, straflos andrer Meinung zu sein, belegen. Anders tun hingegen würde bestraft, wie anderswo auch.

Leider habe ich nicht die nötige Zeit zur Verfügung, einen Artikel über diesen Gegenstand auszuarbeiten –, es wäre auch schade für die Zeit, wenn ich sie hätte. Man verlernt allmählich gegen Mauern anzurennen.

Mit den besten Grüssen, Ihr:
⟨Alexander Xaver Gwerder⟩

1 Vgl. die betreffende Passage im Artikel von J. Pechel: «Rund vierzig Prozent des Bundesbudgets sind für Verteidigungsausgaben vorgesehen, unter Einbeziehung der Ausgaben für das auf fünf Jahre angesetzte ausserordentliche Aufrüstungsprogramm sogar über zwei Drittel des eidgenössischen Haushalts. Aber abgesehen von diesen schweren wirt-

schaftlichen Lasten zur Sicherung des Friedens, die den Opfern der Vereinigten Staaten ebenbürtig sind – wenn man die Produktionskapazität beider Länder vergleicht –, hat die schweizerische Bevölkerung, ebenfalls freiwillig, zur Vorbereitung des Volkswiderstandes Verpflichtungen auf sich genommen, welche die militärischen Anstrengungen der anderen freien europäischen Nationen bei weitem übertreffen.»

2 Broschüre *Schweizerische Aussenpolitik in der Nachkriegszeit*, Zürich ⟨1951⟩, von Willy Bretscher (1897–1992), Chefredaktor der ‹Neuen Zürcher Zeitung› von 1933–1967.

87 Von Rudolf Scharpf

⟨Altleiningen, 29. 3. 1952⟩

Am 29. März 1952, abends, schon sehr in der Dämmerung, ohne den elektrischen Strom, der weggeblieben ist, weil draussen über viele Stunden ein nasser schwerer Schnee fiel welcher nun den überlasteten Wald zerreisst, durch dessen Leichenstille das Knallen und niederfallende Knattern der berstenden Äste schrickt. – Ja, ich möchte mir deshalb nachher ein Flämmchen anzünden, die Kerze, bei der ich diese Zeilen fortsetze ...

Ihnen sagen, lieber Alexander Xaver Gwerder, wie sehr mich seitdem Ihr letzter Brief beschäftigt hat. Dieses schmerzlich irrende – oder schien mir dies nur so –: vielleicht werde ich auswandern ... hallt noch in mir und trifft an Wände eines Betroffen-Seins in mir, aus dem als Abhall nur dieses ins Bewusstwerden dringt: Dichter im Exil – (ich sage es krass auf Gefahr der Indiskretion hin) – dieses ist, was ich Ihnen nicht zu sagen brauche, sofort nach Verwirklichung eines solchen Vorhabens unwiderrufliches Geschick ...

Ich weiss nicht, ob Sie schon lange Zeit in einem anderen Land gelebt haben? (Es sei denn jenes über Dächer, welches überall verzweiflungsvoll, melancholisch, fürchterlich und ungeheuer ersteht wo einer derer seinen Fuss hinsetzt). –

Aber heisst nicht, von aussen her sich das Leben erschweren – die Freiheit jenseits der «Brot-Kette» ist nichts weiter als eine bittere Bühne, auf der unablässig gespielt werden muss und die Flucht in die Kulissen heisst: Abgrund – heisst nicht – heisst – heisst nicht – – woher eigentlich wollte *ich* wissen, was *Ihnen* jetzt nottut?

Ihre Verse, Ihr Land über Dächer[1], die weiss ich, darin begegne ich Ihnen – *Sie* begegnen vielmehr mir und Ihre Gaben sind dort – ich wage es Ihnen ins Gesicht ⟨zu sagen⟩ – so stark und gut, dass ich auch anders nicht anders denken und fühlen kann: Sie werden weitergehen, auch im Taumel von innen und aussen, überm Abgrund.

Ihr R. Sch.

1   Siehe Nr. 80, S. 383f., und dazu Anm. 4 und 6, S. 384.

88   An Erwin Jaeckle, ‹Die Tat›

Zürich, am 7. April 1952

Lieber Herr Doktor –
aufgetaucht aus einer Angina minderen Grades, die sich an eine zweitägige Nervenkrise anschloss, sehe ich in der ‹Tat›, dass Sie abwesend sind. Halb Zürich liegt zur Zeit mit Erkältungen an der Sonne, sofern es diese hat – und nun nehme ich an, dass Sie auch zu dieser Hälfte gehören und schicke Ihnen deshalb drei Prosastücke und eine Handvoll Verse ins Haus mit dem Wunsche, es möge Ihnen dies oder jenes gefallen. Eigentlich hätte ich noch zu meckern über die stumpfe Überheblichkeit der ‹Tat›-Besprechung von Benns *Stimme hinter dem Vorhang*.[1] Je nu: entweder (wenn man Benns übrige Sachen kennt) sieht man, dass es «Ausführungsbestimmungen» sind, die hier vorliegen –, man ist solchen Gedanken nahe –, oder eben nicht. Und für den ersteren Fall spielt auch diese Besprechung keine Rolle. Dann noch

etwas: die Beat'schen Briefe a.d.W.K.[2]! Sogar wirklich simple Dienstkollegen haben sich bei mir entrüstet über diesen einfältigen Reklametrick.

Im übrigen bin ich schrecklich down –, mag nicht ins Gelände hinaus –, meine Frau will sich nicht scheiden lassen und Argentinien ist für dieses Jahr noch zu weit. Der «Möwenflug»[3] hat Krolow sehr gut gefallen. Ich fürchte indes: er liest sich zu schwer in der ‹Tat›. Nun, eines richtigen Lesers bin ich ja sicher. Sollte man eigentlich mehr wollen? Ob Sie Ferien machen oder zuhause an der Sonne liegen – ich wünsche Ihnen gute Erholung mit ausgiebigen Fernblicken!

Nebst den herzlichsten Grüssen
Ihr A.X. Gwerder

Freundliche Grüsse auch Ihrer Frau Gemahlin!
Vom «Möwenflug» habe ich nur dieses Exemplar und wünschte es daher gelegentlich zurück.

1   Vgl. die mit «d⟨ie⟩t⟨at⟩» gezeichnete, in Wirklichkeit von MR stammende Besprechung in: Tat, 5.5.1952, Nr. 94: «Die Stimme hinter dem Vorhang hat (...) zu sagen, was Benn schon immer gesagt hat. Etwas Neues fällt ihr nicht ein, und das Alte war auch schon besser da. (...) Wäre die Schrift als Benn-Plagiat erschienen, man hätte es glauben dürfen.»
2   Artikelfolge vom 3.3.–31.5.1952 in Form von Briefen – «Postkarten aus Zürich» – zwischen «Beat» und seiner Frau «Beatrice», die auch Briefe aus dem militärischen Wiederholungskurs enthält. Verfasser war Paul Rothenhäusler, heute Inhaber des gleichnamigen Verlages in Stäfa.
3   Das Prosastück «Zum Möwenflug» in: GW II, S. 88–91.

89 An Rudolf Scharpf

⟨Zürich, 12. 4.⟩ 1952
12. 5. ⟨sic!⟩ 52.

«Nichts in der Dinge Ordnung steht so fest,
dass es als Massstab sich anwenden lässt»:
so ungefähr sagt Dschuang-dse, der vermutlich so still lebte, dass er seinen Erinnerungen viel intensiver nachspüren konnte, als wir Europäer. Auch dieses rätselhafte: «Gib du das deine! Frage nicht für wen!» ist von ihm. Ein Leben, vorchristlich und anständig – heute, ein paar Sprüche – gänzlich unanwendbar, gross aber, eine Art Gebirge, nahe der Stadt vielleicht – es fährt keine Seilbahn hin, also wozu hinauf. Wozu hinab: auch dies lässt sich fragen. – Wenn das Gefühl tiefer ist als das Denken: wozu dann die Folter des Hirns?

Das alles ist keine Antwort auf Ihren starken, trostreichen Brief[1] – für den ich Ihnen zu danken versuche – auf Ihre nicht leichte Anteilnahme, die sich daraus so schön erweist. – Wäre es so einfach mit dem Exil, Welt ist wohl überall, aber noch stehen wirre und vorläufig nicht zu entziffernde Folgerungen da – es wird Zeit darüberzustreichen und die Vorhänge zu lüften. –

Am letzten Sonntag endete der Winter mit einem, man möchte fast sagen: ergiebigen Nervenzusammenbruch. Darauf Angina, Penicillin und dann der Rest: Zahnarzt. Übermorgen nehme ich wohl den 48 Std.-Trott wieder auf – zum Rätsel der Bürger, und … egal! Es geht das Andere weiter, und daran will ich mich halten. Dass ein anderes Land meiner wartet, davon bin ich so sicher, wie ich überzeugt bin davon, dass es unmöglich ist nach 20 oder 30 Jahren auf denselben Schienen zu manövrieren.

Benn: (aus *Stimme hinter dem Vorhang*)
«Also nun haben diese Wesen Gesichter, tragen sie vor sich her durch die Anlagen, in der Wohnstube, auf Reisen – Fronten sind das! Gierig, zerfetzt, grau von Nichtgelingen und Notdurft, und da wissen Sie ein Gesicht, das Sie nahe

haben möchten, trinken möchten, ein einziges Gesicht, ein bestimmtes Gesicht – meinen Sie, dass ich mich davon abhalten lassen würde, zu ihm zu gehn? Wenn das Heilige in allem ist –».

Lieber Rudolf Scharpf –, was ich im Augenblick tun möchte: Ihnen *den* und *dort* Erfolg zu wünschen, der + wo er Sie weiterträgt! Ich freue mich sehr über Ihre fünf kleinen, genauen, verdichteten Schnitte[2], von denen die zwei auf gelbem Karton tiefer reichen, als wahrscheinlich auch nur *ein* Ausstellungsbesucher, nach Mitternacht, zu loten versuchte je. Wie hilflos steht oder sitzt man doch oft vor diesen Dingen: (ich möchte nicht noch einmal den Aufsatz über Sie[3] schreiben: ich würde unverständlich). Als ob ein Urwald, ein Wäldertraum durchbräche, was ist man doch, nichts vegetatives, auch das Denken ist Spiegelung an einer Tränke, wo die Schlangen flitzen. Kondore kreisen vielleicht: zu hoch auch die. Was bleibt ist ein starkes Gefühl, das Dasein an der Cigarette bestätigt, und zum Schluss das Namenlose vor dem Fenster.

Nein, die Kulissen ärgern mich –, und doch: man sieht nackt ohne sie und das ist schwerer zu überstehen.

Die Einladungskarte zu Ihrer Ausstellung erreichte mich letzte Woche. Eine verpasste Freude – aber ich wäre zur Last gefallen mit all den Zuständen, die nichts weniger vertrugen als irgendeine Umgebung. Ich bin froh, dass Sie's begriffen haben ohne Lamento. Was für eine Figur ist doch der Mensch! Blut und dann wieder Glas. Eis und Asche. Flammen und Tränen.

Eine verrückte Folge von Verrücktheiten[4] soll mich bei Ihnen (beigelegt) ersetzen über die Zeit Ihrer Ausstellung. Aber behalten Sies bei Ihnen. Es war zu schlimm, als dass ich mir selber traute dabei. Ich habe, um ein Haar hätte ichs vergessen, eine Bitte: Wäre es Ihnen möglich, mir einen Abzug zu überlassen von dem Schnitt der auf der Einladungskarte reproduziert ist? Ertel, der wahrscheinlich ein Honorar bekommt von ‹Pfalz + Pfälzer› für den Aufsatz, könnte sich darüber mit Ihnen verständigen. Was wollte ich anderes zu bieten haben? A propos: Ertel – wenn Sie ihn sehen, legen Sie doch bitte ein gutes Wort ein für mich. Er hatte doch auch so allerhand vorbereitet für meinen Aufenthalt und ist sicher sehr enttäuscht, dass ich nicht kam. Das sind indessen nicht etwa Forderungen und ich überlasse alles Ihnen.

Nehmen Sie meinen bescheidenen Dank für Ihre Anteilnahme und Ihr Verständnis – auch die herzlichsten Grüsse an Sie und Ihre Familie

wie immer von Ihrem
A. X. Gwerder

1 Siehe Nr. 87, S. 393f.
2 Nr. 87 enthält sechs Holzschnitte. Siehe Abbildung in: GW III, S. 92.
3 Siehe Anm. 3 zu Nr. 80, S. 384.
4 «Ein Abend, eine Strasse und ein Mittag in der City» in: GW I, S. 332–342.

90 An Rudolf Scharpf

⟨Zürich⟩, am 16. Mai 52

«Alles ist gut» – es kostet uns Mühe, zu verneinen.
Wir leiden, wenn wir einmal so unintelligent
werden, Partei gegen etwas zu nehmen ...
Fr. Nietzsche

Aufgetaucht – endlich – mit wenig Energie noch, aber doch mit einiger Lust zum Weiteren wieder –, will ich Sie, lieber Rudolf Scharpf, als ersten grüssen. Diesmal war ich der Vielsäumige und habe Ihnen vor allem herzlich zu danken für Ihren sehr schönen – in Wort und Gesinnung schönen Brief, den Sie mir gerade vor einem Monat, mitten in sonderbare Wirrnisse und Zufälligkeiten, schickten. Eine ganz ausserordentliche Zeit ist in solchem Sinne beendet, als man noch nicht weiss, was sie an der «Substanz» veränderte. Perspektiven spielten hinein, von deren Wirksamkeit ich bis anhin nichts ahnte –, auch Irrtümer warfen sich turmhoch, fast kaum mehr anzusehen ohne scheussliche Beklemmung – rasselten dann aber doch plötzlich zusammen; teils Trümmer nun, auch Einblicke in Blossgelegtes –, aber wenn sich der Staub verzogen haben wird, wird das meiste sein wie es sein soll. Erlassen Sie mir, wie bisher, scharfe Detaillierungen – mir selber bereitet es Mühe Abläufen zu folgen, denen weder ich noch sonstwer völlig gewachsen war. Gleichviel: es zeigte sich auch allerhand genauer was weiterbringt, als wenn nichts oder scheinbar nichts geschehen wäre. Freunde wechselten, offenbarten oder verhüllten, je nach ihrer Grundlage, das, was sie zu sein vorgaben oder vorher verschlagen versteckten – Werte fielen – andere stiegen –: kurz: eigentlich Jahre des Erlebens in gewöhnlichen Situationen liefen zusammen zu einem Netz von tausendfach an- und überschlagenden Tagen. Nun, da ihr Tanz schlussendlich doch weiterführt, will ich nicht eine Auswahl neuer Standpunkte festnageln –: La vie c'est d'apprendre à mourir.[1] Lese jetzt *Paradis artificiel* von Baudelaire; darin steht einiges fest, und einiges schwebend – im Ganzen die Vielfalt von Gefühlen ohne Einheit.

Ich war in Gedanken oft bei Ihnen und wünschte Ihnen nach Möglichkeit jenen Erfolg Ihrer Ausstellung, dessen wir geheime Jongleure von allerhand Empfindungen von Zeit zu Zeit nicht abgeneigt sind. –

Das «Versunkene»! lieber Rudolf Scharpf, wenn es davon Abzüge gibt, – ich möchte bescheiden, aber sehr sehr angelegentlich um einen solchen gebeten haben!
(Das mit dem gekürzten Aufsatz[2] ist schon richtig.) (ist er übrigens in ‹Pfalz und Pfälzer› erschienen? Ertel, der Ferienmachende, hat nichts mehr berichtet.)
Anhand der neuen und stabilen Lage bei uns zuhause, halten wir unsere Einladung an Sie, bei uns Ferien zu machen, aufrecht!

Wir erwarten Sie, wann es Ihnen beliebt. – Seien Sie etwas versöhnlich gestimmt wenn Sie dieser verschwommene, auch etwas versunkene Brief erreicht –, aber glauben Sie meiner aufrichtigen Geneigtheit zu Ihrer Arbeit, Ihrer Haltung – immer –

Ihr Gwerder

Grüssen Sie auch herzlich toute la famille!

1 Aus «Ein Abend, eine Strasse und ein Mittag in der City». Siehe Anm. 4 zu Nr. 89, S. 398.
2 Siehe Anm. 3 zu Nr. 80, S. 384.

91 An Rudolf Scharpf

Zürich, am 29. Mai 52

Das mit der Katzenpatrouille[1] will ich mir merken mein lieber Rudolf Scharpf – ich reagiere ohnehin zur Hauptsache optisch – vielleicht ist es auch, zugleich, rhythmisch, (walking + whistling blues[2]) denn auf Disharmoniefiguren reagiere ich, Sie werden es hören, giftig –. Kommen Sie, alle beide – und solange Sie mit Zürich etwas anfangen können, wir erwarten also Euere Anmeldung.

Freue mich riesig auf das *Versunkene*, fein, dass Sie's mitbringen wollen! und wenn es bergein ginge: Glückauf! eine prächtige Idee, die Sie mir da vermachten.[3] Habe ich bereits in das «Gespräch»[4] aufgenommen.

Ja, die ‹liter. Welt›[5] – was wollen Sie – man wird noch ganz anders schnöden wenn erst die «Fackelbeleuchtung»[6] gedruckt ist. Ich sollte übrigens bis dann (ca. 1/2 Jahr) einen Outsider-Verleger haben, der nichts riskiert. Sie tönt schaurig für die Gleichgewichtigen –, Stabilen –, aber formal werde ich jeden Satz auf die Spitze treiben.

Man sagt mir Benn nach[7] – nun gut, was ist dabei – sollen sies doch auch versuchen – nur genügt eben der Ton nicht – man muss auch bewältigt haben für diesen, für solchen Ton!

Indes will ich Ihnen zugeben, dass die Verse, die zur Diskussion standen, ziemlich bewusste Montage sind. Andrerseits pfeif' ich bei Gedichten auf irgendeine Moral, auf irgendeine «Förderung» des Lesers. Das ist ja Unsinn – sollen sie die Bibel lesen – das war auch einmal mein Bestseller vor Karl May. Nun darüber und über vieles noch, werden wir dann sprechen. (Ich freu mich sehr, meine Frau auch, Ihre Frau und Sie einmal hier zu haben.)

Eine «Kapazität» in Zürich[8], bei der ich mal zu Gast war, meinte: mir fehle (in den Gedichten *Eisenhut*) die Güte! Neu ist allerdings, dass man Verse mit Güte macht. Eine andere, *der* wurde es «ganz verwirrt» vor denselben Versen. (Traugott Vogel[9]) Er wolle auf mich warten, es sei noch nicht Zeit für eine «geistige» Begegnung. Dabei habe ich nicht ihn zu irgendetwas aufgefordert. Nun: Tigerdämmerung! Büffelzeit! Schade ...[10]

Nun brechen die Schatten
am Fusse des Aquamarin sich – lauter
flüchten im Dschungelbrand deiner Zunge
Gazellen –
    Zu Mittag
steht unsere Hütte in Flammen.

Wir wollen
vor naher Nacht noch
die Asche verstreuen im Wind ...

Lebwohl –[11]

Leben auch Sie wohl mit Ihrem ganzen «Herd» und nehmen Sie die herzlichsten Grüsse + Wünsche bis bald –,

                                          Ihr A. X. Gwerder

1 Vgl. Motto in B von RS, 20.5.1952 (uv.): «‹*Von nun an behielt die Katzenpatrouille sämtliche vorüber ziehenden Zigeuner scharf im Auge*› (Aus einem Kinderbuch)».

2 Anspielung auf den «Walkin' & Whistlin' Blues» des amerikanischen Gitarristen Les Paul. Titel der 2. F von TMa. Siehe dazu Anm. in: GW III, S. 371.
3 Vgl. B von RS, 20.5.1952: «Es geht bergan! Und wenn es bergein ginge: Glück auf!» Siehe GW II, S. 180.
4 «Gespräch am Caféhaustisch». Untertitel von TMa. In: GW II, S. 151–186.
5 Siehe Anm. 5 zu Nr. 82, S. 386, Anm. 3 zu Nr. 84, S. 390, und Anm. 1 zu Nr. 93, S. 405.
6 Titel der 1. F von TMa.
7 Wolfgang Bächler, Karl Schwedhelm und KFE hatten in ihren Besprechungen von BE den Einfluss von Gottfried Benns Gedichten hervorgehoben. Siehe GW III, S. 180.
8 Nicht ermittelt.
9 Traugott Vogel (1894–1975), Schweizer Schriftsteller und Herausgeber. Vgl. seinen B vom 23.4.1952 (uv.): «*Blauer Eisenhut* hat mich zuerst einmal gehörig verwirrt und fast kopfscheu gemacht.»
10 Aus TMa. Siehe GW II, S. 173.
11 Aus «Verse für Rheila». In: DL, 15.6.1952, Nr. 7, und GW I, S. 173f.

92 An Erica Maria Dürrenberger

Les Felix + Regula du Lac ⟨Zürich⟩, am 2. Juni 52

Es sind noch immer die selben Dächer über die die Worte heranjagen – liebe Freundin – und der Süden wäre für mich pendenter, wenn nicht, nicht genau bestimmbare, Teile jener Substanz zerfallen wären und noch immer bröckeln, welche diese Lockung trugen.[1] Dafür treten andere Formationen ins Bewusstsein, indifferentere, rück-sichts-losere – augenblicklichere. Aus den Momenten das Möglichste machen. Aber das sind natürlich alles Perspektiven –, aber anders gibt sich die «Welt» ja nicht: «Und die Liebe zu allem und jedem, falls Sie dahin zielten, ist reine Angeberei unter Gespenstern, die Chose klingelt unverschämt, aber die Pumpe fasst nicht.» (Ein Satz aus dem «Gespräch»[2].)

An dieses «Gespräch» muss ich mich vorderhand halten –,

es gibt sonst nichts anderes. In einer höchsten Zeit begonnen, muss es das Niveau durchhalten –: man fällt dann weniger tief. Lese noch immer Nietzsche, Baudelaires *Künstliche Paradiese*, Eliots Gedichte[3], auch Lorcas, und versuche nebenbei in den *Variété* Valérys[4] weiterzukommen. Doch ist dies alles Vordergrund –, dahinter oder darunter rumoren noch ganz andere Dinge. Vom Leben als reines volles Sein ins Theater zu geraten – und das ertragen ohne Fehlschuss, so dass der Satz möglich wird: (auch a. d. «Gespräch») «Der gute Schauspieler seiner selbst sein: *das* befriedigt den Regisseur!», das ist wohl ein bisschen viel aufs mal; und dass man dabei alle allfälligen Kredite, die man je gewährt hat, zurückverlangt, scheint weiter *nicht* staunenswert.

Wenn ich Ihren Brief aus Frankenland richtig gelesen, haben sie auch Ihren Teil abbekommen in den vergangenen Monaten. Wir müssen die Masken kennenlernen, alle, unter denen die faksimilierten Zweibeiner sich «geben». Aber das gehört wahrscheinlich zum «Handwerk der Dichter». Keine Gnade: «wenn einer stürzt, dann soll man ihn noch stossen.» (Nietzsche)

Da Sie von Muscheln sprechen: Valéry hat einen Essay oder sowas: «L'homme et la coquille», der müsste sich irgendwie reimen auf stille Stunden am Strand.

Ich glaube, mit Ertel müssen Sie sich sehr gedulden, der Mann ist hyperbeschäftigt; wie mir Scharpf schrieb, ist er neuerdings Sekretär einer Künstlergruppe dort um Landau herum geworden. Anfangs April hätte ich Scharpfs Ausstellung besuchen sollen und Ertel hatte dazu mir eine Vorlesung im Ernst-Ludwig-Haus, Darmstadt, arrangiert. Nun: ich bin nicht gegangen. Alles hier war wichtiger. Der Teufel hole die Blindheit der Männchen in Springtime, indes wären die Augenblicke in Darmstadt nicht heftiger, intensiver zu steigern gewesen.

Mitte Juni wird der «Hptm. Sack»⁵ und ein Prosagedicht «Verse für Rheila»⁶ in der ‹Literatur› gedruckt. Ich werde Ihnen gelegentlich weitere Adressen mitteilen. Sagen Sie mir's, wenn Sie irgendwo etwas unterbringen konnten. Einen Aufsatz über Scharpfs Holzschnitte druckten die ‹Pfalz + Pfälzer›; auch teilweise im Ausstellungskatalog. Ich schreibe genaue, aber heftig rotierte Verse jetzt. Oft auch das Gegenteil: kalt, klar, ohne Güte, viel Schwermut, Nein's –: das ist nicht anders, halten wir uns daran!

Herzlich, Ihr
A. X. Gwerder

P. S. Werde doch einmal nach R. kommen.⁷

1 Nachdem EMD den Briefwechsel mit AXG im Januar 1952 abgebrochen hatte, weil sie sich seinen immer kritischeren und sarkastischeren Bemerkungen nicht mehr gewachsen fühlte, schrieb sie ihm wieder am 14.5. und am 28.5.1952 aus dem südfranzösischen Les Saintes-Maries-de-la-Mer.
2 Siehe Anm. 4 zu Nr. 91, S. 402.
3 T. S. Eliot: *Ausgewählte Gedichte*, Frankfurt a. M. 1951.
4 Paul Valéry: *Variété* ⟨= I⟩, Paris 1924.
5 Siehe Anm. 5 zu Nr. 38, S. 280.
6 Siehe Anm. 11 zu Nr. 91, S. 402.
7 EMD hatte AXG eingeladen, sie in Reigoldswil zu besuchen.

93 An Kurt Friedrich Ertel

⟨Zürich⟩, am 4. Juni 52

Lieber K. F. Ertel –,
wieder einmal in Kürze, was geht und sich treibt bei mir: 1. ist die Auswanderung nach Argentinien nicht mehr pendent, es hat mir in die Flinte geschneit. 2. haben sich interfamiliäre Konflikte als Irrtümer erwiesen, wenigstens zum grössten und gröbsten Teil. 3. habe ich einen Dialog in Arbeit, ein Gespräch am Kaf-

feehaustisch «Walking and whistling Blues»; möchte dann Sie dafür interessieren, hierzulande wirds nämlich niemand drukken, (ca. 48 Seiten) so gut wie den «Hptm. Sack» auch niemand wollte –, der wird indessen in der nächsten Nummer der ‹Literatur› zusammen mit den «Versen für Rheila», abgedruckt. 4. kommt diesen Monat Scharpf + Frau Scharpf zu uns auf Besuch. 5. habe ich durch oben Besagten vernommen, dass Sie Sekretär einer Künstlergruppe geworden seien und demzufolge sich Ihre Zeitknappheit noch verschlimmert habe – wahrscheinlich. Indessen wäre ich natürlich mit einem kleineren Lagebericht Ihrerseits hoch zufrieden und sehr erfreut. Ihre Kritik über den *Eisenhut* in der ‹Lit. Welt› gelesen; stach ja ganz günstig ab von den diversen Neuerscheinungen (z.B. den *Venezianer Sonetten*, die Bächler kommentierte) und ich kann mich, als an die allgemeine Richtlinie, an Ihren letzten Satz halten.[1] Sabais hatte auch Freude und schrieb mir dies. Ihre Buchwünsche sind so weit erfüllt; ich hoffe, dass Sie den *Van Gogh*[2] sowie die *Dissertation*[3] erhalten haben. Wenn also irgend etwas bei Ihnen sich tut, (auch das Manus *Land über Dächer*[4] liegt vor) so sehe ich Ihren Mitteilungen mit Interesse entgegen und zeichne mit vorzüglicher Hochachtung und sehr herzlich, als Ihr

A. X. Gwerder

1 Vgl. KFEs Besprechung «Junge Lyrik» in: NLW, 25.5.1952, Nr. 10: «Freilich: eine sich mit Gottfried Benn berührende ‹lyrische Spur› bleibt unverkennbar. Resultiert daraus aber nicht ein Anspruch und nicht zuletzt die Selbstbehauptung der geistigen Aussage dieses jungen Schweizers?!»
2 Werner Weisbach: *Vincent van Gogh. Kunst und Schicksal* (2 Bde.), Basel 1949–1951.
3 Siehe Anm. 4 zu Nr. 84, S. 390.
4 2. F dieser Slg. Siehe Anm. 4 zu Nr. 80, S. 384.

94 An Erica Maria Dürrenberger

⟨Zürich, Mitte Juli 1952⟩

Zikade! Tönender Stern
über den schlafenden Äckern –
    Lorca

Die Kirschenernte verpatzt[1] und die vornestisch'ste Hitze mit Schlafversuchen vor dem Nichts verbracht –, Briefe, die ich nicht mal beantworten konnte, Prosa die nicht geschrieben wurde – von Versen gar nicht zu reden. Also, liebe Freundin –, seit gestern weiss ich, man nennt den Zustand Gelbsucht, darf kein Fett mehr essen, kein Eiweiss – ist dafür auf Traubenzucker abonniert und könnte psychisch sich selber ankotzen vor lauter Galle.

Eine lockere Erde für endogene Depressionen. Nichts, gar nichts hat Wert – man bekommt direkt Lust auf einen Jesuiten, der einem von irgend etwas zu überzeugen vermöchte.

Seit 14 Tagen schon spürte ich, dass es, vor allem psychisch, immer dunkler wurde. Lassen wir's –. Ich freue mich trotzdem, (trotz aller Wertlosigkeit) dass Sie Erfolge melden konnten. Machen Sie aber, ich bitte Sie, nicht zuviel Eingeständnisse an ein vielleicht in unserem Sinne gar nicht vorhandenes Publikum! Ich mache überhaupt keine! Höchstens: zuerst Prosa, dann Verse – oder umgekehrt. Wems nicht passt, der muss ja nicht hinhören.

(H. Haeser[2] ist übrigens einer der wenigen die etwas von Literatur am Radio verstehen. Zürich hat nur noch Spiesser und Flaschen wie Traugott Vogel, und wie sie alle heissen, die Bänkelsänger auf frommer Tour.)

Die «Verse für Rheila» – ja – die sind ein Kapitel für sich. Rheila ist übrigens fingiert[3], nachträglich, und mit Recht –. Es war eine Arztgehilfin, nebenbei bemerkt – blendend im Bett, aber total utilitaristisch. Schade –: hat mich viel gekostet – ich Idiot, ich sentimentaler Einfaltspinsel. Ja – wir werden ja wohl noch einmal darüber reden. Später.

Gedichte am Radio –: meine müssten von Leopold Biberti[4] gelesen werden. Die neuen wenigstens.

Habe ein neues Prosastück (ca. 150 Zeilen) «Möglich, dass es gewittern wird».[5] Eine Abrechnung. Still. – Ich habe ja jetzt viel mehr Sicherheit in Bezug auf Prosa. Auch da muss es *neu* sein – missverstehen Sie mich aber nicht – *eigen* – und keineswegs nur thematisch, sondern *stilistisch vor allem*. Siehe «Hptm. Sack», den sie ja hierzulande zu verdonnern beliebten, diese Schmalztöpfe. Die ‹Tat› habe ich abbestellt – jetzt ist gar keine politische Zeitung mehr im Haus. Mit der ‹deutschen Rundschau› bin ich auch verkracht, die sind ja vom Westen gekauft, – die ‹Schweizer Rundschau› ist nach Habergrütze orientiert. Nun schimpfe ich wieder, aber ich hatte Erleuchtungen –, die mir nicht mehr gestatten, irgendeinem Chefredaktor oder Schriftleiter um den Bart zu streichen. Sehen Sie: es ist doch nichts schwieriger, als sich selbst treu zu bleiben, wenn einem die Spalten offen ständen, wenn man sich bekehrte – womöglich an die Brust schlüge etc.

Aber dies alles ist nicht anders als es je war – die Büsten kommen immer erst später ins Pantheon. Und hier in der Schweiz hats ja gar keines.

Ich ärgere mich ob der scheusslichen Schrift. Die Lunge klemmt am Genick, das Bauchfell drückt auf die Lunge, die Leber aufs Bauchfell und auf den Magen zugleich – derart stossen sich die Dinge und deshalb sollten sie mir diesen schwierigen Brief verzeihen.

Darf ich Ihnen empfehlen: Federico García Lorca, *Gedichte*, Rowohlt Verlag. Deutsch von Enrique Beck.[6]

Die beiden Scharpfs waren auch von hier aus 3 Tage in St. Maries. Brachten faule Krabben und Tang und winzige Muscheln mit. Besser war die grosse Holztafel, die er mir schenkte: «Versunkenes».

Jetzt nehmen sie unsere beiden Kinder für 10 Wochen in die Pfalz mit. Sie leben dort wie Zigeuner. Das tut dem Buben besser als die einfältige Schulfuchserei.

1952 ist ein seltsames Jahr. Ich halte mich nirgends, lasse mich überall fallen. Ich glaube, dieser Herbst bringt den endgültigen Bruch mit dem Staat und seiner Ordnung für Automaten. Seltsam: der Frühling ganz hochgespannt und die Funken sprangen – dann ein Ultratief; ein Wolgasängertief – und jetzt die physischen Reaktionen – was kommt danach?

Ich rede immer nur von mir. Die gereizte Leber führt geradewegs zum Hypochonder. Kreiden Sie mir's nicht lange an – ich freue mich nämlich trotzdem, dass Sie nicht zum gewöhnlichen Akademikerklüngel gehören. Sonst hätten Sie mir nicht mehr wieder geschrieben. Grüssen Sie auch Ihre Lieben von mir. Ich komme bestimmt nach Reigoldswil.

Herzlich, Ihr
A. X. Gwerder

N. S. Katzen sind jetzt ganz unmögliche Viecher für mich.

1 Vgl. B von EMD, 30.6.1952 (uv.): «Sie sollten bald einmal kommen und die Kirschen probieren – in 14 Tagen sind sie vorbei.»
2 Hans Haeser, Schweizer Radiopionier. Damals Leiter der Abteilung Volkstheater beim «Landessender Beromünster».
3 Der Titel einer früheren F des Gedichtes lautete: «Verse für Friedel». Siehe GW III, S. 263f.
4 Leopold Biberti (1894–1969), Schauspieler und Regisseur franz. Herkunft, u. a. am Schauspielhaus Zürich und in Hörspielen tätig.
5 In: GW II, S. 97–101.
6 Das Buch erschien 1951 in Hamburg.

95 An Erwin Jaeckle, ‹Die Tat›

Zürich, am 24. Juli 52

Lieber Herr Dr. Jaeckle –,
verzeihen Sie mir diese Sie wohl anstrengende Handschrift, ich liege seit Ende letzten Monats im Bett (Leber), sonst wäre ich auch lieber persönlich bei Ihnen vorgetrabt mit dem «Hptm. Sack». Immerhin stelle ich mir vor, dass dieses Prosastück für Sie keine Erklärungen braucht. Wenn man nämlich je einmal (und jeder Dichter hat das) Worte ganz untheoretisch als Realität adäquat empfunden, so verwirrt sich der Geist nicht mehr vor ihnen und die «suchende, tastende Insektenzunge des wehrhaften Akoniten» rüsselt nicht mehr tumb am «zweifellos vorhandenen Nektar vorbei».[1] Also der Zürcher-Literaturpreis-Tragende-Vogel, über dessen fast so genialen Einfall, wie Bänningers[2] «Ganymed» am Bürkli sein könnte (mit einer Hand macht er Heil! mit der anderen füttert er den emigrierten Reichsadler) die halbe Pfalz, will sagen Darmstadt, sich krumm lachte. In Zürich nimmt man ja solche Gesundbeterreminiszenzen wie: «Wer sich zur Erde bückt, verneigt sich vor dem Himmel», viel zu tragisch. Mit Grund und Sanktion – man lenkt vor der tatsächlichen und tatsächlich vorhandenen Tragik ab. Weshalb der Vogel und der Albin Zollinger sich in den Haaren lagen[3] ist mir jedenfalls jetzt klar.

Etwas anderes: Mich dünkt, die Literatur-Seite der ‹Tat› wird schwach und schwächer – wenn das so weiter geht wird Max Rychner in absehbarer Zeit Sportredaktor. (Auf der folgenden Seite beginnt ja jeweils schon die Muskeltour –)
    Ferner müssen Sie einen sehr laienhaften Metteur beschäftigen z. Zeit, der, für Zürich so hervorragende, Verse wie «Morgen in Aussersihl»[4] plaziert wie ein Hühneraugeninserat.

Weniger überraschend scheint mir, dass die Schillerstiftung Aufmunterungspreise verteilt für Abschriften aus Hölderlin und

Cie. Möchte wissen, was für Proffessoren ⟨sic!⟩ hier noch Honigspuren am Barte tragen.

Noch eine Bitte: Haben Sie in Ihrer Bibliothek die *Kritischen und nachgelassenen Schriften* oder die *Intimen Tagebücher* Baudelaires in deutscher Übertragung? Es gab sie etwa 1925/26 im Georg Müller Verlag, München.

Wenn Sie sie hätten und nicht so sehr daran hingen, dass Sie sie nicht für einige Zeit entbehren könnten –, würde ich herzlich darum bitten, sie mir leihweise zu überlassen.

Was macht die *Phänomenologie des Raumes*[5]? Haben Sie schon mal etwas gehört von Militär-Diät-Feldküchen? (Ich nicht!) Lege Ihnen ein gutes Stück Prosa[6] bei. Wollen Sie's nicht für die ⟨Tat⟩?

(Könnte man nicht von Zeit zu Zeit eine Arbeit eines zeitgenössischen Schweizers in der ⟨Tat⟩ zur Diskussion stellen?)
    Seit meinem letzten Brief an Sie, sind allerhand Felle den Bach hinabgeschwommen. Ich überlegte mir oft, ob ich nicht bei Ihnen mit bestimmten Fragen vorsprechen sollte. Aber immer, wenn es soweit war, hatte sich die Lage wieder derart verändert, dass es einfach unmöglich schien zu einem Resultat zu gelangen. Dann war es auch oft so, dass ich mich geschämt hätte, Ihren Rat zu holen für Dinge, die, wie es mir schien, von anderen mühelos sich bändigen liessen. – So behielt ich Sie als eine Art letzter Chance, immer in Reserve, und das war auch nicht schlecht. Es ist jetzt ohnehin alles passé – und auch ein Vorrecht des Geistes ist es, ohne Blechmusik zu wirken.
    Nehmen Sie, lieber Herr Doktor, meine herzlichsten Grüsse wie immer, Ihr

A. X. Gwerder

1 Vgl. B von Traugott Vogel zu BE, 23.4.1952: «Wiederholt versuchte ich's dann, Ihnen über eine der angebotenen Gedicht-Stufen näher zu kommen, wählte zuletzt das Gedicht, das dem Bändchen den Namen geben durfte und dessen Thema und Anlass mir insofern vertraut sind, als ich ein Blumennarr bin und mir als Festungssoldat oft wie ein wehrhafter Akonit vorkam. Aber alles Mühen blieb ohne Lohn, als verschlösse sich meiner tastenden, suchenden Insektenzunge der Zugang zum geheim gehorteten Nektar – an dessen Vorhandensein ich keineswegs zweifle.»
2 Otto Charles Bänninger (1897–1973), Schweizer Bildhauer.
3 Albin Zollinger (1895–1941), Schweizer Schriftsteller. Vgl. Felix Müller: *Biographie*, Zürich 1981 (= Albin Zollinger Werke, Bd. 1), S. 86: Zollinger spürte «die Tendenz Vogels, die Rolle des väterlichen Mentors zu übernehmen; er begann sich dagegen aufzulehnen, als er dies als eine Bevormundung empfand, ohne jedoch mit Vogel (…) gleich zu brechen; ihre Freundschaft durchlebte Höhen und Tiefen, hielt aber bis zu Zollingers Tod an».
4 In: Tat, 19.7.1952, Nr. 195, und TLüD. Siehe GW I, S. 75.
5 Das Buch erschien erst 1959 in Zürich.
6 «Möglich, dass es gewittern wird …». Siehe Anm. 5 zu Nr. 94, S. 408.

96 Von Erwin Jaeckle, ‹Die Tat›

Zürich, 25. Juli 1952

Lieber Herr Gwerder,
mit Anteilnahme höre ich davon, dass Sie krank sind. Empfangen Sie meine besten Wünsche für Ihre Genesung. Diese Wünsche aber möchte ich auch auf Ihre künftige Entwicklung ausdehnen. Ihre Briefe, die ich immer sehr gerne empfange, sind voll des Negativen, der Kritik, der Bissigkeiten gegen andere und die Arbeit anderer. Das gefällt mir nicht, Ihretwegen nämlich nicht. Die Menschlichkeit ist eine lyrische Substanz und das intellektualistische Besserwissen bringt sie um. Leider gilt auch Ähnliches für Ihre ganze Prosa. Sie haben Benn das Übelste abgeguckt, die Assoziitis. Das ist Dichtkunst der Zwanzigerjahre und ganz und gar überlebt. Die Originalität um jeden Preis liefert für die Dauer keine Werte. Ich bin darüber traurig, dass Sie sich derarti-

gen bengalischen Feuerwerken verschreiben. Der Erfolg soll Sie nicht bestätigen. Sie sind nicht am Ufer angekommen. Der Weg ist nicht abzusehen.

Empfangen Sie meine besten Grüsse!

Jäckle

97 An Erica Maria Dürrenberger

⟨Zürich, Ende Juli 1952⟩

Von diesen Städten wird bleiben: der durch
sie hindurchging, der Wind!
Fröhlich machet das Haus den Esser: er leert es.
Wir wissen, dass wir Vorläufige sind
und nach uns wird kommen: nichts Nennenswertes.

Bert Brecht

Liebe Freundin –
vielen herzlichen Dank für Ihren langen schonenden Brief mit den, ich möchte fast sagen, Diätgedanken. Nun hat sich das Gelb in den Augen zurückgezogen bis auf einen Anstandsrest, bloss die Leber tut noch, als wäre nichts weiter passiert. Eigentlich hatte ich ja Unstimmigkeiten um den Magen herum seit 1944, seit dem Milizfrass mit dem Brot welches Fäden zog; es könnte also meiner Ansicht nach eher Weilsche Krankheit sein jetzt, wie reguläre Gelbsucht. Die Spritzen sind: Laevosan, Vit. B1 und Percortén. Immerhin schlafe ich sehr schlecht und die Verdauung, trotz Diät, stimmt an keinem Ende; ich merke das an den Schlaftabletten, die ich schon versuchte, die aber wahrscheinlich ganz nutzlos sich mit einem aufgestauten Mageninhalt mischen. Item: das ist nicht so wichtig. Das Ergebnis aus all diesen Summen, diesem Gesumme, interessiert mich hingegen hochgradig. Hoffentlich, hoffentlich – kann ich wieder einen Lotsen zum Teufel jagen.

Es scheint zum Karma der Dichter zu gehören, schlussendlich im Gips zu landen – bezw. aus Gips Marmor Gold und Vliese zu ziehen, zu züchten – bezw. alles immer für mehr zu halten als Gips.
... Da gab ich dem Reh einen ganz
kleinen Stips –
und da war es aus Gips. (Ringelnatz)
Über solche Qualitätsunterschiede, über die möglichen Methoden vorbeugender Artbestimmungen, über die Affinität der Dichter zu Hochstaplern und Lügenpetern aller Art mit den Unterabteilungen Religion, Reklame, Moral und synthetische Tarnungen etc. müssen wir uns ohnehin dann eingehend mündlich befassen. Teufel auch: was sind wir doch für böse, zerrissene Tiere! Vielleicht machen wir deshalb hin und wieder etwas Schönes.

Varia:
Mädchen, die sich selten schälen,
sollten sich vor Parzifälen
immer erst an Knöpfen zählen,
ob sie sich jetzt sollen schälen.[1]
Das ist natürlich Quatsch. Wissen Sie was schälen heisst? Vermutlich nicht. Ein von mir ganz privat in Umlauf gesetztes Slang-Verb. Es fiel mir ein, als ich mal (es mochte Orangen gern) einem Mädchen zusah wie es sich entkleidete und so ganz nebenbei eine Orange schälte: Schälen und entkleiden sei eigentlich dasselbe. Damit war zugleich das erotische Vokabular um ein sehr brauchbares Verb bereichert. A propos: besteht ansonsten das erotische «Vokabular» zur Hauptsache darin, dass man die verfügbare Sprache, gleichsam Satz für Satz, in den Wind wirft – also den Zufall spielen lässt – und es dem Partner zumutet, welchen Satz er an welchem Ort aufspürt oder aufzuspüren gedenkt. Hab' ich diesen Frühling entdeckt –.

Lassen Sie mich bloss mit dem Ehrismann in Ruhe: das ist ein gekaufter Ehrenmann![2]

Der Moment des Kaufens ist bei mir bereits vorbei. Die Käufer wurden enttäuscht. Seit dem «Hptm. Sack» sind sie sogar sehr enttäuscht. Der «Morgen in Aussersihl» war die Rache der Literaten. Soit.

Dienstag
Um den Speer dort aufzunehmen, wo ich ihn liegen liess: «Rache der Literaten»: während ich zum «Hptm. Sack» zustimmende Kommentare wie: «Er steht jenseits der auch bei uns üblichen Windstille, er ist legitime Dichtung, d. h. Aufdeckung *unserer* Wirklichkeit ohne Umschweife, ohne Polituren, ohne Konvention»[3] –, aus Deutschland erhielt, mokiert sich der Chef der Militär-Kur-Promenade a. d. ‹Tat› darüber wie folgt: «Das ist Dichtkunst der Zwanzigerjahre und ganz und gar überlebt. Die Originalität um jeden Preis liefert für die Dauer keine Werte. Der Erfolg soll Sie nicht bestätigen. Sie sind nicht am Ufer angekommen. Der Weg ist nicht abzusehen.»

Immerhin habe ich gewusst, dass ich in Helvetien abgesägt würde nach dem «Hptm. Sack». Dieses Prosastück ging noch jedem Militaristen – oder auch Lehrer, oder Hölderlinabschreiber grässlich an die Nieren. Ertel, Scharpf, Krolow, L. Staab u. H. G. Brenner[4] und zwei Schweizer hingegen erbaten sich Abschriften schon vor Jahresfrist. Aber zum Glück entscheiden ja nicht die Schweizer Essayisten und nicht die sonstigen Vertuscher und Retoucheure, die «beruflichen Dammrissflicker noch vor der Geburt», wie Benn sie nennt, was Dichtung und was Anpassung ist. Daher die unzähligen Arriverlinge in Zürich z. B. die nicht einmal dort angekommen sind, von wo sie ausgingen. (Ausser Max Frisch, der sich ja für den *Graf Öderland* rechtfertigen musste – und es – leider – tat!)[5]

In diesem Zusammenhang erinnere ich mich an die betretenen (wie Rasen) Gesichter Meiers und Rychners, als sie mich vormals fragten, welches Buch mich am stärksten beeindruckt hätte –, und ich sagte: *Das Totenschiff* von Traven – ha, ha, ha. Ich ahnte natürlich damals nicht, was ich tat, indem ich die Wahrheit sagte. – Item: auch wenn einer Curtius heisst, sollte man nicht ein halbes Jahr lang (und noch kein Ende) dessen Bücher-Nagetuch[6] ⟨sic!⟩ – – aber vielleicht hat das alles politische Hintergründe – was wissen denn wir vom Spiel dieser «Dichter» auf Gegenseitigkeit.

Nun: ich hoffe, mit all' dem langsam zur Einsicht Gewordenen den Markt zu verlassen, und mich dem ganz geheimen Horte von noch viel Originalerem hinzugeben. Der Drang nach Öffentlichkeit ist nämlich allzubald befriedigt und dann weiss man höchstens von einem Müllhaufen mehr.

Der Verlag hat mir übrigens letzthin grosszügig 40 *Eisenhüte* geschenkt «zu Propagandazwecken». Wenn Sie ein paar Expl. davon wollen: bitte nur zu sagen.

An Albrecht Schaefer[7] ging ich haarscharf vorbei – nun kenn' ich ihn nicht. Else Lasker-Schüler hat Verse, die nenn' ich in gleicher Höhe wie Trakl, Heym und Rilke. Was haben Sie für eine Ausgabe ihrer Gedichte? Ich liess mir eben zur Ansicht den Ernst Ginsberg Auswahlbd. *Dichtungen u. Dokumente* schicken. Unglaubliche Dinge hat es da drin! Die Sache mit der Minze[8] ist sehr lieb von Ihnen. Nein, ich habe nichts gegen das Aroma. Schaefers Vers über die Liebe[9] ist wohl sehr schön, indessen bleiben doch Fragen –: z.B.: wo bleibt das Geliebte denn? Im Werk, im Erinnern, in unsichtbarer Form? Asche, fliegende Asche …? Die Tempel jedenfalls verbrennen, das weiss ich –, nun –?

Haben Sie irgend ein fertiges Manuskript? Ich hätte Zeit und Ruhe und ein Fenster voll Wolken, um Verse zu lesen …

Sehr herzlich, Ihr
A. X. Gwerder

Empfehlen Sie mich Ihrer Familie mit meinen freundlichen Grüssen

1 Vgl. B von EMD, 25.7.1952 (uv.): «Nun sing ich einen abgewandelten Liedanfang von ‹Albert› Ehrismann? ‹Mädchen in den schwarzen Schälen / Hütet euch vor Parzivälen!›»
2 Albert Ehrismann (1908–1998), Schweizer Schriftsteller. Der von AXG geäusserte Vorwurf trifft nicht zu.
3 Aus einem B von KK, 26.6.1952 (uv.). Der Kommentar bezog sich auch auf «Verse für Rheila».
4 Hans-Georg Brenner (1903–1961), deutscher Schriftsteller und Übersetzer. 1952 Chefredaktor der Zeitschrift DL.
5 Das am 10.2.1951 im Schauspielhaus Zürich uraufgeführte Stück *Graf Öderland* war bei Publikum und Kritik sehr umstritten und wurde bald wieder abgesetzt. In einer öffentlichen Diskussion an der ETH Zürich am 23.2.1951 «rechtfertigte» Max Frisch sein Werk.
6 «Büchertagebuch» – Artikelfolge von Ernst Robert Curtius in der ‹Tat›.
7 Albrecht Schaeffer (1885–1950), deutscher Schriftsteller.
8 EMD hatte AXG vorgeschlagen, bei seinem Besuch bei ihr täglich eine Tasse «speziellen» Pfefferminztee zur Behandlung seiner Gelbsucht zu trinken.
9 Vgl. den von EMD im B vom 25.7.1952 zitierten «Vers» aus Schaeffers Roman *Helianth:* «Liebe vergeht, doch es bleibt, was der Liebende schuf, das Geliebte. / Nichts ist der Mensch, doch das Werk, Götter vollbrachtens durch ihn.»

98 An Rudolf Scharpf

⟨Zürich, 1. 8. 1952 (Poststempel)⟩

⟨Anfang fehlt⟩
An einem ungeheuer blauen Gestade sass ein Trapper aus Südamerika und fischte. Nicht alt und nicht jung, sah er aus, als überlegte er ständig etwas; jedenfalls hielt er hin und wieder Ausguck in einer bestimmten Richtung der Windrose. Das Wasser hatte allerdings einen ungewöhnlichen Horizont. Mit dem Hinträumen übers ligurische Meer hin wäre es Essig gewesen,

denn nach etwa vier, fünf Steinwurflängen verschwand schon alle Sichtbarkeit vom Wellenspiel etc. in blauem Nebel. Nicht, dass es nun dunkler gewesen wäre deswegen –, der Horizont um die Insel war einfach beschränkter, die Sonne kreiste ausserhalb einer blauen Nebelglocke und das Ganze bot den Anblick jener Romantik, die entsteht, wenn die bürgerlichen Ansichten vom Himmel sich decken mit einer anständigen Erbschaft. Und so weiter ... eben, und um die Gelbsucht etwas zu dämpfen, redet man von Blau, das wissen Sie als Maler ja, und um die Anstekkungsgefahr herabzumindern mach' ich's auch noch mit der Doppel-Flinte für Worte, dieweil ich nämlich mit zwei Fingern, Läufen also, schreibe. *Wer, wie ich, der Feder schuld gibt –:* ein Gedichtanfang für Bächler – – im übrigen enthält Ihr gesträubter, das hat man vom Nachwuchs, Brief[1] einige kaum mit Vorteil in irgendeinen Wind zu verschlag-ende. Ende: haben Sie's gelesen? Was soll ich also weiter Tiptrippen? Ich meinte natürlich die Chinesen oder Japsaner ⟨sic!⟩ mit ihren Aguarellelein ⟨sic!⟩ wo nichts als Wellelein drauf sind, – hat sich doch was Paralleles – oder dann mit Ordinate und Abszisse unmöglich zu Verquikkendes im letztlich Schönen-Hofmannsthälerischen-Elektratischen-hinter den Mond-Geworfen-Sein auszubaden? Nicht? Wunder nimmts mich, ob der Jaspers oder der Heiri Degger[2] amigs wissen wo sie herauskommen wenn es abend wird und der Herr uns nicht verlassen soll, von wegen dem Kukuk, (nat. mit ck) will sagen Betr. Beamten[3]. Ich weiss es jedenfalls sowenig wie der oben besagte Trapper und Fallensteller, dem seine Felle den Schüttstein hinunter wuschen so mir nichts dir nichts und den man zum letzten Mal in Asunción gesehen zu haben glaubte sofern das gebrochene Auge nicht trog, will sagen: die Brechung des Blickfeldes nicht betreten vom Unausstehlichen die Perspektive aufs Hundepissoir freigab.

Freunde, nicht diese Töne (welches Astloch hat nur das geflötet) aber man weiss ja nicht, was eventuell und widrigenfalls auch ohne mich gefastet wird vor Jerusalem.

Also Par. II: man hat mich in der ‹Tat› abgesägt, umgehauen, ausgerissen wie das Auge der Kloepatria ⟨sic!⟩ nach der Lektüre des «Hptm. Sack» + Asche. Ohne zu fragen ein persönlich nach Weihnachten gezeigtes Gedicht[4] abgedruckt, tiefer gehängt (beigelegt) als je eines – ich nat. Hörner gesenkt, Angriff – auf den sie ja warteten um den «Hptm. Sack» zu diffamieren. Später näheres. Auch tschau – herzlich allen bes. Ihnen

axg.

1 Vgl. B von RS, ⟨Ende Juli 1952⟩ (uv.): «Mit einer unmöglichen Feder zwar (aus dem Schreibmäppchen meiner älteren Tochter), die sich ständig bocksbeinig ins Papier spiesst und teuflisch dem Strich die Tinte verweigert, provoziere ich diese Zeilen». Der B enthält als Anfang eine Zeichnung mit wellenartigen Linien, worauf AXGs B mehrmals anspielt.
2 Der Philosoph Martin Heidegger.
3 Vermutlich «Betreibungsbeamten».
4 «Morgen in Aussersihl». Siehe Anm. 4 zu Nr. 95, S. 411.

99 Von Erica Maria Dürrenberger
Reigoldswil, den 6. August 1952

Lieber Freund, verzeihen Sie die Schreibmaschine und die Eile, doch möchte ich Ihnen sofort schreiben[1], dass ich mich freue, wenn Sie nächste Woche zu uns kommen. Ein kleines Zimmer mit zwei Betten wird für Sie und Ihre Frau bereit stehen. Es trifft sich gerade gut so, denn unser Pariser Besuch wird Ende dieser Woche, d. h. Sonntag, heimfahren. Probieren Sie, die Dummheit der Welt etwas zu vergessen, mit Ihren eigenen Worten könnte ich Ihnen sagen, dass man nur für Wenige schreibt und von Einzelnen verstanden werden kann.

Es stimmt mich glücklich, dass Sie mit meinen Sonetten etwas anfangen können. Die mit Bleistift bezeichneten sind von Dr. Rychner ausgewählt worden. Zählen Sie ihn trotzdem zu

Ihren Freunden; ich weiss, dass er Sie schätzt. Ihre (gibt es eine Mehrzahl von Zorn? vielleicht Zornen, das reimt auf Dornen) Ihr jetziger Zorn entspringt z.T. Ihrer Krankheit, nicht vergebens spricht man von «Gelb ärgern». Sie sind nun aus dem Tiefpunkt heraus, körperlich, dafür hinkt die Seele hintendrein. Ich kenne das von sämtlichen Gelbsuchtpatienten.

Die Krankenkasse wir Ihnen sicher das Krankengeld bezahlen, wenn Sie sagen, dass Sie hier unter Kontrolle sein werden. Aber keine Angst mein Mann ist kein ärztlicher Tyrann. Sie werden sich gut mit ihm und meinem Sohn[2] verstehen. Er freut sich ebenfalls auf den Besuch; am wunderfitzigsten sind natürlich die Mädchen[3]. Ja bitte, berichten Sie, wann Sie in Rheinfelden sein werden, Chrys wird Sie dort abholen, das wird Ihnen am ringsten gehen, ohne Umsteigen.

Nun Schluss, ich erwarte für heut noch weiteren Besuch. Wenigstens hats draussen abgekühlt.

Das Gedicht[4] ist schön und ganz anders als alle! Innig dankt Ihnen

Ihre E.M.D.
Herzlich an Ihre Frau!

P.S. Merkwürdig, gerade gestern sprach ich mit einer meiner Töchter von Weinheber[5]. Da kam Ihr Ausschnitt. Telepathie?

1 EMD bezieht sich auf einen B vom 5.8.1952, der verloren ist.
2 Christoph («Chrys») Dürrenberger.
3 Salome und Eva Dürrenberger.
4 «Pappel» in: GW I, S. 353.
5 Josef Weinheber (1892–1945), österr. Schriftsteller.

100 An Erica Maria Dürrenberger

Zürich, am 10. Aug. 52

Liebe Freundin –,
endlich, es wird! Morgen geh' ich zum Arzt, ein Zeugnis verlangen für die Taggeldkasse, und am *Dienstag-Nachmittag* bin ich 16^{28} h in Rheinfelden!
Hingegen: meine Frau wird nicht dabei sein. (Es war mir immer, ich hätte das ihnen schon gesagt –) Sie hat noch allerhand zu erledigen, bevor sie in etwa 14 Tagen nach Deutschland fährt um die Kinder, bei Scharpf, zurückzuholen. Geplant war zuerst, dass wir gemeinsam gingen, und ich meine Ferien dort verbrächte –, aber nun werden diese Ferien wohl erst Ende September stattfinden und wahrscheinlich hübsch zuhause. Es waren übrigens so viel Pläne im Frühjahr noch –, die, jedweder für sich, auf tragische Art ums Leben kamen.
Ich habe mich sehr gefreut über Ihren Maschinenbrief und weiss die Freundlichkeit sehr zu schätzen, dass Chrys mich schon in Rheinfelden abholen will! Meine «Zörner» reagierte ich in einem hübschen Aufsätzchen ab: «Betrifft: Pfahlburg»[1]. Sonst aber, glaube ich wohl eher jetzt etwas «sachlicher», wenn auch unbedingter, eigentlich: aufrichtiger, zu sehen.
Dass die «Pappel» Ihnen gefiele, mochte ich freilich nicht voraussehen –, es war mir nachher nicht ganz wohl dabei – und sie hat tatsächlich noch Änderungen erfahren.
Diesmal also auf das sichere Wiedersehen![2] – und meine herzlichen Grüsse an Alle,

Ihr
A. X. Gwerder

⟨Am Rand:⟩
«Denken ist handeln.»
«*Was* dein Herz für gross hält, ist gross.»
R. W. Emerson

«Der Mensch ist nicht einsam,
aber denken ist einsam.»
G. Benn

1 In: GW II, S. 144–147.
2 Ende November 1951 hatte AXG den geplanten Besuch bei EMD unter dem Vorwand des Geldmangels abgesagt.

101 An Rudolf Scharpf

⟨Zürich, 10. 9. 1952 (Poststempel)⟩

Mein lieber Scharpf –, haben Sie herzlichen Dank für die ausführliche Epistel[1] – ach, so: wir sagen uns ja Du – natürlich, also: Salü! Trotzdem auch sei sehr bedankt für die Legende. Leider, leider bin ich nicht mehr lange im Genusse dieses Blattes, denn – hört ihr Leut' und lasst euch sagen: Ich sehe voraus, dass ich für euch genügend Abstand zum Psychiater aufweise – und fahre deshalb fort: Am nächsten Samstag künde ich meine feste Stelle auf 14 Tage. Löse mein Verhältnis mit dem Lithographenbund usw.

Um vom Militär Dispens für ein halbes Jahr zu erwirken (Dauerurlaub ginge jetzt zu kompliziert!) gab ich an, ich müsste eine Stelle, eine grosse Chance!, bei Dir, als Sekretär, antreten – und zwar spätestens am 27. Sept., da Du nachher auf eine grosse Reise gingest und ich dabei nötig sei. Sieh mal, wie ich avanciert bin. Schick mir zur Sicherheit noch eine unbedingte Aufforderung, per Sie natürlich, am obigen Tag zu erscheinen. Lass die Löwen los, wirf Dich in die Brust und blühe mir, zuhanden der Bureaukraten, einen Blust vor! Gesuch ging zwar schon ab, aber doppelt genäht etc. –

Im übrigen ist es mir eisern ernst: ich komme, sobald die Fristen abgelaufen. Pass ist bereits gekauft. Gert hat plötzlich Mut, sogar hier zu bleiben bis alle Steuern bezahlt sind und sie

nachziehen kann. Immerhin und zu meiner Schande und so, sei
es gestanden, dass ich die Absicht hatte mit Morphium zu verduften – Psst! (Salome) – und das hätte das Programm um einiges
verändert.

Ich möchte aber nicht Euere Pläne durchkreuzen bei dieser
ganzen Sache: legt einfach den Schlüssel unter den Teppich links
vom Eingang ins Palais. Der Rest: Wasser + Brot, wird wohl wo
zu graben sein. Ich bitte also in aller Form um Asyl: die dicken
Havannas und die Autoschnauzen verfolgen mich. Habe 20 neue
«Rote Lieder aus der brandschwarzen Stadt»[2] – lege «Moonlight»[3] bei. In debiler Ehrfurcht und mit Morphium im Rücken
grüsse ich Euch vorläufig auf Distanz und verbleibe – halt! –
schreibt rasch, rasch: ich explodiere, herzlich, herzlich,

Euer ix

1 Der B ist verloren.
2 Vermutlich die 19 Gedichte umfassende Slg. TRLb. Siehe TStF und
dazu Anm. in: GW I, S. 117–159; III, S. 231–239.
3 «Mondlied» in TStF. Siehe GW I, S. 148.

102 An Willy Hug, Hug & Söhne

Zürich, am 12. Sept. 1952

Sehr geehrter Herr Hug –,
ich habe mich entschlossen, meine Stelle in Ihrer Firma als Offsetkopist, auf den 27. ds. zu kündigen. Grund: Aufgabe des Berufes. Es tut mir leid, dass ich Ihnen diesen Entschluss nicht
schon viel früher habe mitteilen können –, aber ich zähle auf Ihr,
vielleicht sehr nachträgliches, Verstehen!

Mit vorzüglicher Hochachtung
und freundlichem Gruss:
A. X. Gwerder

103 An Heinz Winfried Sabais

⟨Zürich, ca. 12. September 1952⟩

Mein lieber H. W. Sabais –,
Hier haben Sie das wenige, das ich hinterlassen kann.¹ Fragen Sie nicht, weshalb ich ging. Ich habe ganz einfach schrecklich genug! Ich schicke das Ihnen, weil Sie ein gleichaltriger Dichter sind, dem ich vertraue –; Sie werden bestehen lassen, was wert ist bestehen zu bleiben. Wollen Sie Krolow von mir grüssen – ich habe ihn gern gehabt – auch Benn, den grössten! Ich bin sehr glücklich – ich liebe!

Leben Sie wohl, Ihr A. X. Gwerder

Rudolf Scharpf ist mein Freund! K. F. Ertel habe Dank für alles!
In der Schweiz habe ich nichts zu bestellen.

1 Die Gedichtslg. TStF. Gemäss Auskunft TFs lag das T dieser Slg. auf dem Schreibtisch AXGs, versehen mit der Notiz, es an HWS zu senden. Vermutlich habe sie das T und den Begleitbrief HWS jedoch erst 1953 persönlich ausgehändigt. Siehe auch Anm. 2 zu Nr. 101, S. 422.

104 Vom Eidgenössischen Militärdepartement, Abteilung für Artillerie

Bern, 13. 9. 52

An Tf. *Gwerder* Xaver¹
Gestützt auf das eingesandte Arzt-Zeugnis dispensieren wir Sie vom WK 1952. Sie haben dieses Jahr die Inspektion zu bestehen und die Militärsteuer zu zahlen.

Eidg. Militärdepartement
Abteilung für Artillerie

1 Da AXG am 12.9.1952 nach Arles abgereist war und dort Selbstmord verübte, hatte ihn dieses Schreiben nicht mehr erreicht.

Verwendete Abkürzungen und Siglen in den Anmerkungen

Anm.	Anmerkung
AXG	Alexander Xaver Gwerder
B	Brief
BE	Blauer Eisenhut. Gedichte. Zürich: Magnus-Verlag 1951
DB	Die Begegnung. ⟨Drei Gedichte⟩. – Landau: K. F. Ertel ⟨1951⟩ (= signaturen. blätter für grafik und dichtung, 2. Jg., 4. Folge)
DL	Die Literatur. Blätter für Literatur, Film, Funk und Bühne. – Stuttgart: Deutsche Verlags-Anstalt
EJ	Erwin Jaeckle
EMD	Erica Maria Dürrenberger
F	Fassung
GW	Gesammelte Werke und Ausgewählte Briefe
H	Herausgeber
HAG	«Handgeschriebenes Album» (1950–1952) von Alexander Xaver Gwerder
Hg.	Herausgegeben
Ho	Hortulus. Vierteljahresschrift für neue Dichtung (ab 1957: Illustrierte Zweimonatsschrift für neue Dichtung). – St. Gallen: Tschudy-Verlag
HRH	Hans Rudolf Hilty
HWS	Heinz Winfried Sabais
KFE	Kurt Friedrich Ertel
KK	Karl Krolow
M	Manuskript
MGuG I	Manuskript «Gravuren und Gladiolen. Eine kontrapunktische Sammlung», Heft I, 17.11.–30.11.1951
MGuG III	Manuskript «Gravuren und Gladiolen …», ⟨Heft III, 6.1.–1.2.1952⟩
Mo	Monologe. Vier Gedichte nach der Handschrift. – ⟨Zürich/Altleiningen: Privatdruck 1951⟩
MR	Max Rychner
NLW	Neue Literarische Welt. – Darmstadt: Montana-Verlag
NSR	Neue Schweizer Rundschau. – Zürich: Fretz & Wasmuth
OS	Oda Schaefer
RS	Rudolf Scharpf
Slg.	Sammlung
T	Typoskript

TAIL	Typoskript «Aus der Innung des engen Lebens. Gedichte» (1943–1949)
Tat	Die Tat. Schweizerische unabhängige Tageszeitung (Zürich)
TF	Trudy Federli
TKV	Typoskript «Kleine Verklärung. 27 Sonette» (1949)
TLüD	Typoskript «Land über Dächer. Neue Gedichte» (1950–1952)
TMa	Typoskript «Maschenriss. Gespräch am Caféhaustisch» (1952)
TRLb	Typoskript «Die roten Lieder aus der brandschwarzen Stadt», Variante b (1952)
TStF	Typoskript «Strom. Gedichte und Die roten Lieder aus der brandschwarzen Stadt» (1951/1952); im Besitz von Dieter Fringeli
TZGgM	Typoskript «Zwei Gesänge gegen die Masse» (1949)
uv.	unveröffentlicht
VGL	Veröffentlichte Gedichte zu Lebzeiten

Zur Edition

Der früheste erhaltene Brief von Alexander Xaver Gwerder (= AXG) zu seinem Werk stammt von Anfang 1949, als er seine erste Gedichtsammlung vergeblich einem Verlag anbietet, während der letzte kurz vor seinem Tod im Jahr 1952 geschrieben wurde. Den Hauptteil der brieflichen Hinterlassenschaft bilden die Briefwechsel mit Erica Maria Dürrenberger, Kurt Friedrich Ertel, Erwin Jaeckle, Karl Krolow, Max Rychner, Oda Schaefer und Rudolf Scharpf. Von den im Inland lebenden Briefpartnerinnen und -partnern hat AXG alle, von den im Ausland lebenden hat er einzig Ertel und Scharpf persönlich kennengelernt.

Die umfangreichsten Briefwechsel sind diejenigen mit Dürrenberger, Ertel, Jaeckle und Scharpf, die zwischen 50 bis 70 Schreiben umfassen. Die meisten Briefe des Autors wie auch die Gegenbriefe sind als Originale erhalten. Die Schreiben an Krolow – aus dem Jahr 1951 sind einige, von 1952 alle verloren (total: ca. 20) – und an das Eidgenössische Militärdepartement liegen jedoch, mit Ausnahme eines Originalbriefes an Krolow, nur in Form von Durchschlägen vor. Die Briefe an Ertel, Jaeckle, Krolow und Schaefer sind durchwegs mit der Maschine, diejenigen an Dürrenberger, Rychner und Scharpf hingegen fast alle von Hand geschrieben.

Aus dem Korpus von gegen 200 Briefen aus der Zeit von 1949 bis 1952 wurde beinahe die Hälfte in diese Ausgabe aufgenommen. Kriterium war ihre literarische, biographische und werkgeschichtliche Bedeutung. Sie beginnt mit einem Brief an den Chefredaktor der Zeitung ‹Die Tat›, Erwin Jaeckle, im Jahr 1949. AXG versucht damit in der literarischen Öffentlichkeit auf sich aufmerksam zu machen. Zugleich stellt das Schreiben den Anfang des ersten Briefwechsels dar, dem weitere mit den obenerwähnten Personen folgen werden. Diese Briefwechsel stehen im Zentrum dieser Ausgabe; sie werden jedoch nicht als geschlossene Einheiten präsentiert.

Die Briefe sind chronologisch geordnet. Diese Gliederung soll AXGs Vita sichtbar machen, zumal manche seiner Briefe unmittelbare biographische Informationen im Gegensatz zu seinen oft stark verdichteten, manchmal hermetisch anmutenden Lyrik- und Prosatexten enthalten. Um offensichtliche Wiederholungen zu vermeiden, wird im allgemeinen von mehreren Briefen, die im gleichen Zeitraum entstanden sind, nur das literarisch, biographisch oder werkgeschichtlich aufschlussreichste Schreiben ausgewählt. Bei aussergewöhnlichen Ereignissen wie zum Beispiel bei der Publikation von *Blauer Eisenhut*, der einzigen Buchveröffentlichung zu Lebzeiten, kann jedoch die Präsentation von mehreren fast zur selben Zeit entstandenen Briefen Werkgeschichte und Biographie wesentlich erhellen.

Um die Partnerinnen und Partner der Briefwechsel zu charakterisieren, wurde mindestens auch ein Brief derselben an den Autor aufgenommen, in der Regel der erste an ihn gerichtete. Weitere Gegenbriefe wurden eingefügt, wenn sie für das Verständnis eines bestimmten Schreibens AXGs wichtig sind oder Aufschlussreiches über sein Leben und Werk mitzuteilen haben. Über die Adressaten der Briefe informiert das «Verzeichnis der Briefpartnerinnen und -partner», über die Besitzerinnen und Besitzer das «Standortverzeichnis».

Abgesehen von Zitaten in einigen Publikationen und Aufsätzen über den Autor sind die Briefe als Ganzes unveröffentlicht.

Die Schreiben AXGs und die Gegenbriefe sind wortgetreu und ungekürzt wiedergegeben. Unterstrichene, gesperrt und mit Grossbuchstaben geschriebene Wörter und Sätze werden *kursiv* hervorgehoben. Offenkundige Verschreibungen und Flüchtigkeiten wurden stillschweigend berichtigt. Die eigenwillige Interpunktion wurde in den meisten Fällen jedoch belassen. Falsch geschriebene Namen werden nicht korrigiert, jedoch in den Anmerkungen berichtigt. Randbemerkungen werden am Schluss eines Briefes mitgeteilt. Auf Zeichnungen in den Vorlagen wird in der Regel nicht hingewiesen.

Nach der Unterschrift aufgeführte oder auf separaten Blättern vorliegende Gedichte werden aus Platzgründen nicht berücksichtigt. Die in den Durchschlägen der Briefe an Krolow und an das Eidgenössische Militärdepartement fehlende Unterschrift des Autors wird mit ‹Alexander Xaver Gwerder› zwischen spitzen Klammern ⟨ ⟩ wiedergegeben. Im weitern werden folgende Zeichen verwendet: ⟨?⟩ nach einem schlecht lesbaren Wort; ⟨sic!⟩ nach einem eigenwillig geschriebenen Wort, das zu Missverständnissen führen könnte. Alle Zusätze des Herausgebers, seien sie hinzugefügte Daten, Orte und andere Anmerkungen, sind in spitze Klammern ⟨ ⟩ gesetzt.

Die Anmerkungen zu den Briefen sind so knapp wie möglich gehalten. Über die im Kommentar verwendeten Abkürzungen orientiert das separate Verzeichnis. Daten von nicht aufgenommenen Schreiben an AXG, auf die er in seinen Briefen Bezug nimmt, werden nicht erwähnt. Passagen in Briefen des Autors, die auf eine Äusserung in unpublizierten Gegenbriefen anspielen, werden jedoch, wenn möglich mit einem entsprechenden Zitat, erläutert. Bei expliziten Bezugnahmen auf Artikel in der ‹Tat› werden Titel und Erscheinungsdatum angegeben; ausserdem werden die betreffenden Aufsätze durch eine Kurzzusammenfassung und allenfalls ein Zitat kommentiert. Sonstige erwähnte ‹Tat›-Artikel werden in der Regel bibliographisch nicht nachgewiesen.

Nähere biographische Informationen zu den in den Briefen erwähnten Künstlern, Politikern etc. werden nur dann geliefert, wenn diese nicht in allgemein zugänglichen Lexika leicht auffindbar sind. Die vollständigen Namen der in den Anmerkungen nicht kommentierten Personen sind jedoch im «Namenregister» aufgeführt.

Alle Erstdrucke zu Lebzeiten AXGs werden durch den Verweis auf den Ort und das Datum ihrer Publikation ergänzt. Ausserdem wird auf die Band- und Seitenzahl ihres Erscheinens in den *Gesammelten Werken und Ausgewählten Briefen* hingewiesen, was auch für alle anderen erwähnten Texte und Sammlungen des Autors gilt. Dieser Hinweis wird auch zu den Zitaten aus seinen Texten gegeben. Ebenfalls vermerkt ist, wenn ein Text des Autors unveröffentlicht ist.

Erwähnte Bücher von anderen Autorinnen und Autoren werden nur dann bibliographisch nachgewiesen, wenn der Name des Autors nicht genannt wird oder der Titel ungenau oder missverständlich zitiert ist. Zitate aus fremden Texten werden in der Regel nicht aufgeschlüsselt.

Der Herausgeber

Standortverzeichnis

Kursive Nummern bezeichnen Briefe, die nur als Kopien bzw. Durchschläge erhalten sind.

Ertel, Martina, Giessen/BRD:
- An K. F. Ertel 13, 14, 32, 40, 57, 67, 84, 93

Federli, Trudy, Zürich:
- Von Erica Maria Dürrenberger 60, 99
- An und vom Eidgenössischen Militärdepartement *49*, 63, 104
- Von Kurt Friedrich Ertel 12
- An Willy Hug 102
- Von Erwin Jaeckle 2, 8, 27, 35, 41, 61, 75, 96
- An und von Karl Krolow *19*, 20, *21*, *23*, *51*, *53*, 55, 76, 77
- Von Max Rychner 85
- An Heinz Winfried Sabais 103
- An und von Oda Schaefer 9, 10, 11, 15, 17, 18, 25, 28, 38, 43
- An und von Rudolf Scharpf 29, 30, 31, 33, 37, 44, 47, 48, 56, 68, 71, 80, 83, 87, 89, 90, 91, 98, 101
- An Herr Walther *86*

Fringeli, Dieter, Nunningen:
- An E. M. Dürrenberger 46, 52, 54, 58, 64, 65, 66, 69, 79, 92, 94, 97, 100

Schiller-Nationalmuseum/Deutsches Literaturarchiv, Handschriftenabteilung, Marbach am Neckar/BRD:
- An Gottfried Benn 36
- An Ernst Jünger 73

Schweizerisches Literaturarchiv (Nachlass Erwin Jaeckle), Bern:
- An E. Jaeckle 1, 3, 4, 5, 6, 7, 16, 24, 26, 34, 39, 42, 45, 50, 59, 62, 70, 74, 78, 81, 82, 88, 95
- An M. Rychner 22, 72

Verlag und Herausgeber danken obenerwähnten Besitzerinnen und Besitzern sowie folgenden Personen für die Zustimmung zur Publikation der Briefe:
- Eberhard Horst, Gröbenzell/BRD (O. Schaefer)
- Willy Hug, Zürich
- Eva Jenny-Dürrenberger, Gelterkinden (E. M. Dürrenberger)
- Karl Krolow, Darmstadt/BRD
- Claudia Mertz-Rychner, Frankfurt am Main/BRD (M. Rychner)
- Inge Sabais, Darmstadt/BRD (H. W. Sabais)
- Rudolf Scharpf, Noaillan/Frankreich.

Verzeichnis der Briefpartnerinnen und -partner

Gottfried Benn (1896–1956), deutscher Lyriker, Erzähler und Essayist; Arzt.

Erica Maria Dürrenberger (1908–1986), Schweizer Lyrikerin.

Kurt Friedrich Ertel (1919–1976), deutscher Kunsthistoriker. Herausgeber der Zeitschrift ‹signaturen›; Leiter der «Kasimir-Hagen-Sammlung» in Bonn; Kulturreferent und Mitverwalter des Museums der Stadt Giessen.

Willy Hug (geb. 1917), Leiter der Druckerei Hug & Söhne in Zürich und somit Arbeitgeber Alexander Xaver Gwerders; Maler.

Erwin Jaeckle (1909–1997), Schweizer Journalist, Schriftsteller und Politiker; 1943–1971 Chefredaktor und bis 1977 Leiter der Kulturbeilage der ‹Tat›.

Ernst Jünger (1895–1998), deutscher Erzähler und Essayist.

Karl Kobelt (1891–1968), Bundesrat von 1940–1954; Chef des Eidgenössischen Militärdepartementes.

Karl Krolow (geb. 1915), deutscher Lyriker, Erzähler, Essayist und Übersetzer.

Max Rychner (1897–1965), Schweizer Literaturkritiker, Journalist und Schriftsteller; seit 1939 Chefredaktor der ‹Tat›, ab 1943 Feuilletonchef.

Heinz Winfried Sabais (1922–1981), deutscher Lyriker und Essayist. Redaktor der ‹Neuen Literarischen Welt›, der Zeitschrift der «Deutschen Akademie für Sprache und Dichtung» in Darmstadt; Kulturreferent, Stadtrat und Oberbürgermeister der Stadt Darmstadt.

Oda Schaefer (1900–1988), deutsche Lyrikerin, Erzählerin und Feuilletonistin.

Rudolf Scharpf (geb. 1919), deutscher Maler und Graphiker.

Walther, Herr. Keine weiteren Angaben ermittelt.

Namenregister

Verzeichnis der in Briefen, Anmerkungen und im Verzeichnis der Briefpartnerinnen und -partner erwähnten Personen, Verlage, Zeitungen und Zeitschriften; die letzten drei *kursiv* wiedergegeben.

Adenauer, Konrad 293
Adorno, Theodor W. 286
Altepost, Hildebrand 249, 251, 255
Appel, Paul 229ff., 249
Assisi, Franz von 353
Aubert, G. 373

Bach, Johann Sebastian 236, 312, 339
Bächler, Wolfgang 261, 276, 278, 280f., 288f., 291, 303, 356, 388, 390, 402, 405, 417
Bänninger, Otto Charles 409, 411
Baudelaire, Charles 241, 250, 315, 363, 378, 399, 403, 410
Beck, Enrique 407
Beethoven, Ludwig van 297, 314
Benn, Gottfried 221, 224f., 230, 261, 273f., 278f., 281f., 285, 287, 289, 291, 303, 315, 354, 356, 371, 380, 394ff., 400, 402, 405, 411, 414, 421, 423, 432
Bergengruen, Werner 255f.
Bertram, Ernst 282
Biberti, Leopold 407f.
Borchert, Wolfgang 259
Bosch, Hieronymus 348
Brecht, Bertolt 412
Brenner, Hans Georg 414, 416
Bretscher, Willy 391, 393
Burckhardt, Carl Jacob 340

Carossa, Hans 224, 230, 249, 282, 340, 349

Castiglia-Dürrenberger, Jacqueline 318, 350, 382, 408, 416, 420
Cézanne, Paul 321, 323
Chopin, Frédérique 224, 315
Classen, Werner (Verlag) 241
Corbière, Tristan 250
Coulin, Jules 389f.
Curtius, Ernst Robert 415f.

Dahm, Helen 350, 352
Dante Alighieri 381
Debussy, Claude 359
Deutsche Rundschau 391, 407
Deutsche Verlags-Anstalt 310f., 319, 323, 385, 388
Dschuang Dsi 333, 335, 396
du 348
Ducic, Jovan 218f.
Dürrenberger, Andrea → Polzer-Dürrenberger, Andrea
Dürrenberger, Christoph 318, 338, 340, 350, 382, 408, 416, 419f.
Dürrenberger, Erica Maria 222f., 294f., 301, 304, 309, 312, 318, 325, 335, 337, 345, 352ff., 356, 360, 362, 380, 402, 404, 406, 408, 412, 416, 418–421, 432
Dürrenberger, Eva → Jenny-Dürrenberger, Eva
Dürrenberger, Jacqueline → Castiglia-Dürrenberger, Jacqueline
Dürrenberger, Robert 308f., 318, 334, 338f., 350, 370, 382, 408, 416, 419f.

Dürrenberger, Salome 318, 350, 360f., 365, 370, 382, 408, 416, 419f., 422
Duttweiler, Gottlieb 214f.

Ehrismann, Albert 414, 416
Eich, Günter 221, 224
Eichenberger, Max 214f., 350ff.
Ellermann, Heinrich (Verlag) 250
Eliot, Thomas Stearns 311, 319, 403f.
Emerson, Ralph Waldo 230, 239, 355, 420
Ernst, Fritz 302, 304
Ertel, Kurt Friedrich 225f., 228, 231, 233, 235, 239–243, 249, 251f., 255, 265ff., 269, 275, 281f., 285, 289, 297, 301, 316, 321ff., 331, 356, 360, 369, 374, 383, 388, 390, 397ff., 402–405, 414, 423, 432
Ertel, Martina 226
Escher, Josef 262f.

Federli, Trudy 222, 225, 240, 259, 275, 298, 306, 308, 318, 322, 325, 330, 335, 338, 352, 358f., 361, 370, 373, 378, 386, 395, 401, 418–421, 423
Fehse, Willi 356f.
Forster, Cornelia 249, 251, 255, 282, 286, 314
Fretz, Max 298f., 335, 337
Friedrich, Hans Eberhard 278, 281, 285
Frisch, Max 253, 328, 414, 416

Gallup, G.H. 283
Gan, Peter 340
García Lorca, Federico 356, 403, 406f.

Gauguin, Paul 258, 314
Generalanzeiger und Pfälzer Abendzeitung 268, 286
Giedion-Welcker, Carola 304
Ginsberg, Ernst 415
Goethe, Johann Wolfgang 271, 275, 310, 316, 326, 328, 335, 340, 343, 349, 381
Gogh, Vincent van 224, 232, 267, 273, 314, 335, 349, 405
Greene, Graham 357
Guérin, Maurice de 230f.
Gwerder, Alexander Xaver
– Blauer Eisenhut. Gedichte 251, 279, 281f., 294, 297, 304, 311, 318, 323ff., 330, 335, 337, 357, 369, 372–377, 383ff., 388, 401f., 405, 411, 415
– Die Begegnung 228f., 233ff., 237, 239, 241f., 249, 252, 265f., 268f., 275, 279, 281f., 286, 290, 294f., 300ff., 324, 356f., 360, 388
– Manuskript «Gravuren und Gladiolen. Eine kontrapunktische Sammlung» 371, 384
– Monologe. Vier Gedichte nach der Handschrift 228, 231, 268, 270, 289ff., 297f., 321, 323, 346, 349
– Typoskript «Aus der Innung des engen Lebens. Gedichte» 207ff., 258
– Typoskript «Die roten Lieder aus der brandschwarzen Stadt» 422
– Typoskript «Kleine Verklärung. 27 Sonette» 258, 261
– Typoskript «Land über Dächer. Neue Gedichte» 228, 282, 298, 337, 353, 366, 369, 371,

374, 380, 383f., 386, 394, 405, 411
- Typoskript «Maschenriss. Gespräch am Caféhaustisch» 384, 400, 402–405
- Typoskript «Mosaik aus Sehnsucht» 258
- Typoskript «Sprüche» 213, 215
- Typoskript «Strom. Gedichte und Die roten Lieder aus der brandschwarzen Stadt» 228, 422f.
- Typoskript «Zwei Gesänge gegen die Masse» 207ff., 212, 258
Gwerder, Heidi → Gwerder Kürsteiner, Heidi
Gwerder, Johannes 303f.
Gwerder, Josef Xaver 335, 337, 349, 383
Gwerder, Trudy → Federli, Trudy
Gwerder, Urban 218f., 222, 233, 240, 275, 298, 330, 338, 408, 420
Gwerder Kürsteiner, Heidi 218f., 222, 240, 275, 298, 338, 408, 420

Haecker, Theodor 224
Häny, Arthur 215
Haeser, Hans 406, 408
Hamsun, Knut 211f.
Hardy, Thomas 362
Hasenfratz, Herr 345
Heidegger, Martin 417f.
Helwig, Werner 257, 261, 286
Herzog, Curt 277
Hesse, Hermann 230, 249, 328
Heym, Georg 221, 224, 230, 415
Hilfiker, Hans 207f.
Hiltbrunner, Hermann 328, 335
Hilty, Hans Rudolf 357

Hölderlin, Friedrich 243, 380, 409
Hofmannsthal, Hugo von 328, 340, 417
Holthusen, Hans Egon 211, 224, 230, 237, 253
Hortulus 357, 385f., 388
Hug, Willy 227f, 229, 231, 251, 265, 351, 422, 432

Insel Verlag 244

Jaeckle, Annebeth 294, 380, 384, 395
Jaeckle, Erwin 207–210, 212–216, 219, 235, 237, 244, 247, 251–254, 258, 261ff., 270, 272, 280, 283f., 290f., 294, 299, 301, 322, 335, 340f., 351, 366, 368, 373, 375, 377f., 384f., 394, 409, 411, 414, 432
Jahn, Friedrich Ludwig 387
Jaspers, Karl 417
Jenny-Dürrenberger, Eva 318, 350, 382, 408, 416, 419f.
Jünger, Ernst 309, 311, 319, 359, 372f., 432
Jünger, Friedrich Georg 359
Julius, Liselotte 285
Juszkiewicz, J. 227

Kästner, Erich 243, 282
Kafka, Franz 346, 349, 353
Kassner, Rudolf 260, 362
Kaufman, Enzo 214f.
Kehrli, Hedwig 241
Kerker, Walter 350ff.
Kirchner, Ernst Ludwig 267
Kleopatra, K. VII. Philopator 418
Knappertsbusch, Hans 277
Kobelt, Karl 209, 298, 337, 342, 432

Kollwitz, Käthe 255
Krämer-Badoni, Rudolf 356f.
Kröner-Verlag 318, 333
Krolow, Karl 238, 240, 242f., 248, 254, 260, 276, 278, 281, 301, 309, 318, 323, 353, 357, 374ff., 378f., 383, 388, 395, 414, 416, 423, 432
Küchler, Walther 241, 249
Kull-Soffner, Asta 316

Lange, Horst 220, 224, 259, 316
Lao-tse 314
Larbaud, Valery 357
Lasker-Schüler, Else 314, 415
Lauterburg, Martin 316, 318, 352, 360
Leconte de Lisle, Charles Marie 214, 253
Le Corbusier (eigtl. Charles-Edouard Jeanneret) 342
Lehár, Franz 358
Lionardo → Vinci, Leonardo da
Literarische Deutschland, Das 260f., 274, 278, 281, 356
Literatur, Die 280, 385, 404f., 416
Lockridge, Ross 234
Lurçat, Jean 314, 318
Luther, Martin 216

Magnus-Verlag 272, 282, 285, 388, 415
Majakowski, Wladimir 267f.
Mallarmé, Stéphane 250, 380
Mann, Heinrich 311, 313
Mann, Thomas 253, 260, 313, 340
May, Karl 401
Meier, Walther 288, 303, 322, 351, 385, 415
Merkur 260, 385
Meyer, Conrad Ferdinand 237, 303

Meyerhofer, Herr 214
Mörike, Eduard 229, 303, 340
Mösch, Heinz 298f., 344
Mombert, Alfred 230
Mondia-Verlag 214
Montaigne, Michel de 295
Mozart, Wolfgang Amadeus 224
Müller, Felix 411
Müller, Georg (Verlag) 410
Müller, Otto (Verlag) 239
Müller, Rolf 268, 281, 286
Muralt, Alexander von 262
Musset, Alfred de 249

Neue Literarische Welt 386, 389f., 400, 405
Neue Schweizer Rundschau 213, 215, 285, 288, 351, 359, 385, 407
Neue Zeitung, Die 276, 278, 280, 282, 285, 375f.
Neue Zürcher Zeitung 391, 393
Nietzsche, Friedrich 281, 296, 298, 304, 308, 310, 314f., 323, 327, 333, 340, 346f., 353, 379, 398, 403

Oberlin, Urs 236f.
Orwell, George 221

Pankok, Otto 297f., 314
Pannwitz, Rudolf 283f.
Paul, Les 402
Pechel, Jürgen 391f.
Petrovic, Veljko 218f.
Pfalz und Pfälzer 384, 389, 397, 399, 404
Platon 253f., 260, 263, 291, 295, 311
Poe, Edgar Allan 352

Polzer-Dürrenberger, Andrea 318, 350, 382, 408, 416, 420
Priestley, John Boynton 259
Purrmann, Hans 231

Quincey, Thomas de 366

Ramuz, Charles Ferdinand 230
Rauch, Karl (Verlag) 302
Read, Herbert 218
Reader's Digest 297
Rilke, Rainer Maria 209, 211, 224, 230f., 233, 236, 239, 267, 290, 306, 340, 363, 371, 377, 415
Rimbaud, Arthur 224, 241, 249f., 253, 291, 295, 314, 372
Ringelnatz, Joachim 413
Ringier-Verlag 251f.
Rodin, Auguste 211, 372
Rohn, Günther 268
Rolland, Romain 235, 239, 248, 363
Romains, Jules 357
Romanovsky, Richard 214
Rothenhäusler, Paul 395
Rothenhäusler-Verlag 395
Rougemont, Denis de 271, 280, 286
Rowohlt Verlag 407
Rychner, Max 209, 211, 213, 230, 236f., 244, 246, 248, 258, 280, 285f., 290, 307, 313, 319, 322, 340, 343, 350ff., 371, 374, 376–379, 386, 390, 395, 409, 415, 418, 432

Saalfeld, Martha 229ff., 244, 282, 286, 313f.
Sabais, Heinz Winfried 388, 390, 405, 423, 432
Sappeur, Hans 214f.

Sappho 243, 254
Sartre, Jean-Paul 259
Savonarola, Girolamo 277
Schaefer, Oda 210, 219f., 222, 225ff., 230, 232, 235, 237, 240–243, 250, 252, 261, 263, 268, 276, 281, 285f., 288, 316, 357, 432
Schaeffer, Albrecht 415f.
Scharpf, Charlotte 276, 290f., 296, 298, 321f., 370, 384, 398, 400f., 405, 407
Scharpf, Clarissa 275f., 290, 296, 298, 322, 370, 384, 398, 400f.
Scharpf, Judith 275f., 290, 296, 298, 322, 370, 384, 398, 400f.
Scharpf, Rudolf 237, 265–269, 274, 276, 288, 291, 295, 297f., 320, 323f., 349, 353, 356, 358, 365, 368, 382, 384, 386, 388f., 393, 396, 398, 400–405, 407, 414, 416, 418, 420f., 423, 432
Scheibelreiter, Ernst 249, 251
Scheidt, Werner vom 230f.
Schifferli, Peter 307, 309, 351
Schiller, Friedrich 211, 328
Schmid, Henri 351f.
Schneider, Lambert (Verlag) 241, 253
Scholl, Albert Arnold 390
Schröder, Rudolf Alexander 381f.
Schumacher, Hans 337
Schwedhelm, Karl 402
Shakespeare, William 275, 381
Sie und Er 252
Sieg, Manfred 217, 307f.
signaturen (Verlag) 369
signaturen (Zeitschrift) 225ff., 229ff., 233, 235, 239, 241f., 249, 252, 265f., 275, 281f., 286,

290, 294f., 297, 300f., 314, 324, 356f., 369, 388
Sigrist, Armin 211ff.
Skulima, Ewalt 278
Sokrates 314, 351
Speer-Verlag 207f.
Spengler, Oswald 294, 371
Staab, Lina 321, 323, 414
Stahl, Hermann 390
Staiger, Emil 322, 351
Steiger, Eduard von 291, 294
Stendhal 381
Stevenson, Robert Louis 214, 218
Stifter, Adalbert 256
Stoll, Ernst 249
Storm, Theodor 381
Strauss, Richard 224
Suhrkamp-Verlag 286
Supervielle, Jules 357

Tat, Die 207–216, 218f., 222–226, 233, 235ff., 241, 243–247, 250ff., 254, 258, 262f., 270, 272, 280, 283f., 286, 291, 294f., 299ff., 304, 316, 319, 335, 340f., 343, 350, 358, 366, 368, 371, 373ff., 377–381, 383ff., 388, 394f., 407, 409ff., 414, 416, 418,
Thoreau, Henry David 230
Trakl, Georg 221, 224, 230, 239, 264, 295, 415
Traven, B. 415
Tschudy-Verlag 356f., 388

Utrillo, Maurice 224
Uxkull, Gösta von 342f.

Valéry, Paul 211f., 217, 224, 230, 235, 237, 241, 244, 260, 263, 285, 288, 291f., 294, 296, 307, 318, 351, 356, 371ff., 376, 378f., 403f.
Verlag der Arche 309
Verlaine, Paul 241f., 314
Vinci, Leonardo da 256, 273, 275, 314
Vogel, Traugott 401f., 406, 409, 411
Volksrecht 255
Voltaire 284
Vring, Georg von der 230, 242, 244

Wagner, Richard 333
Walther, Herr 391, 432
Weber, Werner 322
Weinheber, Josef 419
Weisbach, Werner 405
Weiss, Bruno 330, 338
Whitman, Walt 355
Winkler, Eugen Gottlob 248, 251, 267f., 300ff., 352
Winterthurer Tagblatt 354, 358

Zemp, Werner 343f.
Zollinger, Albin 409, 411
Zweig, Stefan 340